D1065654

Rose

IMPRIME au CANADA

COPYRIGHT © 2009 par
André Mathieu

Dépôt légal :
Bibliothèque nationale du Canada
Bibliothèque nationale du Québec

ISBN 978-2-922512-45-8

André Mathieu

Rose

(série Rose tome 1)

ROMAN

L'Editeur
9-5257, Frontenac
Lac-Mégantic
G6B 1H2

Notes de l'auteur...

1. Quoique fondée sur des personnages réels, la série des *Rose* –en 4 tomes– ne relève ni de la biographie ni du roman biographique. Beaucoup d'événements sont authentiques. Beaucoup d'autres furent inventés. D'autres encore furent importés d'ailleurs, comme les soi-disant apparitions de la Vierge qui auraient eu lieu à Saint-Sylvestre début des années '50.

Le lecteur d'un roman doit se laisser entraîner par l'imagination de l'auteur et non par une vaine recherche de la vérité historique. Par exemple, pour en revenir aux apparitions, je les ai utilisées pour symboliser une autre apparition tout aussi flamboyante : celle de la fée *télévision* qui abreuvera la soif de merveilleux des masses bien plus encore que la Sainte Vierge précédemment.

Donc on doit trouver dans le contenu de la série un mélange de réalité et de fiction concocté depuis les souvenirs d'enfance d'un romancier qui a fait ressurgir en lui le garçon de huit ans qu'il était en 1950. Par conséquent, les dialogues furent écrits par cet enfant d'alors et les textes par l'auteur de maintenant.

2. Cette réédition de la série des *Rose* comprend quelques modifications de noms de personnes en regard des éditions précédentes.

Gustave Martin devient Gustave Poulin.

Rose Poulin retrouve son nom de fille : Rose Martin.

Suzette Bureau devient Lorraine.

Juliette Grégoire devient Solange.

Pierrette Maheux devient Suzanne.

Paulette Bégin devient Pauline.

Elles...

Dans les premières passions,
les femmes aiment l'amant;
et dans les autres, elles aiment
l'amour.

La Rochefoucauld

Chapitre 1

1949, chez les Poulin de Saint-Honoré...

Rose rejeta à côté d'elle un drap jauni puis se glissa en langueur et en lenteur hors du lit, orteils frileux redoutant les planchettes dures qui luisaient comme de la glace vive sous les rayons d'un soleil hivernal.

Elle avait dormi un peu tard ce jour-là comme beaucoup d'autres matins depuis quelque temps. Depuis qu'une grande décision avait fait naître au fond d'elle-même une indécision plus grande encore.

« Quel pays ! » marmonna-t-elle quand la plante de son pied gauche entra en contact avec le plancher froid.

Le pays essuyait son mal-être et devenait le bouc émissaire de ses déceptions et récriminations. Depuis l'enfance, depuis toujours, elle se sentait comme en exil en ce Canada glacial et surtout en ce siècle misérable.

Quel péché d'une vie passée, quelle faute d'un coeur excessif l'avait donc condamnée à entrer dans cette chair à nature féminine et à naître avec un siècle dur dont s'achevait déjà une pleine moitié bien peu reluisante.

Venus de sa mémoire la plus vive, les mots 49 ans s'écrivaient en lettres désolées en pleine façade de sa tristesse amère, à chaque jour, chaque heure, quel que soit le lieu du village où elle se trouvait : l'église voisine, le cimetière d'à côté, le magasin pas bien loin ou parfois, le restaurant qui jouxtait l'hôtel d'en face.

Le pas suivant l'étonna.

L'effet de serre avait agi déjà à l'intérieur, et son pied droit trouva un peu plus confortable la surface de bois verni.

La toile de la fenêtre basse se trouvait à mi-hauteur, signe que son mari l'avait remontée plus tôt vu qu'elle-même, en se couchant, la veille, l'avait descendue jusqu'au bout pour mieux barrer le chemin aux regards indiscrets qui ne manquaient pas le soir dans le voisinage.

Elle rapprocha son pied gauche et se laissa pénétrer un court moment par de la douceur froide, la seule douceur à jamais l'avoir frôlée. Et jamais plus profondément que pour faire sentir à sa braise intérieure que la vie lui refusait le bois requis pour nourrir sa flamme retenue amortie par les travaux, les routines, les diktats et les jours.

Mais quelle femme avait donc mieux ? Quel feu d'âme avait loisir en ce temps-là de brûler plus librement que le sien ? Le mot passion lui-même était si souvent frappé du poing, martelé par le curé sur le rebord de la chaire, qu'il y avait creusé une ornière profonde. « Les passions conduisent tout droit à l'enfer. Dominez vos passions, pour qu'elles ne vous dominent pas et vous détruisent... »

Il tonnait parfois, ce curé monument que l'éminent évêque avait donné à la paroisse voilà plus de quinze ans, un prêtre bon et paternel à qui il suffisait d'obéir pour en obtenir respect et condescendance. Triple obéissance pour Rose Martin : celle de paroissienne devant l'autorité religieuse, celle de femme devant l'autorité masculine, celle de conjointe du sacristain devant les exigences d'un patron ecclésiastique.

Comment savoir ce qui se passait profondément dans l'être des autres femmes ? Elles parlaient si peu de certaines choses. Tout semblait couru d'avance dans leur vie, écrit dans les étoiles, compté, balisé.

Rose avait l'occasion chaque jour de parler à plusieurs de ses concitoyennes, soit du village soit des rangs, selon les caprices de ses itinéraires de représentante Avon.

Derrière toutes les portes, c'était pareil. Des mères de famille totalement dévouées, des épouses tout à fait soumises, des personnes entièrement données au destin, à Dieu et à ses autorités terrestres...

Et personne nulle part qui se pose la moindre question sur sa vie, personne qui jamais n'exprime le plus petit doute sur le mariage et ses obligations. Comme si toutes les misères de ce bas monde eussent été inéluctables !

La femme se gratta le côté droit à travers sa jaquette blanche. Ça lui piquait sur la hanche. Après trois mouvements fermes d'ongles apaisants mais bruyants, elle croisa les bras sur sa poitrine abondante et se rembarra pour un autre moment dans les replis de son coeur sans voir que la porte de la sacristie s'ouvrait et laissait passer son mari qui revenait à la maison pour déjeuner.

C'est une autre direction qui accaparait son regard, celle de la boutique de forge dont la couverture ocreuse et ensellée apparaissait de l'autre côté de la rue en face du magasin général. Un homme taciturne y travaillait. Un personnage distant, fermé, froid. Mais dont le visage et le rare propos s'éclairaient d'exubérance quand il se trouvait en la présence d'une créature bien enveloppée comme elle-même.

Sa femme achevait d'élever leurs dix enfants et, au péril de sa santé déjà à moitié ruinée, elle venait d'ouvrir un magasin de coupons dans son salon. « Cette vie est une vallée de larmes ! » disait-elle souvent à travers ses rires argentés. « Mais toi, Rose, t'as eu rien que trois enfants, et ils sont tous partis de la maison, il te reste rien qu'à jouir de la vie pis d'être heureuse avec ton bon Gustave... »

–Mon bon Gustave !... dit-elle tout haut avec une touche d'ironie dans la voix mince. Du vrai 'mâchemalo' à moitié séché ! Radoteux ! Toujours les mêmes vieux propos usés comme les répons de la messe. Senteux ! Veut tout savoir de ce que j'entends dans mon porte à porte. Débiscaillé, la 'flail' toujours ouverte, et en plus, rien en arrière, rien de mieux qu'une minuscule menterie. Gratteux! Quasiment un séraphin !... Mon bon Gustave, mon bon Gustave ! Pauvre madame Maheux ! Elle est peut-être pas mal mieux avec son homme pas parlant...

Elle l'aperçut, ce mari magané qui venait de son pas défectueux à la quatre-et-trois-font-six, cet homme complimenteur qui parlait de tout à tous, et dont les paroles et la voix sirupeuse lui rappelaient toujours le contenu d'une tarte à la forlouche.

Elle savait d'avance chacun des mots qu'il dirait en entrant. Il se frotterait la ridicule moustache frimassée de ses gros doigts boudinés en susurrant mielleusement : « Ma petite Rose a bon pied bon oeil à matin ! Si j'étais pas déjà marié, je demanderais à te fréquenter. »

Vivre avec pareil personnage, c'était sûrement pire que d'assister à une perpétuelle messe de requiem dans un 'campe' de bois rond au fond de la forêt du roi. Ou plutôt, c'était comme de passer toute son existence dans le fin fond des ravalements d'une maison condamnée.

Elle n'en pouvait plus, et 1949 serait la dernière année de sa vie qu'elle passerait avec lui ou bien serait sa dernière année tout court sur cette terre fade. Quant à elle-même, la décision était prise mais quant aux autres, Rose hésitait encore. Comment le lui dire, à cet homme éteignoir si sûr de la suite de sa vie, de leur vie, comment l'annoncer aux enfants, comment l'avouer au curé, comment ensuite assumer la séparation et continuer de vivre dans une paroisse qui ne comptait aucun couple séparé ?

« Votre bon Gustave », qu'elle disait, la madame Maheux. Au moins il restait du mystère dans son homme à elle. Il lui arrivait, à Rose, de le voir en visitant sa cliente dont elle était aussi cliente. Il quittait sa boutique alors et entrait dans la maison sous un prétexte ou un autre. Et ces yeux rouges de forgeron noir brillaient comme des escarboucles, dégageant des étincelles comme le feu de sa forge animé par le vent grondeur du soufflet. Il parlait fort sur le ton de l'indifférence, mais le regard s'infiltrait en elle, et parfois, au beau coeur de la nuit suivante, il surgissait de sa mémoire pour ravauder dans son imagination et lutiner un court instant sa braise intérieure. Et c'est malaisément qu'elle se rendormait alors en étouffant sa flamme à peine ravivée.

Dans les fleurs de givre et gélivures de la vitre, l'image de Gustave s'embrouilla puis disparut; et l'esprit de la femme se perdit au loin dans les années jeunes. Elle se revoyait à la sortie du théâtre Chanteclerc à Montréal en 1918, après avoir assisté à une pièce pathétique mettant en vedette Juliette Béliveau, la plus grande star des Canadiens français. Que de souvenirs intenses de ce trop court séjour dans la grande ville et que de regrets de n'y avoir pas vécu le reste de sa vie ensuite ! Gustave était monté la chercher pour la marier, et elle l'avait suivi sans trop savoir pourquoi. Peut-être parce que les choses n'auraient pas pu être autrement ? Parce qu'il est normal pour une jeune fille de dix-huit ans d'épouser le jeune veuf dont elle s'est laissé courtiser. Parce que Gustave voulait vivre dans leur coin natal où il se sentait accepté malgré son infirmité consécutive à une attaque de polio, et capable d'y trouver du travail.

Trois enfants étaient nés. Philippe en 1921, Lucien en 1923 et Thérèse en 1925. Puis une nature généreuse à laquelle Rose était reconnaissante avait tari son ventre. Mariés, les gars étaient partis pour la ville et Thérèse habitait dans la rue de l'hôtel avec son homme, un jeune bûcheron.

Une porte s'ouvrit. Gustave entrait dans la salle où le couple avait son logement. Elle entendit sa semelle gauche claquer sur les planches du couloir. Puis la porte de la chambre s'ouvrit dans un bruit de totale réserve et d'inutile politesse, et la voix grasse et chantante se fit entendre:

–Ma petite Rose est levée ? Ouais ? Bon pied bon oeil à matin ? Je peux rentrer d'une coche ?

–Non, tu vas faire plein d'eau dans la chambre. Ôte tes claques pis attends-moi dans la cuisine. Je vas te faire à déjeuner, ça sera pas long.

Quand elle s'exprimait tout haut, Rose ne montrait jamais la plus petite hésitation et se faisait alors femme de commandement. Et cela convenait parfaitement à Gustave, un être faible et sans épine dorsale.

–Tant qu'à faire, ôte tes claques pis viens icitte, je veux te parler...

Même s'il était devenu impotent, Gustave eût aimé s'amuser parfois avec sa femme et il crut un moment que cette demande pouvait constituer un appel.

Le couple faisait lit à part depuis six ans. « Une femme n'est pas tenue au devoir conjugal quand l'homme est devenu impuissant ! » lui avait-elle servi avant de se claquemurer pour de bon dans sa chair inassouvie.

Elle retourna dans son lit, mais s'y installa en position assise, adossée aux oreillers. Il ne fut pas long à entrer.

—Assis-toi comme il faut sur ton lit ! ordonna-t-elle sur son ton habituel qui réconfortait tant son compagnon.

Il obéit et prit place gauchement. Puis ôta ses lunettes dont il entreprit d'assécher les verres embués avec un coin de la taie d'oreiller.

—Vas-tu commencer ton fricot de Noël aujourd'hui ?... Sais-tu que les gars arrivent à soir, eux autres ? demanda-t-il pour meubler le silence de questions nulles.

—Inquiète-toi pas, je sais ce qu'il faut faire pis quand c'est qu'il faut le faire.

—Ah! ça, je sais ça ! Je disais ça pour parler.

—Tout est correct à la sacristie ?

—Ouais! J'ai vu la Esther Létourneau. On dirait qu'elle est plus maigréchine que jamais ! Des fois, je me demande si elle ferait pas de la tuberculose, celle-là, comme la femme à Rosaire Nadeau du rang Grand-Shenley.

Gustave remit ses lunettes, secoua la tête et eut un rire étouffé pour enterrer les mots qui suivirent :

—Je pense que c'est un bon homme qu'il lui faudrait pour la requinquer un peu. Tu penses pas ?

—Un bon homme comme tu dis, ça requinque une femme des fois... à ce qu'il paraît.

Il rit à nouveau et fit mine de se lever.

—Un bon homme comme tu dis, répéta-t-elle, l'air menaçant, excédée du temps qu'il mettait -toujours- à saisir les messages indirects.

Cette fois, il comprit l'allusion et voulut tourner l'échange à la blague :

—Comme dirait Ernest Maheux 'un Canayen fort'... Mais ça, c'est quand il parle de son tabac à pipe...

Rose se regarda les ongles de la main droite, disant sur le ton de la haute réflexion :

–Ouais... ben j'ai décidé quelque chose, moi, y a pas long-temps, quelque chose qui me trottait de par la tête depuis au moins deux ou trois ans...

Il coupa :

–Attends... je le sais... Tu veux demander au curé pour régrandir notre loyer... C'est vrai qu'on manque de place icitte dans la salle paroissiale.

–Laisse-moi parler, Gustave, laisse-moi parler !

–Ben certain !

–J'ai décidé qu'on va se séparer cette année qui vient. Moi, je vas m'en aller vivre avec Thérèse pis toi, ben tu pourras rester icitte tant que tu seras bedeau.

Une longue et lourde pause suivit. Abasourdi, choqué, Gus-tave tâchait de reprendre son souffle, mais semblait ne pas pou-voir y parvenir. Penché par en avant, il hochait la tête comme un condamné à mort, et ses mains nerveuses tombées en bas du lit étaient sporadiquement agitées de légers tremblements comme si sa vieille paralysie venait tout à coup réclamer une part de son profond désarroi.

Rose continuait de faire semblant de donner du soin à ses on-gles, mais sa vision périphérique embrassait l'image pitoyable de son mari désemparé. Peut-être enfin montrerait-il qu'il était tant soit peu nerfé, peut-être qu'une mixture de sentiments entrecho-qués ferait jaillir de lui un bouillon émotionnel même impercepti-ble comme la veine d'eau d'une petite source du fond du bois du curé... Mais rien, non ! L'homme restait quelque part à mi-chemin entre le chien battu, la poule mouillée et le ruminant en état de digestion.

La décision de lui annoncer la nouvelle sans plus hésiter s'était ruée sur elle comme la foudre, à l'entendre claquer de la semelle dans le couloir pour la millionième fois. Un ultime sursaut de doute lui avait fait dire à Gustave d'ôter ses claques et d'aller dans la cuisine attendre qu'elle vienne. Puis avec sa volonté et même par-delà, le glas avait retenti dans sa tête, dans son coeur et dans sa chair, et sans préambule ni explications, elle avait laissé tomber le couperet.

Au cours de la pause, elle s'attendait à le voir brailler, renâcler, ruer dans les brancards, mais il se contenta de dire lentement à mi-voix :

–Comme de raison que tu tomberas jamais sur le secours direct avec tes produits de beauté pis toute ta santé pour faire les portes, bon, mais si tu tombes dans le besoin un jour ou l'autre, tu... tu me le feras savoir. C'est tout' c'est que je te demande. Pis si tu veux qu'on revienne ensemble pour finir nos vieux jours, moi, je vas t'attendre. Je vas t'attendre le restant de ma vie... Ça vaut pas la peine de vivre tout seul comme une vieille picouille finie... là, je parle de moi-même... mais ça vaut la peine d'attendre le temps qu'il faudra... ça, ça vaut la peine... ah! oui, ah! oui... Perdre sa Rose, c'est perdre son souffle...

Finirait-il par taire son misérabilisme à la fin ! Elle trancha net dans son vol bas :

–Bon, ben faut que je me grouille, là, moi... Je vas me faire donner un permanent par la femme à Bébé Poulin avant-midi, parce qu'après-midi, il faut qu'on s'occupe de la guignolée à la salle des Chevaliers de Colomb.

La physionomie de Gustave reflétait ce qui était à se décomposer en son for intérieur. Il offrait à sa Rose son coeur, son aide, au fond son amour, sans comprendre qu'en réalité, il s'agissait là d'une sorte d'investissement, une déclaration apte à susciter une réponse à l'avenant. Mais la femme montrait l'indifférence d'un 'frette' noir malgré les efforts méritoires d'un soleil d'hiver. Il savait que rien ne lui ferait changer d'idée; il savait qu'il était trop tard pour modifier le cours de la rivière, et quelque chose lui soufflait à l'âme que la fin d'un temps arrivait avec cette séparation et ces derniers jours du demi-siècle, il sentait que tout espoir entretenu ne vaudrait jamais mieux pour amenuiser son chagrin qu'une dérisoire poudre de perlimpinpin. Lui parler, ce serait comme de parler au poêle, à un poêle éteint...

Il devait se résigner. Elle n'avait pas besoin de lui. Ses produits Avon assureraient sa subsistance. Et que pouvait-elle faire d'un pauvre 'carapatte' impotent pour la réchauffer la nuit ? Il y aurait quand même rencontre parfois quand les enfants viendraient de la ville... Il tâcherait donc de rafistoler les morceaux de sa misérable existence pour survivre. Car à son âge, il lui restait peut-être vingt, trente ans à passer... à attendre...

Pendant qu'il cherchait à se replacer un peu, Rose descendit du lit et enleva sa jaquette sous laquelle elle ne portait que des bouffants (culottes en coton ouaté) d'un blanc cassé. Elle évita de se montrer de face et enfila vite en se penchant son imposant soutien-gorge ultra-blanc laissé sur une chaise durant la nuit.

–Viens donc me l'attacher dans le dos : j'ai ben de la misère, on dirait que j'ai grossi du buste...

Gustave accourut. Elle dit :

–C'est madame Maheux qui me l'a vendue, pis on dirait que c'est pas les chars, une brassière de même !

L'homme voulut oublier tout ce que la situation avait d'excitant en disant :

–Ouais, ben j'espère qu'on aura pas un corps sur les bras le temps de Noël ! J'ai su par monsieur le vicaire tantôt à la messe que le père Jolicoeur est sur le bord de casser sa pipe. Je sais pas ce qui arrivera à sa bonne femme , tuseule dans une grande maison de même...

L'homme avait du mal à contrôler ses mains. Il tirait de travers sur le tissu élastique et ne parvenait pas à faire se rejoindre ou s'épouser les attaches métalliques. Son coeur battait la chamade. De la salive se formait dans sa bouche. Elle fleurait la lavande et l'amour, cette peau douce que ses doigts frôlaient, et injectait dans toute sa substance des décharges électriques; il lui semblait qu'un bateau bourré de sensations fortes chavirait quelque part dans sa poitrine et coulait à pic.

Jamais il n'avait vu le corps de sa femme sous un jour aussi direct mais en même temps, jamais non plus il ne l'avait vu d'aussi loin. Fruit défendu, chair inaccessible, beauté neuve qui survolte le désir et l'assassine à la fois. Il eût voulu être de ceux à qui on a crevé les yeux, arraché le nez, engourdi les mains.

Enseveli depuis toutes ces années sous bien trop de bonté, d'altruisme, de peur et de doute, le sexe de l'homme répudié prenait du pic, s'érigeait entre ses jambes, se hissait comme la hampe dure d'un drapeau vainqueur. Il avait envie de le faire savoir à sa compagne en se collant le ventre contre son postérieur; elle verrait qu'il n'était pas complètement mort et pourrait reconsidérer sa décision de le quitter.

Il allait le faire quand les attaches enfin s'accrochèrent et que le tissu prit sa place.

Rose se sentait soulagée. Une bonne affaire de faite, se disait-elle. C'était coûteux de parler avant, mais la nouvelle n'avait provoqué aucun tumulte. Gustave était égal à lui-même: il se racotillait dans son coin comme un vieux chien empoigné par la maladie.

–Merci ben !

Et elle fit un pas en avant vers la chaise, pour prendre d'autres vêtements. Incapable de la toucher avec le bas de son corps, Gustave risqua une tape affectueuse sur le postérieur aimé. La femme s'en offensa aussitôt :

–C'est pas le genre de singeries qui va me faire changer d'idée, hein ! Tu ferais mieux d'aller mettre du thé dans le 'tea pot' si tu veux déjeuner à matin...

–Certain, c'est certain...

Un quart d'heure plus tard, le thé chaud et noir jaillissait du long bec crochu de la blanche théière. Assis devant une grande assiettée de gruau fumant, Gustave était toujours bandé comme un jeune étalon.

Mais il craignait qu'il ne soit trop tard pour renseigner Rose sur ses capacités retrouvées. D'autant qu'il pouvait ne s'agir que d'un éphémère sursaut d'une chair endormie pour toujours... Et puis on ne parlait pas de ces choses-là à table en cet an de grâce 1949, sur le parvis de l'année sainte.

Quant à la femme, il lui venait à l'esprit que peut-être elle pourrait aller vivre avec la veuve Jolicoeur pour en prendre soin si tant est que son bonhomme de vieux mari finisse par avaler sa chique.

Ça la mettrait plus indépendante, ça lui ferait un autre revenu et peut-être lui vaudrait un petit morceau d'héritage !

***

Chapitre 2

En sortant de la salle pour se rendre chez la coiffeuse, Rose faillit se heurter à un homme qu'elle avait l'occasion de côtoyer chaque jour puisqu'il était le professeur du village, et que sa classe se trouvait dans la même salle, voisine de la chambre, de l'autre côté du couloir.

Grand, droit, 36 ans, déjà des traces de poivre dans sa chevelure toujours à l'ordre, Laval Beaudoin restait un irréductible célibataire malgré les belles occasions qu'une paroisse de près de deux mille habitants ne manquait pas d'essaimer sur la route des jeunes gens, surtout ceux de bonne apparence et de belle éducation comme lui.

Ils se parlaient presque tous les jours de classe et parfois même le samedi quand le professeur venait corriger des travaux scolaires; mais en conscience, Rose avait toujours senti une vague contrainte à le faire même si Gustave n'y avait jamais trouvé quoi que ce soit à redire. Toutes les libertés ont un mur entourant leur territoire. Voilà que l'annonce faite à Gustave donnait une autre dimension à celle d'échanger avec cet homme de treize ans son cadet, mais qu'elle vouvoyait et appelait monsieur Laval.

Elle lui transmit une nouvelle que Gustave lui avait apprise au déjeuner et que lui-même avait recueillie des lèvres de mademoi-selle Létourneau, une maîtresse d'école du couvent des soeurs.

–Avez-vous su qu'il y a plusieurs cas de picote volante au couvent ?

Il répondit par la négative, d'un simple mouvement de tête. Elle poursuivit de sa voix coupante :

–Paraît que les petits Nadeau avaient la face picotée comme des truites de rivière. C'est Gus qui a rapporté ça. Ah! mais les enfants à Rosaire Nadeau, faut dire qu'ils sont pas d'une race en santé quand on pense à leur pauvre mère qui se meurt à petit feu au sanatorium de Sainte-Germaine...

Laval ne pouvait voir très nettement les formes de Rose puis-que la femme portait un manteau gris plutôt ample, mais il se les rappelait sans peine, la voyant déambuler depuis des années dans le couloir longitudinal de la salle tandis qu'aux récréations, il sur-veillait ses élèves qui circulaient par là pour aller aux toilettes. Un arrière-train fessu quelque peu relevé et une poitrine abondante faisaient de la femme un personnage qui ne laissait pas les hom-mes indifférents, même les plus jeunes.

Au bar où Laval se rendait chaque soir siroter une grosse bière, une blague de taverne courait entre gars : « Ça ferait moins mal à Gustave de tomber sur la Rose que sur un porc-épic ! » Mais le professeur se contentait de sourire un peu. Il devait afficher une certaine dignité; de plus, jamais l'idée de faire du charme à cette dame n'aurait seulement frôlé son esprit.

La picote ne l'intéressait guère, et il fit un coq-à-l'âne :

–Pensez-vous, madame Rose, qu'on va avoir de la neige pour Noël finalement ? Avec le soleil qu'il fait, ça regarde pas trop pour ça.

Elle désigna le sol d'un signe de la main et de la tête :

–Ah! on n'en manque pas !

Et descendit les marches. Il se mit de côté pour la laisser pas-ser sans la frôler.

–Un bon professeur, ça travaille fort, même durant les vacan-ces des Fêtes.

–Ah! suis venu pour la guignolée. Je suis responsable de la

collecte avec votre mari.

–Pourtant vrai, oui ! Ben vous allez le trouver dans la cuisine... Bonne journée, là. On vous revoit après-midi.

–C'est bien... Agirez-vous comme trésorière ?

–Pourquoi pas ? À plus tard !

Elle rajusta ses lunettes avec sa main gantée et se mit en marche de son pas pressé, tête haute et rigide tandis que le jeune homme pénétrait dans la salle en se raclant la gorge.

Tout d'abord, il passa quelques coups de balai sur ses couvre-chaussures avant de les enlever, en profitant pour jeter un regard inattentif à travers la vitre de la porte. Ses yeux balayèrent un petit coin du cimetière, puis le gros presbytère pansu et tout blanc, puis plus loin le couvent gris à quatre étages, et enfin la sacristie toute enveloppée de tôle bleue, mais il ne vit rien de tout cela qui depuis longtemps faisait partie de l'invisible réalité quotidienne.

C'est un bruit peu coutumier qui vint capter toute son attention. Comme des reniflements. Probablement le chat des Martin qui éternuait. Mais ça ne s'arrêtait pas et ça venait de l'autre côté de la porte, donc de la chambre du couple. Quelques possibilités traversèrent son esprit puis il comprit que quelqu'un pleurait là à voix retenue. Ce ne pouvait être que le père Gustave, se dit-il. Il se sera piqué sur une épine de la Rose... La femme rousse, c'était bien connu, n'était pas toujours très douce...

Laval se racla la gorge encore, toussa, frappa ses couvre-chaussures sur le plancher pour donner à l'autre la chance de rentrer dans la discrétion. Mais quand il se mit en marche dans le couloir, il ne put faire autrement que de le rentendre pleurnicher comme un enfant puni. Au bout du corridor, il tourna à droite et se rendit d'un pas long jusqu'au bout où se trouvait la porte de la salle des Chevaliers de Colomb, un local où les gens viendraient porter des victuailles toute la journée pour redistribution aux familles pauvres le lendemain, veille de Noël.

Gustave le rejoindrait à son heure...

Rose entra au magasin de madame Maheux. Une autre cliente s'y trouvait déjà, debout près du petit comptoir de bois non peint qui jouxtait une table vernie, assemblage de fortune permettant de mesurer le matériel à la verge et de poser les pièces de tissu et les cartons à dentelle.

La marchande, petite femme potelée qui riait à tout propos, se montrait ravie chaque fois qu'une cliente arrivait, et cette réaction n'avait rien de l'esprit mercantile. Entrée tard en commerce, à peine un an auparavant, à 48 ans, et quasiment contre la volonté de son mari, cela lui ouvrait une fenêtre sur le monde à travers son monde du village et des rangs de la paroisse, elle qui, jusque là, mère de famille soumise et accomplie, avait donné naissance à une douzaine d'enfants et subi trois fausses couches.

–Rose, si je suis contente de te voir ! Justement, j'avais besoin de maquillage. Regarde-moi donc le nez : rouge comme une tomate encore.

La cliente quant à elle ne se retourna pas pour saluer l'arrivante. C'était une petite vieille haute comme trois pommes et aux allures de femme hindoue avec son bandeau noir autour de la tête et son manteau miteux couleur de poussière.

Elmire Lepage, très ancienne jeune fille, avait la peau de tout le visage parcheminée comme une feuille de tabac et un teint à la fois foncé et crayeux couleur feuille-morte. Elle n'aimait guère le modernisme, surtout ces produits de toutes les couleurs que les femmes s'appliquaient sur le visage et qui, se disait-elle, devaient sûrement être fabriqués en enfer par le diable lui-même et ses vils assistants pour mieux favoriser la concupiscence sur terre.

–J'ai pas ma trousse d'échantillons. Suis venue pour ma brassière... Bonjour Elmire, venez-vous acheter des cadeaux pour Anna pis Marie ?

–Pis Jos, tant qu'à y être ! fit la petite dame sur un ton bougon. Non madame Rose, nous autres, Noël, c'est pas une fête de païens, c'est la fête du petit Jésus, pis ce qu'on se donne, ben c'est des prières.

–Ah! quand on peut combiner les deux, c'est ce qu'il y a de mieux. Après tout, c'est pas péché, se faire des cadeaux dans le temps des Fêtes...

Elmire dit sans se retourner :

–J'ai dit ce que j'avais à dire là-dessus... À part de ça que nous autres, on est du monde pauvre. Jos gagne rien qu'une pitance à chauffer le 'boiler' de la beurrerie pis on est quatre personnes pour gruger là-dessus.

–Vous avez vendu votre terre, le bien familial du rang neuf, au moins deux mille piastres avant de vous installer au village...

–Pis on a payé la maison du village mille piastres. Ça fait qu'il nous a quasiment rien resté pour manger pis acheter du bois de corde...

–Le père Hilaire, il vous a vendu ça deux fois trop cher, une maison de même. Il vous a épluchés comme il faut, le bonhomme...

Elmire se hérissa et jeta, corps raide mais tête mobile :

–Qui c'est qui t'as dit ça, toé, la Rose Martin ? C'est que t'as à dire là-dedans, t'en as même pas de maison à toé ? Si monsieur le curé vous dirait de partir de la salle paroissiale, vous seriez tout nus dans la rue, toé pis ton Gustave...

–Prenez pas la fine épouvante, Elmire, j'ai pas voulu vous insulter !

–Non, mais vous le faites pareil.

–La colère, c'est un péché, ça itou, vous savez.

Rose adressa un clin d'oeil à Éva par-dessus la tête minuscule de la vieille personne puis elle fit mine de renifler en grimaçant pour se faire allusive aux odeurs repoussantes de la pauvresse. La marchande se sentait plutôt mal à l'aise que ratoureuse. Bien sûr qu'Elmire ne se lavait pas et puait donc tant qu'on peut puer, bien sûr qu'elle et ses soeurs tenaient leur maison comme des marie-quatre-poches, mais on ne pouvait en rire ni impoliment ni en sourdine puisque les Lepage avaient été élevées ainsi, dans des habitudes héritées d'une ascendance abénaquise. Il fallait vite donner une autre orientation à la conversation.

–Pis, comment c'est que t'aimes ta brassière, Rose ?

–C'est justement pour ça que je viens te voir, Éva. On dirait qu'elle me colle trop sur le corps ou ben que j'ai engraissé, pourtant, je me sens pas plus grosse qu'avant...

–L'as-tu sur le dos comme c'est là ?

–Oui...

–Ben on va regarder à ça tusuite! Elmire, toi, tu voulais des boutons pour les culottes à Jos, tiens, fouille dans la boîte pis choisis ce qui fait ton affaire.

Et la marchande sortit de sous la table une longue boîte de carton remplie de boutons de diverses couleurs et formes, la mit sur le comptoir devant la vieille demoiselle. Puis, du même endroit, elle fit surgir un buste en carton noir sur lequel était installé un soutien-gorge comme celui vendu à Rose.

–C'est la seule brassière qui me reste à ta taille. Mais elle est un peu plus grande des bonnets, c'est peut-être ça qu'il te faudrait. Viens, on va aller voir à ça de l'autre côté.

Le magasin était en deux parties séparées par un mur percé d'une une porte. L'autre section servait de salle d'exposition de chapeaux et d'essayage. La femme détacha le soutien-gorge et laissa le buste sur le comptoir devant Elmire puis précéda Rose vers l'autre pièce en disant :

–Va falloir que ça te fasse autrement je vas t'en faire venir une plus grande encore. Ça vient de la Compagnie Moderne de Sherbrooke, ça, pis c'est jamais ben long avec eux autres. Mais ça serait pas là avant Noël, tu comprends...

Dehors, à quelque distance de là, sur la route blanche et planche s'amenait un attelage d'hiver, un cheval gris tirant une sleigh surmontée d'un rack rempli de foin. Mâchouillant la tige d'un brin de foin, Ernest Maheux, assis sur son voyage, tenait les guides et parfois faisait trotter la bête. Il avait hâte d'arriver à la maison...

Délaissant la boutique de forge ce jour-là, il s'était rendu sur sa terre du rang de la Grande-Ligne pour y quérir du foin à donner aux animaux gardés dans la grange du village et surtout les chevaux des douze cultivateurs qui dételaient chez lui et viendraient souvent durant les Fêtes. À dix piastres par année pour parquer leurs bêtes dans la grange pendant qu'eux se trouvaient à l'église, les gens avaient droit à une stalle et une portion de bon foin. C'était le jeu, c'était le prix. Et la compétition ne manquait pas, car il se trouvait pas moins de huit villageois pas loin de l'église à disposer de telles 'places de chevaux'. Ernest avait un avantage sur eux: il ferrait au moins la moitié des chevaux de la paroisse, et voilà pourquoi jamais une place n'était libre dans l'étable les dimanches et fêtes.

Quand plus tôt, Rose était entrée au magasin, lui se trouvait trop loin pour la reconnaître ni même se rendre compte qu'une cliente s'y présentait. D'autant que ses yeux chassieux restaient humides à cause du vent froid. Quelque chose exaltait le personnage, un non-sens à démontrer et à dénoncer, et il n'avait personne d'autre que sa femme devant qui le faire pour le moment... Voilà pourquoi il clappait parfois pour exhorter son canasson à presser quelque peu son vieux pas lourd, ce que faisait la bête sans conviction, sur une dizaine de trots pas plus avant de revenir à sa marche mesurée grâce à un prétexte ou un autre, comme un ou deux crottins fumants à laisser tomber ou simplement une ou deux vesses malodorantes à rejeter dans l'air sec de l'hiver blanc.

Mais ce n'est pas un simple pet de cheval qui aurait pu troubler l'imperturbable Ernest; de ces gaz peu hilarants, il en avait senti des verts et des pas mûrs depuis trente ans qu'il leur travaillait les sabots à tous ces poulains, pouliches, étalons et juments du canton... Lugubre Ernest qui s'était maintes fois demandé si les enfants étaient une bénédiction ou une punition et qui, n'ayant pas pu se brancher sur la question, choisissait depuis toujours de les ignorer simplement et totalement. Sauf en cas de besoin pour fouler du foin ou agir en commissionnaires. Excessif Ernest qui souventes fois se colletaillait avec l'injustice et ne ratait jamais l'occasion de sauter sur la bonne cause à défendre qui lui passait devant le nez. Intelligent épouvantable, cet avocat manqué d'Ernest capable des déclarations les plus péremptoires dans le sombre prétoire de sa boutique, mais qui n'exultait qu'à une seule image, et toujours la même, celle d'une plantureuse poitrine de femme !

Quelque chose était en ébullition dans sa poitrine comme de l'eau dans un canard sur un feu fort. Ce bon-à-rien de Clodomir Lapointe, locataire de la maison de campagne et qui jamais ne payait son loyer, et qui accusait même dix mois d'arrérages, lui avait demandé d'emporter au village avec lui une boîte de victuailles à remettre aux gens de la guignolée. Une fausse honte le poussait à essayer de faire croire qu'il vivait sans misère, lui, le roi des miséreux de toute la localité, peut-être de tout le comté !

L'homme marmonnait. Il semblait s'adresser aux oiseaux de

neige qui dansaient par bonds de kangourous sur le toit de la maison du voisin :

—Même pas capable de nourrir sa chipotée de quatorze enfants pis ça se paye un char, pis ça va se promener dans les grandes villes, pis ça prépare des boîtes pour les crève-la-faim. Guère s'en manque qu'il m'aurait offert une tourtière pour mon monde. Ça me fend la face, du monde de même, que ça me choque donc! 'Ordilleux' qu'il est donc, le Clodomir! De l'orgueil qui serait mieux placé à payer ses dettes !

Dès son arrivée dans la cour, il ferait arrêter le cheval et descendrait porter la boîte à Éva pour montrer qu'il avait raison de vouloir expulser le personnage qui riait de lui encore une fois comme il l'avait fait au temps du jardinage en s'emparant sans permission et quasiment devant sa face d'au moins une douzaine des plus beaux concombres dans son potager du haut de la terre. Et la mère pourrait envoyer porter la boîte à la salle des Chevaliers par un des petits gars.

Un coeur battait. À perte d'haleine. Un cerveau disait au coeur de se tenir tranquille. Un bonbon dur, prisonnier d'une langue inquiète, fondait dans une bouche juteuse. Caché derrière un sofa dans la salle d'essayage pour y voler à sa mère des jujubes de Noël, un garçon de neuf ans pissotait dans sa culotte à force d'en avoir envie et parce qu'il craignait de se faire découvrir.

—Les petites Page, ça s'est jamais grimé pis ça s'est toujours fagoté comme des bonnes-femmes de cent ans... Pis ça se lave même pas ! dit Rose en ôtant son manteau.

—Ah! je les verrais pas avec un beau chapeau de feutre sur la tête, un fril sur le devant pis une collerette sur le dos.

Rose insista sur l'idée de l'âge :

—Elmire, c'est passé 70 pas mal, hein ?

—Je le sais, leur âge. Elmire a 73. Anna, 75. Pis Marie dépasse 80. Pis notre Jos, qui se mêle de faire des grivoiseries devant les créatures, il est sur le bord des 70. Ça fait trois pensions de vieillesse qui rentrent dans la même maison. Y ont pas à se plaindre, les petites Page, pas pantoute!

—Marie est malade au lit, poignée avec une grosse-gorge; elle doit pas coûter cher à nourrir...

Le dos tourné à l'autre femme, face au sofa, Rose enleva sa blouse en parlant :

–Ce qui arrive avec ma brassière, c'est que j'ai ben de la misère à l'attacher en arrière.

–Ça veut pas dire qu'elle est trop petite, surtout si tu te sens ben dedans. On pourrait peut-être juste élargir un peu les agrafes avec un couteau. Avant, je vas vérifier...

Éva passa ses deux doigts experts, réunis entre le dos de Rose et la pièce de vêtement, et les fit glisser à deux reprises dans les deux directions : elle se rendit compte aussitôt que la pointure était parfaite.

–Je vas t'arranger ça que ça sera pas long.

Elle sortit avec l'autre soutien-gorge qu'elle rattacha sur le buste de carton tout en servant une petite jasette à Elmire, puis elle partit par l'autre porte qui donnait sur la cuisine de la maison.

À quatre pattes, le gamin n'osait même plus avaler sa salive. Et pourtant sa curiosité l'empoignait par le chignon du cou. Il savait, pour l'avoir fait souvent en jouant à la cachette avec d'autres enfants, qu'il pouvait voir entre le sofa et un fauteuil sans nécessairement être aperçu. Et ça le tentait de plus en plus d'y mettre son nez pointu de petite fouine espiègle.

Il finit par le faire alors même que Rose détachait son soutien-gorge. Les yeux noirs et luisants se glissèrent comme des billes de verre entre les deux meubles collés de leurs bras mais à peine distants du corps, ce qui y créait un interstice de pas même deux pouces.

Le regard s'agrandit démesurément et la bouche s'ouvrit, laissant couler par terre un long fil de bave gluante, sucrée.

La femme se pencha légèrement et retira de sa poitrine les bonnets blancs.

L'enfant aperçut alors dans leur splendeur fascinante ces ballons à la peau laiteuse et au lyrisme quelque peu irrésolu... et un tantinet tombant. Il tâcha de comparer leur forme à celle des genoux, des épaules, des fesses même, mais c'était peine perdue, elle était unique et... si troublante.

Rose fut prise d'un frisson. Un moment, elle s'imagina qu'on l'observait puis elle se dit que c'était sûrement le froid que cette maison mal isolée ne retenait pas à l'extérieur. Elle se pencha en avant et fit entrer ses seins dans les bonnets.

Gilles recula la tête, et son gros secret attelé en double continua de tournoyer dans sa tête et sa poitrine.

Alors même qu'elle fermait la porte de la cuisine, Éva vit entrer son mari par l'autre porte. Il se composait un rire de triomphe et disait n'importe quoi en montrant la boîte :

—La mère, ton fourneau est-il chaud ? On va se faire chauffer des tartes à Clodomir.

—Ferme la porte, tu fais geler la maison, dit-elle comme chaque fois qu'il entrait entre novembre et mai.

—Savais-tu ça, toi, que Clodomir avait la palette ?

Il posa la boîte au milieu de la table et renchérit :

—Plus riche que Duplessis, notre Clodomir, c'est sûr ! Des tartes à j'sais pas quoi pis des cretons français... pour les pauvres de la place. C'est que tu penses de ça, toi, la mère ?

—La Toinette, c'est généreux de sa part ! répondit naïvement la femme, au grand dam de son mari palpitant.

—Maudit torrieu ! Tu pourrais ben dire d'autre chose.

Elle se pinça le nez qui rougit encore plus ensuite.

—Pourquoi que tu mets ça là ?

—C'est pour la guignolée, qu'il m'a dit. Tu vas l'envoyer porter à la salle par le Gilles...

—J'sais pas trop où c'est qu'il est, celui-là.

Elle prit un couteau dans un tiroir, et Ernest prit la porte en bougonnant.

—Les femmes, ça comprend tout à l'envers du bon sens ! Sont toutes de même...

En passant près de l'escalier menant au deuxième étage, Éva cria de sa voix la plus pointue :

—Gilles, viens icitte un peu ! Gilles, viens icitte...

Les mots traversèrent deux portes et allèrent se loger au fond de deux oreilles derrière le sofa de la salle d'essayage. Pétrifié, l'enfant avala d'un coup salive et bonbon et injecta à son cerveau et à ses muscles une piqûre de ciment.

Éva retrouva Rose. Elle arrangea les attaches métalliques avec son couteau puis les femmes regagnèrent le magasin sans refermer complètement la porte de la salle.

De retour derrière le comptoir, la marchande se fit vertement apostropher par Elmire au sujet du buste en carton :

–Vous devriez garder ça caché, madame Maheux. Vous avez encore des jeunes enfants, c'est pas pour eux autres, ça... On peut pas être une femme catholique pis laisser ça sur son comptoir... On peut pas faire sa r'ligion pis montrer ça au monde...

Rose, qui achevait de se rhabiller, nouant un foulard sous son menton, intervint :

–Voyons donc, Elmire, on est en 1949, pas en 1900. La reine Victoria est morte ça fait cinquante ans...

Elmire ne comprenait pas ce que la reine venait faire dans la conversation. Elle dit avec certitude :

–Les choses déshonnêtes conduisent à l'enfer.

La marchande reprit le contrôle :

–C'est pas souvent que je laisse le buste sur le comptoir pis je laisse pas les enfants venir de ce bord-citte. Inquiétez-vous pas, Elmire, j'aime le Bon Dieu moi itou pis je prie à tous les jours.

–Mène tes affaires comme tu l'entends, Éva, c'est pas les bonnes clientes qui vont te faire des reproches, lança Rose.

Et elle se dirigea vers la sortie.

Sûr que la porte de la salle avait été refermée, Gilles mit sa main sur le dossier du sofa et sortit sa tête au-dessus. Son regard et celui de Rose se croisèrent. La femme s'arrêta. L'enfant demeura figé un bref instant. En chacun, l'espace d'un éclair, des supputations se forgèrent.

« Il m'a vue tantôt, c'est certain. »

« Elle va le dire à maman. »

« Ah! le petit venimeux ! »

« Si mon père le sait, j'sus pas mieux que mort. »

« Ça avancerait à quoi d'en parler ? »

« Faut que je me cache, motadit ! »

« Cache-toi donc, petit motadit ! »

L'enfant se baissa et disparut.

Rose sourit, ouvrant la porte qui menait dehors. Avant de quitter, elle dit :

–Pour ce qui est du maquillage que t'as besoin, Éva, envoye donc ton petit gars le chercher... pas tusuite parce que je vas me faire donner un permanent par Marie-Ange, mais après dîner...

–J'en ai deux petits gars pis je les vois jamais. Le Gilles surtout : un enfant impossible des bouts. Haïssable pis de plus en plus malengueulé... Il pousse en orgueil, cherche toujours à faire des mauvais coups. Y a rien à son épreuve. Une chance que c'est les deux derniers qu'il me reste à élever ! En tout cas... j'ai une boîte à envoyer porter à la salle pour la guignolée pis je vas faire faire les deux commissions en même temps...

Une fois dehors, Rose eut le fou-rire. C'est la petite frimousse qui aurait les fesses serrées dans ses culottes s'il devait être obligé d'aller chez elle quérir le pot de fond de teint.

À l'intérieur, Elmire déclara:

–Ça va lui faire du bien de prendre la fraîche pis de s'éventer un peu, celle-là, elle pue assez avec ses parfums forts...

Pour éviter que l'odeur de la vieille fille ne devienne une obsession, Éva ouvrit la porte donnant sur la cuisine et cria en direction de l'escalier qui menait au deuxième étage :

–Gilles, viens icitte, j'ai une commission à te faire faire... Gilles, viens en bas...

Derrière le sofa, le gamin plongea une main tremblante dans un sac de 'peanuts' à l'écale...

***

Chapitre 3

Après le départ d'Elmire, Éva s'affairait à classer la marchandise quand elle entendit Ernest rentrer à la maison. L'homme continuait de grommeler, et des mots mêlés traversaient la porte.

"Il va rechigner toute la journée pour une petite affaire de même", se disait la femme. Peut-être qu'elle ferait mieux d'essayer de lui changer les idées. Comme d'habitude... Et elle se rendit à la cuisine.

–Veux-tu ben me dire c'est que tu fais là ?

Ernest avait ouvert la boîte à Clodomir, en avait extrait une tourtière et taillé une large pointe dont il se bourrait la face en ricanant.

–C'est pour les pauvres, ça... Ben, c'est pour nous autres...

–Voyons donc, t'as pas d'affaire à fouiller là-dedans, c'est pour la guignolée. Tu me l'as dit d'envoyer le Gilles porter ça à la salle paroissiale.

–En déboulant mon foin à l'étable, j'ai changé d'idée.

–C'est volé, ça, parce que nous autres, on est capables de s'en acheter, du manger. Ben plus que ben du monde. Y a Marie Sirois qui est sur le secours direct. Pis la veuve Viger. Pis les petites Page... T'es donc pas raisonnable !

–Ça va compenser une miette pour le loyer en retard au maudit fatikant à Clodomir.

–C'est pus à Clodomir, ça, c'est aux familles pauvres de la paroisse. Tu manges leurs tourtières pis eux autres, ils vont manger de la misère à Noël... C'est pas mêlant, tu me décourages !

Ernest fut touché par l'argument. Et se laissa convaincre à un meilleur sentiment. Il badina pour éviter de perdre la face :

–Énarve-toé pas, la mère, on va en mettre une des tiennes dans la boîte pour remplacer celle-là, pis en plus qu'on va leur envoyer cinq piastres pour leurs pauvres. Je voulais voir si la Toinette, elle met de la bonne viande au moins dans ses tartes ou ben rien que de la maudite tirasse tendineuse.

–Pis ?

–C'est ben bon, c'est ben mangeable !

Il poussa la croûte dans sa bouche et mâchouilla ses mots :

–J'ai une grosse avant-midi dans le corps pis j'ai mangé rien que des Corn Flakes à matin... Où c'est qu'ils sont, tes pâtés à viande que j'en mette un autre dans la boîte à Clodomir ?

–En arrière du sofa dans le salon, au frais. C'est plus frette là que dans la dépense...

–Va donc en chercher un...

Tenaillé par un certain regret, il obliqua dans son idée :

–Laisse faire, je vas y aller, moi...

–Ouais, parce que moi, faut que je monte aux toilettes...

Le visage empourpré par des problèmes de foie lent et par sa contrariété, la femme emprunta l'escalier tandis que lui espaçait des pas pesants en direction du magasin puis du petit salon converti en salle d'essayage.

Toujours caché, le petit Gilles avait tout entendu. Dans sa tête, il se sentait pas mieux que mort. Son père le trouverait et, à voir et entendre son humeur, ce serait la volée vite fait. Il n'avait pas le temps de maudire la malice du sort mais seulement celui de chercher une manigance. Sa seule porte de sortie, son unique chance, c'était de se plaquer à terre contre le dos du sofa et de se faire petit, minuscule comme une puce de lit...

L'homme se mit à genoux sur le sofa et se pencha en avant. Il aperçut dans l'ombre contre le mur un empilage de tartes et en prit une. Qu'importe si ce n'était pas une tourtière, se dit-il, ça ferait l'affaire des pauvres la même maudite affaire ! Et il se remit sur ses jambes.

Tout agité de violents frissons nés de la peur et de la basse température, le garçon échappa un pet bruyant. Heureusement pour lui, son père ne l'entendit pas et repartit vers la cuisine. Le garçon eut l'impression qu'on déchargeait ses épaules d'un poids gros comme l'église. Il étira le bras et mit sa main dans le sac d'arachides.

Une grosse main heurta la sienne. Ernest avait rebroussé chemin et revenait se prendre une douceur dans les sacs de sucreries qu'il savait cachés là.

–Veux-tu ben me dire, maudit torrieu !...

Aussitôt après les mots, Gilles fut écrasé sur le prélart par deux yeux terribles à pas deux pieds des siens.

–C'est que tu fais là, toé ? Tu m'as fait faire un maudit saut...

–Ben... j'étais caché...

–Tu te bourres dans les bonbons ? Sors de là pis viens m'aider à vider mon voyage de foin... Ensuite, tu vas aller porter une boîte à la salle...

« Rien que ça ! » pensa le gamin. Il s'attendait à se faire friper sur l'heure même, à un ouragan qui l'emporterait dans les airs, mais il ne se passait rien de si terrible. Talonné par un certain remords, Ernest n'était pas enclin à violenter qui que ce soit, même un petit criminel qui s'emparait de la part de candies de ses frères et soeurs.

Éva ne saurait jamais ce qui s'était passé. Et pour en être encore plus certain, le garçon ne s'obstina pas quand il lui fallut aller porter la boîte aux gens de la guignolée. Mais il blêmit quand sa mère lui remit un billet de dix dollars.

–C'est pour madame Rose. Elle est trésorière de la guignolée. Y a cinq piastres pour les pauvres et l'autre cinq, c'est pour payer un pot de maquillage qu'elle va te remettre.

L'enfant aurait voulu pleurnicher, faire valoir une meilleure justice : puisqu'il avait aidé son père, c'était à son frère d'aller porter la boîte. Il se ferait rabrouer par la femme du bedeau. Sûr qu'elle savait qu'il avait vu ses deux gros pains tout mous ! Ça pouvait être bien pire encore si elle placotait ça au curé, aux soeurs du couvent... Un enfant qui se sent coupable dramatise aisément.

Il partit faire sa commission en ruminant sa menterie. Jamais il n'avouerait qu'il avait aperçu son paire de vache, à la grosse poutine, jamais de sa vie ! Il s'était caché pour prendre des bonbons et n'avait rien vu du tout, rien du tout !...

Sa boîte à l'épaule comme il voyait les hommes faire quand ils transportaient un fardeau, il traversa la rue blanche sans regarder suivant son habitude. C'est qu'il se fiait à son ouïe; que survienne un véhicule automobile ou un attelage et il entendrait le bruit.

C'est une voix l'interpellant qu'il entendit au moment de monter sur la terrasse entre le magasin général et l'église, un chemin de raccourci menant à la salle paroissiale.

–Hey, Maheux, t'en vas-tu à la salle ?

–Ouais...

–Ben viens icitte, j'ai une commission à te faire faire.

C'était le marchand, homme bedonnant en queue de blouse, le sourire de bisc-en-coin et qui avait toujours l'air d'une humeur massacrante, mais qui pourtant, possédait la patience d'un roi mage.

Gilles fit demi-tour et suivit le marchand dans le magasin. Il lui fut remis un billet de cinq dollars pour madame Rose et la guignolée. Jamais l'enfant n'avait eu de si grandes responsabilités et autant d'argent sur lui. Quelque chose en son âme le poussa soudain à faire l'important et à tirer du grand.

Il en oublia pour un temps sa crainte de madame Rose et le mensonge puant qu'il lui préparait.

Le dessus de la terrasse était en bonne partie occupé par une patinoire, et le gamin décida de passer dessus au lieu de la contourner pour éviter de rallonger la distance...

Beaucoup de gens avaient répondu à l'appel. La table de billard était déjà remplie de cannages, de boîtes de céréales, de charcuterie et même de denrées de luxe comme du Coca-Cola, des oranges, du chocolat. Par terre, le long du mur, on pouvait apercevoir des caisses de bois ou de carton. Dans certaines, il y avait du sable et dans le sable, des carottes. Et des sacs de patates. Et même de la fleur.

–Je pense qu'on va pouvoir satisfaire tous nos pauvres, soupira Gustave pour la nième fois.

–C'est deux fois meilleur que l'année passée. Ça sera le beau temps qu'il fait dehors, le soleil et tout, commenta le professeur en lissant de sa main gauche ses cheveux lustrés.

Les deux hommes étaient assis à une table et recevaient les donateurs. Rose devait se joindre à eux d'une minute à l'autre. Une seule personne aurait pu s'acquitter de la tâche, mais à trois, cela faisait plus officiel. Et puis en une époque où le temps prenait son temps, personne n'était regardant quant aux surplus de personnel. La convivialité triomphait et l'esprit villageois demeurait en pleine santé. La télévision n'était encore au pays du Québec qu'un sujet de conversation et n'arriverait dans quelques rares foyers que trois ans plus tard.

On entendit Rose venir. Gustave le devina par son pas dans le couloir. Lui qui, jusque là, avait affiché une humeur bonhomme, s'assombrit, et Beaudoin le remarqua sans l'exprimer plus que par des sourcils froncés.

Elle entra, saluant avec emphase, dit, sentencieuse, après avoir promené son regard sur les provisions :

–Y a plus de bonheur à donner qu'à recevoir !

–Y a rien de plus vrai ! déclara Gustave qui le pensait réellement.

–C'est ce qu'on dit depuis deux mille ans, commenta doctement le professeur.

Après quelques heures de répit, Gustave se retrouva plongé en pleine stupéfaction. Le choc subi par le départ annoncé de Rose revint comme en contrecoup s'installer en son âme, mais plutôt d'y provoquer une tempête, il la vidait de sa substance, le laissant pantois, la main et la bouche tremblantes. Quelque chose lui disait que pour commencer à se radouber un peu, il lui fallait se vider encore davantage; et il le faisait en versant toutes les larmes de son pauvre corps.

–Bon, si vous voulez m'excuser, je vas aller chauffer la fournaise de la salle pis ensuite celle de l'église. Je vas revenir dans une heure ou deux. C'est pas que c'est ben frette, mais comme vous le savez tous les deux, ça prend du temps à réchauffer une grande église de même. Pis demain ben, c'est la messe de minuit comme chacun sait...

Il quitta la pièce sans plus attendre.

–Il a pas l'air dans son assiette, notre bon Gustave, risqua le professeur.

–Il couve une grippe que ça me surprendrait pas !

Et la femme orienta la conversation vers des banalités.

La patinoire ne brillait pas malgré le soleil. C'est qu'il s'y trouvait beaucoup de jeunes. Des gars qui s'amusaient dans un coin à se déjouer à la Maurice Richard. Des adolescentes qui faisaient le grand tour en patinant. Et un couple qui pratiquait son patinage artistique. Ainsi la glace pas très dure avait été burinée, striée de bout en bout et les lames avaient créé de la neige folle qui assombrissait la surface.

Gilles évita le groupe de hockeyeurs puis longea l'enceinte constituée de bandes peintes aux couleurs et slogans de divers commerces de la région.

–Où c'est que tu t'en vas, Maheux ? vint lui demander son ami et camarade de classe.

Clément l'arrêta et lui montra un plein paquet de cigarettes *Sportsman*, leur marque préférée à tous les deux qui fumaient souvent en cachette.

–Peuh! c'est rien, ça, regarde...

Et lui arbora fièrement les quinze dollars qu'il transportait. L'autre n'eut pas l'air impressionné. Il tourna les lames pour repartir gauchement dans une nouvelle direction.

Quatre adolescentes formèrent une queue et se mirent à tourner. La dernière accéléra jusqu'à une vitesse incontrôlable et dut lâcher la main de la précédente. Gilles approchait de l'autre extrémité quand il fut heurté de dos; sa boîte tomba entre lui-même et la bande, et la jeune fille y ajouta le poids de son corps. Ainsi les tartes à Clodomir furent complètement ruinées, réduites en bouillie pour les chats. Mais le gamin refusa d'envisager la réalité. Il donna une vague forme carrée au contenant, jurant contre l'adolescente noire de rire, et il poursuivit son chemin, deux fois plus inquiet qu'à son départ.

Il choisit de se rendre par dehors tout droit à la salle des Chevaliers de Colomb dont la porte était placardée d'une affiche disant simplement : *Guignolée. Entrez.*

Il entra donc. Son visage que le vent d'hiver avait rendu rougissant perdit tout son sang quand il se trouva nez à nez avec le professeur à la réputation de tueur et la madame Rose qui risquait de le dénoncer pour impureté flagrante.

Les deux personnages étaient assis à la même table et l'épiaient comme s'il avait été le plus galeux des chiens de la paroisse.

–Quen, c'est justement le petit gars que je voulais voir ! déclara la femme. Ferme la porte, tu vas nous faire geler rond.

Gilles obéit. Il fallut à ses yeux quelques secondes pour s'habituer à cette luminosité réduite.

–Tu peux mettre ta boîte avec les autres là-bas, dit Laval.

L'enfant obéit puis vint jeter le billet de dix dollars sur la table en disant :

–Y a cinq piastres pour la boîte pis... cinq piastres pour le pot.

–La boîte ?

–C'est... c'est la boîte à Clodomir Lapointe... C'est pour les pauvres...

–Et l'argent ?

–Moi, je pense que je le sais, intervint Rose. C'est pour le maquillage à ta mère.

Gilles fit signe que oui.

–Viens avec moi, on va aller chercher ça...

Elle se leva et quitta la pièce, suivie du garçon.

Elle le fit attendre dans le couloir et se rendit dans sa chambre où se trouvait sa marchandise. Son mari était là qui pleurait, mais elle ne dit pas un mot et retrouva le petit.

–Je t'ai vu tantôt, mon petit venimeux, en arrière du sofa chez vous. T'as vu madame Rose quand elle s'est déshabillée...

Le gamin ravala sa salive et hocha vigoureusement la tête. Il apprenait vite les vertus du mensonge.

Elle plongea son regard dans le sien.

–Je veux te croire... Pis si c'est pas vrai, ben, à tout péché miséricorde. Tiens le pot. Pis ça, c'est le change pour le dix piastres. Ça coûte trois piastres seulement. Tu remettras le reste à ta mère.

Il trouva la force de demander :

–C'est tout ?

–C'est tout, fit-elle avec une taquinerie au fond du regard.

Il pivota sur ses talons et repartit sans courir, mais le pas plutôt pressé et les fesses très très collées. Et vite il fut dehors.

Ce n'est qu'une fois sur la patinoire qu'il pensa à l'argent du marchand et à ces cinq dollars que sa mère avait envoyé porter aux gens de la guignolée, et qu'il avait encore.

Son ami Clément le rejoignit. Deux autres garçons s'approchèrent. On l'entoura, on parla de la 'maudite folle' qui l'avait heurté, on fit allusion à l'argent qu'il avait dans ses poches, on lui suggéra de payer la traite à tout le monde avec du Coke et des barres de chocolat que vendait monsieur le vicaire à la cabane de réchauffement pour hockeyeurs et patineurs.

Gilles était flatté. Deux billets de banque le mettaient dans les honneurs. Hélas! ils ne lui appartenaient pas et il fallait qu'il retourne à la salle pour les déposer.

L'idée lui vint de faire un profit sur le pot de maquillage, en fait une commission pour sa commission. Ils étaient quatre : ça coûterait quarante cennes de Coke et vingt cennes de Caravan. Suffirait de raconter à sa mère que le pot coûtait trois piastres et soixante cennes et le tour serait joué. Et puis Clément fournirait les *Sportsman*...

Quelques minutes plus tard, dans le quartier des gars, les garçons mangeaient et buvaient. Gilles se sentait heureux comme un poisson dans l'eau. Il prenait conscience à quel point l'argent donne du pouvoir et rapporte admiration et considération.

Puis on s'alluma une cigarette. Monsieur le vicaire passa sa tête par l'ouverture étroite du mur séparant la pièce réservée aux garçons de celle du centre où il se trouvait avec la truie qui servait à chauffer la bâtisse. Il y avait aussi de ce côté les tablettes du casse-croûte et le réfrigérateur à boissons gazeuses.

–Vous êtes pas un peu jeunes pour fumer ? fit-il de sa voix aussi douce que la fumée d'une *Sportsman*.

–Ah! non, ma mère, elle le sait ! dit aussitôt Clément.

–Moé itou, dirent en chœur les deux autres.

–Et toi, mon petit Maheux ? questionna le prêtre, un homme au visage rougeaud piqué d'une barbe abrasive.

–Elle m'a donné de l'argent pour que je m'en achète... Tiens...

Et il sortit le billet de cinq dollars du marchand... ou plutôt de la guignolée...

–Je voudrais un paquet de *Player's,* s'il vous plaît.

Le prêtre hésita et son regard pénétra celui de l'enfant.

–Tu veux des *Player's,* s'il vous plaît...

–Ben... un paquet de *Player's*...

–Ouais...

Le visage mignon eut raison de la réticence de l'abbé qui empoigna un paquet bleu sur une tablette et le tendit en même temps qu'il acceptait le billet de banque.

–Tu découpes la tête du matelot sur le paquet. Quand t'en as mille, malle ça à la compagnie : ils vont t'envoyer une bicyclette...

–Hon !

–Ah! oui, c'est vrai !

–Mille paquets pour un bicycle ?

–Oui.

–Oui, c'est vrai, enchérit un des garçons qui avait des problèmes avec une quinte de toux sèche.

Quelque chose trépidait dans la tête de Gilles. Sans argent, il n'aurait pas acheté le paquet et sans cet achat, il n'aurait pas su qu'au bout de mille paquets, il y avait son rêve, son grand rêve : une bicyclette à lui tout seul.

Il s'extasiait maintenant devant le pouvoir de l'argent, au point de laisser grandir en lui l'idée de tout garder ce qu'il avait en poche. Qui saurait qu'il n'avait pas remis le cinq piastres au marchand, et celui de sa mère ? Plutôt d'un profit sur le pot de maquillage, il garderait les deux cinq piastres. Quelque chose se mit à tournoyer en sa poitrine : il se sentait riche et important !

Tout ça grâce à sa peur de Rose et du péché d'impureté. Mais son cerveau ne remontait pas si loin dans la lignée des causes et effets...

La porte de la cabane s'ouvrit. Le garçon tourna la tête et aperçut sur la patinoire une fillette portant une tournaline verte sur ses beaux cheveux bruns de même qu'un nuage au-dessus de la bouche. C'était Paula Nadeau, jeune adolescente qui faisait chavirer son coeur... Mais trop vieille pour lui... S'il avait donc des patins, lui ! Sauf qu'il n'y en avait qu'une paire à la maison, et aujourd'hui, c'était au tour de son frère de les utiliser. Une idée lui vint, qu'il crut lumineuse.

–Clément, veux-tu me prêter tes patins ? Je te donne... heu... vingt-cinq cennes...

–Tu vas les verser...

–Hey, je patine mieux que toi. Toi, tu patines sur la bottine...

–Moi, je te prête les miens, dit un autre garçon déjà en pieds de bas. Tiens...

–Ben O.K. je te les prête, les miens d'abord, dit Clément.

Au bout du compte, les garçons se fendaient en quatre pour qu'il accepte leur offre. Un troisième se dit prêt à prendre seulement quinze cennes pour une heure. Mais Gilles choisit Clément, et bientôt, il fut sur la patinoire, cigarette à la main et tuque rouge sur la moitié du front.

Ah! qu'il se sentait heureux ! Il n'y a pas de limites à tout ce que peut vous apporter l'argent des pauvres, ah, seigneur !

Et voici qu'il entreprit de grands tours, qu'il rattrapa Paula, la dépassa, risqua des acrobaties, des tourniquets et des fions sur la musique de Jimmy Dorsey que crachaient à pleine force rugueuse des flûtes larges et noires. Ce fut peine perdue, et la jeune fille ne lui prêta pas la moindre attention. À bout de prouesses, ruisselant de sueur, il lui vint à l'idée de jouer au Valentin avant l'heure;

son argent le permettait. Quand Paula regagnerait le quartier des filles, il lui ferait porter un Coke par Clément qui aurait défense de révéler son nom...

L'occasion qu'il épiait finit par se présenter. Mais Paula devina le manège, et quand le garçon risqua un oeil vers la pièce des filles via les fenêtres intérieures, elle leva son Coke vers lui et le gratifia d'un large sourire.

Elle et lui avaient en commun la terrible et désolante tuberculose qui affligeait chacune des deux familles. La mère de Paula et le frère de Gilles vivaient tous deux au sanatorium. Veut veut pas, ça les rapprochait et ça réduisait au moins d'un peu les douze ou quinze mois qui les séparaient !

Un ciel graissé neigeassait ce matin du vingt-quatre décembre. Le temps ne fraîchissait pas encore, mais tout annonçait une tempête pour le jour de Noël.

Ernest pignochait dans sa boutique tout en surveillant la rue. Il gossait du bois en attendant des clients qui ne viendraient sans doute pas. En fait, il devait arriver d'une heure à l'autre dans la grande cour une trentaine de sleighs dont il avait mandat de vérifier et réparer le membrage. Sauf que le convoi devant arriver la veille au village en provenance de la concession forestière dite des Breakey, se faisait toujours attendre. Pourtant, le chemin avait été levé dès après les premières neiges. Ce devait donc être le tracteur à neige, ce puissant véhicule que les gens désignaient sous le nom de 'dumbarge', capable de tirer jusqu'à cinquante sleighs rattachées les unes aux autres en file indienne, chargées de billes de bois de douze pieds, qui était encore une fois tombé malade.

Ce qui intéressait davantage le forgeron, c'était de se renseigner sur l'identité des gens qui se rendraient à la salle chercher des boîtes de provisions, non pas tant pour connaître le nom des pauvres –ce qu'il savait déjà comme tous les paroissiens– mais pour être sûr que le Clodomir ne se présenterait pas là-bas avec sa barouche noire pour la remplir de victuailles gratuites.

Depuis quatre ans que le grand chemin entre les deux paroisses voisines était entretenu l'hiver, on avait maintenant l'habitude de voir des autos au village à l'année longue, certaines appartenant aux cultivateurs des grandes lignes est et ouest, d'autres à des gens de passage et bien entendu, tous les jours, l'auto du postillon qui faisait la navette entre le bureau de poste du magasin d'en face et la gare de Saint-Évariste à cinq milles de distance.

Le coeur d'Ernest fit un bon quand il aperçut la vieille bagnole de Clodomir s'arrêter au bord de la cour, et que l'homme en descendit pour se rendre au magasin.

« Il aurait pu la monter lui-même, sa damnée boîte de tartes, » pensa le forgeron en se rivant le regard à une vitre charbonneuse de sa boutique. «Voulait pas passer pour quêteux, hein, en se rendant à la salle aujourd'hui... »

Mais Clodomir ne mit pas de temps à sa visite et il repartit dans son auto qui emprunta le chemin entre la patinoire et l'église, vers la seule destination possible, la salle paroissiale.

–Je le savais, que je le savais donc ! s'écria Ernest dont la pression montait à vue d'oeil.

Mais voilà que lui parvint le bruit du convoi de sleighs. Et bientôt le monstre gris à l'énorme nez de bois apparut devant l'église, grugeant les pieds pas à pas à l'aide de sa chenille crottée qui parfois perdait prise à cause de la glace sur la chaussée et faisait déraper quelque peu la barge; son conducteur la ramenait dans le droit chemin aussitôt.

Et les sleighs chargées de billots enneigés et enchaînés commencèrent à défiler interminablement... Elles seraient vidées de leur contenu dans la cour du moulin à scie à quelques arpents de là puis ramenées allèges dans la cour de la boutique de forge tel qu'entendu avec la compagnie propriétaire.

Rose tenait les registres des dons en argent qu'elle mettait dans une boîte à cigares depuis le début de la collecte. Elle prenait en note les demandes et, à la fin de la distribution, procéderait à la répartition des sommes engrangées jusque là qui seraient divisées en parts égales entre les pauvres de la paroisse.

Laval accueillait les gens, tâchait de les mettre à l'aise sans toutefois y parvenir. Admettre qu'on est pauvre est une résignation proche du suicide, et a peu à voir avec l'orgueil quoi qu'en disent les gens mieux nantis.

Et pour éviter ce qu'à tort on appelle de la honte à mendier, les familles déléguaient des enfants avec des traîneaux pour ramasser leur part des boîtes remplies de conserves, de pâtisserie, de plats cuisinés et de bonne conscience.

Rose se sentait libre ce jour-là. Et même un peu évaporée. Cela accompagnant la chaleur qu'elle devait témoigner aux pauvres, se transformait en charme vis à vis le jeune professeur.

–Ah! mon beau Laval, se surprit-elle à dire après le départ de deux fillettes, il va falloir que tu te trouves une petite femme durant l'année sainte. C'est une bonne année pour se marier...

Il ricana sans conviction.

–Un proverbe russe dit : « Le mariage n'est pas une course, on arrive toujours à temps. »

–Un jeune homme au milieu de la trentaine en pleine santé et en lieu de gagner sa vie, c'est une perle pour une jeune femme.

Il avait souvent parlé à Rose depuis quelques années mais pas une fois elle n'avait tenu ce genre de langage. Il se sentait mal à son aise, et l'arrivée d'une automobile près de la salle le soulagea. Reconnaissant l'homme par la fenêtre, il l'annonça :

–C'est Clodomir Lapointe. Pourtant, il a envoyé une boîte hier par le petit Maheux.

–Elle est encore là, personne n'en a voulu.

On ne put s'en dire davantage. L'homme entrait. Il salua vaguement et s'empressa de déclarer :

–Vous allez trouver ça drôle qu'on envoye une boîte de manger une journée pis qu'on vienne en prendre le lendemain... Ma femme pis moi, on a voulu faire notre part comme si on n'était pas du monde pauvre. Mais on l'est comme vous devez le savoir. Dans le temps que j'étais capable de travailler comme tout le monde, je faisais vivre ma famille honorablement. Mais le bon Dieu du ciel a voulu que je tombe invalide...

Laval le toucha à l'épaule pour le conduire vers le coin des provisions :

–Vous avez pas à vous excuser d'être malade. Quant à avoir participé à la guignolée vous aussi, laissez-moi vous dire que c'est une bonne idée généreuse de votre part. Chacun a droit au bonheur de faire la charité et c'est un bonheur des plus légitimes.

Visage émacié, exsangue, sa peau jaune suintait la maladie en effet, et Clodomir était ruiné de santé, ruiné moralement et ruiné financièrement. Il avait dû vendre sa terre déjà lourdement hypothéquée. Ernest l'avait rachetée d'un intermédiaire et, tout en continuant d'habiter la maison, le pauvre homme avait mangé le montant de l'équité. Sa dernière mais plus grande richesse, c'étaient ses enfants: blonds, beaux, vaillants et intelligents. Mais il fallait bien les nourrir. Tous les matins en enfilant ses mocassins, il parlait à Toinette de paqueter les petits et de partir pour la grande ville sans tambour ni trompette. « À Valleyfield, y aurait du gagne pour les plus vieux au moulin de coton ! » disait-il en cherchant son souffle. « Icitte, les heures, c'est comme des mites, ça vous ronge vos journées, pis vos années, pis votre fierté... »

–Je vous inscris sur ma liste de dons en argent, dit Rose.

Clodomir reconnut sa boîte de la veille mais la trouva drôlement défraîchie. Curieux, il l'ouvrit et aperçut la pagaille. La viande des pâtés, la forlouche et les croûtes formaient un agglomérat pas trop ragoûtant. Laval fut aussi surpris que lui :

–C'est arrivé de même. Le petit Maheux a mis ça là hier...

–Ah! c'est pas grave, je vas la ramener: on peut toujours ben pas donner ça à du monde.

Il eut droit à deux autres boîtes et finit par quitter les lieux en remerciant.

Dans sa robe grise serrée sur la poitrine, Rose réfléchissait, assise à table, la main négligemment posée sur les feuilles qui tenaient lieu de registre. Le professeur demeura le nez dans une vitre à examiner l'invisible.

C'était silence. C'était attente.

Chacun se sentait mystifié par la situation. Il se passait quelque chose à travers ces moments vides, précisément à cause du non-dit. L'homme avait le curieux sentiment de se faire envahir par cette femme. Et ça, pour la première fois. Y avait-il un lien avec les pleurs de son mari? Elle s'était mise dans toutes ses élégances en plein jour, les cheveux fraîchement frisés... Il secoua la tête. Après tout, on était la veille de Noël...

–Monsieur Gustave a une grosse journée à l'église aujourd'hui.

–Pas mal occupé, oui, mais je vais aller l'aider toute la veillée.

Laval fronça un sourcil, regarda vers le cimetière et se dit qu'il s'était sans doute trompé. Si Gustave était découragé, ce ne devait pas être à cause de sa femme...

Plus rien à comprendre... Ah! et puis quelle importance, ce qui se brassait dans leurs chaudrons ! Si l'heure de fermer les portes de la guignolée pouvait donc venir, il irait se reposer à l'hôtel devant une bonne grosse Dow bien brouteuse...

Il respira fort et jeta innocemment :

–Si ça continue, on va rester avec du manger sur les bras.

–Bah! on téléphonera à ceux qui sont déjà venus pour qu'ils viennent prendre ce qui va rester.

–Je pense que la veuve Viger et Marie Sirois ont pas le téléphone... Et la plupart de ceux qui sont venus non plus.

–Monsieur Clodomir l'a, lui, par exemple...

–On peut pas dire que c'est un homme suiffeux, monsieur Lapointe. Plus maigre encore que le Blanc Gaboury...

Rose frissonna :

–Le Blanc est tuberculeux, il achève de se cracher les poumons. Je me demande pourquoi qu'il s'en va pas au sanatorium comme madame Rosaire Nadeau pis le petit Martial Maheux. Ou ben qu'il s'en aille rester avec la vieille Octavie Buteau : une autre qui se crache le dedans, mais au moins, elle a une petite boîte pour ramasser ses humeurs... Ah! j'sais pas pourquoi on parle de ça, j'sais pas pourquoi.

Et elle se tut sur une grimace qu'il ne vit pas.

Clodomir attendait que le convoi se fut écoulé tout à fait. En regardant les lourdes sleighs glisser comme des tortues à la queue leu leu, il ruminait. Non seulement il irait porter dix dollars à Ernest mais en plus, il lui laisserait la boîte dont l'autre avait eu si mal soin. L'homme se sentirait coupable comme il se devait et ça lui donnerait un répit pour payer ses arrérages de loyer.

Puis, quand la voie fut libre, il stationna son auto dans la cour de la boutique près du chemin, prit la boîte et se rendit visiter le forgeron sur les lieux de son travail.

–Monsieur Maheux, dit-il avec une patarafe dans l'oeil, je sais que vous êtes pas un pigrasseux mais un homme méticuleux. C'est pas de votre faute, mais regardez ce qu'il est advenu de notre boîte de mangeaille que vous avez montée au village hier.

Ernest écarquilla les yeux en apercevant le contenu :

–Ah! ça, ça me fourre à plein ! C'est mon petit gars, c'est sûr, parce que j'ai regardé dans la boîte en arrivant pis tout était en parfait état d'être mangé, en parfait état.

–Pas grave! J'vous la laisse pour votre chien. Pis v'là dix piastres d'acompte sur mon dû. Le reste, ça va pas retarder.

–Ah! je me plains pas, Clodomir, fit hypocritement le forgeron. Prends tout le temps qu'il te faudra... Pour la boîte, maudit torrieu, je sais pas quoi te dire trop trop...

Et Ernest le suivit jusqu'à son auto sans cesser de se plaindre des enfants d'aujourd'hui...

–Je comprends ça, j'en ai plus que vous...

Ernest put voir les deux autres boîtes sur le siège arrière. Après le départ de l'homme malade, il se dépêcha d'aller chercher la boîte maganée et d'entrer dans la maison pour dire à Éva :

–As-tu vu notre Joseph Bazou qu'est venu me voir. Je le savais donc qu'il viendrait s'en chercher, de la mangeaille, à la salle...

–Appelle-le pas Joseph Bazou, tu le méprises comme si c'était un méchant homme...

–C'est pas un méchant homme, mais c'est un paresseux pis un voleur de concombres...

–Tu le sais pas si c'est lui qui les a pris, tes concombres.

–Je l'ai pas vu faire, mais je le sais...

Puis Ernest pipa le chat qui sortit de sous le poêle.

–C'est plus rien que de la fricassée là-dedans. Faudra que tu demandes au petit gars pourquoi. Quen le chat, c'est bon plus rien que pour toi...

Et il posa la boîte ouverte devant la bête noire qui miaula de bonheur en humant les odeurs, la tête penchée.

***

Chapitre 4

Affluant de toutes les directions à la fois, les fidèles refoulaient dans les tambours de l'église maintenant que minuit approchait.

Dehors, on marchait sous un ciel enténébré par la tempête. La neige tombait en rafales et les lampadaires ressemblaient à des lumignons lointains, indistincts, parvenant à peine à éclairer les pas serrés que les piétons pressés espaçaient vers l'église paroissiale. Le vent imposait au village son silence hachuré par ses propres sifflements avertisseurs comme si le diable, lui-même sorti d'un enfer glacial avait voulu repousser les paroissiens chez eux et les empêcher de se réunir pour célébrer les louanges de ce fauteur de troubles d'enfant Jésus nouvellement né.

Mais inlassablement, les pieds lourds et pieux progressaient et grugeaient la distance séparant du temple les maisons essaimées le long de la rue principale et des petites rues secondaires.

Dans chaque demeure, il restait une ou deux personnes pour s'y faire les gardiens de la chaleur et préparer la table en vue du réveillon. Car après un jeûne de plusieurs heures, de tels efforts contre la nature et un long bain de prières, la faim ouvrait à pleine grandeur les estomacs avides qui tout ce temps avaient dû se contenter d'une hostie mince et salée. Et tout le pays alors calait un repas royal, riche et gras, bourré d'épices, de suif et de sucre.

C'était la nuit de Noël à Saint-Honoré.

La tempête rendait impraticables les chemins de travers mais pas les humeurs, et malgré la neige et la poudrerie, on était venu des quatre coins de la paroisse en berlot, en carriole, emmitouflé dans des couvertes de laine et des peaux de bête, les pieds sur des briques chaudes, et pour plusieurs chefs de famille, la main sur un flasque de gin. Car point besoin d'être ivrogne ni même de prendre une cuite pour avoir droit de se rincer la luette, après tout, c'était l'homme de la maison et son cheval qui devaient mener la famille à bon port, femme et enfants confiés à ses bons soins et entièrement livrés à sa protection paternelle. Le curé lui-même leur glissait à ces hommes de substance au confessionnal avant la messe qu'ils pouvaient communier même s'ils avaient avalé quelques rasades de gros gin, pour ainsi faire échec au diable lui-même en fin de compte en transformant sa damnée boisson en accessoire de sainteté. Ce prêtre adorait donner des jambettes de cette sorte au malin, et ça l'aidait beaucoup à continuer de garder sa belle paroisse bien en mains après toutes ces années d'un fructueux ministère.

–Ouais, ben on commence à être pas mal petitement icitte, hein! dit une voix à pleine force.

Parler aussi haut dans le tambour de l'église dérangeait un peu, et l'homme eut droit à tous les regards surpris de ces gens qui secouaient leurs vêtements ou frappaient le ciment de leurs pieds enneigés.

Encouragé par cette audace, un autre aux airs d'épouvantail, qui dégageait sa barbe fleurie de petits morceaux de glace, hasarda à son tour sur le même ton :

–Plus de monde, plus de plaisir !

Cela eut pour effet d'en inciter d'aucuns à presser le pas et le flot s'écoula plus vite par les deux portes, l'une donnant sur la nef et l'autre sur un escalier menant à la mezzanine et au balcon du chœur de chant.

Deux jeunes filles ayant des airs de famille se parlèrent à l'oreille à voix basse alors qu'elles gravissaient les marches du long escalier :

–Dominique a l'air pas mal pompette à soir !

–Il a bu au moins six grosses bières depuis le souper.

Leur propos concernait l'homme qui continuait de parler fort dans le tambour et qui avait passé toute sa soirée à l'hôtel à boire. Bien placées pour le savoir, elles étaient les filles de l'hôtelier et l'une d'elles, l'aînée, avait servi elle-même le joyeux luron qui aux occasions acceptables de faire la fête ajoutait les siennes propres chaque semaine de l'année.

Elles ne s'en dirent pas davantage, d'autant que plusieurs fidèles assis dans leur banc se tournaient la tête vers l'arrière pour savoir qui osait ainsi défier le rigoureux silence de mise dans toute église du monde.

La nef était déjà aux trois quarts remplie. On entendait tousser en litanies. Des gens se raclaient la gorge. Des bruits à la fois insolites et normaux se faisaient entendre parfois : un agenouilloir renversé par un garçonnet confus ou bien quelques notes d'orgue échappées par la distraction de la musicienne. Tout ça contribuait à créer de la fébrilité dans cette atmosphère religieuse où bientôt, par l'intermédiaire des officiants, Dieu lui-même dispenserait à chacun des assistants un rai spirituel.

Pour l'heure, c'était partout de la lumière blanche ou jaune qui représentait les êtres radieux de l'au-delà, Dieu, la vierge Marie, les anges, les saints... et les autres peut-être. Gustave finissait d'allumer les cierges de l'autel, et les flammes formaient des rangées triangulaires ne laissant pas la moindre place pour de l'ombre, pas même pour une ombre qui eût voulu se rencogner dans les replis bleus de la robe d'un ange à trompette.

Et partout, des grappes de quatre boules blanches répandaient profusément aux alentours de la lumière enneigée, nuageuse. Qui donc à l'arrière osait laisser porter sa voix profane dans un tel lieu invitant à la méditation tranquille et sacrée ? Beaucoup reconnurent la voix de Dominique Blais et dès lors ne s'en offusquèrent plus. L'homme, un industriel, donnait du gagne au monde à la fabrique de boîtes à beurre et au moulin à scie qu'il opérait de concert avec ses trois frères. Et puis on était habitué à ses frasques. « Un bon gars qui jeûne des fois les jours gras ! » disait-on de lui. Sans ajouter que la bière remplissait abondamment les creux et remplaçait avantageusement -pour lui- la viande chère aux travaillants.

Les deux soeurs Fortier suivirent l'escalier à larges marches basses du balcon en pente puis empruntèrent un autre escalier, très étroit celui-là et tournant, et qui menait au jubé de l'orgue en surplomb. Elles y furent bientôt, et les dernières à y venir sans doute puisque l'endroit était rempli déjà. Il n'y restait que les places de banc de leur famille. On avait un autre banc dans la nef et le fils de la maison s'y trouvait avec la mère tandis que le père, Fortunat, se trouvait parmi le choeur de chant. L'hôtel était sous la garde d'un pensionnaire, un mesureur de bois originaire de la région de Rimouski que le mauvais temps avait retenu dans la Beauce, et qui avait remis son voyage là-bas à la semaine du jour de l'An.

Sans en avoir l'air, Jeannine chercha quelqu'un du regard et le trouva vite parmi les hommes du choeur de chant. C'était Laurent Bilodeau, un blondin à voix douce et riche et à l'abondante chevelure frisottée. Le meilleur joueur de hockey de la région selon plusieurs, surtout ceux-là qui suivaient ça de près et supportaient l'équipe locale. Fils d'un marchand d'habits pour hommes et lui-même vendeur de son métier, il avait le sourire aisé et communicatif. Plus d'une jeune fille de la paroisse était entichée de lui au fond de son coeur, mais pas une ne l'aurait jamais montré ouvertement. Et lui se laissait attendre. Sous des dehors lustrés, il était en fait un grand timide.

Quant à Monique, plus jeune que sa soeur de deux ans, elle avait un cavalier depuis peu, mais ils ne se fréquentaient pas encore régulièrement de sorte que chacun passerait la nuit de Noël dans sa propre famille. C'était aussi un joueur de hockey, bien plus petit que Laurent, mais capable d'en prendre dans les coins de patinoire; et il faisait également partie de la chorale paroissiale. Semblait-il qu'il n'était pas encore arrivé, ce qui n'étonnait personne puisqu'il était un retardataire invétéré et qu'il accusait les événements de survenir prématurément...

On avait hâte de savoir qui, du curé, du vicaire ou d'un prêtre étranger, chanterait la messe de minuit, et surtout qui chanterait le *Minuit Chrétiens* : un secret toujours bien gardé.

Plus l'heure avançait, plus le curé avait le pardon facile et rapide dans son confessionnal où à la chaîne, il mariait avec grand bonheur le lavage des âmes et des cerveaux.

La sacristie achevait de se remplir de fidèles dont plusieurs allaient occuper les bancs avant, signe qu'ils désiraient se confesser, et le prêtre se demandait s'il aurait le temps de satisfaire tous les pénitents. Il pourrait toujours laisser le prêtre étranger finir le travail quand minuit appellerait son curé à l'église où, comme tous, il assisterait à la messe dite par le vicaire.

–Ce sera une dizaine de chapelet pour votre pénitence; maintenant dites votre acte de contrition...

Marie Sirois, veuve et mère de quatre enfants, femme sans revenu et sans initiative, achevait sa confession. Malgré toutes ses souffrances et son manque total d'agressivité, elle avait trouvé moyen de se traiter elle-même comme la plus insignifiante poussière de l'humanité. Il y avait dans la religion catholique toute une zone grise où la gravité des offenses dépendait du sentiment de culpabilité du pécheur. Jalousie, envie, colère, paresse, difficile de trancher contrairement au chapitre de la concupiscence où les fautes étaient claires et mesurées par des gestes bien concrets comme les mauvaises pensées, les mauvais désirs, les mauvais touchers.

Pourtant mère Gigogne, il arrivait à la veuve de hausser le ton avec les enfants : elle s'en accusait à confesse. Il lui arrivait dans sa chambre et ses pleurs de connaître des moments de révolte contre le ciel : elle le regrettait aussitôt et se croyait alors en état de péché mortel. Par peur de se trouver paresseuse, elle se levait à cinq heures du matin et travaillait toute la journée à jardiner, à tricoter, à s'occuper du linge des enfants et elle faisait des ménages chez les petits bourgeois du coeur du village, les Bureau dont l'homme était comptable et gérant de banque, le docteur Savoie, le notaire Bouchard et même les Bilodeau dont la femme travaillait au magasin d'habits quand ses hommes, son mari et Laurent, colportaient dans les paroisses avoisinantes.

Femme petite et brune, Marie possédait des yeux d'un bleu céleste, grands et brillants, mais rarement elle ne les levait de terre par embarras devant les coups du sort qu'elle croyait mérités et surtout qu'elle pensait qu'on croyait mérités.

Ce fut la dernière pénitente que le prêtre confessa. Il sortit du confessionnal et se rendit dans une pièce à l'arrière où se trouvaient le vicaire et les Martin. C'est là que l'on se revêtait des habits sacerdotaux requis par la fête du jour. Il s'enquit de ce que la guignolée avait pu faire pour Marie Sirois. Rose confia que le traîneau du gamin qui était venu pour elle n'avait pas permis de lui envoyer plus de trois boîtes.

–Reste-t-il des provisions ?

–En masse ! dit Rose.

–En ce cas, dit le prêtre, on va tout envoyer à cette pauvre Marie. La pauvre femme est si timorée qu'elle ne demande rien à personne. C'est probablement le seul traîneau qu'ils ont et c'est même surprenant qu'elle ait envoyé quelqu'un prendre sa quote-part.

–Je vas m'en occuper personnellement, dit Gustave.

–Tu feras pas deux milles à pied avec ta jambe, voyons, dit le curé. Monsieur le vicaire, vous irez, vous, demain avec votre machine, s'il vous plaît.

–J'irai... Mais j'ai peur de ne pas pouvoir me rendre, avec le temps qu'il fait dehors...

–Ça va se calmer, ça va se calmer...

Homme à visage carré mais à grosse tête ronde sans beaucoup de cheveux, le curé portait des lunettes à montures fines en métal et à verres tout aussi ronds que la forme de son crâne. Il approchait la soixantaine et son âge ainsi que sa voix qui s'appuyait lourdement sur les interlocuteurs de même que son nom irlandais lui conféraient une autorité naturelle très forte. On le respectait; on l'aimait. Il prêchait peu sur l'enfer, mais incitait les fidèles au nationalisme paroissial. Et à part Ernest, bien peu de paroissiens n'auraient osé s'opposer à lui plus qu'en grommelant.

On disait qu'il commandait au temps et que ses prières avaient le pouvoir de mettre fin à une sécheresse ou de faire cesser la pluie. Une boulangerie voisine d'une grange avait été rasée par les flammes l'été précédent; il était venu à temps, avait jeté des médailles de la vierge entre les deux bâtisses et le feu avait respecté l'interdit.

Il posa son étole sur une table, examina son surplis comme

s'il avait craint d'y trouver des taches, puis il regarda sa montre en disant simplement :

–C'est l'heure.

Et sans attendre, il sortit de la pièce pour se diriger de son pas solide vers l'église où le suivrait bientôt le vicaire dans sa chasuble dorée.

L'arrivée du curé au choeur donna le signal à la maîtresse de chorale de lancer le *Ça bergers* au bout duquel le vicaire officiant ferait son entrée à son tour.

Mais il se trouvait toujours dans la petite pièce avec Rose et Gus, le vicaire Gilbert, et ça discutait à mi-voix de hockey. L'équipe locale recevrait celle de Saint-Sébastien le mardi suivant et l'on craignait que l'absence du meilleur défenseur du Saint-Honoré ne coûte la partie et le premier rang au classement de la ligue de quatre équipes.

Ordonné prêtre dix ans plus tôt, l'abbé Gilbert avait séjourné à Saint-Sébastien et il avait un peu le mal du pays à Saint-Honoré. Et ça l'embêtait parfois, ce chauvinisme obtus du curé Ennis.

Rose désigna sa montre en disant :

–Arrêtez de jacasser, c'est l'heure de la messe !

Le vicaire se tourna vers elle. Il la regarda profondément dans les yeux. Un regard qu'elle ne lui connaissait pas. Ou bien qu'elle n'avait jamais supporté avant... Quelques étincelles passèrent mais Gustave n'y vit que du feu.

Elle en fut troublée. Très troublée.

Les Maheux avaient leur banc dans une des mezzanines et de ce point de vue, on pouvait embrasser à peu près toute l'église du regard : l'autre mezzanine, le premier jubé, celui de l'orgue, tout le parterre d'en bas excepté la rangée directement en dessous, et la chaire de même que le choeur et l'autel. Une place de choix pour tout observer, tout épier. Un banc qui faisait l'envie des commères du village.

Et pourtant, il ne s'y trouvait qu'une jeune femme et un garçon aux oreilles décollées. Quand le *Ça bergers* prit fin, elle se pencha sur lui et demanda :

–Gilles vient pas à la messe, lui ?

–Oui, mais il se met dans les petits bancs d'en arrière en bas avec les vieux garçons.

Elle haussa les épaules et retourna à sa réflexion et ses souvenirs. Aînée de la famille, prénommée Lucille, elle était veuve à vingt-six ans.

C'était pourtant une image belle qui mouillait son regard en ce moment même. Elle se revoyait avec lui, là, en bas, devant la grande crèche de Noël bâtie près du petit autel latéral. C'est là que, trois ans auparavant, il lui avait passé la bague au doigt alors qu'ils y étaient agenouillés une heure avant l'arrivée des premiers fidèles à l'église.

Luc et elle avaient racheté l'hôtel de ses parents à lui et ils s'y étaient installés au retour du voyage de noces. Moins d'un mois plus tard, il avait trouvé la mort dans un accident banal. Heurté par un camion militaire qui avait manqué de freins.

L'hôtel avait été vendu à un commerçant, Fortunat Fortier, et elle avait quitté son patelin pour aller vivre dans les Cantons de l'Est où après avoir opéré un petit magasin, elle était revenue à son premier métier de maîtresse d'école.

Elles étaient trois soeurs Maheux à enseigner, mais une seule restait encore dans sa paroisse natale. Et voilà qu'elle s'était retrouvée à l'hôpital quelques jours plus tôt pour y subir l'ablation de l'appendice. Pour la première fois, il y aurait des absents au réveillon, Rachel d'abord, puis Martial qui préférait rester au sanatorium malgré le temps des Fêtes. Et Fernande.

Ayant côtoyé la mort de près malgré son jeune âge, Lucille prenait conscience d'une autre fin, celle de sa famille. Complétée sept ans plus tôt par la naissance du dernier, voilà que la dispersion des enfants se concrétisait réellement ce Noël par l'absence de trois des enfants.

Il avait beau lire dans son missel, le curé laissait voir des plis soucieux sur son front. Il ne remarqua guère l'arrivée de monsieur le vicaire et le début de la messe.

Son esprit vagabondait dans les grands événements de l'année 1949 qui arriverait à son terme dans quelques jours. Deux d'entre eux revenaient sans cesse lui donner des frissons. L'un, la victoire d'un Canadien français, Louis Saint-Laurent aux élections de juin, triomphe qui avait fait de lui le deuxième francophone à devenir premier ministre du Canada après la mémorable épopée de Sir Wilfrid Laurier, excitait une corde ultra-sensible en lui, celle d'un nationalisme qui frisait souvent le jingoisme. Quant à l'autre événement, il lui donnait froid dans le dos. C'était l'explosion d'un avion à Sault-au-Cochon près du fleuve Saint-Laurent à peine cent jours plus tôt, tragédie qui avait fait vingt-trois victimes. Un homme avait été arrêté. On disait qu'il avait conçu un plan diabolique dans le but de se débarrasser de sa femme afin de toucher le montant des assurances.

Les puissantes harmonies de l'orgue accompagnant le *Nouvelle agréable* vinrent le tirer de sa profonde distraction, et pendant un moment, il se plut à goûter cette musique d'une vertueuse virtuose dont il avait fait sa meilleure amie, Marie-Anna, jeune femme sophistiquée, mère de famille de trente-trois ans qui habitait voisin des Maheux, avec un époux que leur amitié avec le presbytère flattait vigoureusement.

D'habitude, il donnait le ton en chaire pour répondre à la chorale et il entraînait les fidèles dans un hommage ou un autre à une vedette céleste, mais en cette cérémonie réjouissante, le peuple n'avait pas besoin, exceptionnellement, d'un guide. Et il chantait à pleins poumons, surtout Dominique Blais et Narcisse Jobin, les deux voix les plus fortes de la paroisse, mais trop puissantes justement pour être acceptables dans un choeur de chant.

> *Nouvelle agréable,*
> *Un sauveur enfant nous est né.*
> *C'est dans une étable*
> *Qu'il nous est donné...*

Gilles se tenait droit, debout, à côté de Dominique dans un banc de la section des solitaires à l'arrière de l'église, sorte de mini-jubé juché sur trois marches d'où l'on pouvait voir tout le monde sans être aperçu de la plupart.

Il pensait à l'argent qui restait dans ses poches et à tout le bonheur que ça lui avait rapporté depuis quelques heures. Car après le souper, il s'était rendu à un petit restaurant d'une petite rue et y avait dépensé cinquante cents en Coke et palettes de chocolat.

Une image supplantait toutes les autres en sa tête : celle de la boîte à cigares devant madame Rose à la salle et dans laquelle se trouvait, l'imaginait-il, une véritable petite fortune...

Un problème de taille confrontait le curé Ennis. Gustave s'était confié à lui au confessionnal. Le couple était au bord de la séparation et la situation paraissait aussi imprévue qu'incomprenable. Le bedeau faisait partie en quelque sorte du tissu clérical et le différend jetterait une certaine ombre sur le presbytère. De plus, Gustave méritait mieux. Il fallait raisonner Rose. Il le ferait avant la fin de l'année, peut-être même le jour de Noël.

Mais l'heure du sermon approchait. Il quitta sa place au choeur pour se rendre à la chaire haut perchée au bout d'un escalier en torsade. Tous les yeux allèrent sur lui. Il devrait une fois de plus essayer de toucher les coeurs sans heurter les intelligences, charmer les dames sans indisposer les hommes, pétrir les âmes sans étouffer les sentiments.

–Mes bien chers frères, les rois Mages à genoux devant un petit enfant né dans la pauvreté : voilà bien la plus belle image de l'évangile. Trois personnages de haute importance devant un être démuni couché sur de la paille. La richesse qui, loin de se montrer ivre d'orgueil et de se pavaner comme elle a trop souvent tendance à le faire, se montre ivre d'humilité...

Dans le banc des Bureau se trouvaient le père, la mère et leur fille unique de pas vingt ans, Suzette, une ingénue girouette et pète-sec excitée. La famille comptait aussi deux garçons plus âgés. Tous trois avaient complété leur cours commercial. L'aîné travaillait à son compte tandis que les deux autres tenaient la banque du village dont leur père était gérant.

Parfois, elle tournait la tête vers le jubé de l'orgue où elle ne pouvait apercevoir que le dos de la maîtresse de chorale et quelques personnes dont les soeurs Fortier. Elle cherchait à voir Laurent Bilodeau, et son visage changeait d'air chaque fois qu'elle heurtait son regard à cette Jeannine qui lui donnait mal au ventre avec sa robe rouge.

–... Il est plus facile à un chameau de passer par le chas d'une aiguille qu'à un riche d'entrer dans le royaume de Dieu, poursuivait le prêtre sur un ton détaché. Et ça, les paroissiens de Saint-Honoré le comprennent fort bien, car une fois encore cette année, ils se sont surpassés pour leurs concitoyens dans le besoin.

Derrière l'église, un homme qui ne prenait place ni dans un banc de la section des isolés ni dans un banc familial mais demeurait agenouillé ou debout près d'un calorifère, pencha la tête encore plus. Il savait d'ores et déjà que le curé entreprenait de parler de la guignolée. Il avait été de ceux qui s'étaient rendus à la salle pour mendier des vivres et de l'argent, et cela l'humiliait profondément. Si au moins le curé se taisait avec ça, pensait-il...

Mais le curé ne se taisait pas avec ça :

–... nous avons recueilli et partagé plus de cent piastres, c'est un record enviable. Et aussi beaucoup de provisions... La générosité des gens d'ici va devenir légendaire si ça continue. Vous savez, les dons de cinq piastres en montant, ça n'a pas été rare, à ce que l'on m'a dit...

En la tête de Gilles Maheux, ce que disait le prêtre amenuisait sensiblement la gravité de son vol. Peu s'en fallait qu'il n'en arrive à se sentir innocent comme un agneau.

Le sermon du prêtre passa par-dessus la tête de Rose sauf les derniers mots qu'il prononça, soit la recommandation aux prières des fidèles de l'âme de Gédéon Jolicoeur.

Le bonhomme avait cassé sa pipe; elle ferait une offre à la famille au sujet de la vieille dame dès l'exposition du corps à la salle paroissiale...

Jeannine et Monique faillirent planter la pirouette par en avant quand elles entendirent leur père entonner le *Minuit Chrétiens*. Voilà pourquoi il avait insisté pour qu'elles soient présentes à la messe et c'est pour ça aussi que même leur frère Émilien se trouvait là, dans le banc d'en bas avec leur mère, et que Fortunat avait laissé l'hôtel entre les mains d'un étranger.

Maire, hôtelier, encanteur, commerçant, chantre, boute-en-train,

Fortunat ne comptait aucun ennemi dans la paroisse, et malgré ce grand nombre de gens qu'il côtoyait, il faisait l'unanimité. C'est qu'on le percevait comme un homme honnête, ouvert, hilare et qui forgeait toutes sortes d'histoires. Bon vendeur, bon acheteur mais pas voleur ! On lui faisait vite confiance sans crainte de se faire entortiller.

Jusque là, on avait toujours utilisé des voix plus classiques pour entonner le fameux chant, tandis que Fortunat possédait une voix de veillée canadienne; et c'est pourquoi l'étonnement fut grand autant chez les siens que parmi le public. Même le curé en fut surpris, agréablement surpris. Jeannine faillit applaudir quand ce fut terminé...

Dans un banc d'une allée le long du mur du côté de la chaire, une jeune adolescente donna un coup de coude à sa voisine pour l'inciter à chanter le refrain de *Les Anges dans nos campagnes*..

Glo o o o o o o o o o o o o o o ri a

In excelsis De e o

Elles se ressemblaient mais pourtant ne venaient pas de la même famille. Cela tenait à leurs vêtements et à leurs cheveux. Elles se déclaraient les meilleures amies du monde et ça les portait à s'imiter l'une l'autre.

–Ghislaine, ton père, il chante comme un pic-bois... souffla l'autre à l'oreille de sa compagne blonde.

–Je vas lui dire tantôt au réveillon.

–Es-tu folle ? C'est juste pour rire que je dis ça.

–Ben tu vas avoir affaire à trouver ça moins drôle...

De leur point de vue, on apercevait le curé de profil dans sa chaire en haut et le prêtre ne regardait pas souvent de ce côté, sinon les adolescentes se seraient faites beaucoup plus sages.

–Si t'es pour lui dire, j'irai pas réveillonner chez vous...

–C'est rien que pour te faire étriver moi itou.

–T'es mieux !...

Elles s'échangèrent un regard complice et se pincèrent les lèvres pour éviter d'éclater de rire.

–C'est quoi, la gibelotte qu'on va manger chez vous ? chuchota Francine.

–Ça, ma chère, tu vas ben le voir... dans le temps comme dans le temps !

Dehors, le temps empirait.

Ernest regardait par une vitre, au-dessus d'un encadrement bossu formé par de la glace que créait depuis quelques heures le vent coulis dans sa rencontre avec l'air souvent surchauffé de l'intérieur de la maison.

Il se questionnait sur cette forme humaine là, sur le perron de l'église, et qui n'avait pas l'air de vouloir entrer à la messe comme tout le monde. Par temps normal, il aurait su qui c'était, mais à travers ces incessants brouillards, il ne pouvait déduire qu'une chose : un homme et pas une femme se trouvait là. Une accalmie permit de voir qu'il portait un capot de chat. Ernest le reconnut même si le personnage lui faisait dos.

–Je te dis la mère que le Joseph Nadeau, il se rince le gargoton à soir.

Éva ne répondit pas. Elle avait perdu la carte, couchée sur son lit dans leur chambre dont la porte était restée ouverte, un bonbon dur au gingembre dans la bouche, et qui fondait en lui piquant la langue.

–Il passe son temps à regarder par icitte, j'sais pas si il s'ennuie de sa jument. Elle est ben au chaud dans l'étable... Y a pas grand monde capable d'héberger mieux des chevaux que nous autres, maudit torrieu...

Éva entendait vaguement. Son esprit ne laissait guère son corps surmené par les activités intenses des derniers jours à nettoyer la maison, à préparer de la mangeaille et à servir ses clientes au magasin, reprendre des forces pour lui permettre de donner à manger à son monde le midi de Noël. Par chance que Lucille était venue, ça lui donnerait un bon coup de main.

Et puis elle les avait dans les jambes, ces dernières semaines de labeur. Au point où elle craignait une phlébite. Et quand il ne travaillait pas dans sa boutique, Ernest se contentait de fumer sa pipe, à se chauffer le derrière sur la grille de la fournaise, les pattes accrochées en hauteur aux marches de l'escalier. Elle savait qu'en ces moments-là, son mari rêvait de déménager sur la ferme à deux milles du village pour devenir ce qu'il avait toujours voulu être : un vrai cultivateur à plein temps. Mais jamais, au grand jamais, elle n'irait avec lui. Pas le curé, ni l'évêque, ni même le pape ne la forceraient à le suivre. Elle n'avait ni le goût ni les forces d'accomplir les inévitables tâches qui lui seraient confiées sur une terre. Ces durs travaux, elle les avait bien connus dans son enfance et une partie de son adolescence avant son départ pour aller travailler dans les moulins de coton des États. Et chaque fois qu'il lui battait les oreilles avec son idée, elle lui répétait les mêmes mots : « À notre âge, c'est plus le temps d'atteler, c'est le temps de commencer à penser à dételer !... » Chaque nuage ayant sa ligne d'argent, les pressions d'Ernest y avaient été pour beaucoup dans sa décision de se lancer en affaires, et voilà que ce petit magasin la protégeait grâce aux revenus qu'il rapportait et son homme lui laissait de plus en plus la paix avec son idée fixe.

Malgré la fatigue, elle aurait pu tout avoir pour passer le meilleur Noël de sa vie. L'année avait été bonne au magasin, et elle aimait de plus en plus son métier et ses clientes. Mais voilà que son aîné risquait de mourir au sanatorium durant l'année. Sa plus vieille était déjà veuve. Et la Rachel avait dû être transportée d'urgence à l'hôpital de Québec pour se faire opérer. Une famille éclopée, rudement touchée... Tâchant d'ironiser sur la vie, elle redisait souvent à celles qui venaient lui confier leurs problèmes : « Ah! ma bonne amie, dans la vie, y a toujours un bout qui retrousse quelque part ! »

Les bruits d'Ernest ne la ramenèrent pas à l'état de conscience. Il ouvrit la porte menant dehors et s'exclama :

–Salut ben ! Rentre donc !

C'était Joseph Nadeau

–Sais-tu, y a une chuinée qui flambe par là-bas... j'pense que c'est su' Rosaire... Pis y a rien que deux petites filles dans la maison. Me prêterais-tu un fanal que j'attelle au plus coupant...

–Y en a un dans l'étable qui reste allumé tout le temps. Est plein d'huile à charbon... Veux-tu que je m'habille pis que je monte avec toi ?

–Non... c'est rien que par prudence que j'y vas... Pis y'a la Paula qui doit être ben nerveuse si elle s'aperçoit que ça flambe.

–C'est une petite fille ben sérieuse pour son âge, pis ben avisée, mais avec le feu on a pas grand contrôle...

–Bon, ben, j'me dépêche...

–Fafine pas trop, non !

Puis il cria à l'autre dont il ne voyait déjà plus le capot de chat dans la tourmente :

–Tu feras trotter ton cheval, il est ferré à glace ben solide !

Ernest referma et se rendit à une autre fenêtre d'où il pouvait apercevoir au loin parfois une lueur caractéristique. Il marmonna :

–Le feu, y a personne qui mérite ça... Après la mort pis la maladie, c'est la pire affaire qui peut arriver à une personne...

Et il songea que cette maison là-bas, tout comme la sienne, était éprouvée par la tuberculose...

Ce fut l'heure de la communion.

Le curé fit la distribution des hosties à la sacristie tandis que les deux autres prêtres se partageaient les fidèles de l'église. Pour aller recevoir le sacrement, les choristes et tous ceux du jubé de l'orgue avaient pour habitude de parcourir une mezzanine de bout en bout puis, par un escalier très étroit, d'arriver à mi-chemin entre l'église et la sacristie. Là, ils décidaient d'aller d'un côté ou de l'autre, sachant qu'il y avait possibilité de communier aux deux endroits.

L'organiste choisit d'aller vers la sacristie, sachant que c'est le curé qui serait là. Elle s'agenouilla à côté d'un aveugle à la sainte table.

–Corpus Christi...

La suite de l'invocation se perdait dans un murmure indistinct.

Mais par un regard appuyé, l'abbé souhaita Joyeux Noël à la jeune femme qui le lui rendit. Pudiquement.

–Corpus Christi...

L'aveugle ouvrit la bouche, reçut l'hostie puis se dépêcha de dire :

–Thomas, j'sus allé voir dehors. Fait tempête, on voit ni ciel ni terre.

Le curé savait bien que l'aveugle, effectivement, 'voyait' mieux les tempêtes qu'un voyant de la meilleure espèce.

–Je vais prévenir les paroissiens, dit le curé.

Fier de son intervention, l'aveugle se releva et prit la direction de son banc en s'aidant de sa canne pour mesurer la distance en nombre de pattes de banc heurtées. Et comme toujours, il ne se trompa point.

Le curé interrompit le cours normal de la cérémonie pour faire sa recommandation quant à la tempête. Que ceux qui retournaient loin dans la paroisse s'en aillent atteler au plus vite; qu'on laisse faire la messe de l'aurore et la messe du jour ! Ou mieux, qu'ils couchent au village, ceux qui le pouvaient !

Ernest s'attendait à voir des hommes venir dès que la cloche de l'église annoncerait le moment de l'élévation. Suffisait de regarder la nuit folle. On ne savait plus d'où venait le vent qui comme Dieu se trouvait partout. Par bonheur, l'instinct des chevaux ramènerait chacun à bon port...

Il téléphona chez Rosaire Nadeau. Une voix de fillette le rassura. Son grand-père était arrivé. La cheminée se calmait.

Il ferait bien de se rendre à l'étable pour en aider d'aucuns à ratteler. Il connaissait les airs, les chevaux, la nuit. Ça irait plus vite et les hommes n'entameraient pas trop leur réserve d'énergie.

Bientôt, plusieurs sortirent de l'église et se dirigèrent chacun vers l'étable de son attelage. Et quand eut lieu la sortie de la messe de minuit, une filée de carrioles s'alignait déjà le long et devant la bâtisse.

De l'autre côté de la rue, une autoneige noire à dos rond tournait au ralenti en attendant ses passagers. Elle ferait quatre voyages aller-retour dans quatre des huit rangs de la paroisse au cours de la nuit. Dès la première neige, son conducteur-propriétaire s'était levé des chemins de raccourci, ouvrant un peu partout des pagées de clôture avec la bénédiction des gens qui bénéficiaient tous, directement ou pas, de ce taxi moderne qu'auraient bien aimé prendre eux aussi les villageois.

Clodomir, lui, avait remisé son bazou pour quelque temps. Et il était venu en sleigh avec au moins six enfants. À la maison, Toinette préparait le réveillon avec les plus vieilles.

Aisément pâmé dans la poudrerie et pour ne pas suffoquer, il avait confié à son plus vieux le soin d'aller chercher l'attelage chez Freddy Grégoire, le marchand général qui lui aussi louait des places de chevaux dans sa grange située derrière le magasin, voisin de l'église.

L'homme attendait dans le tambour de l'église et un de ses garçonnets allait souvent dehors pour voir si son frère venait. Dominique Blais le rejoignit pour s'allumer une cigarette en attendant de retourner à l'intérieur assister à la messe de l'aurore. Il se mit le nez dehors un moment et dit de sa voix de stentor :

–Ouais, ben, y'a pus de feu par là...

–Du feu? s'étonna Clodomir dont la maigreur s'accentuait sensiblement quand il parlait, en raison des mouvements des os de son visage sous la peau sèche et jaune.

–Une chuinée qui flambait dans le bout de par là-bas, déclara Dominique en indiquant la direction par un signe de la main.

Une petite femme accompagnée de deux enfants entra à son tour dans le tambour. Elle avait entendu, et son coeur battait fort. Une cheminée qui flambait dans ce bout-là, ça pourrait bien être chez elle. Et, à la maison, il y avait deux autres de ses enfants. Et une cheminée qui flambe, quand ça met pas le feu à toute la bâtisse, ça peut la remplir de boucane et tuer par asphyxie.

–Bonsoir madame, et joyeux Noël ! dit Dominique en allumant sa cigarette.

–... soir, fit-elle à mi-voix, l'âme plus taraudée par l'inquiétude que par sa gêne coutumière.

Il y avait deux milles à parcourir, et avec elle, deux enfants qui retarderaient sa marche.

Quand la porte fut refermée, Dominique commenta :

–Pauvre Marie Sirois, elle a du chemin à faire avec une tempête de neige comme on a là !

Peu après, Clodomir rejoignait son attelage et installait les enfants sur la sleigh. Son fils clappa, et on se mit en route sous la bourrasque...

Avec un cheval aussi vieux et usé, il faudrait bien une heure pour rentrer à la maison. Qu'importe, il voulait à tout prix que chaque année, quelques-uns parmi les enfants se remplissent l'âme de souvenirs en assistant à la messe de minuit.

Malgré sa lenteur, l'attelage rattrapa et dépassa la veuve qui luttait farouchement contre la tourmente sans lâcher la main de ses deux jeunes enfants qui geignaient.

L'homme fit arrêter le cheval et marcha jusqu'à la veuve noire qui leva la tête pour l'entendre. Il l'invita à prendre place avec eux. Elle accepta en le remerciant de son obligeance. Et comme depuis son départ de l'église, elle continua de s'imaginer le pire pour ses enfants restés à la maison.

Et Clodomir se défit de sa peau de carriole dont il enveloppa la femme qui claquait des dents à cause du froid et de la peur, et qui avait les lèvres toutes pétassées à force de se faire fouetter par le vent glacial.

Et quand on fut devant sa petite maison et que malgré la neige poussée par le vent, elle put apercevoir une petite lueur à la fenêtre et une fumée normale s'échappant de la cheminée, elle se rua sur Clodomir et le serra fort en multipliant les 'merci beaucoup', comme s'il avait été, lui, le bon Dieu qui avait protégé sa famille et sa demeure.

Et Clodomir se dit que sa propre misère n'était rien par comparaison avec celle de cette femme qui se sentait honteuse de sa pauvreté et responsable de son malheur. Même qu'il se trouva choyé par le ciel. Et il dit à son fils debout, qui tenait les guides :

–Brasse donc la ganache, au vieux Pilate. Pis en même temps, passe-lui donc la hart un peu. Juste pour lui pincer un peu la croupe. Autrement, il va geler deboutte pis nous autres assis...

Il avait grande hâte de retrouver la Toinette et de voir tout son monde autour de la table pour le réveillon...

***

Chapitre 5

Chez les Fortier...

Ils étaient dix à table.

Fortunat faisait craquer ses jointures pour le plus grand déplaisir de Lucille Maheux qui ne le laissait pas paraître et de sa fille Jeannine qui, elle, le signala sans gêne.

–Papa, vous chantez pas mal mieux avec votre bouche qu'avec vos mains.

–Félicitations pour votre *Minuit Chrétiens*, enchérit son voisin de droite, l'ami de Monique arrivé à l'heure pour une fois.

Et il y avait aussi Ghislaine et son amie Francine. Et le fils unique de la famille, Émilien, un adolescent nerveux, toujours souriant, portrait craché de son père.

On avait donné l'autre bout de la table à ce mesureur de bois qui pensionnait à l'hôtel depuis l'automne, un jeune homme réservé et déjà à moitié chauve.

Et pendant que chacun se servait et passait les plats, Amanda, la mère de famille, jetait un coup d'oeil en plongée pour s'assurer que tout se trouvait là, tout fumant, tout beau, tout appétissant.

–Monsieur Fortier pourrait aller chanter à la radio : il est aussi bon que Félix Leclerc, déclara Roland Campeau d'une voix qui ne portait guère et qui fit perdre le message à la plupart sauf à l'homme de Rimouski.

–Et à la télévision quand la télé sera arrivée au Canada...

–Huhau! huhau! les boys, j'suis rien qu'un tout petit chantre de paroisse, là, moi, pas Raoul Jobin ou Richard Verreau. Pour ce qui est de la télévision, j'suis pas sûr que ça va rendre nos vies meilleures, une invention de même...

Cette fois, tous entendirent, et tous se montrèrent étonnés par des visages exprimant le scepticisme. Tant qu'à être si bien écouté, l'homme poursuivit en y mettant de l'emphase :

–La télévision, quand elle sera partout dans les maisons, ça va faire que le monde, ça se parlera plus beaucoup. Les 'gensses' vont se laisser mener par le bout du nez par ceux-là qui vont se servir le mieux de la télévision. Ceux qui vont vouloir dire autrement que ce qui se dira à la télévision vont faire rire d'eux autres. On va tout se ressembler d'une porte à l'autre.

–Pas pire que de nos jours où c'est les prêtres qui façonnent l'idée des gens à partir de ce que les évêques s'entendent pour dire à partir eux-mêmes de ce que le pape prétend, objecta Ray Rioux, le mesureur de bois.

Campeau, qui n'avait de timide que son air, intervint :

–Le pape, quand il parle ex cathedra, faut l'écouter...

Fortunat coupa :

–C'est le mot que je cherchais tantôt. Ouais, c'est la télévision qui va parler ex cathedra dans quelques années. Elle va être plus forte que le pape lui-même.

–Hormis que le pape s'en serve au maximum lui aussi, lança le mesureur avec mesure.

Amanda possédait un visage rond et rouge derrière lequel les idées se faisaient plutôt clairsemées. Mais elle n'avait pas son pareil pour aiguiller une conversation sur une autre voie quand celle du moment lui paraissait ennuyeuse ou mangeuse de curé.

–Monsieur Rioux, vous autres à Rimouski, mangez-vous de la dinde au réveillon ?

–Voyons, madame Fortier, c'est tout le Québec qui mange sa dinde la nuit de Noël. C'est l'Amérique, c'est le monde entier...

–Ah! oui ? Moi, vous savez, j'ai pas une grosse instruction.

C'est pas comme vous pis Lucille...

–Attention, moi, j'suis rien que maîtresse d'école, dit Lucille en hochant la tête.

–C'est mieux qu'une sixième année, comme moi pis mon mari.

–On peut être autodidacte, dit Rioux en portant une fourchetée de dinde à sa bouche.

Devant le regard interrogateur de plusieurs, il précisa :

–S'instruire par soi-même, y a ben des gens qui font ça. Y en a qui disent qu'on apprend trois fois plus vite qu'à l'école, sans vous offenser, mademoiselle Maheux.

–Quand on peut compter de l'argent, tous les chemins s'ouvrent devant soi, rétorqua Fortunat. Sauf qu'un chemin peut être vaseux, gravelé ou asphalté.

Homme maigre, l'hôtelier était tout en mâchoire inférieure, et quand il gardait la bouche fermée, son visage prenait la forme d'une risée anodine. Il se moquait des autres sans mesquinerie et ne dédaignait pas pimenter son propos en prêtant volontiers le flanc à la taquinerie.

Roland, qui ne voulait pas être en reste dans la conversation, avança que la télévision amènerait l'asphyxie puis la mort pure et simple du cinéma en salle, ce qui poussa Monique à parler du dernier film qu'elle et son ami avaient vu quelques jours plus tôt :

–Si vous aviez vu Cary Grant habillé en femme, c'était tordant de voir ça.

Les yeux d'Émilien pétillèrent, et ce n'était pas à cause de la farce qu'il avait en bouche et mélangeait avec un morceau de dinde. Mine de rien, il demanda le titre du film.

–Sais-tu, dit Monique, j'ai pas trop remarqué...

–Comment ça, tu vas au théâtre pis tu vois pas ce qui est écrit sur l'écran ? Des lunettes, Monique, des lunettes.

–*Allez Coucher Ailleurs*, dit Roland en guise de réponse à l'adolescent tout en regardant Lucille de l'autre côté de la table.

La jeune femme renoua avec le fil de la réalité sans savoir ce qui avait précédé. Et elle haussa une épaule, la moue indécise.

–C'était ça, le titre du film, ajouta Monique pour clore le bec de son jeune frère qui la traitait souvent de cervelle de moineau.

Et une conversation à bâtons rompus comme celles de tous les réveillons heureux se poursuivit sans toutefois inclure tout à fait certaines personnes dont la vie intérieure était affligée d'un kyste.

Émilien ne comprenait ni n'acceptait de voir sa chair réagir quand il voyait un copain en costume de bain.

Et Lucille ne parvenait pas à libérer son âme de trop de souvenirs imprimés en ses mémoires par ces lieux mêmes où elle avait passé les heures les plus belles de son existence puis les plus terribles. Dans un mutisme douloureux, elle n'arrivait pas à quitter du regard cette porte ouverte qui donnait sur deux autres, l'une menant dehors et l'autre dans une pièce obscure. C'était là que le corps de son jeune mari avait été exposé. Des visages lui revenaient en tête. Des gens venus exprimer leur sympathie et peut-être satisfaire leur curiosité. Quel image donnait donc cette tête qu'une roue de camion avait écrasée et aplatie comme une vessie ? Les marques des pneus : presque pas. Les os brisés : rafistolés. Une image évanescente passa dans le brouillard du temps perdu : le visage défait d'une femme aux yeux hagards qui regardaient fixement le regretté comme s'il avait été les restes de son propre mari. Ç'avait été de voir Marie Sirois disparaître une heure plus tôt dans cette hiémale blancheur de la nuit torturée qui remettait devant l'âme de la jeune veuve des images emmagasinées dans les plus dramatiques moments de son passé. Non, ce n'était pas le corps de Luc que cette pauvre femme voyait, mais celui de son mari disparu des suites d'un mal quasiment aussi bête qu'un accident...

Chez Marie Sirois...

À deux milles de là, assise dans son lit blanc à côté d'un enfant endormi, Marie regardait le néant filandreux par sa fenêtre de chambre sous la lueur amortie d'une bougie solitaire collée dans une soucoupe.

Il y avait de l'électricité dans sa maison, mais elle l'utilisait le moins possible pour économiser un peu d'argent.

Gros et silencieux, les flocons de neige s'abattaient par nuées denses sur les vitres noires; mais rien, pas même le vent énervé, ne musiquait l'espace. Là dehors, la nuit souffrante mesurait ses mouvements lunatiques comme pour les empêcher de se transformer en le moindre bruit capable de traverser un miroir depuis le destin lui-même vers une âme emprisonnée dans sa tanière.

Mais au fond du fond, cette nuit de solitude d'un être profondément et obscurément isolé n'était rien qu'un répit dérisoire dans sa vie de condamnée. Car demain viendrait avec de la lumière en paquets, la ligne bleue du mont Adstock au fond de l'horizon, les grelots clairs des voitures sur les mulons de neige du chemin, et elle, la condamnée à vivre, devrait continuer à mourir à petit feu...

Que faire quand on ne sait qu'attendre ?

Chez les Bureau...

Lorraine buvait son thé comme on goûte au vrai bonheur : à petites gorgées, le regard gris clair posé sur son charmant vis-à-vis à la table du réveillon des Bureau auquel Laurent Bilodeau avait accepté de prendre part ainsi que sa soeur Claudia.

Il y avait une dinde comme ailleurs sur cette table où prenaient place les trois grands enfants et leurs invités de même que les parents, mais c'était un gros oiseau dodu arrosé d'une sauce au vin et dont la dégustation avait été précédée d'un punch corsé à en faire craquer les glaçons.

–C'est pas piqué des vers, maman, dit l'aîné, petit jeune homme bavard à la fine moustache.

–C'est moi qui ai fait la sauce, clama aussitôt Lorraine de sa voix glapissante.

–Ben, on va pas te donner de coups de règle, fit le père, personnage aux oreilles énormes.

Mais on se parla davantage de hockey que de cuisine par la suite. Comme Laurent Bilodeau, les deux fils Bureau faisaient partie de l'équipe locale, l'un à l'attaque et l'autre à la défensive.

Leur père leur répétait souvent qu'à part l'école, c'était sur une patinoire qu'un jeune homme pouvait le mieux se former à faire des affaires. Négocier, faire semblant, bloquer l'adversaire, intimider, encercler, rester dans les bonnes grâces de son instructeur, frapper et surtout déjouer. Et pas besoin de briller sur la glace, suffit d'étudier le jeu et de transposer le modèle dans son commerce, redisait-il souvent.

« Les futurs millionnaires, les futurs dirigeants politiques, les futurs décideurs auront tous fait leurs classes sur la glace d'une patinoire tout comme aux États, ils les font au football. »

La salle à manger donnait à penser à une pièce de presbytère par ses murs à planchettes vernies et un lustre à quatre ampoules dont la lumière vive se dispersait en paillettes à travers le verre de la pampille et des pendeloques, pour s'atomiser ensuite sur la vaisselle, la verrerie, les cheveux d'or de Claudia et les montures de lunettes de la mère.

Petite bonne femme rondouillarde, la maîtresse de maison jubilait. Tout se passait comme elle l'avait souhaité. Et suggéré sans en avoir l'air. Enfin Laurent et Claudia accompagnaient Lorraine et Roger. Il lui semblait, depuis qu'elle les voyait grandir, qu'ils étaient faits pour aller ensemble, deux à deux, ces quatre-là. Frère et soeur avec soeur et frère : une bonne combinaison qui unirait deux familles commerçantes et bourgeoises. Quant à Jean-Louis, son plus vieux, il trouverait chaussure à son pied. Et de la bonne pointure. Un gars volontaire, sociable, passionné de politique. Qui sait si on n'en ferait pas un député un de ces jours ! Non, il se ferait député lui-même comme il s'était fait homme en se fabriquant ses propres directives, en se forgeant ses propres opinions, en agissant...

–Quelqu'un sait-il que Rachel Maheux a été opérée d'urgence la semaine passée à Québec ? demanda Laurent sans crier gare.

Le front de Lorraine se rembrunit. Pourquoi pareille question faisant irruption aussi abruptement dans la conversation ? Venue de ses frères, l'interrogation l'eût quand même agacée, mais moins. Elles avaient grandi dans le même coeur de village, elle et Rachel, et jamais ne s'était chicanées sans non plus se lier d'amitié bien que toujours dans la même classe à l'école jusqu'à leur départ pour ailleurs et des études supérieures, mais Lorraine la craignait, cette fille trop intelligente dont la présence partout où elle se trouvait était aussi forte que celle d'Esther Létourneau, peut-être même plus.

–Qui veut entendre de la bonne musique ? dit-elle en repoussant sa chaise. On a de nouveaux disques. Glenn Miller, Xavier

Cugat...

–Et même deux trois vieux disques de madame Bolduc que j'ai achetés moi-même en personne, intervint Jean-Louis avec un mince sourire en coin.

–Pfft! c'est assez colon, ça ! protesta la jeune fille.

–J'trouve pas, moi, fit Claudia de sa voix longue et douce. J'aime ça, l'entendre turluter dans le temps des Fêtes à la radio.

–On appelle ça du patrimoine canadien-français, dit Jean-Louis.

Puis il chantonna :

–Hourra pour la pitou ou ne !

–Toi, pitou, tais-toi ! ordonna Claudia sur un ton taquin.

Claudia était une belle jeune femme au visage classique, grande et mince, le nez à faible tendance aquiline. Ses cheveux blonds formaient une souple ombrelle sur ses épaules. Tout en elle respirait le calme et la poésie romantique, et sa voix coulait de source. Depuis toujours, son coeur ne vibrait qu'à Roger Bureau et pas un autre gars n'aurait jamais osé frapper à la porte de sa belle âme. Son mariage, elle le connaissait par coeur pour l'avoir cent fois célébré par l'imagination; il ne restait plus qu'à le faire bénir par monsieur le Curé Ennis.

Mais Roger n'était pas pressé... Il était sûr d'elle... et de lui.

Chez le docteur Savoie...

Dans la maison d'en face, de l'autre côté de la rue, deux couples dans la haute trentaine levaient leurs verres. Le docteur Savoie, sa femme Anita et leurs invités, les Drouin, fraternisaient depuis quelque temps malgré de notables différences quant à leur rang social et au niveau d'éducation de chacun.

Georges était instruit et sa femme snob; Victor possédait une santé précaire et une vue très basse que corrigeaient des lunettes à verres épais, et sa femme Lucienne donnait l'air d'Édith Piaf par toute sa personne. Et c'est ce surnom que lui donnait à l'occasion le docteur.

Le cristal tinta.

–À la bonne vôtre ! lança le docteur à voix rugueuse et forte.

–À la bonne vôtre ! répéta Victor d'une voix qu'il lui fallait pousser en avant pour la faire porter un peu.

On but.

C'était du martini.

Puis Georges se racla la gorge selon son habitude, sans trop de réserve, et dit :

–C'est la fin des haricots. La Lorraine Bureau qui a réussi à mettre la patte sur Laurent Bilodeau.

–Non! s'exclamèrent en choeur Lucienne et Victor.

–Tu le sais comment, Georges ? demanda Anita, obséquieuse.

–C'est madame Bureau qui me l'a confié elle-même aujourd'hui. Et en ce moment même, notre célibataire le plus couru de Saint-Honoré, et le plus inabordable à ce que l'on dit, se fait servir une platée de ragoût de pattes par la jeune fille qui souffre des plus fortes démangeaisons de tout le canton...

Naïve, Lucienne le prit au sens propre, d'autant que c'est un docteur qui parlait.

–Elle fait de l'urticaire ?

–Mais non, assura Victor sur un ton paterne, les démangeaisons plaisantes...

–Ah! ils vont peut-être nous inviter à un mariage double l'été qui vient.

Lucienne déposa sa coupe sans avoir bu.

–Voudrais-tu autre chose ? demanda la femme du médecin.

–Ah! j'ai le coeur sur la main depuis une couple de semaines. Je me demande si je serais pas...

–Non, non, dit Georges, la moitié des femmes se méprennent sur leur état dès qu'elles ont un peu mal au coeur. Je te donne une bonne pilule pour ça, attends un peu...

Il se leva, et son regard rencontra celui de sa femme. De l'inquiétude circula, et une certaine gêne.

Femme au visage lourdement maquillé, rouge à lèvres intense, cheveux mi-longs d'un noir de jais, Anita se retirait de plus en plus en elle-même à mesure que les années passaient et ça lui conférait un air hautain. Elle avait souvent du mal à composer

avec toutes ces idées bizarres que son mari parachutait sur sa volonté et, pour acheter la paix, elle acceptait de le suivre dans ses
explorations psychologiques...

Quant à ce couple, c'était quasiment par charité qu'elle avait
toléré leur amitié après qu'ils aient été introduits les uns aux autres
par le curé lui-même qui, désireux de garder dans la paroisse ce
jeune médecin originaire de l'Ouest canadien, avait beaucoup fait
pour mettre le couple à son aise dès leur arrivée deux ans plus tôt.

L'abbé Ennis était trop fier de sa paroisse pour accepter qu'elle
restât sans médecin, et quand le jeune docteur Goulet fils du vieux
docteur Goulet qui lui, avait pratiqué quarante ans dans la place,
avait annoncé sa décision d'aller vivre en ville, le prêtre l'avait
carrément traité de fou et d'ingrat. Ce qui avait ajouté à la détermination du partant.

–As-tu eu tes... affaires ce mois-ci ? demanda Anita à l'autre
femme.

–Justement non! Ça retarde pas mal !

–C'est contrariant !

Victor ricana :

–Bah! un de plus ou de moins ! Quand y'en a pour quatre, y
en a pour cinq, dirait ma vieille mère.

Anita quant à elle avait plusieurs raisons de croire qu'elle était
stérile. Douze ans de mariage et toujours rien. Mais les enfants ne
lui manquaient pas. Elle peignait, jouait du piano, se rendait souvent chanter des airs d'opéra à l'église la semaine le jour quand il
n'y avait là personne d'autre que Marie-Anna pour l'accompagner
à l'orgue. Et elle fumait la cigarette. Et elle aimait boire. Et elle
classait des médicaments dans le bureau de son mari. Et elle prenait de longues marches. Écoutait la radio, lisait, avait bien hâte
que la télévision soit enfin là pour être capable de s'évader chaque jour de ce coin de pays qui ne la sortait pas de son ennui.

Son coeur resterait toujours au Manitoba.

Elle connaissait Michelle Tisseyre et préférait Gary Cooper à
Clark Gable.

Par bonheur, elle nourrissait une ambition, travaillait en secret
sur un projet : persuader Georges de retourner dans l'Ouest sans

même jamais lui en parler et donc faire en sorte qu'il en vienne en douce à cette décision... Certains jours, ça lui paraissait infaisable; les obstacles étaient de taille. Il y avait cette petite élite paroissiale du coeur du village tout autour qui cherchait, curé en tête, à absorber le docteur, à l'intégrer. Et puis Georges s'attachait de plus en plus à ses patients...

Ce couple, les Drouin, pourrait bien s'avérer le pied-de-biche dont elle avait besoin pour déraciner son mari avant que ses pieds ne s'enfoncent trop dans le sol de la Beauce, il serait la pesée de porte à faire contrepoids pour ouvrir la trappe qui risquait de se refermer sur eux avec le temps qui passe...

Chez les Fortier...

Fortunat fit craquer ses jointures pour mieux attirer l'attention et alors il annonça à la tablée :

–Comme vous le savez, demain, c'est la fête de Noël icitte même à l'hôtel. Sleigh ride. Rigodons. Violon. Les gingueux, les gigueux... pis les p'tites gueuses... Mais pas une goutte de boisson. On va pas en vendre vu que c'est dimanche en plus que d'être le jour de la nativité. J'en ai parlé avec monsieur le curé qui est ben content de ma décision. Ni Dow, ni Molson, ni gin, ni rhum : c'est la loi du presbytère, et la loi du presbytère, c'est ma loi à moi ! Ça fait que... invitez tous ceux que vous voulez si c'est pas fait encore mais avertissez-les...

–Pour qu'ils cachent leur glouglou dans leurs poches, coupa Émilien en s'esclaffant.

Fortunat leva les mains et pencha la tête en la hochant :

–Ça, moi, je m'en porte pas responsable. On pourra toujours pas mettre un inspecteur au bord de la porte pour fouiller le monde comme aux douanes américaines.

–Papa, c'est pas aux douanes américaines qu'ils fouillent le monde, c'est aux douanes canadiennes... pour arrêter la contrebande de cigarettes américaines...

Rioux rapprocha sa chaise de la table et son genou toucha accidentellement celui de l'adolescent qui aussitôt retira le sien.

–La farce, moi, je la trouve fadasse un peu, dit Fortunat. Qui c'est qui me passe le sel ?

Amanda intervint :

–Tu sales toujours trop, toi, c'est pas bon pour la santé, ça !

–Ben voyons donc, maman, c'est le sel de la vie qu'ils disent dans la Bible...

–Les gros mangeux de sel, ça meurt jeune ! marmonna la femme sans conviction.

Lucille et Jeannine reprirent leur conversation; Ghislaine et Francine, leurs rires. Émilien gardait le silence en écoutant tout ce qui bouillait à l'intérieur de lui tandis que le mesureur de bois donnait toute son attention à Fortunat par-dessus la farce, la dinde défaite, la bûche invitante et tout le bataclan du réveillon chez les Fortier de Saint-Honoré...

**

Chapitre 6

Chez le forgeron Maheux...

–J'espère que je vous dérange pas trop, là, vous, madame Maheux ! dit Jeannine en s'asseyant à table.

–Pas plus que moi chez vous au réveillon de la nuit passée, objecta Lucille.

Ils étaient dix là, et Jeannine n'avait pas besoin qu'on lui présente qui que ce soit depuis tous ces mois qu'elle vivait deuxième voisin des Maheux et toutes ces années où elle avait grandi autre part dans le village pas très loin, à mi-chemin entre l'église et le moulin à scie.

Les deux amies prenaient place à une extrémité face à Ernest qui aurait préféré se faire couper une main plutôt que de céder la sienne à l'autre bout. Assise à sa gauche, Éva gardait toujours à sa gauche à elle quand on était à table, une adolescente de douze ans, Suzanne, handicapée intellectuelle que les deux derniers cherchaient sans cesse à faire étriver et à qui ils jouaient des tours pendables.

Le père restait muet. Une vraie carpe sérieuse et sombre comme souvent à table à moins qu'il ne s'y trouve de la parenté adulte.

Du côté de la mère, plus loin, près des jeunes femmes, deux adolescents Ti-Paul et Léo se parlaient de la promenade en sleigh qui aurait lieu un peu plus tard à partir de l'hôtel et à laquelle ils se proposaient de prendre part.

Et les gamins étaient assis entre Léo et Suzanne en coude à coude faute de plus d'espace. C'était un repas de Noël digne de la plus ordinaire banalité.

Le hasard d'un quasi-silence fit entendre un gargouillis d'intestins.

–Arrête de péter à table ! dit rudement Gilles à son frère cadet.

–C'est pas moé, c'est toé ! se défendit l'autre.

–Menteur !

–Menteur !

–Taisez-vous donc ! ordonna la mère à qui ils faisaient honte devant une étrangère.

–C'est un puant ! dit Gilles en picossant son frère du coude.

–C'est toé, le maudit puant ! rétorqua l'autre en poussaillant à son tour.

Tout en continuant de parler, Jeannine jetait un oeil sceptique vers les gamins tandis que Lucille adressait parfois des regards à son père comme pour lui dire d'intervenir.

Mais l'homme, semblable à un ruminant, continuait tranquillement de mâchouiller un gros morceau de poule pas plus cuite qu'il ne le fallait.

–Les petits gars, arrêtez de jaspiner ! dit la mère sur le ton de la plainte par-dessus la tête de Suzanne qui, elle, interrogeait directement son père du regard.

Gilles donna un coup d'épaule à son frère, qui dut en donner un à sa soeur, qui fit de même à sa mère. Effet domino qui exaspéra l'adolescente; elle s'écria :

–Maudit fou de maudit fou !

–C'est lui qui m'a poussé, se défendit le plus jeune.

–C'est toé qui m'a poussé, dit-elle.

–Mange de la marde, tête de pioche ! jeta l'enfant à sa soeur.

–Parle pas de même à table ! ordonna la mère.

Et Ernest piquait avec sa fourchette un morceau de poule molle qu'il coupa ensuite à l'aide de son couteau de poche.

–Prends donc ton couteau coupant ! dit Éva.

–Il la regarda, voulant dire « Où c'est qu'il est ? »

Elle comprit et se leva pour aller au comptoir près de l'évier.

Gilles poussa alors son frère, qui se trouva à pousser sa soeur, qui tomba sur le côté sur la chaise de sa mère en criant comme une perdue.

–Le Gilles, tu vas t'en aller dans la chambre une secousse, là, dit enfin le père.

–Pas de ma faute, protesta l'enfant, c'est lui qui a pété à table.

–Si tu veux pas te faire péter le nez, marche dans' chambre !

L'enfant savait d'instinct et d'habitude qu'il ne devait pas tirer la ficelle plus fort. Arrivait exactement ce qu'il avait espéré : se faire envoyer en punition dans la chambre de ses parents.

En maugréant, il se rendit dans la pièce dite et referma la porte pour exprimer sa frustration feinte et calculée. Et une fois là, il se rendit à la garde-robe où se trouvaient les manteaux de ses parents, ceux de Lucille et de Jeannine. Et il commença à fouiller dans les poches à la recherche de monnaie...

Éva eut du mal à trouver le couteau. C'est que le manche de bois s'était détaché de la lame avec le temps et qu'il ne restait donc plus qu'une pièce de métal plate. Elle l'aperçut enfin qui dépassait sous une chaudronne et le tira de là avec ses ongles, puis le présenta à Ernest qui le prit sans remercier.

Pendant qu'à la salle des chevaliers de Colomb, Gustave commençait à s'habiller en Père Noël, Rose se dirigeait vers le presbytère où elle avait été convoquée par le curé.

Elle savait trop bien pour quelle raison. Gus avait vidé son sac, c'était certain. Mais elle ne lui en avait rien dit. Et quand il avait annoncé qu'il allait s'habiller en Santa Claus, elle s'était revêtue, pour aller voir le prêtre, de toute sa détermination voire d'un entêtement de femme.

Dans la grande salle du deuxième étage, à deux heures de l'après-midi, des parents de jeunes enfants de toute la paroisse conduiraient leurs petits voir le Père Noël et recevoir chacun une boîte de papillotes à la vanille. C'était devenu une tradition. C'était payé par les Chevaliers. Qui aurait voulu laisser sa petite boîte à quelqu'un d'autre ?

Depuis trois ans que l'on tenait cette activité, Gustave avait toujours hérité du rôle souvent ingrat de Père Noël. Les mères craignaient un peu le bonhomme dont l'identité véritable restait un secret –mal gardé toutefois– qui faisait ainsi asseoir les petits enfants sur ses genoux et leur prodiguait des caresses. Des bambins prenaient peur et pissaient sur le personnage en fortillant ou bien l'arrosaient de coups de poing à la barbe et au ventre quand ils ne le bourraient pas de coups de pied aux mollets.

Le curé dérogea à ses habitudes et vint lui-même ouvrir la porte afin de recevoir la visiteuse.

–Je vous suis, je vous suis, dit-elle quand il lui indiqua de passer en avant.

Il obtempéra. Elle pensa qu'il se laisserait infléchir.

Homme de petits pas mesurés et feutrés quand il se trouvait à l'intérieur d'une pièce réduite, le prêtre traversa un tapis tressé puis se rendit tout droit à son bureau et prit place sur une chaise à bascule dont le mécanisme gémissait parfois. Il s'accouda sur le dessus du meuble alors que la femme s'asseyait dans un fauteuil confortable en velours gris.

–Alors, chère madame Rose, on a passé une bonne nuit de Noël cette année ?

–Ah! on a rien fait comme chaque année depuis que Gustave est bedeau.

–Ah! les Fêtes, pour vous autres comme pour nous, sont un temps de préoccupations d'abord et de bien peu de réjouissances. Mais il en faut des comme nous pour rendre le sort des autres un peu meilleur.

–Je profite de cette rencontre pour vous dire joyeux Noël.

–Pareillement, chère madame !

Il la remercia pour son travail à la guignolée. Elle questionna sur l'arrivée du corps du défunt à la salle, et ça lui permit de se renseigner sur le sort de sa veuve malade :

–Il va arriver quoi avec madame Jolicoeur ?

–On cherche quelqu'un pour en prendre soin... Je me demande bien quand donc des gens de la paroisse se décideront d'ouvrir un foyer pour vieilles personnes. De nos jours, ça devient de plus en plus une nécessité. Hélas! les générations d'aujourd'hui sont de moins en moins enclines à garder leurs vieux parents à la maison. C'est la rançon du progrès... si on peut appeler ça le progrès...

L'homme soupira puis regarda la femme droit dans les yeux :

–Allons donc au vif du sujet et parlons de votre avenir et de celui de votre mari.

–Il vous a fait part de ma décision et vous a demandé d'intervenir...

–C'est à peu près ça !

Rose poussa sur ses lunettes qu'à son arrivée, elle avait laissées en avant sur son nez pour permettre aux verres de se nettoyer d'eux-mêmes de la buée.

–Revirer de bord quand la décision est arrêtée, c'est rachever de se noyer dans le mal-être qui vous a fait prendre ce chemin-là. À quarante-neuf ans, moi, je me trouve encore trop jeune pour commencer à mourir...

Le prêtre soupira, ricana un peu :

–Dès qu'une personne vient au monde, elle commence déjà à mourir. C'est le cycle de la vie et de la mort.

–Monsieur le Curé, vous savez ce que je veux dire... C'est plein de gens qui s'enterrent vivants. Dieu ne leur en demande pas tant. Chacun a des devoirs envers soi-même.

–Et envers les autres ! Et ça, Dieu le veut, Dieu le commande par la sainte Église catholique. Votre mariage est valide, madame Rose; vous avez partagé des années avec votre mari, vous partagez aussi des enfants...

–Qui sont tous partis de la maison et n'ont plus besoin de nos soins...

–Les gens qui se séparent, et grâce à Dieu il ne s'en trouve pas beaucoup dans cette paroisse, sont stigmatisés par la vie, et cela retombe sur leurs enfants.

–C'est là un prix que je sais être assez forte pour payer.

–Attention, Rose, attention, vous ignorez encore quel sera le sens réel de ce prix à payer. Je regrette de devoir vous donner un exemple, mais pensez à madame Noëlla Ferland... Elle a dû s'expatrier de cette paroisse pour aller vivre en ville avec son jeune garçon.

Rose prit une profonde inspiration afin de parler avec plus d'aplomb et déclara :

–Le coeur de la question se trouve justement là. Une femme doit survivre, doit avoir un moyen de subsistance pour elle-même pis ses enfants si des enfants dépendent encore d'elle. C'est pour ça que Noëlla est partie. Comment trouver du gagne par ici ? Le rare ouvrage qu'il y a, c'est pour les hommes. Tandis que moi, j'ai pas d'enfants à ma charge d'un côté, pis que de l'autre, je suis capable de gagner honorablement ma vie sans mendier et sans manger de misère.

–Gustave le pourra-t-il longtemps, lui ?

–C'est-il que je devrais me charger de la responsabilité à vie de gagner son pain ?

–Pour le meilleur et pour le pire, dit le sacrement du mariage. C'est une entente mutuelle au fond. Qui dit que vous ne serez pas la première dans le besoin et que vous ne devrez pas alors compter sur Gustave pour manger ?

–Moi, j'fais pas des calculs comme ceux-là. Je veux des années meilleures, c'est tout. Depuis trente ans et plus que je me dévoue pour les autres, asteur, je veux me dévouer à ma vie...

–L'égoïsme constitue le meilleur levain de la solitude, Rose, vous devriez penser à cela.... et sérieusement.

–On peut se dépenser à autre chose qu'à un homme si on veut éviter l'égoïsme. Vous me croirez pas beaucoup, mais moi, avec mes produits que je distribue par les portes, souvent, j'apporte du réconfort à des femmes. Elles me content des choses qu'elles ne vous disent même pas au confessionnal. Parce que c'est pas des fautes. Pis de pouvoir en parler avec une autre femme qui soit pas de la parenté, ça leur fait grand bien. On en parlait justement, madame Maheux pis moi. Elle, c'est pareil, ses clientes se confient à elle et ça leur fait du bien...

–Eh bien, me voici donc avec deux adjointes pour confesser

les dames de la paroisse ! Plus besoin de requérir des prêtres étrangers...

Rose connaissait l'humour pince-sans-rire du curé, et sa réflexion pour un moment, allégea l'atmosphère. Mais son front se rembrunit et il attaqua plus solidement :

–Rose, vous vous apprêtez à faire du mal à un homme bon, à faire du mal à vos enfants qui ne le méritent pas, à faire du mal à toute cette communauté paroissiale y compris votre curé, à faire du mal à Dieu lui-même et en bout de ligne, et surtout ça, à vous faire du mal à vous-même. Vous savez, celui ou celle qui fait le mal par égoïsme doit se questionner sérieusement sur son salut ! Dieu ne récompense jamais le mal...

Pendant qu'il parlait, Rose commença à hocher la tête puis des larmes apparurent dans ses yeux.

L'abbé Ennis savait qu'il touchait la bonne corde. Il voulut ne pas relâcher la pression et demanda :

–Est-ce que Gustave vous a déjà battue, agressée, maltraitée ?

Elle fit signe que non tout en fouillant dans sa bourse noire pour y trouver un mouchoir.

–Est-ce qu'il vous oblige... à des devoirs conjugaux qui... disons qui vous répugneraient.

–On fait lit à part, vous le savez...

–Le fond du problème est peut-être là, justement. Un couple qui fait lit à part se met sur le chemin de la séparation, pas de l'union...

Elle renifla, essuya ses yeux en introduisant un morceau de son mouchoir blanc sous ses verres de lunettes. Sa voix se fit larmoyante :

–C'est un homme qui ronfle... pis qui se lave pas assez...

–C'est bien peu comme récriminations... Suggérez-lui donc un bain quotidien...

–On n'a pas encore de chambre de bains comme vous le savez...

–Un bain ou des ablutions au plat des mains... Pour ce qui est de ronfler, quelle différence du moment où vous dormez dans la même chambre. Cela éloigne le bruit d'à peine deux pas et c'est tout. Gustave est un homme fidèle, dévoué, travaillant, avenant, généreux...

–Généreux ? Gratteux !

–Écoutez, il ne peut donner que ce qu'il a. Non, sincèrement, je crois qu'il fait partie des meilleurs paroissiens et des meilleurs hommes qu'on puisse trouver. Il gagne sa vie malgré son sérieux handicap physique... Voyez par exemple ce qu'il va faire pour les enfants de la paroisse dans pas une heure. Il aurait bien pu dire : « *Cette année, demandez à un autre Chevalier de jouer au Père Noël. C'est fatigant et tout.* »

Visiblement ébranlée, Rose protesta plus faiblement :

–Vous savez, c'est pas la faute à Gustave si je veux m'en aller. Ce que vous dites est vrai, c'est un bon garçon. Mais moi, j'veux plus vivre avec un homme. J'vas pas m'en aller vers un autre pis vers le péché, je vais vivre avec ma fille ou fine seule dans une maison.

Le prêtre savait qu'il ne pourrait pas briser la volonté de cette femme mais qu'il pouvait l'amener à changer d'idée. Un pas important venait d'être franchi. Un second devait l'être.

–Bon, admettons que vous preniez six mois pour approfondir la question.

–Ça fait plusieurs fois six mois que j'y pense.

–Un autre six mois, c'est pas la mer, c'est pas la mort. Et on en reparle un beau jour tranquille de mai, loin de l'énervement du temps de Noël. Faites donc ça pour votre curé, madame Rose. Tout sera moins brutal pour tous, ne croyez-vous pas ? Je suis sûr que vous pouvez me faire cette petite faveur.

–C'est une grosse faveur, monsieur le Curé.

–Peut-être... et je l'accepte volontiers, ma bonne dame...

Regardant à gauche, à droite, Émilien fit semblant de cacher le flasque vert qu'il tendait à Léo Maheux. On était dehors, sous une neige folichonne, résidu de la tempête que la nuit et le matin avaient convoyée vers l'est du pays.

Attelé à une immense sleigh, un cheval blond secouait la tête de haut en bas parfois pour peut-être se débarrasser de ces flocons froids s'accumulant sur le remoulin ou bien de son désir de se mettre en marche. Et il lui arrivait de gratter la glace molle de la chaussée avec un sabot comme pour le débotter. Mais ses vieux yeux avaient l'air de sentir le pesant et l'animal gardait généralement la fale basse.

Quel contraste avec les fêtards réunis autour de la plate-forme par petits groupes de deux ou trois en attendant le départ pour la partie de 'fun' déjà amorcée et qui se poursuivrait par la promenade en traîneau parsemée de quelques arrêts impromptus puis par le retour à l'hôtel et le réchauffement à travers des jeux de société. Dommage qu'il soit interdit de boire puisqu'il fallait user de discrétion pour quand même le faire; mais cela ajoutait du piquant au plaisir.

–Tu vas voir que ça fesse !

–C'est quoi ? demanda Léo.

–De l'alcool 94%.

–T'es fou, je vas me brûler le gosier avec ça.

Fortunat sortit de l'hôtel avec son accordéon. Derrière lui, sa femme en robe brune riait jaune et maugréait :

–T'es trop vieux pour courir la galipote comme ça avec les jeunesses du village !

–Jamais trop vieux pour être jeune ! À part de ça que ça leur prend de la musique à ces jeunes-là pis un bon chaperon pour les surveiller !

–Quoi c'est que tu veux pour souper à soir ?

–Fais cuire des gorlots de patate avec des restes de dinde en équipollent... pis du gâteau des Rois pour finir...

–Le gâteau des Rois, il est seulement pas fait encore...

Mais Fortunat n'écoutait plus et sautait d'un pas leste sur la plate-forme où il prit place à un banc cloué sur la fonçure. Il jeta un coup d'oeil et recensa quinze jeunes têtes.

Léo but deux petites gorgées puis une plus grande. Mais là, il s'étouffa.

–Ah ! vous autres, mes petits bonyennes, s'écria Fortunat.

–Cache la bouteille ! siffla Émilien entre ses dents.

Et Léo la fit disparaître dans sa poche de mackinaw.

Plus loin, Lorraine se mit à sauter à cloche-pied et s'enfargea par exprès dans la neige en bouette pour tomber sur Laurent qui la retint en riant à travers les rires forcés de la jeune excitée.

Le fils du boucher du village, un gars dans la vingtaine, grand, rougeaud, sérieux, vint prendre les rennes. Il s'arc-bouta solidement sur ses deux jambes et clappa. L'attelage se mit en branle. Les participants réagirent. La plupart sautèrent à leur tour sur la fonçure; d'autres préférèrent marcher derrière pour un temps.

L'accordéon se fit vite entendre, et le musicien se mit à chanter d'une voix rauque :

–C'est aujourd'hui le jour de l'An, envoye, envoye la petite jument...

Il s'arrêta un moment pour dire :

–C'est rien que dans une semaine mais tant qu'à fêter Noël...

On applaudit, on cria de l'approbation.

Deux maisons plus loin, devant le magasin général, Gilles Maheux et son ami Clément s'approchèrent. Sachant qu'on se rendrait dans le Grand-Shenley, chacun avait apporté un 'jumper'(pit) pour y descendre en glissant les côtes importantes du rang. Des plus vieux leur donnèrent la main; ils montèrent au milieu de la voiture.

–Où c'est que tu vas de même avec ton cogne-cul ? lui demanda le conducteur.

–Voir les filles, répondit Clément pour Gilles qui avait parlé de son intention bien arrêtée d'inviter au passage Paula Nadeau à venir avec eux.

Il en fit rire d'aucuns qui l'avaient entendu.

Et il y avait là des jeunes filles venues deux à deux et des gars trois par trois. Des Bureau, des Champagne, des Paradis, des Maheux, des Boutin auxquels se joindraient en cours de route des Pelchat, des Beaudoin, des Mercier et des Boulanger.

Un grand jeune homme sec dans un manteau étroit, tête nue et cache-oreilles en mouton noir, émergea d'un hangar relié au magasin et à la maison des Grégoire, et courut pour rattraper la voiture dont provenaient des cris d'encouragement. Pour lui jouer un tour, le conducteur fit trotter sa bête quand il le sut venir. Et Jean-Yves dut courir à toute éreinte.

La joie était sans contrainte. Pas un coeur morfondu. Pas de violence, pas de hargne. Pas de questions torturantes ni de mea culpa qui estropient. C'était 1949, c'était la campagne, c'était Noël, c'était la joie.

Et Fortunat tapait du pied. Et les bottes cloutées traînaient dans la neige du chemin. Et les mitaines battaient la cadence. Et l'âme de la race comme de la neige qui pelote prenait la forme d'une gigue façonnée par un temps doux et simple...

Âme noire et triste, Marie Sirois s'amusait à relire pour la nième fois une macabre pièce de poésie signée Octave Crémazie sous le titre de *La promenade des trois morts*.

> *Le soir est triste et froid. La lune solitaire*
> *Donne comme à regret ses rayons à la terre;*
> *Le vent de la forêt jette un cri déchirant;*
> *Le flot du Saint-Laurent semble une voix qui pleure,*
> *Et la cloche d'airain fait vibrer d'heure en heure*
> *Dans le ciel nuageux son glas retentissant.*

Depuis sa maison située dans un bosquet d'arbres en retrait de la route, la veuve en se berçant regardait parfois du côté du village. Elle savait qu'on ne l'y remarquait jamais. Et là, quand les enfants dormaient le soir ou bien qu'ils étaient à s'amuser dehors ou dans les chambres du haut, elle réfléchissait par des souvenirs ou par de la lecture de vieux poèmes ou de passages de la bible.

Tout lui paraissait inextricable en les dédales gravoiteux de son esprit si lourd...

Un enfant toussa là-haut. La femme leva une tête douloureuse, et son grand regard inquiet interrogea l'insondable. Puis un sourire fut à peine esquissé par son visage nébuleux. La petite famille avait bien mangé ces derniers jours, et la maladie n'aurait donc pas de prise sur elle. Grâce à la guignolée et au curé, elle avait même pu remplir le bas de Noël des enfants qu'un bonheur aussi infime qu'éphémère avait ravis.

Mais elle reprit sa lecture dans son vieux livre maigre et jaune.

C'est le premier novembre. Au fond du cimetière,
On entend chaque mort remuer dans sa bière;
Le travail du ver semble un instant arrêté.
Ramenant leur linceul sur leur poitrine nue,
Les morts, en soupirant une plainte inconnue,
Se lèvent dans leur morne et sombre majesté.

Elle releva la tête pour regarder dehors cet hiver tranquille qui ne l'effrayait pas en lui-même malgré les risques de manquer de bois pour chauffer la maison, de manger pour tous, de pneumonie pour d'aucuns voire de tuberculose.

Peut-être qu'un jour de grand froid, quelqu'un, mortel ou messie, viendrait frapper à sa porte pour lui dire simplement « Marchons ensemble ! » Comme elle, il saurait voyager dans les profondeurs de l'être humain, et lutter contre les inextinguibles soifs du mal et du malin...

Et elle lut la troisième strophe.

Drapés comme des rois, dans leurs manteaux funèbres,
Ils marchent en silence au milieu des ténèbres
Et foulent les tombeaux qu'ils viennent de briser.
Heureux de se revoir, trois compagnons de vie
Se donnent, en pressant leur main froide et flétrie,
De leur bouche sans lèvre un horrible baiser.
Silencieux ils vont; seuls quelques vieux squelettes
Gémissent en sentant de leurs chairs violettes
Les restes s'attacher aux branches des buissons.
Quand ils passent, la fleur se fane sur sa tige,
Le chien fuit en hurlant comme pris de vertige,
Le passant effaré sent d'étranges frissons.

Dans l'étroite échancrure de sa matinée grise se pouvait voir une petite croix noire suspendue par une corde faite de laine tressée. Parfois, la femme la touchait comme pour invoquer des forces qu'elle seule semblait connaître tant son front alors se crispait et ses yeux se constellaient de lueurs étranges...

Elle porta la main en direction de son cou, mais changea d'idée et enterra son recueil sous quelques soupirs et un exemplaire cartonné de la sainte bible posé sur une table en écoinçon.

Et elle cria vers l'escalier :

–Les enfants, gréez-vous, on va aller glisser dehors en traîneau étant donné qu'il fait aussi beau temps pis que c'est Noël.

Des cris de consentement joyeux se firent entendre. En attendant qu'ils descendent, elle fit de son regard embelli un tour de la pièce dépouillée. En fait, il n'y avait que peu de choses dans la place, mais rien qui ne soit peu de chose, puisque tout était chargé de souvenirs mémorables, beaux et tendres ou durs et tristes. Une table rectangulaire avec dessus en bois et six chaises carrées peintes en vert tilleul occupaient le centre à trois pas du poêle blanc à lourde tête chromée. Sur un rond, une bouilloire pansue exhalait quelques relents de vapeur et sur un autre, une théière drabe au bec écaillé en deux endroits donnant l'air de taches de goudron, conservait une boisson en train de se corser avec le temps qui passait.

La femme ne perdrait pas le thé et le réduirait avec de l'eau au repas du soir. Et il y avait deux tablettes dans le coin, l'une plus haute portait une horloge à pendule, ornée d'un encadrement en bois avec arabesques et ajours, et une autre où Marie venait de mettre son recueil sous la bible. L'évier au bout d'un comptoir court sous des armoires à portes mal ajustées comportait une 'champlure' cuivrée. Rien d'autre sinon une chaise berçante à part celle où se trouvait encore la femme.

Une paire de pieds apparut en haut de l'escalier. C'était l'aînée, Cécile, onze ans, qui avait revêtu ses pantalons d'étoffe et un jacket à carreaux rouges. Annette, dix ans, suivait. En bleu. Puis c'était Émilie, sept ans, vêtue d'un manteau brun et d'un casque de laine avec cache-oreilles, et enfin le garçon, Emmanuel, huit ans et demi. La mère avait elle-même choisi les prénoms de ses enfants. Pour la chance et pour la prière. Les filles s'appelaient comme trois des jumelles Dionne et le fils comme Jésus. Mais ça n'avait pas empêché la misère de s'installer à demeure dans la maison après la mort prématurée du père de famille.

La femme se leva et se rendit à sa chambre d'où elle revint habillée elle aussi. Pantalon noir et mackinaw carreauté.

–C'est pas qu'il fait ben frette dehors, mais on va endurer notre linge.

Puis elle vérifia les vêtements des enfants, mitaines surtout, pour voir si les rapiéçages et raccommodages tenaient le coup, car le tissu était usé par les années, et sa résistance en était réduite.

Le gamin sortit le premier. Il se rendit sous un appentis qui abritait du bois de chauffage et divers objets, et en sortit deux traîneaux qu'il tira par une corde jusqu'à la porte.

–Où c'est qu'on va ? demanda Cécile en sortant devant sa mère mais après ses soeurs.

–Allons dans le Grand-Shenley ! suggéra Emmanuel.

–Non, c'est ben trop loin ! dit Marie qui voulait éviter des rencontres avec des gens du village.

–Allons sur le cap à Foley ! proposa Annette qui plissait le nez et les yeux pour lutter contre la lumière blanche exhaussée par la neige neuve.

–Pourquoi pas dans notre côte à nous autres, là, derrière ? C'est chez nous...

–C'est pas assez loin pis ça descend pas beaucoup, objecta Cécile en grimaçant de contrariété.

–Y a des grosses roches ! enchérit Annette.

–Ben non ! Monsieur Rouleau a tout éroché son clos l'été passé. C'est beau comme une fesse par là...

Ce fut un rire général.

Des bouteilles de gin et autres spiritueux circulaient d'un gars à l'autre dans la voiture, et Fortunat fermait les yeux pour ne rien voir. Il ne se reposait jamais, et une chanson attendait pas l'autre. Dans les maisons, les gens venaient aux fenêtres pour voir passer le groupe et saluer de la main ou du sourire.

Ernest Maheux fut le premier à faire un commentaire quand il aperçut Jean-Yves Grégoire qui courait pour embarquer sur la plate-forme :

–Je vous dis que les jeunesses d'aujourd'hui, ça tourne avec la vie. Des vraies toupies ! Ça fume, ça boit, ça s'excite ! Maudit torrieu, le Gilles est rendu avec eux autres... Pouah ! c'est égal !

L'attelage passa ensuite devant chez Bernadette Grégoire et Marie-Anna, l'organiste. Puis on se calma un court moment devant la maison en deuil des Jolicoeur d'autant que la demeure d'en face était habitée par l'aveugle et sa lourde femme aux gros yeux qui voyaient tout, correspondante du journal hebdomadaire de la Beauce.

Un garage, un laitier, des retraités, une petite épicerie où il ne se vend pas de viande... Et les chansons à répondre défilaient avec les bâtisses. Des jeunes filles attendaient à un coin de rue; elles se joignirent à la joyeuse équipée... Le moulin à scie approchait. Quand le bruit des promeneurs parvint à l'intérieur de la maison de Dominique Blais, l'homme se souvint qu'il avait entendu parler de sleigh ride pour cet après-midi-là. Il avait travaillé fort ces jours derniers à sortir le bois de la concession, à conduire la puissante 'dumbarge' (tracteur américain), et à s'occuper du corps du défunt puisqu'il était représentant officiel dans la paroisse d'un entrepreneur de pompes funèbres, et il avait fait envoyer le cadavre à Saint-Georges.

En raison de la visite du Père Noël à la salle paroissiale, et parce que l'embaumeur ne renverrait le corps à exposer que tard dans la journée, il n'y aurait exposition que le jour suivant. Autant en profiter pour s'amuser. Et il partit de chez lui, suivi du silence de sa femme et de l'indifférence accoutumée des enfants.

Mais la plate-forme était maintenant bondée comme une chaloupe de sauvetage du Titanic.

–Ça nous prendrait une autre voiture ! cria Émilien.

–Même deux de plus ! ajouta Fortunat qui se livra à une brève pause.

On fit arrêter l'attelage. Dominique demanda :

–Vous allez où de ce train-là ?

Le conducteur répondit :

–Un bout sur la Grande-Ligne, on revire dans la cour à Marie Sirois pis on revient sur nos pas, ensuite on prend le Grand-Shenley pour un mille.

–Écoutez, le temps que vous allez vous rendre sur la Grand-Ligne, je vas faire réchauffer la 'dumbarge' pis on va pouvoir accrocher trois sleighs bout à bout comme on fait avec les sleighs à billots.

Tous acquiescèrent par des éclats de voix et des signes de tête. Et le sleigh ride se poursuivit...

Derrière la maison de Marie, tout à coup, on entendit le son d'un accordéon, les grelots d'un attelage et des cris mêlés à des éclats de rire, et les éternuements renifleurs d'un cheval.

–Y a quelqu'un qui arrive icitte, dit le garçon.

–Bougez pas de là, je vas voir, dit la mère.

Elle contourna la petite maison grise. On l'aperçut, même si elle n'osa faire qu'un seul pas dans un espace visible pour les visiteurs.

–Hey, madame Sirois, venez faire une promenade avec nous autres, lança une voix.

–On manque de place, mais on va faire marcher les gars, dit une autre voix pour les occupants de la voiture.

Des mains dégantées applaudirent. Des cris d'approbation furent entendus. L'attelage, qui faisait un arc de cercle dans la cour, s'arrêta. Elle pencha la tête, esquissa le geste de faire demi-tour. Fortunat lui cria :

–Ben oui, Marie, venez donc avec nous autres pis emmenez vos enfants. On va venir vous reconduire ensuite, c'est ben certain.

La femme était figée. Ses enfants avaient entendu et ils accouraient. Elle demeurait interdite, incapable d'accepter et encore plus incapable de se sauver.

Qui donc étaient-ils pour ainsi la héler si familièrement ? On voulait rire d'elle, de ses misères, on cherchait à la mettre dans de beaux draps afin de la diminuer et l'humilier devant ses enfants. Pourtant, un côté d'elle lui disait que sa réaction était celle de la peur et que ce devait être le diable qui la confinait à elle-même et à ses souffrances. Mais sa bouche dit sans trop de voix et dans un seul coup d'oeil adressé à ses interlocuteurs :

–Merci ! On est mal habillés pour ça...

Et sans plus, elle fit demi-tour en poussant ses enfants devant elle et en repoussant du même coup leurs protestations.

–C'est tout du grand monde, c'est pas pour vous autres. Allons glisser dans le clos à Noré Rouleau.

Le cheval s'énerva quand il dut passer à côté de la 'dumbarge'. Il hennit et se cabra.

–Huhau! Huhau! dit le conducteur qui de ses bras puissants tira sur les cordeaux.

Les occupants de la plate-forme avaient tous déménagé sur celles alignées derrière le gros engin qui tournait allège sur la rue devant le moulin à scie.

Fortunat n'avait cependant pas de banc cloué et il dut s'asseoir sur la fonçure avec son instrument qu'il pourrait alors bien moins contrôler. Les participants se répartirent sur les trois sleighs, et le joyeux coude à coude fut donc rompu. Il fallait élever la voix pour se faire entendre. Pourtant, chacun se sentait plus important d'être ainsi accroché à de la grosse mécanique moderne.

Dominique actionna un long manche à balai fixé dans le plancher, et le lourd et bruyant véhicule se mit en marche. Plus question pour l'accordéon de Fortunat de se faire entendre par-dessus le bourdonnement agressif et puissant du moteur. Plus moyen de danser, de se crier des folies, de se parler bas dans le creux de l'oreille. On avait voulu bien faire, on croyait bien faire, on ne se comprenait plus. Les flasques circulèrent davantage et avec eux, les microbes...

Dans le clos à Rouleau, le traîneau, sur lequel étaient montés la mère de famille et son fils Emmanuel, heurta celui des trois filles parti le premier pour dévaler la pente. On versa dans la neige. Des cris éclatèrent dans l'air sécot et ce fut une explosion de joie générale.

Mais elle ne dura pas. En se relevant, l'aînée et le garçon regardèrent au loin en se demandant ce qu'ils auraient vu et entendu s'ils avaient pu eux aussi se mêler à ceux de leur âge qu'ils avaient vus avec les plus grands dans la voiture joyeuse...

***

Chapitre 7

Gilles Maheux descendit de la voiture quand on fut au sommet de la longue côte du Grand-Shenley. Clément le suivit. Chacun son tapecul à la main on laissa s'éloigner le convoi et peu à peu le silence de l'isolement procéda à l'ensevelissement des ondes les plus tenaces de la 'dumbarge'.

De là, il avait l'impression de dominer la terre, c'est à-dire son village tout entier qui s'étendait en bas dans toute sa longueur et ses quelques rues courtes aux extrémités qui allaient niaiser dans un cul-de-sac.

De voir ainsi l'église, dont la masse lui en imposait tant quand il se trouvait à la maison, maintenant se trouver en bas de son regard, enfiévrait son audace tranquille. Car au pied même de la côte se trouvait une maison qui faisait battre son coeur, celle des parents de Paula Nadeau.

En passant devant plus tôt dans la voiture, il avait fait semblant de ne pas appuyer ses yeux de ce côté-là, mais son balayage radar de pupilles habituées lui avait permis de savoir qu'il y avait de la vie à l'intérieur mais pas d'auto dans le garage dont la porte était restée ouverte. Ce qu'il croyait et espérait se produisait-il ? Le père de la fillette était-il parti visiter sa femme au sanatorium, et Paula restait-elle à la maison pour garder les enfants plus jeunes ? Il verrait bien... Son plan était simple : rendu en bas, il ferait faire le nono à Clément, l'enverrait frapper chez les Nadeau pour y demander l'heure, attendrait dehors devant, et quand la porte s'ouvrirait, il rirait de son ami pour alerter Paula... en autant que ce serait elle qui répondrait au visiteur.

–C'est qu'on fait ? demanda Clément qui renifla fort pour renvoyer des humeurs dans ses bronches.

–Ben, on va descendre.

Malgré la tempête de la nuit, la côte restait claire, car elle était toujours balayée à mesure par le vent, et il ne restait sur le fond que la neige en croûte accumulée les jours de temps chagrin sans poudrerie. Un endroit idéal pour glisser. Surtout sur un pite à cause de sa lisse unique encline à trop s'enfoncer dans de la neige épaisse. Gilles était un expert à l'usage d'un tapecul. Il avait appris sur le cap à Foley par des journées entières de pratique.

Élevé par ses grands-parents depuis sa naissance et la mort de sa mère, Clément possédait tout ce que possédait Gilles, mais en un peu mieux. Son grand-père, homme sociable et souriant, cherchait toujours à battre Ernest par enfants interposés. Et il y parvenait à tout coup au grand déplaisir du forgeron qui alors raboudinait des injures qu'il espérait voir se rendre chez son voisin par la bouche des enfants.

La douelle du pite à Clément était donc plus longue, la bûche plus légère, faite en cèdre, et le siège plus large. Mieux, le dessous de la lisse était cannelé et verni, et le grand-père l'enduisait chaque automne de cire blanche. Tout cela toutefois n'augmentait pas le talent de Clément qui n'avait guère le contrôle de son engin, et il lui arrivait souvent sur le cap à Foley de se perdre dans les épinettes et de se grafigner la face comme il faut.

–Hey! on change-t-il de 'jumper' rien que pour le fun ?

–Tu fou, mon grand-père veut pas que je le prête à personne. Oublie pas ça.

–Ouais, mais si je te prête le mien, c'est pas pareil.

Clément questionna les étendues blanches et pansues, les balayant de son regard gris et docile. L'idée lui parut prometteuse.

–Ben... quen...

Paula n'aurait jamais vu quelqu'un d'aussi rapide passer devant sa porte, se disait Gilles en s'installant sur le siège.

L'autre fit comme lui et demanda :

–Qui c'est qui part le premier ?

Question qui exigeait réflexion. La réponse vint vite au bout d'un court raisonnement. Clément irait moins vite, mais attirerait l'attention peut-être. Paula regarderait par la vitre. Alors elle verrait passer un bolide... Puis on remonterait la pente à pied et c'est là qu'il enverrait Clément cogner à la porte... Si elle ne voyait pas à la première descente, elle verrait bien à la deuxième...

–Toé.

–Ben, si tu me donnes une poussée pour me partir.

–OK ! d'abord...

Et l'enfant se rendit poser ses mains dans le dos de l'autre.

–Tu me tiendras un peu en partant pour que je perde pas mon ballant...

Ce que Gilles fit, et Clément entra bientôt dans la section la plus raide de la côte. Mais il tomba aussitôt à la renverse. L'autre lui cria :

–Repars tuseul !

Tant bien que mal, le gamin se remit en selle, et la chance ainsi qu'un rayage de la 'dumbarge' le gardèrent en siège. Il prit de la vitesse rapidement.

Gilles eut un petit éclat de rire. Il enjamba la douelle pour prendre place à son tour. Quand il vit son copain à mi-côte, il s'aida de ses pieds et se lança en avant. Son bonheur bourré d'espérance était total. De la joie à pleines clôtures.

L'air piquait ses yeux. Le pite patinait parfaitement. Il le contrôlait bien par ses pieds traînants et par le jeu d'équilibre de son corps à droite et à gauche.

La chenille de la 'dumbarge' avait laissé derrière elle une empreinte faite de carrés durs sur lesquels flottait littéralement le cogne-cul qui ainsi en perdait son nom. Mais cela augmentait considérablement sa vitesse au point que le garçonnet se mit à rapetisser dans ses bottes et ses culottes.

L'accident étant la rencontre d'événements fortuits à un moment donné, et qui aboutit à un résultat désastreux, eût pu être évité si devant la maison des Nadeau, Clément n'avait pas chuté encore une fois et obstrué le passage, si Gilles avait attendu dix secondes de plus ou de moins pour se lancer en avant, si plus tôt, Dominique dans sa 'dumbarge' n'avait pas tiré par accoutumance sur un manche à balai et provoqué un mouvement en biais de la chenille pour ainsi briser la ligne droite de son empreinte.

La tuque rouge soulevée par la résistance de l'air, le garçon effarouché joua du pied gauche pour éviter de frapper son ami; et survint alors ce que le destin voulait depuis l'éternité. La lisse suivit la direction de travers, mordit dans le mulon de neige dure bordant le chemin et entraîna son passager dans le plus formidable saut de pite jamais inscrit dans les annales saint-honoréennes.

Ébahi, bouche bée devant l'acrobatie aérienne, Clément vit son ami flotter dans l'air tout droit vers la maison des Nadeau. Il n'eut pas le temps de réagir davantage, de penser que son ami avait trouvé là le meilleur moyen de se casser le cou, de partir en peur ou simplement d'avoir peur.

Au bout de son vol plané, le malheureux garçon rencontra l'escalier des Nadeau qui retint le tapecul et le brisa en trois morceaux puis leur galerie enneigée où son corps s'abattit dans un bruit mat après qu'une chance de bossu lui ait permis de s'aligner entre les montants du garde-soleil.

Mais son front heurta le mur de la maison et le gamin perdit de vue la lumière du jour pour ne plus retenir que celle des étoiles d'une nuit profonde...

Depuis le passage du convoi que Paula se tenait à la fenêtre, elle avait tout vu; et c'est sans manteau qu'aussitôt l'accident arrivé, elle ouvrit la porte et que Clément accourait en gémissant :

—Il a brisé mon jumper, il a brisé mon jumper...

La jeune adolescente se pencha sur le blessé et vit une énorme bosse au front. Malgré son jeune âge, elle avait la panique moins facile que d'autres, vu ses responsabilités d'aînée à la maison depuis l'hospitalisation de sa mère.

—Aide-moi, on va le rentrer dans la maison, là...

—Il a brisé mon jumper, geignait Clément en réunissant les morceaux cassés.

Paula prit un ton saisissant :

–Toé, là, viens m'aider tusuite ou ben je te sacre la volée...

La peur de son grand-père se transforma en peur de la jeune personne pour un moment, et Clément obéit. Elle prit le blessé par les épaules et lui par les pieds. On entra le corps à l'intérieur et il fut étendu sur le sofa du salon. Sitôt fait, Clément courut dehors, ramassa les bouts de bois et prit la poudre d'escampette en direction du village.

Gilles flottait dans les profondeurs du rêve malgré son front qui pâtissait. Images vagues et mélangées. Des étincelles du feu de la forge éclataient dans sa tête et faisaient clignoter ses paupières. Son esprit fabulait et faisait de lui un grand seigneur que les villageois servaient aux côtés de Paula habillée en dulcinée de Toboso... Une voix lointaine mais oh ! combien douce lui parvenait maintenant :

–T'as de l'enfle pas mal sur le front pis une grosse mâchure, mais tu vas pas en mourir... Des plans pour te casser le cou, ça. J'ai téléphoné chez vous pis ton père va venir te chercher...

Une main délicatement mouillée touchait son front, évitant sa bosse; il ouvrit les yeux. L'image qui se présenta à lui valait mille accidents, des véniels, des mortels, pires et moins pires, douloureux, pas sérieux.

Les yeux de Paula, ses lèvres, les cheveux, l'odeur, l'haleine, la chaleur : tout se trouvait là à quelques pouces de son visage. Pourtant, le gamin ne trouva rien de mieux à lui dire que :

–Où c'est qu'il est, Clément Fortin ?

–Parti chez eux. Tu lui as cassé son pite pis toé, t'es venu proche de casser ta pipe...

Elle retira la pattemouille dont elle s'était servie pour lui prodiguer des soins et recula.

–Où c'est que j'me sus écrapouti ?

–Droit sur la galerie.

–Ah !

Il regarda la pièce tout autour. Elle suivit des yeux son regard investigateur :

–Ça, ben, c'est chez nous.

Il voulut se redresser, mais sa douleur à la tête lui assena un coup de marteau et il grimaça tout en hésitant entre poursuivre son mouvement ou laisser tomber.

Elle se fit autoritaire :

–Reste couché. Ton père s'en vient, là...

Il se laissa retomber puis dit la première chose à lui venir à l'esprit :

–Tu sais jouer, du piano ?

–Un peu.

–Moé itou. Ben... un morceau. J'ai pris des leçons au couvent. Pas longtemps, trois, quatre fois... J'étais tanné... Mais je joue à l'oreille, c'est pas dur...

–Moi, je joue à la note pis j'sus pas trop bonne, je te dis...

En fait, Gilles ne savait jouer que d'une main et les notes les plus élémentaires de *Au clair de la lune* et d'un morceau dont l'apprentissage lui avait valu des coups de broche à tricoter de la part d'une soeur à la pédagogie plutôt piquante.

–Veux-tu jouer quelque chose ?

–La vache à Mailhot ?

–Un vrai morceau...

Elle haussa les épaules et se rendit au piano tandis qu'il se tâtait la bosse tout en se faisant du mauvais sang quant à la réaction de son père.

Qu'importe qu'il soit meilleur qu'elle au piano, pensa Paula, il était un gars.

–Je vas jouer *Jingle Bells*...

–Quoi ?

Elle chantonna :

–Ben... Jingle Bells, Jingle Bells, jingle awe awé...

Il dit :

–C'est 'jingle all away' hein...

Elle ne connaissait pas grand-chose en anglais et accepta le point de vue, puis posa ses doigts sur le clavier et entreprit la pièce.

–Es-tu tuseule icitte ?

Elle cessa de jouer.

–Sont allés au sanatorium voir ma mère. Y a juste ma petite soeur qui dort en haut.

–Ah !

Elle se remit à sa prestation, dit avec enthousiasme :

–J'en ai une que je sais mieux que toutes les autres... Tu veux que je la joue ? Même que je suis capable de chanter en même temps... C'est *La Voix de Maman.*

–O.K !

Gilles avait bien vu le titre de cet air dans un album de la bonne chanson chez lui sans jamais avoir lu les paroles ni même connaître la mélodie.

Il en fut touché au plus profond de lui-même, et quand son père arriva, il avait des larmes aux yeux.

La mauvaise humeur d'Ernest se changea aussitôt en pitié devant ce regard mouillé et la prune rouge qui pointait sur le front de l'enfant. Il se pencha et le prit dans ses bras musculeux en maugréant :

–Maudit torrieu, ça fait tout le temps des coches mal taillées, ces enfants-là.

Et il sortit sans écouter ce que disait Paula qui lui racontait par bribes excitées l'extraordinaire envolée du garçon dans les airs avec le 'jumper' de son ami.

–Suis capable de marcher, dit l'enfant dehors. Je vas reprendre mon pite, là...

Ernest se sentit soulagé et même amusé. Ce fils n'avait pas froid aux yeux et ça enrubannait sa fierté. Le bonhomme Fortin verrait que le tapecul à Clément était dangereux, en plus qu'asteur, il était complètement 'défuntisé' selon ce qu'on lui disait. Il pourrait même lui faire sentir, au vieux snoreau, qu'au fond, c'était lui pis ses 'patentes de chèdèvre', le responsable de cet accident qui aurait pu coûter la vie à un enfant...

***

Chapitre 8

–Père Noël, Père Noël, apporte-moi des bebelles...

Assis sur son trône, Gustave chantait tout croche, et les mots paraissaient touffus, ainsi amortis par sa barbe fleurie, lourde et laineuse.

Malgré les enfants, la foule dans la salle, la chaleur et le travail de Père Noël, l'homme avait à la fois envie de rire et de pleurer. Son sort se jouait en ce moment même au presbytère.

« Je m'en occupe, » lui avait dit le curé pour le réconforter quand l'homme au comble du désarroi s'était confié à lui au sujet de la décision de Rose de s'en aller.

Sauf que se rencontraient les deux personnes les plus entêtées qu'il lui ait été donné de côtoyer dans sa vie : sa femme d'un côté et, de l'autre, le curé Ennis, une tête d'Irlandais.

Ça se heurterait de front, ça se cornâillerait, à moins que réalisant parfaitement à qui il avait affaire, le curé utilise la ruse, en vieux matois qu'il était.

Esprit simple proche de celui de la bête, proche de ses besoins primaires, Gustave n'avait guère réfléchi au cours de sa vie, se laissant emporter par les vagues intérieures et extérieures, comme une épave au gré des flots.

D'instinct, comme celui d'un chien, il s'arrangeait pour se sentir confortable avec les gens et les événements, et ça l'avait empêché de se préparer à un deuil.

Les enfants se succédaient sur ses genoux, heureux et peureux, lui rappelant les siens un quart de siècle plus tôt.

Il ne fut pas long à se mettre à pleurer. Ça soulagerait quelque peu sa poitrine et sa gorge chargées d'un poids écrasant. Il lui suffirait d'accuser les effets combinés de la chaleur et du froid subis quand il avait fait parade en berlot avant son arrivée à la salle un peu plus tôt. De plus, il se sentait à l'abri de la curiosité malsaine derrière son déguisement. Et puis les grandes personnes se trouvaient toutes en bas de la scène, loin de lui. Les enfants ? Un enfant, qu'est-ce que ça sait ?

« Maman, le Père Noël a de la peine ! » dit Gaétane à sa mère, après être allée chercher sa boîte de bonbons.

« Le Père Noël, il pleure ! » révéla Claude à sa mère après sa visite au bonhomme.

Et Alain qui riait avant, revint sérieux comme un pape, troublé quasiment.

Dans la coulisse, le vicaire frôlait de sa main frémissante le dos de tous les petits passant par là pour aller sur la scène. On croyait qu'il les réconfortait, leur insufflait du courage et... les bénissait.

Pendant ce temps, à l'hôtel, on fêtait fort.

–C'est le temps de jeunesser quand on est jeunesse ! criait Fortunat entre deux jeux qui mettaient en vedette l'agilité masculine et les embrassades au hasard.

Il y avait au moins quatre-vingts personnes entassées dans la salle jouxtant le restaurant et par conséquent tassées comme des sardines à des tables réunies en longueur. Plus une vingtaine aux tables du restaurant, et qui assistaient indirectement à la fête. La plupart de ceux-là étaient des moins de vingt ans qui n'avaient pas accès à la salle de l'hôtel même si ce jour-là, aucune boisson alcoolique n'y était vendue par ordre suggéré du curé.

Émilien, son ami Léo et deux autres adolescents jouaient aux cartes près d'une fenêtre. Une partie de whist. À une table voisine, Rioux s'entretenait avec un homme de son âge, chauffeur de taxi au bras droit coupé en quête d'attroupements pour fraterniser et se recruter des clients.

On parlait de l'état des routes.

–Les deux grandes lignes sont nettoyées, dit le taxi. Y a Rosaire Nadeau qui est allé à Sainte-Germaine. Ils ont dit à radio que ça passe partout sur les grands chemins entre les paroisses.

Visage rond et rouge, cheveux coupés en brosse, le taxi faisait la navette entre Saint-Honoré et Québec une fois par semaine et se tenait au courant des nouvelles les plus fraîches à propos de la circulation automobile.

Il arrivait à Rioux de jeter un coup d'oeil du côté de la table des joueurs de cartes, espérant quelque chose qui n'arrivait pas assez vite à son goût.

–Regrettes-tu de pas être monté à Rimouski ? demanda le taxi qui comptait bien transporter l'homme dans les prochains jours.

–J'y vas cette semaine. Vas-tu pouvoir me monter à Québec ?

Aussitôt, le taxi sortit un carnet noir de sa poche de jacket de même qu'un crayon et il écrivit le nom pour bien montrer à Rioux qu'il considérait sa parole comme une réservation claire et nette.

À voir encore son client reluquer en biais, le taxi pensa qu'il avait le goût de jouer aux cartes et il proposa:

–Tant qu'à faire, on devrait se partir une autre table. J'ai justement un jeu de cartes sur moi. Sais-tu jouer au huit, l'ami ?

–Non, répondit Rioux en passant sa main sur la partie chauve de sa tête entre la couronne des cheveux.

–Au trente-et-un ?

–Non plus.

–Au chômeur ? Au poker ?

–À rien ! Moi, j'sais pas jouer aux cartes...

Émilien se tourna et fit un léger signe de tête en direction de Rioux. Le taxi comprit ce qui se passait. Le mesureur de bois avait le coude facile, tout autant que le professeur d'école, et il souffrait de ce régime sec. Émilien était le seul à pouvoir lui refiler un coup de gin sans que personne ne s'en aperçoive.

Le seul à part lui-même. Il proposa :

–J'ai du stoff dans mon char, ça t'intéresse, Rioux ?

–Du stoff ?

–Du 94 avec du rouge. Avec du caribou comme ça, t'as pas besoin de planter le poireau pour t'étourdir.

L'autre fut sur le point de refuser, mais il crut bon discuter avant.

–Quel prix ?

–Deux piastres pour un dix-onces.

–Bah! je peux en avoir à pas mal moins cher...

Cette parole confirma ce que pensait le chauffeur. Il dit :

–Je sais trop ben où c'est que tu vas le prendre. Moé, c'est mon seul prix...

Une première partie finie, Émilien annonça qu'il partait pour un bout de temps sans donner de raison. On se tourna vers Rioux et le taxi pour recruter un nouveau joueur et pouvoir continuer la partie. Rioux haussa les épaules, et l'autre se rendit à la table où de sa seule main, il se mit à mélanger les cartes dans un mouvement qui étonnait chaque fois.

Peu de temps après, Émilien revint tout habillé pour aller dehors. Il regarda le jeu un moment et sortit par la porte du restaurant. Personne ne remarqua qu'aussitôt dehors, il rentra dans la bâtisse par la porte voisine, celle de l'hôtel, et qu'il emprunta l'escalier menant aux étages. Personne excepté Jeannine qui le vit de loin depuis la table où elle se trouvait dans la salle avec d'autres de son âge. Moins d'une minute plus tard, elle vit Rioux se faufiler tant bien que mal entre les gens et aller à son tour emprunter l'escalier d'en haut.

Rien d'anormal en cela puisque son frère et le pensionnaire, comme tous les autres de la famille sauf les parents, avaient leur chambre à l'un ou l'autre des deux étages supérieurs.

Rioux entra dans sa chambre. Il prit une valise noire dans un placard et la déposa sur son lit. En sortit une enveloppe qu'il mit dans sa poche intérieure de veston puis marcha jusqu'à la porte en feutrant ses pas. Il écouta un moment puis sortit. Personne dans le couloir. Il s'approcha du puits de l'escalier : personne ne venait d'en bas et aucun signe de vie à l'étage au-dessus. Alors il monta deux marches à la fois et parvint au couloir supérieur. Et il frappa trois coups légers à une porte qui s'ouvrit aussitôt.

L'homme entra dans la chambre; Émilien fit tourner la clef dans la serrure. On se parla à mi-voix.

–J'ai les photos, dit Rioux d'un air entendu.

–Venez vous asseoir.

Rioux regarda tout autour et ne vit aucune chaise.

–Sur mon lit.

–Bon !

L'homme alla prendre place et sortit son enveloppe. Émilien s'installa à son côté, un genou replié sur le lit comme pour garder une distance minimale entre eux.

Émilien avait ôté ses vêtements d'extérieur et il portait un chandail de laine vert bouteille sur des pantalons d'étoffe du pays de couleur brune, costume qu'il avait gardé après le sleigh ride et qui s'endurait bien à cet étage car il y faisait frisquet.

Dans un coin se trouvait une patère à laquelle il avait accroché son jacket et un autre chandail de même que son casque à rabats. On pouvait apercevoir au milieu d'un mur une image sainte de Notre-Dame-du-Perpétuel-Secours. La plafond fait de planchettes blanches gondolait et portait des cernes rouille, signes de coulées d'eau à travers le toit.

Rioux sortit les photos qu'il posa sur la courtepointe. L'adolescent croisa ses doigts et repoussa ses mains en avant pour cacher sa nervosité; on put entendre de légers craquements.

Et l'homme avait autant de mal à ramasser ses idées pour en faire jaillir des mots. Il se frotta la poitrine et murmura comme pour lui-même seulement :

–Ah! estomac paresseux...

En même temps, il ramassait des images avec ses regards. Les cheveux frisés et noirs du garçon. Ce visage glabre où il restait encore toutes les nuances de l'enfance.

–Je te montre ça, là, mais si tu le dis à ta mère, je pourrais me faire mettre dehors de l'hôtel.

–Pas de danger, voyons !

–Tiens, regarde...

Et Rioux tendit une première photo que l'autre prit dans sa main et regarda expéditivement comme s'il avait de la chose une expérience d'homme.

Mais il s'arrêta plus longtemps sur la suivante, demandant :

–C'est quoi, son âge ?

–Au-dessus de cinquante pas mal ?

–Hein!? C'est plus que mon père, ça.

–Elle a l'air picasse...

–Ou guidoune...

–Ça veut dire la même chose.

–En avez-vous d'autres ?

–Tu peux me dire tu, tu sais...

Et Rioux tendit une nouvelle photo. Cette fois, l'adolescent s'abreuva goulûment aux formes rebondissantes de la femme photographiée dans ses atours blancs, le visage encadré de sa chevelure blonde, décorée de maints bijoux brillants.

C'était Mae West.

Les années 40 s'étaient faites peu prodigues de vamps au cinéma américain et la superstar des années 30 continuait de rendre pantelantes bien des chairs masculines par ses vieilles photos de nymphe en pleine gloire.

–Une bonne fois, je t'en montrerai d'autres... plus épicées un peu...

–Les avez-vous ?

–Dans ma chambre...

–Pourquoi pas tusuite ? demanda Émilien la voix tremblante.

–Non... plus tard...

L'imagination du garçon hoquetait, avançait, reculait, n'arrivait pas à se calmer, et sa chair lui parlait durement et nûment. Par chance qu'il avait des pantalons de cette épaisseur, ça gardait secrète l'expression vivante et fort dressée de sa pensée.

Rioux était encore plus troublé. Un éloquent pignon s'était formé dans sa culotte. Il eût voulu se jeter sur l'autre, le toucher, le dénuder, le dévorer, mais l'infamie rattachée à l'homosexualité frappait son sexe et le transformait en un moignon aussi ridicule que celui du bras du taxi Roy. Il sentait son coeur devenir patraque et son âme plonger dans un ravin profond.

Se laisser aller, c'était risquer son emploi, la prison même. Et se faire traiter de fifi. Ça se saurait jusqu'à Rimouski... La peur et le désir combinés constituaient en lui un mélange explosif. Il devait quitter cette chambre sans rien faire même s'il y était venu avec l'arrière-pensée de vivre un moment d'extase avec l'adolescent...

Tremblant, il remit les photos dans l'enveloppe qu'il réinséra dans la poche de son veston noir. Et se leva.

–J'aimerais ben ça, les voir, les autres photos.

–Si tu parles à personne de celles-là, peut-être après le jour de l'An. On verra...

Émilien remarqua la bosse dans le pantalon de l'homme. Ses yeux rapetissèrent, sa bouche se crispa. Il y eut un long moment d'hésitation silencieuse. Les regards se rencontrèrent.

–Ouais, ben, je vais y aller, moi.

–Si votre chambre est barrée à clef, y a personne qui va savoir que vous êtes icitte parce que la mienne l'est aussi.

Il y avait un air défiant dans le visage de l'adolescent. Rioux répondit par l'énigme d'un sourire vague.

Chacun maintenant savait à quoi s'attendre de l'autre; chacun maintenant connaissait le consentement de l'autre. Chacun pensa qu'il valait mieux rester dissimulé dans sa propre solitude.

Et Rioux s'en alla.

L'adolescent s'étendit sur son lit et mit son avant-bras sur son front. Sa respiration s'allongea... L'autre se rendit tout droit aux toilettes de son étage.

***

Chapitre 9

« *Parlez-moi d'amour, redites-moi des choses tendres. Votre beau discours, mon coeur n'est pas las de l'entendre. Pourvu que toujours vous répétiez ces mots suprêmes : je vous aime.* »

Alys Robi chantait un air qui, depuis un demi-siècle, ne faisait pas de quartier aux coeurs froids.

Elle y mettait de grands gestes en allant chercher son public pour lui faire gravir avec elle et sa voix profonde les marches menant en un lieu secret où les rêves sont bleus et les coeurs sont roses. Tout en elle rappelait le champagne. Une robe noire à brillants avec collet qui montait haut, un bustier qui bougeait suavement, un regard pétillant.

Charmante, elle possédait l'éphémère beauté de la jeunesse. Des nuances pêle-mêle d'inhibition et d'insoumission, hanches frémissantes, souliers mordorés avec talons aiguilles. Femme ambitieuse et pourtant généreuse. Honnête femme capable de virages brusques devant ceux qui lui manquaient de respect.

Pas moins de cent personnes s'entassaient dans la salle de Chez Gérard à Québec pour fêter Noël et entendre celle qui était à devenir la plus grande vedette locale.

On l'écoutait religieusement, mais elle multipliait les intermèdes pour permettre aux gens de se parler; et à chaque retour sur scène, sa présence suffisait à regagner l'attention de plusieurs, puis quelques mots en ramenaient plusieurs autres à elle, et enfin son chant raflait l'écoute générale.

Mais ce soir-là, au fond de la salle, dans une demi-obscurité, un couple l'ignorait tout à fait. Elle les indifférait depuis le début du tour de chant. Par chance que d'autres ne les voyaient pas ou alors elle leur aurait lancé un message poli mais ferme...

Des trop jeunes pour être là, se disait-elle malgré la distance et le faible éclairage dans leur coin. En fait, ils étaient attablés derrière un rang de montants qui jetaient de l'ombre noire sur une ombre déjà foncée.

Choisir de les ignorer, ce serait à coup sûr et malgré elle les surveiller davantage; pourtant, elle le fit sans en donner l'air, simplement en additionnant en surimpression les images que ses fréquents coups d'oeil dans leur direction lui rapportaient.

–J'y pense de plus en plus, dit le jeune homme à sa compagne de table.

–Tu devras soupeser tous les pour et tous les contre, consulter et consulter encore.

–Et toi, qu'est-ce que tu ferais si t'étais à ma place ?

–J'suis pas à ta place.

–Mets-toi dans ma peau.

–Pauvre toi, comment se mettre dans la peau d'un autre quand on a de la misère à se mettre dans la sienne à soi ?

La jeune femme avait des yeux noirs qui brillaient dans le clair-obscur et pourtant, la forme de ses paupières exprimait une certaine lassitude. Vingt ans, peut-être moins, peut-être plus, tout comme lui. On aurait pu les prendre pour des fiancés tant ils semblaient seuls au monde.

Il se fit une pause, mais l'interrogation du jeune homme se poursuivit par voie de regard appuyé. Elle dut y répondre :

–Je voudrais te répondre maintenant, mais c'est pas possible. Je te sens prêt à plonger et ça veut dire que mon opinion pourrait être la petite poussée dont tu as besoin pour te jeter à l'eau. Te dire quelque chose pourrait être la pire nuisance de ta vie.

–Je veux que tu me dises ce que tu ferais à ma place ?

–Non, pas à ta place, à la mienne ! Si j'avais à décider pour moi-même dans pareille situation...

–Dis-moi... pis ça veut pas dire que je vas suivre ton conseil.

Elle hocha la tête et se fit pleurnicharde :

–C'est pas un conseil, c'est ce que je déciderais pour moi-même...

Les applaudissements rendirent l'échange ardu, et on s'arrêta de parler sans toutefois tourner la tête vers la scène. Cette fois, la chanteuse se sentit offusquée pour de bon. Elle ouvrit la bouche : c'était pour leur chanter des bêtises; mais elle se récusa, pensant qu'il appartenait plutôt au patron d'y voir.

–Je vais maintenant, pour vous tous jusqu'au fond de la salle, chanter un air gai...

Déjà le couple renouait avec son propos.

L'homme avait le front accusé, l'os de la joue saillant mais des lèvres roulées sur une mâchoire normale. Vu à distance, il paraissait intact, mais dès l'instant qu'on se trouvait à vue de nez, on pouvait apercevoir ses yeux cernés et son teint fort pâle.

–On peut dire que ça change le mal de place, une soirée de même. Depuis le temps que j'entends parler d'Alys Robi !

Sur la scène, la chanteuse raisonnait sur ce couple. Avaient-ils déjà vu sa photo dans le Soleil de Québec ? Étaient-ils au fait de sa renommée ? Quelle ingratitude envers une artiste qui se dévouait pour son public en plein jour de Noël ! Ces jeunes gens devaient venir tout droit du fond de la Beauce...

La jeune femme dit :

–La semaine prochaine, il va y avoir Pierre Roche avec le petit Français qui a un drôle de nom pis un gros nez...

Le jeune homme se gratta la tête.

–J'me souviens pas de son nom. Toi ?

–Écoute, c'est toi qui restes à Québec, pas moi.

–C'est Charles... quelque chose... Je l'ai... Charles Aznavour. Je l'ai entendu à la radio. Il ira pas loin avec une voix de même, lui. On dirait qu'il a un tas de gravelle dans le gosier.

L'échange se poursuivit ainsi. Lui tira de sa poche un étui

chromé, l'ouvrit et en sortit une cigarette qu'il alluma ensuite.

–Ça doit pas être trop bon pour ta santé, dit-elle.

–Bah ! c'est des rouleuses. Je mets dedans la moitié de tabac d'une cigarette faite.

Alys prit la décision de neutraliser ce couple et son placotate. Si la montagne ne venait pas à elle, elle irait à la montagne. Un petit mensonge lui servirait de prétexte. Elle ferait un rapide tour des tables et se rendrait là-bas, s'exclamerait sur la ressemblance de la jeune femme avec des petites cousines de Saint-Georges et le tour serait joué.

Elle dut serrer des mains en route, et les deux jeunes du couple furent estomaqués de la voir arriver à leur table.

–Bonsoir vous deux ! Comme c'est gentil d'être venus m'entendre chanter ! C'est effrayant, mademoiselle, comme vous ressemblez à une de mes cousines... Une Poulin de la Beauce.

Les visages s'éclairèrent et ils dirent un après l'autre :

–Justement, notre grand-mère était une Poulin !

–Et justement, on vient de la Beauce.

Alys était embarrée dans son mensonge et ne savait pas trop quoi rajouter.

–Je me le disais tout à l'heure sur scène : ces deux-là doivent venir de la Beauce parce qu'ils ont l'air en bonne santé comme les Beaucerons.

Les jeunes gens s'échangèrent un regard de connivence.

–On est Beaucerons, mais c'est pas par santé, dit l'homme.

La jeune femme voulut couvrir la réalité du jeune homme :

–Bah ! je viens de me faire opérer pour l'appendice.

–Ah ! bon, mais c'est pas une trop grosse maladie ! Comme on dit, ça arrive dans les meilleures familles. Vous permettez que je prenne place. Juste trois minutes... mais ne commandez rien pour moi, je ne bois pas.

–Certainement ! dit le jeune homme.

La chanteuse prit place sur une chaise style fauteuil avec bras et coussin rembourré. Ses parfums éloquents parurent plus intenses. Elle posa sa main sur celle du jeune homme, demanda :

–Je ne sais toujours pas votre nom.

–Moi, Martial. Elle, c'est ma soeur Rachel.

La chanteuse s'exclama en portant sa main à sa bouche :

–Bonté divine ! le frère et la soeur. Je vous prenais pour des amoureux... C'est vrai que vous vous ressemblez... Mais votre nom de famille, bien entendu que c'est pas Poulin !

–Maheux, dit Martial. C'est notre grand-mère qui était une Poulin. Vitaline Poulin, originaire de Beauceville mais qui a passé toute sa vie à Saint-Benoît.

La chanteuse se mit à patiner pour se sortir de cette histoire de cousine imaginaire :

–Je la connais comme ça, ma cousine. Elle est mariée à... Avez-vous de la parenté à Saint-Georges ?

–Non !

–Elle est de Saint-Georges comme je vous disais. Mariée à un... un dénommé... Voyons donc, j'ai un blanc de mémoire... Y en a beaucoup dans la Beauce avec ce nom-là...

–Gilbert ? dit Rachel.

–N... non... me semble que ça finit en 'eu'... bien comme vous autres, Maheux...

–Mathieu.

–Non.

–Veilleux.

–En plein ça ! Comment l'oublier ? Mais vous savez, quand on est une... vedette de cabaret, on connaît tellement de gens qu'on peut jamais se rappeler des noms. N'empêche que celui-là... et le vôtre, je vais tâcher de m'en souvenir. Du beau monde comme vous autres ! Et toi, Martial, dit la chanteuse en reprenant la main du jeune homme, t'es venu chercher ta soeur... qui a sûrement pas été opérée hier...

–Elle, elle sort de l'hôpital, mais moi, je vis à l'hôpital...

Rachel fronça les sourcils et hocha la tête afin que son frère se taise sur sa maladie. Pas qu'elle en ait honte, mais pour éviter qu'on le prenne pour un pestiféré. Martial ne tint pas compte de cette opinion muette.

–À l'hôpital Laval.

Le visage d'Alys blêmit sous son lourd maquillage. Elle retira aussitôt sa main. L'hôpital Laval, c'était synonyme de tuberculose et la tuberculose exigeait qu'on ne touche pas à un malade. Par deux fois, elle l'avait touché, à celui-là, et pire, elle avait porté sa main à sa bouche pour montrer sa surprise. Quelle idiote je suis ! pensa-t-elle. Et s'en voulait maintenant de son intolérance. Qu'ils se parlent donc de maladie, ces deux éclopés ! Il fallait qu'elle se lave les mains au plus vite.

–Comme je vous ai dit : trois minutes. Faut que je retouche à mon maquillage dans ma loge. Je vous souhaite une belle soirée.

–Nous autres, on trouve que vous êtes comme une étoile qui brille au firmament, dit Rachel. Quand on va dire aux gens que vous vous êtes assise avec nous autres, ils vont nous jalouser.

Alys dit sur le ton de la confidence :

–Dites-le pas ! Gardez ça comme un secret... Vous le direz seulement quand quelqu'un voudra se vanter...

–Bonne idée, ça ! dit Martial.

La femme se leva, salua et partit en marchant dru et menu.

–Tu lui as fait peur, dit Rachel.

–Je pense pas. Les gens savent que la tuberculose est combattue par notre système pis que si on est en bonne santé, y'a pas de danger.

–Pas sûre que le monde sait ça !

–Ben voyons donc !

Alys mit du temps à revenir sur scène. Elle se lava les mains, le visage, dut recomposer son maquillage, gueula contre un commissionnaire qui l'avisait de l'heure.

–Je connais l'heure, tu sauras.

Mais le coeur, peu à peu, vint apaiser la peur; et bientôt la compassion s'installa en elle. Cette jeune fille aurait pu mourir dans sa campagne, loin d'un hôpital et ce jeune homme se dirigeait peut-être tout droit à la mort. Elle pensa à la fin des choses, à la mort inévitable de sa propre carrière de chanteuse quand le temps aurait compté un nombre suffisant d'années, sa propre mort...

De retour au microphone, elle déclara gravement :

–Mes amis, c'est Noël, jour de bonheur pour la plupart. Eh bien, tous n'ont pas la même chance en ce jour béni. J'ai parlé tantôt avec deux jeunes personnes qui sont toujours dans cette salle. La maladie les a empêchés de célébrer Noël avec leur famille dans la Beauce. Je vous demande à tous de remplacer leur famille pour un instant en les applaudissant bien fort. Saluons Rachel et Martial de Saint-Honoré.

L'événement permit à Martial de prendre finalement sa décision. Après les salutations de la main et du sourire, il annonça à sa soeur :

–Je vais me faire opérer. Ou je vais mourir ou je vais guérir, mais je resterai pas à moitié chemin.

Il parlait d'une lobectomie par laquelle on amputerait une partie de son poumon malade, peut-être le poumon entier. Mais pour pratiquer l'intervention, il devrait en subir une autre préalablement pour faire de la place et permettre d'atteindre le poumon afin d'opérer avec le maximum d'efficacité. C'était la plus redoutable des deux; elle lui coûterait six côtes et beaucoup, beaucoup de sang. On l'appelait la thoracoplastie.

–Je vais demander à Saint-Georges Côté* qu'il fasse un appel à la radio pour des donneurs de sang...

Dominique Blais répondit au téléphone chez lui. C'était Rose qui lui demandait de se rendre à la salle pour recevoir le corps du père Jolicoeur vu qu'elle-même et Gustave allaient souper chez leur fille.

–L'embaumeur a appelé pis le corps est en route.

–C'est très bien, chère madame !

–On te débarre la porte de la salle mortuaire.

–C'est beau !

Puis l'homme mit son manteau noir et quitta la maison sans rien dire, sachant que sa femme avait entendu et donc n'ignorait pas pourquoi il devait s'en aller.

Mais plutôt de prendre la direction de la salle, il fit un crochet

*Populaire animateur de radio de Québec à l'époque

par le moulin. Là-bas, dans un tas de bran de scie figé, il trouva un quarante-onces de gin qu'il empocha. Car impossible d'obtenir d'alcool à l'hôtel ou à ce débit de boisson qu'il fréquentait souvent et qui, tout clandestin qu'il soit officiellement, avait ses règles d'éthique, et dont le propriétaire suivait fidèlement les recommandations du curé pour ne pas risquer trop de visites de la police provinciale.

Au fond, l'homme ignorait que sa soif insatiable, inextinguible, c'était celle de grands espaces et de liberté. Depuis toujours, il vivait dans une prison sans barreaux. Il était prisonnier de lui-même de la même façon que le sont tous les humains y compris ceux qui apaisent leur soif d'évasion et tombent alors sous le joug de cette liberté qui enchaîne cherchée avec tant d'acharnement.

***

Chapitre 10

Couché sur son lit, Gilles gardait les yeux ouverts et une couenne de lard posée sur la bosse de son front. Il se rappelait les événements du jour et parmi eux, sa sortie des limbes avec le visage de Paula à quelques pouces du sien. Et il s'en promettait pour le samedi suivant alors qu'en soirée, il y aurait patinage sur musique comme chaque année en la veille du jour de l'An. La Paula, elle se ferait donner une couple de becs à pincettes, certain. Il sentait en lui la naissance d'un amour véritable, un sentiment bien plus fort que celui qu'il éprouvait pour elle auparavant. Et elle devait sûrement l'aimer pour l'avoir soigné comme ça. C'est Clément qui serait jaloux, lui qui avait toujours tout en premier : pas cette fois, mon garçon de salon !

Vivre d'amour et d'eau fraîche, pas encore ! Pas avant que l'idylle ne soit fortement nouée. En attendant, pour le vivifier, il fallait nourrir le beau sentiment de barres de chocolat et de Pepsi, et pour cela, il était nécessaire de se trouver des bidous en remplacement de ceux qu'il dépensait sans retenue depuis l'avant-veille. La fameuse boîte à cigares à Rose lui revint en tête. Puis des idées en échafaudage...

Appuyé au rebord de la fenêtre dans l'après-midi, il avait aperçu les Martin marcher du long de l'église, traverser la rue principale et disparaître au coin de l'hôtel. Donc ils allaient souper chez leur fille. Ensuite, il avait vu Dominique passer et se diriger vers la salle paroissiale. Et l'avaient suivi peu de temps après, un 'snow' Bombardier (autoneige) puis un homme qu'il connaissait, Ovide, fils du défunt, et qui avait quitté la paroisse quelques mois plus tôt avec sa famille pour s'établir à Québec. Un et un font deux : le corps du père Jolicoeur était arrivé pour son exposition qui aurait lieu les jours suivants.

L'enfant ôta sa couenne de lard et fit bouger la peau douloureuse de son front. Et ça brassait fort derrière la bosse... Il devait absolument aller musarder aux environs de la salle, dedans peut-être et trouver quelque chose à la traîne.

Il mit ses bottes, s'habilla pour sortir et descendit au premier. Plus que sa mère dans la cuisine, et elle rafistolait un chapeau de feutre, son sac à ouvrage grand ouvert sur la table, des épingles entre les dents et l'esprit fort occupé à penser aux absents. Elle dit difficilement :

–Où c'est que tu vas, Gilles, là, donc ? Pourquoi que tu restes pas à la maison ? Une bosse de même... tout d'un coup t'aurais de quoi de... défectueux dans le coco. On sait jamais...

–Ben non, voyons ! J'irai pas loin.

Éva soupira, et son hochement de tête finit avec le bruit de la porte qui se referme.

L'enfant courut les bottes aux fesses tout en se fabriquant un prétexte à supposer qu'on le surprenne là où il ne devait pas se trouver et qu'on lui pose des questions, ce qui n'était pas certain. Il emprunta le chemin entre l'église et la patinoire. Celle-ci n'étant pas illuminée, il se perdit dans l'obscurité.

Sur un côté peu fréquenté de la salle, surtout l'hiver, il y avait deux escaliers menant au deuxième étage et dans chacun, l'on pouvait voir à travers les vitres d'une fenêtre. Il se rendit au premier, gravit quelques marches épaissies par de la neige et de la glace, et observa.

Il put apercevoir Dominique en train de mettre en place l'attirail d'exposition autour de la tombe encore fermée : chandeliers, supports à couronnes de fleurs, drapeaux de mouvements paroissiaux, draperies, prie-dieu et lutrin pour recueillir les noms des sympathisants.

En bougeant sur la plate-forme qui servait de perron, son pied heurta quelque chose qu'il ne pouvait distinguer nettement. Il toucha de la main : c'était une bouteille. Il la souleva : un flasque de gros gin De Kuyper. Il ouvrit, sentit, goûta. C'était affreux et il remit la chose à sa place, sachant que ça devait appartenir à Dominique. Il l'avait vu boire à même cette bouteille ou une autre semblable durant l'après-midi à la promenade en sleigh.

Rien d'intéressant ! Il descendit les marches et contourna la salle par devant pour aller reluquer dans les fenêtres de l'autre côté. La première où il mit son nez fut celle de la salle des Chevaliers. Il y faisait noir comme chez le loup, et pourtant, il avait l'intuition que là se trouvait quelque chose pour lui... En gardant les yeux rivés sur la noirceur, peut-être que...

Son instinct fut récompensé. Une lueur apparut, venue de la porte intérieure, signe qu'on avait allumé dans le couloir. Faible lumière mais suffisante pour lui laisser voir les contours de certains objets à l'intérieur, notamment une petite boîte sur le piano. Aussitôt, il pensa à la boîte à cigares de Rose qui contenait pas mal d'argent l'avant-veille...

Soudain, pas loin derrière son dos, la porte s'ouvrit, et une voix forte dit :

–C'est que tu fais icitte, mon petit Gilles Maheux ?

–Qui ? moé ?

–Non, le mort qui est assis là, dans le cimetière.

–Ben... rien...

–Je t'ai vu fouiner par la vitre en arrière.

–Ah ! c'était juste pour voir !

–T'as pas besoin de te cacher, viens voir en dedans.

Dominique n'aurait jamais houspillé un enfant. Il en avait trop à se faire pardonner lui-même; et puis ce n'était pas dans son tempérament. Tant qu'à faire, aussi bien satisfaire la curiosité de ce gamin et l'apprivoiser aux choses de la mort !

Gilles entra devant l'homme qui remarqua son haleine.

–T'as touché à mon gin, hein ?

–J'ai juste senti dans la bouteille.

–Ben... pas grave si tu l'as bouchée ben comme il faut.

–Ben oui.

L'homme prit les devants et retourna à la chambre mortuaire, suivi de l'enfant qui se sentait plutôt en sécurité avec ce personnage sympathique qu'il jugeait bon et généreux.

Dans la pièce, Dominique demanda sur un ton de certitude :

–J'sus certain que t'as pas peur des morts, hein ! ?

–Moi ça ?

–Je parle pas au père Jolicoeur certain.

–Ben non !

–Dans ce cas-là, c'est toé qui va ouvrir la tombe.

–J'sais pas faire ça.

–Facile, viens !

Et il prit gentiment le garçon par l'épaule et l'emmena près du cercueil noir.

–Regarde là : y a un crochet à plat. Tu le recules pis ensuite tu soulèves le couvercle. Facile, ça !

–J'sus pas capable.

–Ah ben, ah ben, tu me dis pas que t'as peur ! J'aurais pas cru ça pantoute. Je pensais que t'étais le petit gars le plus débrouillard du village, pis le plus courageux. C'est par vargeux, trop trop, ton affaire !

Le ton était carrément moqueur, et l'enfant fut pris au piège de son orgueil.

–C'est le crochet qu'il y a là, là ?

–Là, là, oui...

Le petit filou mit sa main. Le crochet obéit aisément. Il introduisit ses doigts : le couvercle parut léger. Il hésita une seconde. Remit de l'effort. Ça s'ouvrit... lentement.

Avant de voir, une odeur lui parvint. Forte. Repoussante. Chimique mais ça, il l'ignorait. Assuré par des ampoules jaunes au bout de fils suspendus au plafond, l'éclairage de la pièce était limité, souffreteux. Et la tête du garçon jetait de l'ombre sur ses mains moites.

Le vieux cadavre apparut. Une tête bizarre. Des morceaux de noirceur sur des orbites creuses, un nez plat aux narines imprécises et puis ces mains sèches aux doigts noueux noués, enchaînés par les grains d'un chapelet. Chaque image claquait comme un fouet dans les mémoires vives de l'enfant, y imprimant des marques indélébiles.

Pas assez grand, il dut se pencher vers le corps pour finir d'ouvrir le couvercle. Son coeur jonglait avec les trois quilles de la peur, de la détermination et de son esprit d'aventure. Un effort ultime. Ce n'était toujours pas pesant. Le couvercle arriva de l'autre côté du point d'équilibre, au bout des charnières et s'immobilisa. Alors ce fut la quille de la peur qui atteignit le point le plus haut. Il recula... Un cri s'échappa de sa gorge tandis qu'une main l'empoignait par le devant du parka. En même temps, Dominique fit avec sa bouche un bruit monstrueux, rauque, sépulcral.

Grâce à un esprit vif comme l'éclair, le garçon se reprit tout de suite en mains et s'exclama :

–Voir si j'ai peur !

Pour la première fois, l'homme aperçut la bosse sur le front.

–C'est que t'as là en bonne vérité ?

–Ah ! j'ai pris une maudite débarque en pite après-midi.

–Où ça ?

–Ben... j'ai fessé la maison à Rosaire Nadeau dans le Grand-Shenley... pis la maison a pas voulu se tasser...

Dominique éclata d'un large rire qui remplit toute la pièce. Le mort demeura impassible, mais le couvercle du cercueil bougea d'une ligne, frémit un peu, comme si une entité l'avait frôlé...

Les fils Martin et leur père échangeaient bruyamment dans l'étroit salon chez leur beau-frère. Leurs épouses faisaient la vaisselle dans la cuisine et ajoutaient leur fion au bruit de jeunes enfants qui s'amusaient sur le plancher avec leurs jouets tout neufs.

On eût dit qu'une connivence régnait sur tous pour permettre à Thérèse de parler à sa mère dans une chambre du haut de la maison sans être entendue ni gênée.

–C'était pas à lui de vous annoncer ça ! se plaignit Rose.

–Vous nous l'auriez dit pareil : quelle différence ?

–Une grosse différence...

Rose prenait place sur une chaise droite dans un coin, les bras croisés, jambes un peu écartées, et sa fille était assise sur un lit à cadre tubulaire, appuyée au pied de lit. C'était une jeune femme très mince, à visage effilé, portant des lunettes exagérées, blonde à cheveux flottants comme des vagues longues. Aucune velléité de rébellion en elle : la parfaite femme de son temps. Bonne comme de la mie de pain. Capable de durcir le ton parfois mais seulement pour défendre la tradition, la soumission, la résignation à la volonté de Dieu... et celle des autorités. Elle interrogea du regard quant à la différence.

–Votre idée a eu le temps de travailler par elle-même, dit sa mère. Pis vous vous dites : « Quen, la mère est en rabette ! Elle fait son retour d'âge pis ça la vire tout à l'envers ! » Comme je pense que le curé pense. Parce que ton père, il a placoté ça au curé itou ! Et le curé m'a fait venir pour m'en parler aujourd'hui même.

–Toute la paroisse va vous condamner, maman. Vous allez perdre vos clientes. Les hommes vont dire à leurs femmes d'acheter leurs produits de beauté au magasin général...

Rose se hérissa :

–Freddy, c'est pas des produits de beauté qu'il vend, c'est du gras en couleurs. Ça pue pis ça dessèche la peau, sans compter que ça fait pétasser les lèvres, l'hiver, son rouge à lèvres. La Bernadette, elle connaît rien là-dedans pis elle est pas capable de donner de conseils aux femmes. C'est pas cher, ce qu'ils vendent au magasin, mais ça vaut pas cher non plus !

–Je sais tout ça, maman, mais les hommes, eux autres, ils s'en sacrent de ce que les femmes se mettent dans le visage pour être plus belles le dimanche.

–Les hommes, je me charge d'eux autres.

Thérèse soupira :

–Pauvre maman, vous allez être prise entre deux feux. Ou les hommes voudront pas trop que vous alliez dans leur maison jaser avec leur femme, ou vous leur faites de la façon pour les rassurer pis là, vous allez inquiéter les femmes.

–Suis une vieille de cinquante ans, voyons donc !

Pourtant, l'argument portait. Rose fit la moue, hocha la tête, baissa les yeux. Mais elle remit la main sur sa pensée.

–Y a moyen de moyenner, ça, j'en suis certaine.

–Asteur, c'est quoi la différence pour vous entre vivre tuseule de votre côté pis rester avec papa, du moment que vous faites lit à part ? Vous pourriez même faire chambre à part...

–Thérèse, ça fait longtemps que je pense à tout ça. Sais-tu, toi, le pire châtiment pour un condamné à mort ? C'est pas la mort, c'est de savoir l'heure de la mort... Y a des personnes qui se font tirer aux cartes pour savoir leur avenir : c'est fou raide, ça. Ce que je veux te faire comprendre, c'est que quand on sait d'avance ce qui va se passer, y a plus d'intérêt à le vivre... Vivre avec ton père, je sais d'avance tout ce qui va se passer, dans le moindre détail. D'une journée à l'autre, y a rien qu'une chose qui change et c'est le quantième.

–Mais c'est pareil si vous partez vivre tuseule. Vous lever le matin. Faire votre toilette. Manger. Faire du porte à porte pour vendre vos produits. Le dimanche, la messe. Qu'est-ce que vous voulez, maman, qu'il se passe de neuf dans un petit village de la Beauce en 1950 ? Ça vient au monde, ça se marie, ça meurt ! Pis au travers de ça, ben, ça vit !

–Thérèse, justement, les événements sont réglés comme une horloge. C'est en dedans de soi qu'il faut sortir de l'ordinaire...

–Les événements, c'est comme du petit bois que la vie met sur notre petit feu d'en dedans de l'âme... Ça fait de la flamme plus vive. La flamme baisse. Arrive encore du petit bois... On avance pis la maison reste vivable, pas trop frette ni surchauffée...

–Tout ce que je veux là-dedans, moi, c'est d'en choisir une partie moi-même, du petit bois comme tu dis. C'est ben simple !

–Mais maman, même un homme a pas le choix.

–Ce que fait, veut et vit un homme, ça m'intéresse pas d'appliquer ça à ma vie parce que moi, je suis une femme. Pis ce que fait, veut et vit une femme, dans le fond ça m'intéresse pas plus de suivre ça parce que moi, je suis Rose Poulin... Non... pas Rose Poulin, Rose Martin, fille à Napoléon Martin.

Thérèse sourit, hocha la tête, dit :

–Bon, j'ai dit ce que j'avais à dire. Votre vie, c'est votre vie.

–Ça veut-il dire que si je te demande de venir rester icitte pour un petit bout de temps, tu m'ouvrirais pas ta porte ?

–Vous savez ben que c'est pas ça que ça veut dire. N'empêche par exemple qu'on pourrait pas la laisser fermée pour papa non plus, vous comprenez ça...

–Ben oui, je comprends ça, ben oui !...

Et pourtant, la femme n'avait pas songé à cela. Venir vivre avec Thérèse, Gustave pourrait vouloir la suivre en invoquant des prétextes qui rendraient la situation pire encore...

Rose refusa de parler de sa rencontre avec le curé et de son acquiescement à la demande du prêtre quant à un délai de six mois avant la séparation. Elle voulut retourner à la maison pas plus tard que dix heures, et le couple y fut.

On se parla peu. Gustave se coucha aussitôt. Elle se déshabilla et enfila une jaquette, l'esprit troublé par ces arguments nouveaux soulevés par le curé et sa fille. Puis elle mit une robe de chambre en tissu rose chenillé et traversa le couloir pour se rendre à la cuisine s'y préparer une ponce de cognac. Il lui sembla que la porte de la salle mortuaire était restée entrebâillée; elle s'y rendit pour se rendre compte de l'ordre normal des choses.

Elle poussa la porte, glissa sa main dans la jouée puis sur le mur intérieur à la recherche de l'interrupteur. De l'air en mouvement frôla ses doigts; c'était tout juste perceptible. Elle y pensa à peine tant sa préoccupation était grande.

La lumière jaune parut. Le mort et son cercueil aussi. Elle fut étonnée. Pourquoi Dominique avait-il déjà ouvert la tombe ? Ce ne fut pas pour obtenir réponse à cette question qu'elle entra et s'approcha du prie-dieu où mentalement, elle parla au défunt.

« Monsieur Jolicoeur, si dans ce monde qui est le vôtre asteur que vous êtes parti, vous êtes capable de donner un signe aux vivants, moi, à soir, j'en prendrais un... Demain, je vas m'offrir à vos enfants pour garder votre vieille dame, si leur réponse est non pour une raison ou pour une autre, ça voudra-t-il dire que je devrais rester avec mon mari ? Si leur réponse est oui, ça voudra-t-il dire que je devrais laisser mon mari ? Dans le fond de tout ça, pensez-vous que je pourrais me tromper à cause de mon retour d'âge ? Ah! pis si je pense à ce que j'ai dit à ma fille à soir, j'aime autant que vous me donniez aucun signe. Que votre âme repose en paix ! Pour ça, c'est pas moi qui vas vous mettre mon problème sur les bras... »

Elle fit demi-tour, marcha jusqu'à la porte, éteignit et sortit. Quand elle referma, un peu d'air en mouvement lui vint au visage, transportant une odeur chimique...

***

Chapitre 11

Rachel Maheux chantait mentalement.

> *«Un monsieur attendait*
> *Au café du palais*
> *Devant un Dubonnet*
> *La femme qu'il aimait*
> *La musique jouait*
> *Et les mouches volaient*
> *Et toujours un monsieur attendait.»*

C'était la Gare du Palais qui lui rappelait ce couplet dont elle ne se souvenait jamais au complet.

Elle était là à côté des rails, massive et trapue, la gare verte, avec son air de Château Frontenac écrapouti dans la basse ville de Québec. Sifflet, vapeur, va-et-vient, serre-frein, tout se mariait avec l'acier mouillé, tout avait une odeur de charbon et de départ.

La jeune femme se sentait bien, malgré sa coupure du bas du ventre. Il y avait là raideur et pincement, escarre qui pique sous un pansement, mais il fallait qu'elle y pense pour s'en rendre compte, et son esprit voguait loin de son corps, loin du train, loin de la ville.

Un petit homme jeune traversa le quai en direction du wagon où elle se trouvait assise, mais elle ne retint pas son image dans sa tête. Et pourtant, il était remarquable par sa taille si réduite, son chapeau, une toque de fourrure noire frisottée, sa valise plate qui ne pouvait contenir le nécessaire d'un voyageur partant pour plus d'une journée. Elle aurait déduit qu'il s'agissait de quelqu'un rentrant chez lui quelque part sur la rive sud si elle avait réfléchi à la question. Mais c'est à ses élèves qu'elle pensait depuis un bon moment. Aux enfants Sirois surtout, si pauvres, si réservés, si effacés.

Le wagon à voyageurs était déjà aux trois quarts rempli. Des familles prospères : du monde bien habillé. Une douzaine de religieuses de trois congrégations différentes assises et jacassant entre elles toutes. Deux prêtres, quatre frères des Écoles chrétiennes. Des vieilles personnes. Rarement des gens seuls. Et déjà de la fumée de cigarette qui flottait dans l'air.

Rachel avait pris place dans la dernière banquette afin de n'avoir personne derrière son dos, ce qu'elle détestait souverainement. Elle voisinait avec un vieillard sec et droit, portant monocle, un personnage donnant à penser à un Allemand du début du siècle. Mais la banquette de l'autre côté de l'allée restait vide. Pas pour longtemps, car le petit homme aux allures de fonctionnaire vint y prendre place après avoir esquissé un sourire qu'il remit aussitôt sous une mine renfrognée. Elle le vit ouvrir sa mallette et chacun oublia l'autre.

Le train émit un sifflement qui se termina dans une sorte de plainte allongée. Sans doute le signal ultime à l'intention des retardataires et des préposés.

Ce train est tiré par deux locomotives. Non pas que le nombre de wagons soit excessif mais parce qu'à mi-chemin, soit à Vallée Jonction dans la Beauce, il va se scinder en deux parties, l'une poursuivant dans la Beauce en direction de Lac-Mégantic et l'autre se dirigeant à Thetford Mines puis Sherbrooke.

Le voyageur examine profondément ses documents mais en même temps, il détaille le visage de cette jeune fille trop belle pour être laissée seule tout au long du voyage. Il revoit la clarté de sa peau, la pureté de son regard, la netteté de ses lèvres.

Rachel le compare à Laurent Bilodeau, à Jean-Yves Grégoire. Eux entament leur vingtaine; cet homme paraît la finir. Eux sourient le plus souvent; cet homme possède un regard circonflexe. Eux ont un beau nez harmonieux; cet homme doit sûrement décapsuler des bouteilles avec le sien. Laurent porte de beaux cheveux bouclés; Jean-Yves soigne les siens de couleur foncée. Cet homme a-t-il donc peur de montrer sa tignasse qu'il la camoufle sous sa toque penchée, ou bien trop intellectuel est-il déjà à moitié chauve ?

Il raisonne sur l'identité de sa voisine. Elle sort de l'hôpital, ses paupières le déclarent. Elle s'en retourne chez ses parents. On est le lendemain de Noël, c'est donc qu'elle fut opérée pas loin des Fêtes. Et d'urgence. Elle est membre d'une grosse famille, et c'est pour ça qu'elle voyage et se débrouille par ses propres moyens. Son manteau à col de fourrure blanche indique qu'elle doit gagner de l'argent. Déduction : une infirmière ou une maîtresse d'école.

Elle soupèse le personnage en le comparant et en lui cherchant des ressemblances ou points de ressemblance avec des hommes qu'elle connaît. Célibataire sinon il ne voyagerait pas tout seul dans cette direction un vingt-six décembre. Trop petit pour travailler dur. Trop travaillant pour être à l'emploi du gouvernement. Peu de chances qu'il soit un professeur, un docteur, un vendeur, car il ne fouillerait pas dans de la paperasse. Une forte probabilité : avocat ou notaire. Zélé...

Il sortit un livre et s'y plongea, en même temps que, dans des gestes machinaux, il s'allumait une cigarette.

Et le train enfin se mit en branle, et la jeune femme porta son regard vers l'extérieur tout en rejetant son âme dans des souvenirs épars allant du visage inquiet de sa mère lors de son départ précipité pour l'hôpital à celui de son frère si courageux devant le sort, en passant par ses années d'école Normale et cet appel du voile que le temps semblait raffermir.

Souventes fois, dans la demi-heure qui suivit, elle regarda du côté des religieuses là, femmes au visage épanoui tout comme celles du couvent de son village ou de l'hôpital qu'elle venait de quitter. Même visage serein que celui de ses tantes, l'une du côté maternel et l'autre, soeur de son père, lesquelles avaient éveillé en sa conscience cet attrait certain pour la vocation religieuse, sans toutefois jamais provoquer sa décision finale...

Les arpents défilèrent lourdement sous les roues du train; on franchit le pont de Québec puis les milles devinrent plus légers que les premiers arpents de neige.

À Sainte-Marie, son voisin, qui n'avait cessé ni de lire ni de fumer, posa son livre sur la banquette et il quitta sa place pour aller aux toilettes. Rachel étira le cou et mit le nez vers le titre du mince bouquin. C'était *Cyrano de Bergerac*. Mentalement, elle gloussa comme une poule. Car non seulement avait-elle lu ce livre à l'école Normale de Beauceville mais elle avait fait partie de la troupe de théâtre qui y avait donné la pièce en représentation.

L'homme revint bientôt et reprit sa place sans jeter le moindre coup d'oeil sur elle. Ce qui ajouta à son étonnement quand, moins d'une minute plus tard, elle l'entendit lui dire :

–Mademoiselle, ça vous importunerait si je vous adressais la parole ? Tant qu'à être chacun tout seul pour faire le voyage, aussi bien se parler pour tuer le temps, ne croyez-vous pas ?

Surprise de l'entendre, étonnée de sa parlure soignée, amusée par l'importance de son nez, déroutée par l'enrouement de sa voix, elle se souvint des paroles de Martial à propos d'un chanteur français dont elle avait remarqué le nom Aznavour... Pouvait-il s'agir de lui ? Tout avait l'air de si bien concorder. Et si elle lisait plus souvent *Le Soleil* aussi, elle aurait vu sa photo et peut-être se souviendrait-elle de son visage.

–Heu... oui...

Aussitôt, il transporta sa personne en face d'elle tout en refermant sur ses papiers et son livre sa mallette qu'il déposa à terre contre la cloison du wagon sous les fenêtres.

Pour flatter le personnage en même temps que pour l'épater, elle dit :

–Ne me dites pas votre nom; je pense que je vais le deviner.

Il fit une moue souriante :

–Bah! c'est pas impossible : on me voit assez souvent dans les journaux. Surtout cette année...

–Je brûle de plus en plus...

–Vous brûlez ?

–Je suis de plus en plus certaine de savoir qui vous êtes.

–Parlant de brûler, est-ce que vous me permettez de fumer et... peut-être accepterez-vous une cigarette ?

–Non, merci...

–Vous préférez que je m'abstienne ? dit-il en sortant son paquet de *Player's* de la poche de son veston gris que les pans ouverts de son manteau laissaient voir.

–Non, non, mais moi, je ne fume pas...

Il ouvrit le paquet de ses doigts énervés et lui en offrit une quand même :

–Allez, c'est pas tous les jours qu'une jeune personne de la Beauce passe par... la vieille capitale.

–Vous croyez que je suis de la Beauce ? Je pourrais me rendre dans les Cantons de l'Est ou à Sherbrooke ou à Thetford.

Il multiplia les petits signes de tête affirmatifs :

–Mais vous êtes de la Beauce.

–Oui.

–Alors... pour la cigarette ?

Elle fut séduite par cette façon qu'il avait de tenir son paquet en alignant les cigarettes comme des petits tuyaux d'orgue. Décidément, ce personnage lui rappelait souvent le chant, la musique... Elle tendit la main et prit la cigarette offerte.

–Je vous avertis, c'est la première fois.

Il plongea son regard dans celui de la jeune fille pour dire :

–La première, c'est pas forcément la meilleure, souvent loin de là, mais c'est celle dont on se souvient toute sa vie.

Elle devina alors un côté poète, philosophe, écrivain en lui, derrière cette présence forte. Il sortit un allume-cigarettes chromé et leva la flamme devant la jeune femme qui fit de son mieux pour assurer le plus d'élégance possible au geste d'acceptation... Et elle ne toussa pas, mais n'aspira pas la fumée qu'elle rejeta avec un air candide. Il jeta :

–Fumer, c'est comme chanter : à force de pratiquer, ça devient naturel !

–Vous me trouvez gauche ?

Il s'alluma et protesta :

–Sûr que non ! C'est votre première, ça se comprend.

Il inhala profondément puis rejeta la fumée en tournant légèrement la tête pour ne pas manquer de respect.

–Votre père ne fume pas ?

–Mon père : la pipe !

–Et votre mère, bien sûr que non !

–Non !

Le train émit un bref gémissement comme un demi-aboiement de chien et l'on put entendre quelques 'teuf teuf' de la locomotive; mais rien ne bougea encore. Les roues d'acier avaient dû déraper sur les rails.

–Puisque vous voulez deviner mon nom, je vous propose un jeu pour agrémenter notre voyage. Vous devinez mon nom et moi, comme je ne peux évidemment pas deviner le vôtre, je trouve cependant le métier que vous exercez. Car je sais déjà que vous avez un métier... On se donne des indices mais pas de fausses pistes. Bien entendu que de trouver un métier, ce n'est pas très compliqué : il n'y en a que quelques-uns pour les femmes. Et trouver le nom de quelqu'un, même d'une tête connue, c'est beaucoup plus compliqué...

–Peut-être pas...

Soudain, dans un geste vif, il ôta sa toque en s'excusant :

–Vous savez, quand je rencontre quelqu'un d'intéressant, j'en oublie les règles de la bienséance.

Il avait les cheveux minces et foncés.

–C'est rien que des règles. Au fond, pourquoi j'ôterais pas le mien, mon chapeau...

–Surtout pas, il vous sied si bien.

Elle comprenait le sens de tous les mots qu'il prononçait et cela le persuadait qu'il avait affaire à une jeune maîtresse d'école de campagne qu'un séjour à l'école Normale avait sortie tant soit peu du retard intellectuel de son milieu. Et de ce pays en fait...

Rachel portait un chapeau de feutre noir pas plus grand que la main sur le pignon de la tête, le devant formant un coeur. Et le rouge de ses lèvres perdait de son intensité, mais leur dessin ourlé conservait tout son charme.

–Vous lisiez Cyrano, ça veut dire que le domaine des arts vous intéresse.

–Ah! oui, ça m'intéresse ! À vous de me servir un indice... Pas trop révélateur tout de même que je puisse peiner un peu à chercher. Vous avez déjà lu des romans policiers ?

–Un seul : *Le Mystère de la chambre jaune.*

–Gaston Leroux, l'auteur, et le détective Rouletabille...

–J'ai un peu oublié; c'était il y a trois ans déjà.

–Ah! le temps passe vite en effet. Il y a trois ans, j'étais encore en Europe, et il me semble qu'une éternité m'en éloigne déjà.

Elle tira sur sa cigarette et toussota puis dit, taquine :

–L'Europe... un autre indice.

–Tout à fait !

Le train se mit en marche, et on cessa de se fixer directement sur les règles du jeu.

–Dites-moi d'où vous venez et quel est votre nom. Ça ne va pas révéler ce que vous faites.

–Saint-Honoré, un petit village à l'autre bout de la Beauce.

L'homme regarda sa montre :

–C'est dire qu'il nous reste bien peu de temps puisque moi, je vais à Thetford Mines, et que les locomotives vont se séparer dans dix ou quinze minutes à Vallée Jonction. Et votre nom déjà ?

–Rachel...

–Oui ?...

–Maheux.

–Rachel Maheux, ça coule de source... Il y a une musicalité, une belle sonorité dans ce nom, du rythme... Ra... chel... Ma... heux...

–Vous avez fini de lire Cyrano ?

–Pas tout à fait.

–Vous aimez ?

—C'est la troisième fois que je le lis. Ça me décomplexe quant à mon nez...

Il se le désigna :

—Comme vous le voyez, la nature m'a joué un tour de cochon. Mais ça s'opère de nos jours. J'y verrai un de ces quatre matins. Mais un nez, quand on sait le mettre au bon endroit, ça peut aider. C'est comme ma voix, les gens la retiennent en mémoire, et c'est tant mieux pour moi.

Le train atteignit sa vitesse de croisière. Le wagon frémissait et le bruit cadencé des roues mettait les conversations à l'abri des oreilles plus éloignées. Les frères se parlaient fort et il parut à Rachel qu'ils se disaient des choses les concernant, elle et son compagnon. Puis elle se reprocha sa prétention : sans doute qu'ils reconnaissaient Charles Aznavour, eux, sans l'ombre d'un doute.

—On a beaucoup de gens de robe avec nous. Je parie que vous avez déjà eu l'idée de devenir religieuse.

Elle hocha la tête négativement, mais c'était pour exprimer une grande surprise. Il glissa vite :

—Je suis surpris que non.

—Je n'ai pas voulu dire non. C'est que je suis frappée par votre clairvoyance, c'est tout. Oui, j'ai pensé au voile et j'y pense encore. Ce n'est pas une honte, au contraire.

—Bien au contraire, vous avez tout à fait raison.

—Au couvent chez nous, ce sont les soeurs de la charité de Saint-Louis... J'ai deux tantes en religion... Mais comment avez-vous su ?

—Ah! vous savez, mademoiselle, je suis un médium : je vois l'avenir dans les visages.

—Épatant ! comme dirait ma compagne de l'école N...

Rachel retint à temps le mot Normale qui aurait révélé à son interlocuteur son métier de maîtresse d'école. Il avait néanmoins saisi : enfantin pour un esprit vif comme le sien !

—Peut-être que vous auriez dû voyager avec les soeurs qui sont là plutôt qu'avec un... baladin comme moi.

—Baladin, balade, chanson...

—Oubliez baladin, ça pourrait être une fausse piste.

Elle écrasa sa cigarette dans un cendrier engoncé dans la cloison en disant :

–Vous aviez raison, ce n'est pas très bon de fumer ça, et il y a de bonnes chances pour que je m'en souvienne toute ma vie.

Il fit comme elle. Et en se redressant, il dit avec une moue d'impatience mais à moitié souriante :

–Ah! et puis nous n'avons plus le temps de jouer au détective. Vous êtes maîtresse d'école à Saint-Honoré et moi, je suis...

Le train siffla et l'homme dut s'arrêter de parler pour ne pas le faire dans le vide. Elle s'exclama :

–Mais c'est vrai que je suis maîtresse d'école ! Je n'en reviens pas. À moi de trouver maintenant... Ces derniers temps, votre vie fut tumultueuse...

–En effet ! Ces derniers temps et avant ces derniers temps aussi.

–Vous avez beaucoup voyagé.

–Pas mal !

–Vous travaillez souvent à Montréal et parfois à Québec.

–C'est vrai. Vous m'épatez à votre tour. Est-ce que vous enseignez de cette façon ? La méthode socratique : vous questionnez pour que l'élève découvre par lui-même ?

Il éclata de rire.

–Vous savez, j'ai six divisions.

–Ah! je croyais que vous aviez dit au couvent ! Vous êtes dans une école de rang ?

–Oui, avec vingt-deux frimousses dans ma classe. J'ai dû les laisser vite avant les Fêtes...

Il l'interrompit :

–Pour aller vous faire opérer.

Ébahie, elle dit en riant :

–Pas croyable! Je viens de me faire opérer pour l'appendicite. Vous avez autant de nez que monsieur Duplessis lui-même.

Il fit une grimace. Elle réalisa qu'elle pouvait l'avoir insulté en lui parlant de nez. Il dit :

–Vous savez, monsieur Duplessis n'est pas ce qui peut arriver de mieux à ce pays.

–Mon père ne l'aime pas, mais ma mère vote pour lui.

–C'est bon pour la démocratie, que certaines gens pensent d'une façon en politique et d'autres d'une autre. La perfection en démocratie, c'est 51% contre 49%. Mais ça peut aussi signifier l'instabilité, le danger... Les dictateurs comme Hitler et Mussolini préféraient le 85%-15%... Et monsieur Duplessis aime bien aussi ce genre de scores...

–Je n'y connais rien en politique sauf les noms de nos deux premiers ministres, monsieur Duplessis et monsieur Saint-Laurent. Je dis à mes élèves qu'il faut les respecter...

–Respecter un premier ministre, c'est peut-être aussi le contester et le battre aux élections. Car les hommes de pouvoir sont un peu comme des chiens : ils aboient, se pensent indispensables et refusent de lâcher le morceau.

On entendit le train commencer à décélérer. L'homme fronça les sourcils. Rachel dit :

–Le métier de chanteur de charme est sûrement plus agréable que celui de premier ministre.

–J'en suis certain.

Cette fois, elle aussi était certaine de quelque chose : son identité. Elle ouvrit la bouche pour le dire. Il reprit la parole :

–Un dernier indice... 1949 fut une année dure...

Elle plissa les yeux. Il attendait qu'elle parle... Elle regarda dehors, laissa glisser son attention sur la surface gelée de la rivière Chaudière puis son front s'éclaira.

–Une année dure, je vous pense... Vous avez travaillé avec Pierre Roche. Et vous êtes Charles Aznavour...

L'homme éclata d'un long rire et s'étouffa littéralement. Il se coiffa de sa toque sans dire autre chose que 'J'en reviens pas à mon tour, j'en reviens pas à mon tour !'

Vu que les rires l'asphyxiaient, il sortit un autre paquet de cigarettes et s'en alluma une nerveusement. Celle-là était au menthol et avait la réputation de dégager les bronches. Il finit par pouvoir demander :

–Comment vous avez fait pour trouver ça ?

–Pierre Roche, baladin, Cyrano, votre voix, votre langage pas comme nous autres...

–Vous n'avez jamais vu ma photo dans le journal ?

–Vous savez, le soir, je corrige des cahiers et j'ai pas le temps de lire *Le Soleil*. Souvent, je couche à l'école en plus...

L'homme prit sa mallette et se leva. Mais il continuait de trouver ça irrésistiblement drôle. Le train allait beaucoup plus lentement. Il salua :

–Eh bien, c'est ici que nos voies vont diverger. J'espère bien avoir l'occasion de vous rencontrer et de vous parler plus longuement un jour, mademoiselle Maheux.

–Attendez ! fit-elle en fouillant dans sa sacoche se trouvant sur la banquette à côté d'elle.

Elle y trouva un petit calepin noir qu'elle ouvrit et mit sous son nez.

–Vous me donnez un autographe ? Peut-être que vous deviendrez célèbre un jour... Je veux dire...

Il entra la main dans le revers de son veston et en sortit un crayon dont il ajusta la mine, prit le carnet, écrivit. Puis il referma le calepin, le tendit et rempocha son crayon. Et à nouveau, il éclata de rire et dit, goguenard :

–Vous êtes une personne futée comme on dit par ici.

Il tendit la main et devint plus sérieux :

–Et très regardable avec ça. Je n'ai qu'un regret dans ma vie et c'est d'avoir lu Cyrano une fois de trop. Vous m'épatez...

Ils se serrèrent la main. Elle remit le calepin dans sa bourse et croisa les bras. Quand l'homme fut sur le quai de la gare, il fit quelques pas, s'arrêta, se retourna vers Rachel et à nouveau, il éclata de rire.

Il lui fit penser au père de Laurent Bilodeau qui riait souvent de cette façon en vendant un habit, comme pour en faire oublier le prix. Il lui adressa un geste mou en guise de salutation et entra dans la gare.

Deux heures plus tard, le train décélérait à nouveau à l'approche de la gare de Saint-Évariste où Rachel descendrait et monterait dans l'auto du postillon pour se rendre chez elle à Saint-Honoré. Depuis le départ de Vallée Jonction, elle avait repensé à maintes reprises à cette rencontre mémorable, et les collines et les courbes s'étaient succédé sans laisser en sa tête plus que de vagues paysages blancs tachetés de points foncés, les arbres, et de blocs noirs, les bâtisses.

Ça lui ferait du bien de se délier les jambes, mais la marche lui causant encore des tiraillements au ventre, il valait mieux attendre que le train soit immobile avant de se lever. La gare entra doucement dans son champ de vision. La jeune femme avait faim. Il était trois heures de l'après-midi. Le soleil frappait les vitres de la bâtisse de ses rayons obliques et en obtenait des reflets jaunes. Plus loin, un jeune homme se rendit devant son attelage pour calmer les deux chevaux qui montraient des signes d'énervement à cause de ce bruyant monstre noir que leur vision, selon les dires, s'agrandissait encore. Rachel le reconnut. C'était le fils d'un cultivateur de la Grand-Ligne dont la terre se trouvait entre l'école et le village de sorte que la maîtresse devait passer devant chez eux chaque fois qu'elle se rendait à son travail ou retournait à la maison. Et lui, Eugène Champagne, s'arrangeait souvent pour lui parler ou la saluer. Mais elle faisait tous les efforts pour l'éviter.

Enfin, le train s'arrêta en soufflant et en sifflant. Les chevaux hennirent puis se calmèrent. Le jeune homme put retourner vider sa sleigh double de son chargement de pitounes. Ces billes de quatre pieds de longueur étaient envoyées par train vers les Cantons de l'Est pour y être transformées en pâte à papier.

Le wagon de Rachel s'immobilisa droit devant la gare. Les marches étaient situées vis-à-vis la porte principale. D'autres voyageurs s'éparpillèrent; elle dut entrer pour attendre à la chaleur l'arrivée du postillon.

Quand il la vit descendre du train, Eugène sentit son coeur mener le diable dans sa poitrine. Il avait eu vent de la maladie subite de Rachel et, depuis cette nouvelle, il se renseignait de près en questionnant les enfants du voisinage.

Des écoliers avaient su par leurs parents qui l'avaient appris de la bouche de la femme à Clodomir, elle-même informée par Éva au téléphone, que Rachel reviendrait le lendemain de Noël par train. Tôt le matin, Eugène avait chargé ses sleighs et au commencement de l'après-midi, il avait pris la route avec la bénédiction de son père et même celle amusée de pépère Champagne. Le train s'étant fait attendre, il avait pris tout son temps pour vider son chargement, mais voilà qu'il ne lui restait plus grand-chose à trimbaler. Quand ce fut terminé, il fit avancer les chevaux derrière la gare où il put les attacher. Et il entra, le visage empreint de bonne humeur et d'une fausse spontanéité.

C'était un homme court au rire facile, rougeaud et qui fumait rouleuse sur rouleuse bien qu'il fût pingre à s'en lécher les doigts. Veuf depuis de nombreuses années, son père avait élevé ses cinq garçons tout seul. Il ne restait plus que ce fils à la maison et le grand-père qui commençait à revirer en enfance; et il n'y manquait qu'une jeune femme dans ce foyer sans âme.

Chaque semaine, Georges poussait Eugène à faire des avances à Rachel et le jeune homme en mettait un peu trop de sorte que pareille insistance lui nuisait plus qu'elle ne l'aidait.

« Un jour, tu vas la tenir par la ganse ! Tiens bon ! » répétait le père.

–Ah! ben sacristie, Rachel, j'pensais jamais de te voir icitte après-midi !

–Moi non plus, moi non plus !

Il s'avança vers le banc où elle avait pris place dos au mur. Elle le détailla pour se rendre compte qu'elle le voyait toujours du même oeil. Un petit pas court. Les cheveux frisés, la roupie au nez. Pas laid mais bas sur pattes. C'était sa journée de rencontrer des ratatinés. Ça la fit sourire. Il le prit pour du contentement, se mit à balbutier :

–J'ai ma pitoune à l'air... j'ai ma pitoune dehors que suis venu porter... Un voyage de beau bois vendu bon prix...

Elle dit :

–J'arrive de Qué...

Il coupa :

–L'appendicite.

–Qui te l'a dit ?

–Ben... les enfants... pis ça se parlait sur la ligne de téléphone. En plus qu'on t'a pas vue à messe de minuit pis tout' ça, là... Ben, j'sus content de voir que tout va comme il faut. Tu nous as fait peur, tu sauras...

–Ben voyons, j'suis même pas de ta parenté. J'suis rien que la maîtresse d'école de votre rang.

–Moé, j'pense que t'es une personne importante dans la paroisse. Les enfants ont besoin de toé.

Elle pensa que c'était là flatterie. Et lui, maintenant qu'il lui avait servi une tartine de respect et de considération, jugea qu'il devait se mettre en valeur en tant que bon parti pour une jeune femme comme elle.

–On a de la belle pitoune c't'année : ça va rapporter pas mal.

Elle pensa que c'était là vantardise. Et voulut se distancer :

–Plus payant de couper du bois de pulpe que de mettre du plomb dans la tête des enfants.

Il rit nerveusement sans trop savoir comment rire, sans pouvoir lire ce qui se trouvait derrière cette réflexion. En même temps, il déplaçait le poids de son corps d'une jambe à l'autre. Puis il fouilla dans la poche de ses culottes d'étoffe style british et en sortit un paquet de tabac Zig Zag dont l'emballage contenait aussi un paquet distributeur de papiers Vogue.

–Tant qu'à être en si bonne compagnie, je vas en profiter pour fumer une p'tite rouleuse.

Et il prit place sur le banc face à elle. Il mit le paquet de tabac entre ses jambes, y introduisit le doigt et le pouce pour en extraire un amas de brindilles...

–Comme ça, la santé, ça se replace ? Ben content de voir ça ! As-tu vu le Martial à Québec, coudon ?

–Qui ?

–Martial.

–Ah ! Ben oui, on est allé entendre chanter Alys Robi.

–Qui ?

–Alys Robi.

–Connais pas.

–C'est une vedette. Elle chante dans les clubs à Montréal pis à Québec, même New York. On voit souvent son portrait dans *Le*

Soleil. Quasiment chaque semaine de ce temps-là.

Rachel brûlait d'envie de lui révéler qu'elle avait voyagé en la compagnie de Charles Aznavour.

–Vous devriez vous abonner, chez vous !

–On n'est pas riches comme vous autres, nous autres. Ton père ferre les chevaux, ta mère tient magasin pis en plus que vous avez une terre sur la grande ligne. *Le Soleil*, ça coûte les yeux de la tête...

–Dix piastres par année !

–Hey sacristie ! C'est ben trop cher...

–Ça renseigne pour cent piastres par exemple.

–Bah ! ça doit pas dire comment couper de la pitoune...

Ignorant, pensa-t-elle. Elle lui montrerait, tiens. Et elle ouvrit sa bourse et prit son calepin pour lui mettre l'autographe du chanteur de charme sous le nez, mais au dernier moment, elle se ravisa. S'il ne connaissait même pas Alys Robi, qu'est-ce que ça lui dirait, Charles Aznavour ? D'autant qu'elle-même n'avait jamais vu -ou remarqué- sa photo dans *Le Soleil* ou ailleurs.

Elle soupira, hocha la tête. Puis son visage s'éclaira. Elle lui montrerait l'autographe devant quelqu'un de mieux renseigné et qui connaissait Aznavour par une photo : soit le chef de gare affairé derrière son guichet ou bien le postillon qui arrivait justement avec à la main le petit sac de malle en partance pour Lac-Mégantic et qu'il se rendit jeter sur un tas d'autres près du guichet.

–Salut Blanc ! dit Eugène.

–Salut... vous autres, répondit Blanc, les yeux mi-clos, la voix loqueteuse.

Rachel fit un salut muet et retint derrière son masque impassible tout le désarroi dans lequel ce visage de mort en sursis la plongeait.

Le temps commençait déjà à s'assombrir dehors et a fortiori à l'intérieur, et le chapeau gris de l'arrivant dessinait une zone ténébreuse sur son front bas. Non seulement son regard éteint et son air taciturne disaient la maladie mortelle mais en plus ils trahissaient le vide intérieur, l'absence totale d'espoir, ni celui de vivre, ni celui de mourir, ni celui de survivre par-delà la mort.

Cette indifférence noire contrastait avec la flamme du désir qui se pouvait distinguer dans le visage de son frère dont la maladie n'était pas moins dangereuse que celle de Blanc puisque c'était la même, et Rachel se sentait mal à l'aise.

Blanc portait un manteau noir avec col de fourrure rasée. Eugène le balaya du regard de haut en bas et commenta :

–Blanc, tu t'habilles comme un premier ministre.

–C'est vrai, ça, dit le guichetier dont les yeux restaient perdus derrière les verres épais de ses lunettes à l'abri de sa visière.

L'homme se composa un maigre sourire qui s'étendit sur les ossements secs de sa face pâle, mais ce n'était pas pour exprimer de la satisfaction ou de la vanité; il voulait faire croire que le propos lui plaisait, ce qui plairait... Car il n'avait rien à faire des congratulations et des claques dans le dos. Il n'avait plus rien à prouver, n'avait pas à faire sa marque dans un monde qui se passerait bientôt de lui.

Il s'approcha des jeunes gens, disant :

–Si j'étais un futur premier ministre, sauriez-vous me reconnaître ? Peut-être que vous en avez vu un aujourd'hui même. Non, moi, je vas me présenter député dans un autre monde...

On ne comprenait pas toujours ce que Blanc voulait dire. Est-ce parce qu'il tenait de ces propos nébuleux sur une voix ex cathedra qu'on le surnommait parfois le pape Pie XII ou bien parce que le timbre mince de cette voix, son nez et l'ensemble de sa physionomie rappelaient vaguement le Souverain Pontife ? Qui saurait jamais !

Même si elle devait passer du coq-à-l'âne, Rachel voulut parachever son entreprise de moucher un peu le nez mouillé du jeune homme et elle dit :

–Parlant de personnes connues, savez-vous qui est Charles Aznavour ?

–Qui ? dit Eugène.

–Aznavour...

Blanc intervint :

–Certain, il va chanter la semaine prochaine *Chez Gérard* à

Québec. C'est un petit homme qui dit des grands mots avec un gros nez et une voix pleine de râche.

–De la râche dans la voix ? s'étonna Eugène.

–Ben oui, une voix sucrée pis un peu papier sablé en même temps...

–Voyons donc, de la râche, c'est des restants de sirop d'érable, on a pas ça dans la voix.

–Ben c'est ça, lança le chef de gare qui voulait montrer qu'il savait lui aussi de quoi on parlait.

Rachel sourit et déclara, fière :

–Ben... j'ai eu le plaisir de le connaître aujourd'hui dans le train. Il m'a signé un autographe...

Elle ouvrit le calepin à la page de la signature sans toutefois la lire et le tendit vers Eugène qui le dédaigna et fit semblant de ne pas le voir. Alors elle montra à Blanc qui lut le nom à voix inintelligible. Il dit :

–C'est-il la bonne page ?

–Ben oui, c'est la bonne page.

–Où c'est qu'il allait, ton Charles Aznavour ? Il est dans le train ?

–Non, il a fourché vers Thetford Mines.

–Ça me surprend pas, ça fait un bout de temps qu'il se tient dans le bout de Thetford pis d'Asbestos, celui-là !

–Il fait quoi par là ? demanda Eugène sur un ton dérisoire. Il chante pour les mineurs, je suppose.

–Un peu ça ! Pis il tire des roches à Duplessis.

À part Blanc, les trois autres nageaient en pleine confusion.

–C'est quoi, cette histoire-là ? dit Rachel.

–Ouais, fit le chef de gare.

–Ouais, ouais, insista Eugène.

Blanc redonna à Rachel son calepin en disant :

–Si c'est pas la bonne page, c'est pas le bon nom.

Elle lut tout haut :

–René... Lévesque... hein ?

Et elle feuilleta le carnet pour en revenir à cette page. De toute façon, elle ne savait pas ce que ça voulait dire ni qui était ce René Lévesque.

–C'est donc pour ça qu'il riait tant quand j'ai dit qu'il était Charles Aznavour, dit-elle comme pour elle-même.

–C'est un journaliste, dit Blanc. Il a fait ben des articles de journaux sur la grève de l'amiante. Il doit aller à Thetford pour ça. Il se bat pour la démocratie donc contre Duplessis...

–Il a été en Europe durant la guerre, renchérit le chef de gare.

–Pis il fume des cigarettes faites, dit Blanc.

Eugène se leva et dit sur un ton sérieux :

–Bon, ben, je retourne à mes chevaux pis ma pitoune, moé. Salut tout le monde !

On le salua tandis qu'il quittait les lieux, déçu. Et jaloux de ce fumeur de cigarettes faites, cet étranger de René Lévesque qu'il ne connaissait même pas, un faiseux de broue rien que bon à courir en exil comme Alexis Labranche dans *Un homme et son péché*, et à insulter le premier ministre, monsieur Duplessis, le meilleur homme du Canada...

Le train bougea. Les chevaux d'Eugène hennirent. Le wagon à courrier fut bientôt devant la porte, et les sacs bourrés atterrirent sur le quai.

Blanc déclara avec un peu de morgue :

–Il t'a fait accroire qu'il était un chanteur de charme, mais c'est peut-être parce qu'il est un chanteur de pomme... Bon, je vas aller approcher le char... Attends en dedans, je te ferai signe le moment venu.

Rachel n'arrivait pas à croire que Charles Aznavour n'était en réalité que ce René Lévesque, et elle continuait de fouiller fébrilement dans son calepin.

En vain...

***

Chapitre 12

On avait dû ouvrir les grandes portes en accordéon séparant la salle mortuaire d'une autre qui servait aux cercles paroissiaux dont principalement les fermières.

Il y avait toute la parenté au corps et beaucoup de paroissiens qui venaient prier un moment, présenter leurs condoléances, s'asseoir ou partir de suite.

La famille Grégoire y comptait beaucoup de monde, en fait tous ceux-là encore dans la paroisse, excluant donc les filles mariées à des Américains et vivant aux États-Unis, et le fils aîné, avocat à Val d'Or.

C'est que l'aîné des enfants Jolicoeur, Ovide, était marié à une soeur du marchand. Assis au premier rang avec la proche famille, il s'entretenait avec Rose qui avait pris place entre lui et sa femme à leur invitation.

À voix retenue, par respect pour le défunt, mais surtout pour éviter qu'on ne l'entende, Rose leur avait fait part de son intention de vivre seule désormais. Elle pourrait donc s'avérer disponible pour veiller au soin de la vieille dame invalide devenue veuve.

Homme d'affaires, Ovide savait qu'il n'avait pas à se mettre le nez dans les chaudrons des Poulin, et il montra beaucoup d'intérêt pour la proposition jusqu'à vouloir en discuter à trois.

–Je crois que monsieur Jolicoeur serait d'accord ! opina Berthe en regardant vers le cercueil.

Un courant d'air passa sur ses mains; elle frissonna. Rose le remarqua et jeta un coup d'oeil autour.

–C'est un peu frisquet icitte-dans. Ça commence à être venteux dehors, et la salle est un vrai panier percé.

Mais elle aperçut un petit carreau quelque peu ouvert dans une des fenêtres et s'excusa pour aller le fermer. Elle pensa que c'était à cause de cela, la fraîche ressentie la veille quand elle était venue dans la pièce tard. Dominique oubliait de refermer les portes et les fenêtres : quel embaumeur de malheur !

Au passage, elle prit des nouvelles de Rachel qui se trouvait assise plus loin en compagnie d'Esther Létourneau et de deux religieuses venues au nom de leur communauté et aussi de tout le couvent paroissial.

Personne ne pleurait. Le mort avait joui d'une belle et longue vie, et ses souffrances de la phase finale lui valaient hors de tout doute une vie heureuse dans l'au-delà.

Faute d'espace, on avait aligné des chaises tout le long du couloir, et la plupart d'entre elles étaient maintenant occupées. Il était plus courant d'y jaser fort et d'y fumer à son goût. Et la soirée mortuaire en arrivait à la fin de sa première moitié.

Près de la salle des Chevaliers, Jean-Yves Grégoire, Eugène Champagne et le vicaire Gilbert se parlaient de hockey national aussi bien que local. Jean-Yves était le seul des trois à jouer dans une équipe. Il arrivait que l'on demande à Eugène de faire office de gardien de buts quand son frère ne pouvait assumer cette tâche qui lui incombait officiellement. Maurice Richard, Butch Bouchard, Roger Léger, Tod Campeau, Buddy MacPherson, tous du Canadien de Montréal étaient comparés à Laurent Bilodeau, Roland Campeau, Roger Bureau, Jean-Yves Grégoire, Victor Champagne, ceux-là du Saint-Honoré. Il y aurait frénésie sur la patinoire et autour le lendemain soir; et c'est pourquoi dès le lundi, la paroisse se dépêchait de remplir son devoir tacite de se rendre faire une visite au regretté père Jolicoeur que personne, pas même sa veuve malade et absente, ne regrettait vu son âge avancé.

–Ta petite voisine est revenue pas trop maganée ! dit soudain

Eugène à brûle-pourpoint.

Il avait le don de remplir les vides en sautant de Caïphe à Pilate, et ça lui permettait de jauger l'interlocuteur, de le priver d'un temps de réaction pour que le fond de son âme s'écrive spontanément dans les traits de son visage. Et il examina avec attention le regard de Jean-Yves.

–Rachel Maheux ? interrogea hypocritement Jean-Yves sans sourciller.

–Toujours pas Itha Pelchat, hein !

Et pendant qu'Eugène éclatait de rire tout en conservant un regard inquisiteur, Jean-Yves rajusta son col de manteau en demandant :

–Paraît qu'elle a été opérée d'urgence ?

–Tout le village sait ça, voyons ! dit le vicaire.

Chacun comprit que le jeune homme jouait fou et cherchait donc à cacher quelque chose qu'il ne voulait pas du tout révéler. En ce cas, quoi d'autre qu'un sentiment ?

Pour faire diversion, Jean-Yves se mit à brasser la monnaie au fond de sa poche. Ce cliquetis d'argent sonnant suffit à distraire un peu celui qui tentait de fouiller dans son âme. Il sortit une autre pièce d'artillerie :

–Coudon, as-tu réparé ton hockey comme je te l'avais dit ? Le petit André Maheux, il en voulait un pis il a pas trop d'argent. Brisé dans le manche, t'avais rien qu'à le couper droit pis à refaire une mailloche en 'tape noir'.

–Tu penses ?

–Je pense certain. Tu pourrais le vendre au moins une piastre encore. Je peux te le vendre au magasin si tu veux...

Eugène regarda le vicaire, rit, rougit, dit :

–J'dis pas non, j'dis pas non. Même que je vas te l'apporter demain...

–Je te chargerai pas une cenne noire pour te le vendre...

Au même moment, dehors, Gilles Maheux poussait son ami Clément à l'accompagner à l'intérieur.

–Pour quoi c'est faire ? questionnait l'autre. On n'a pas besoin d'aller au corps, nous autres, on est rien que des enfants.

–Le mort est un voisin, insistait Gilles en citant une phrase entendue de la bouche de son père.

Le petit chenapan avait concocté un plan. Il irait faire une prière sur le bonhomme Jolicoeur puis se tiendrait dans le couloir, surveillant l'occasion de se glisser dans la salle des Chevaliers de Colomb. La clef faisait problème, ça, il le savait. Ou bien elle se trouverait dans la porte comme ça arrivait souvent ou bien elle serait accrochée dans la cuisine des Poulin au bord de la porte où elle était d'habitude; et en ce dernier cas, il enverrait Clément la prendre si le moment propice devait se présenter, soit l'absence temporaire des Poulin qui laissaient souvent leur cuisine ouverte quand ils se trouvaient autre part à l'intérieur de la salle.

Gilles savait d'instinct que l'argent ne pouvait pas faire marcher Clément qui n'en manquait pas, seul enfant qu'il était dans la maison, élevé par des grands-parents gâteaux. Mais Gilles vivait avec des frères, des soeurs, et Clément quant à lui souffrait de la solitude enfantine. Il considérait le petit voisin comme un frère qu'il n'avait pas et qui lui manquait. Il finissait donc souvent par obéir aux demandes de l'autre malgré les fréquentes mises en garde de ses grands-parents.

«Fais-y attention, c'est un petit diable, le Gilles Maheux !»

«T'as pas de fiat à faire sur lui !»

«Le Gilles, il est mal engueulé avec des propos malsains...»

Et Clément finissait toujours par dire ce que sa grand-mère lui ordonnait de tenir secret.

«Écoute-le pas, c'est un petit vicieux !»

«Tu vois, il veut même pas se mettre au choeur pis servir la messe comme tous les autres petits gars du village.»

«Ça va faire un bum, c't'enfant-là !»

–On va jouer un tour au bonhomme Gus, on va aller se cacher dans la salle des Chevaliers.

–Pourquoi ?

–Pour rire voyons !

–C'est pas drôle...

–Ben, on va jouer au 'pool'.

–J'sais pas jouer.

–Je vas te le montrer.

Clément se laissait séduire aisément au bout de quelques arguments, et, son imagination travaillant, le miroir des promesses qu'exhibait son copain devant lui embellissait considérablement le futur. Et son fiat, il le donnait alors sans réserve jusqu'au moment où il se retrouvait dans de mauvais draps. Cela le plus souvent...

–Ben... O.K.

–On va aller au corps pis ensuite on va rester au bord de la porte de la cuisine de la bonne femme Poulin. Quand y aura personne dedans, moé, je vas surveiller pis toé, tu vas prendre la clef.

–Moé, je vas surveiller, pis c'est toé que tu vas prendre la clef.

–Maudit que t'es peureux !

–J'sus pas peureux, tu sauras ça.

–Dans ce cas-là, tu prendras la clef...

–Ben... O.K. d'abord !

–Ha, ha, ha, ha, ha, ha, ha, ha, ha...

Un grand rire pointu venu du coin le plus haut de la gorge de la femme qui s'exprimait enterra tous les vivants qui se trouvaient dans la pièce et faillit réveiller le mort.

C'était Manda, la femme à Freddy, à qui sa fille Ti-Noire racontait l'accident survenu à Gilles la veille dans le Grand-Shenley. Elle l'avait appris de la bouche de Rachel qui l'avait su en arrivant dans l'après-midi. D'une oreille à l'autre, le vol plané se rallongeait et la bosse au front grossissait. Ti-Noire adorait le garçon et lui disait souvent en lui pinçant les deux joues :

–Toi, je t'aime assez, je te garrocherais sur les murs.

Et même s'il n'avait plus l'âge de ça, l'enfant se laissait 'aimer' par cette jeune femme qui allait souvent s'étendre en costume de bain l'été sur le cap à Foley pour bronzer. Elle restait encore à la maison en attendant de quitter à son tour pour aller s'établir aux

États quand le bon larron ou luron lui serait présenté par l'une ou l'autre de ses soeurs, ce qui ne saurait tarder.

Car pas question de s'établir au Canada pour les soeurs Grégoire en sachant qu'il y avait en ce bas monde New York, Boston, Springfield Massachusetts et Hartford Connecticut ! Ce n'était pas d'hier que le rêve américain traversait les montagnes du Maine pour atteindre les régions frontalières, et Saint-Honoré n'y échappait pas. Élevées dans une relative aisance, les filles à Freddy, ainsi que les désignait tout le village, avaient émigré l'une après l'autre. Il restait Marielle surnommée Ti-Noire et la plus jeune de la famille, muette et retardée mentale dont l'avenir n'irait jamais plus loin que les frontières du coeur du village.

Psychotique, maniaco-dépressive, hypernerveuse, Amanda avait résidé pendant dix ans à l'hôpital Saint-Michel-Archange, asile psychiatrique de Beauport. Elle en était de retour depuis dix ans. En certaines périodes du mois, il lui arrivait d'aboyer à la lune et de marcher de long en large dans son parterre en bombant la poitrine pour tourner en dérision une femme un peu trop potelée qui venait de passer dans la rue. Très à tort, elle se croyait –et l'affirmait– être la plus belle femme de la paroisse sans même se rendre compte que sa propre fille Ti-Noire aurait pu être couronnée, elle, reine de beauté.

Plusieurs se retournèrent pour la regarder, et tous sourirent. Venant d'elle, c'était normal. En même temps, Gustave s'avança dans la pièce et annonça :

–Si d'aucuns veulent du Pepsi ou des Sweet Mary, le restaurant va être ouvert un quart d'heure, une demi-heure.

Les profits de ce qu'on appelait le restaurant allaient aux Poulin. Une pitance considérant que le ménage de la salle mortuaire et du couloir leur incomberait au départ du corps.

Il ajouta :

–Pis on vend à la cenne des cigarettes faites. Comme on dit : ça change des rouleuses. Profitez-en. Marci ben !

Il fit la même annonce dans le couloir puis ouvrit les portes de ce réduit où il mettait en vente les petites douceurs. Gilles et Clément entraient dans la salle mortuaire. Ils se rendirent au prie-dieu, et quelques-uns dans la salle furent édifiés de voir cette louable dévotion chez ces garçonnets. Ti-Noire fut carrément attendrie au point de quitter son monde pour venir parler à Gilles près du cercueil.

–Paraît que tu t'es fait mal hier ?

Il répondit de sa voix claire, comique, fluette :

–Ouais, j'ai fessé la maison à Rosaire Nadeau.

–Comment que t'as fait ton compte ?

–C'est pas de ma faute, c'est le grand-père à Clément qui a mis de la cire en dessous de son 'jumper'.

Ti-Noire ne comprit pas la relation de cause à effet. Et ça n'avait pas la moindre importance.

–Ah! pis regarde-moi donc c'est que tu t'es fait au front, petit venimeux, va !

Elle l'attira sur elle, entre les pans de son manteau et le serra contre sa poitrine opulente.

On les regardait au premier rang. Berthe dit à Rose :

–La Ti-Noire a toujours été ben affectueuse avec les enfants. Ça lui fait assez de peine de voir Solange muette pis pas-fine.

Plusieurs pensées atteignaient Rose en ce moment même. Ovide lui avait fait une offre ferme pour la garde de sa vieille mère. Plus de barrière entre sa vieille liberté ou son vieil enchaînement et cette nouvelle liberté ou nouvel enchaînement. Puis le souvenir du visage de Gilles apparaissant au-dessus du sofa se superposa à la pensée précédente... Et de voir Ti-Noire serrer un enfant sur elle devant l'image même de la mort... Tout ça additionné la troublait au plus haut point...

Le garnement fut libéré de la moelleuse étreinte, et il poussa Clément à le précéder. Les gamins sortirent et allèrent prendre place debout près de la porte ouverte de la cuisine. Les gens faisaient la queue pour aller s'acheter du Pepsi : c'était le moment propice. Il fit signe à Clément qui se faufila dans la cuisine...

Gustave cherchait sous le comptoir la boîte à cigares qui servait habituellement de caisse, mais sans succès.

–Donnez-moi donc deux cigarettes ! demanda Eugène, le premier client.

–Ordinaires ou menthol ?...

Eugène hésita, pensa à sa gorge, à Rachel à qui il espérait parler avant de s'en aller, dit :

–Une ordinaire pis une au menthol...

–Ça fera cinq cennes.

–C'est pas deux cennes la cigarette ?

–Oui, mais deux pour cinq cennes.

–Ça devrait pas plutôt être trois pour cinq cennes ?

Gustave haussa les épaules :

–C'est deux cennes chaque pis deux pour cinq cennes. Personne ramasse la cenne de change.

–Donnez-moi l'ordinaire. Je vous la paye deux cennes, quen.

Gustave mit la cigarette sur le comptoir, fit glisser les sous qu'il déposa sur la tablette en dessous.

–Asteur, donnez-moi l'autre au menthol

Et il paya deux autres sous.

–Pis un Pepsi...

Eugène se disait qu'il n'avait pas à jeter l'argent par la fenêtre. Dix fois son économie et ça lui donnait un Pepsi gratuit. Quand la bouteille fut décapsulée et mise sur le comptoir, il regretta son achat. Qui sait si Jean-Yves ne lui en aurait pas payé un ?

–Je le prends pas. J'ai pas assez d'argent sur moi...

–Asteur qu'il est débouché...

–Y en a en masse pour l'acheter.

–Moi, je vais le prendre, le Pepsi, dit Jean-Yves qui se trouvait derrière.

–À ben y penser, donne-le moé, dit Eugène.

–Fais-toé une idée, mon Eugène ! dit Gustave en se frottant la moustache.

Les gamins passèrent tout droit devant le restaurant et se rendirent d'un pas pressé à la salle des Chevaliers à l'autre extrémité du couloir. Gilles prit la clef et ouvrit la porte tandis que Clément surveillait. Ils entrèrent et restèrent dans l'obscurité.

–Quen, va reporter la clef...

–Non, vas-y, toi, c'est à ton tour.

–Écoute, c'est moé qu'a ouvert la porte, c'est toé qui va reporter la clef. Ou ben je vas le dire à madame Rose que t'as volé la clef dans la cuisine.

Clément rechigna, trépigna :

–C'est toujours moé que j'fais les coups pour toé.

–Tu fais rien en toute ! C'est qui qui a ouvert la porte, hein ?

–C'est toé.

–Ben va reporter la clef. Pis tusuite !

–Maudit de maudit !

Gilles ouvrit la porte, sentit dans le passage puis renvoya son ami. Il marcha dans la pénombre en direction du piano sur lequel se trouvait la boîte à cigares qu'à tâtons il trouva vite. Il l'ouvrit, explora l'intérieur et toucha de la monnaie, beaucoup de monnaie. Son coeur s'accéléra. Il devait vite tout empocher avant le retour de Clément...

Clément, lui, raccrochait la clef.

Il sortit de la pièce et faillit se trouver nez à nez avec Rose qui néanmoins le vit et l'apostropha :

–Où c'est que tu sors, toi ?

–Ben... de d'là...

–Tu faisais quoi ?

–Raccrocher la clef de la salle des Chevaliers...

–Vous avez pas d'affaires là sans permission.

–Ah !

–Asteur, va-t'en chez vous.

–Ben... O.K.

Et l'enfant partit sans se faire prier.

Gilles laissa descendre doucement la monnaie dans le bout de la boîte, ouvrit la poche de son parka puis transvida son contenu à l'intérieur. Les pièces produisaient une douce musique; il compterait plus tard sa fortune... Et il remit la boîte à sa place avant de retourner à la porte.

Sauf qu'après son forfait, le criminel vit avec la peur qui souvent grandit dans les minutes voire les heures qui suivent. Il attendrait Clément pour sortir, et quand on découvrirait le vol, son ami lui servirait d'alibi, que des yeux accusateurs en viennent à se porter sur eux. Car qui pourrait affirmer avec certitude qu'il s'agissait de l'un ou de l'autre ?

Il attendit, attendit, attendit...

Fatiguée, Rachel quitta les lieux à pas mesurés. Jean-Yves et Eugène le regardèrent aller. L'un dit :

–Tu devrais aller la soutenir pour l'aider à marcher.

–Pourquoi pas toi ?

Le vicaire se mit à rire. Il prit les deux jeunes gens par le bras et les entraîna avec lui. On rattrapa la jeune fille alors qu'elle s'apprêtait à quitter la salle.

–Rachel, dit le vicaire, je t'emmène deux poteaux.

–Pardon ?

–Ben oui, deux poteaux vivants pour t'aider à marcher jusque chez vous.

–Suis capable de marcher.

–On n'en doute pas, mais ça serait mieux avec deux poteaux. Allez, allez...

Aucun des hommes n'osa refuser. Elle non plus. Ils la prirent en remorque...

Au salon mortuaire, Bernadette, la soeur de Berthe et Freddy, dit à Solange :

–Pis, as-tu vu ton cavalier à soir ?

Solange regarda sa tante un court moment, hocha la tête négativement et parla en riant fort. Car si on la disait muette, en fait, sa mutité n'empêchait pas ses cordes vocales d'émettre des sons, des rires et des pleurs :

–Hen, hen...

–Penses-tu qu'il va venir ?

Elle hocha la tête affirmativement en disant :

–Hen, hen...

Et Bernadette éclata de rire mais à voix retenue par respect pour la famille du défunt. Les yeux grands et toujours rieurs même quand elle se mettait en colère, la vieille fille adorait parler de relations entre les deux sexes, d'amour, de mariage et même, à mots couverts et pudiques, de sexualité.

Ce cavalier dont il était question, c'était Ti-Paul Maheux, le frère de Rachel qui montrait de la bonté envers Solange et s'amusait à la faire rire. Elle en était venue à croire qu'il était amoureux d'elle, ce qui dans son langage se traduisait par le mot cavalier.

Pour son malheur, en plus de son infirmité mentale, Solange n'avait pas été gâtée par la nature. Nez gros, plat et rouge, visage carré et plus rouge encore, haut du corps replié en avant comme ramassé sur lui-même, à l'image de l'âme.

–As-tu hâte de te marier avec ton cavalier ?

Solange s'esclaffa, et son rire, plus encore que celui de sa mère parce que renforcé par la voix puissante des Grégoire, couvrit toute la pièce et fit même vibrer le couvercle du cercueil.

Pour plusieurs, c'était le signal attendu pour s'en aller. Car Solange avait créé un remous. Bernadette regretta d'avoir ainsi parlé et voulut se racheter à dire en se levant :

–On pourrait réciter une dernière dizaine de chapelet, hein, si vous voulez...

Sans attendre, suivie de Solange, elle entama la routine :

–Notre Père qui êtes aux cieux, que votre nom soit sanctifié...

D'intéressantes conversations furent interrompues, mais qu'importe, Dieu devait passer en premier.

Rose ne revint pas au salon. Elle avait une proposition en tête et voulait y réfléchir un moment, histoire de commencer à l'assimiler un peu, car pas question de répondre à l'offre avant un ou deux jours, peut-être pas avant l'enterrement du vieux Gédéon.

Elle se rendit dans sa chambre, alluma. La lumière se répandit dehors par la grande fenêtre. Elle baisserait la toile et fermerait les tentures plus tard ou bien Gustave le ferait. Qui oserait mettre son nez dans la vitre avec une circulation pareille autour de la salle ? Elle s'assit dans un fauteuil...

Gilles la petite peste s'était approché de la porte donnant sur l'extérieur, mais cette lueur venue de la chambre des Poulin, par réflexion sur la neige, le coinçait à l'intérieur. D'autant que les gens sortaient régulièrement de la salle. Il retourna à l'autre porte, celle donnant sur le couloir, en se guidant tant bien que mal dans la pénombre.

Il ouvrit doucement... Plus personne en vue, mais il venait encore de la lumière de la salle mortuaire, signe qu'il s'y trouvait toujours quelqu'un. Il referma avec dessein d'attendre, le temps de compter jusqu'à cinq cent, espaçant chaque chiffre d'à peu près une seconde.

Gustave entra dans la chambre. Il s'inquiétait. Cette conversation entre Rose et Ovide ne lui disait rien de bon. La partie n'était pas encore jouée, et il ne le savait que trop. Le curé ne lui avait adressé qu'un soupir et un haussement d'épaules dans la sacristie. Thérèse, à leur départ de chez elle la veille, lui avait offert un regard misérable, comme empreint de pitié.

Il prit place sur son lit, s'allongea tout habillé, dit :

–Faut que je te dise que j'sus pas tranquille...

Elle resta muette.

–Tu me demandes pas pourquoi ?

–Non.

–On dit qu'une femme qui est pas curieuse et une curieuse de femme...

–J'ai besoin de me parler à moi-même.

Sa tentative de la faire parler, de l'entraîner à faire un point ayant échoué, il aiguilla l'échange difficile sur une autre voie :

–Je pense qu'on s'est fait voler au restaurant. La petite caisse a disparu pis elle est pas dans la cuisine...

–Ben non, Gus, elle est sur le piano dans la salle des Chevaliers. J'ai oublié de la rapporter au restaurant.

–Bon, bon, bon, tu me soulages...

Rose pensa au petit Fortin qui avait emprunté la clef de la dite salle, mais son questionnement intérieur la retenait.

Gustave fut sur le point d'aller voir. Il se ravisa. Et ferma les yeux. Autant profiter de ce moment de répit avant la fermeture de la salle, de ce silence inquisiteur. S'il se taisait, elle finirait peut-être par dire quelque chose...

Et il attendit, attendit...

Le garçon marchait sans bruit entre les chaises du couloir, les fesses serrées, le regard qui se promenait partout comme s'il avait pu surgir des policiers fantômes tout droit des murs ou du plafond. Le policier tout cuir, tout noir, chevauchant une moto qui vociférait contre les enfants, passait rarement par le village et ça le rendait encore plus menaçant...

«Si tu fais pas comme faut, on va faire venir le 'spotteur' pis il va t'emmener en prison !» lui disait sa mère depuis des années.

«La peur est le commencement de la sagesse !» disait le curé pédagogue aux parents, dans ses sermons longuets qui planaient loin au-dessus de la compréhension des enfants.

Après avoir dit cinq cent, il avait entrebâillé la porte avec toutes les précautions du monde. Plus aucune lumière n'émergeait de la salle mortuaire. Le vieux Gédéon dormait en paix fin seul.

Mais la peur du précipice conduit trop souvent à l'abîme, et l'enfant aurait pu se fondre dans la foule sans être suspecté, ignorant que le meilleur endroit pour se cacher du monde, c'est la cohue, de la même manière que les crapules intellectuelles se cachent derrière leur confusion mentale.

La porte de la chambre des Poulin s'ouvrit; Rose sortit à reculons, en disant à Gustave :

–Endors-toi pas, j'ai quelque chose à te dire. Là, je vas voir aux portes pis fermer les lumières...

Le garçon se sentit plus mort que le défunt. Une seule issue : la porte entrebâillée de la salle mortuaire et la noirceur du lieu. La peur du 'spotteur' fut plus forte que celle du mort, d'autant que Dominique l'avait quelque peu apprivoisé à la présence proche d'un cadavre.

Il lui fallait filer tout droit vers la porte donnant sur l'extérieur et ficher le camp au plus coupant. Suffirait de soulever la barre transversale puis de pousser en espérant qu'elle ne soit pas bloquée par de la neige. Non, elle ne le serait pas puisqu'elle ne l'était pas la veille quand il était venu fouiner et avait aperçu le flasque à Dominique dans la neige. Il ignorait qu'à plusieurs reprises durant la veillée mortuaire, l'homme s'était rendu là pour caler un coup contre la grippe et même de la picote volante qui courait de maison en maison dans la paroisse...

Rose vit la porte à peine ouverte et passa tout droit vers la salle des Chevaliers. Soudain, elle tourna les talons et se rendit à la cuisine prendre la clef oubliée pour ensuite longer encore une fois le couloir. Devant la salle mortuaire, il lui sembla entendre quelque chose... comme un ronflement ou un bruit de porte... Imaginaire, se dit-elle ! Et elle poursuivit sa route...

Le garçon venait de pousser sur la barre transversale et allait exercer une pression sur la porte quand l'impensable se produisit. Il lui sembla que le cadavre avait renâclé comme le vieux cheval gris qui avait toujours l'air de lui reprocher quelque chose quand il allait le soigner au foin et à la paille, lui qui aurait voulu être traité à l'année à la petite avoine.

Le gamin figea net. Il écouta sa mémoire. On avait ronflé, ça ne pouvait pas être la peur. Imaginaire ! Il poussa la porte. Un double ronflement lui parvint. La peur du mort monta jusque nez à nez avec celle du 'spotteur' et l'enfant chercha à rattraper son coeur devenu fou. Il sortit et se mit derrière la porte...

Surprise de trouver la porte débarrée, Rose entra sans se méfier. Elle prit la boîte à cigares qu'elle trouva bien légère et silencieuse. Et l'ouvrit pour s'écrier avec horreur devant le vide évident :

–Ah! le petit venimeux de Clément Fortin, il a volé la petite caisse; y avait au moins trois piastres en petit change... Je m'en vas téléphoner à son grand-père tusuite...

Gilles réussissait à peine à retrouver ses jambes de coton et à s'apprêter à les prendre à son cou, que la salle mortuaire s'illumina, ce qui le coinça derrière la porte. Cinq flageolantes secondes plus tard, la porte se décollait de son dos et claquait.

À l'intérieur, Rose crut défaillir quand elle se retourna après avoir fermé. Au bout du cercueil, sur une chaise brune à bras ronds, Dominique était affalé, paraissant tout aussi mort que le mort, bras pendants, tête penchée sur le côté.

Soudain, il lui sortit de la bouche un immense ronflement; elle comprit aussitôt qu'il était ivre-mort.

Dehors, Gilles s'accroupit pour se protéger d'il ne savait quoi ou qui; sa main heurta la grosse bouteille. Il la prit : elle parut bien plus légère que la veille... Il tourna le bouchon et but. La première gorgée brûla comme du feu, mais il se retint de tousser quitte à mourir étouffé. Puis but encore, et encore, à gorgées qui se succédaient. C'était terrible dans le gosier, mais comme ça remontait le moral et endormait la peur !...

Rose secoua Dominique par l'épaule. Il marmonna un peu, mais resta très loin dans les vapeurs de l'alcool et les fardoches de son esprit.

«Une affaire pour Gustave !» pensa la femme. Et elle alla sans éteindre les lumières.

–Va donc voir à Dominique, il est plus qu'éméché, il est même soûl. Essaye de le faire étendre sur le sofa dans la salle des Chevaliers. On peut toujours pas le laisser ronfler toute la nuitte à côté du père Jolicoeur; il pourrait le réveiller, on sait jamais...

–Pis tu y tiens pas trop, ironisa Gus.

–Tenir à quoi ?

–À ce que le bonhomme Jolicoeur sorte sa pipe pis la recharge.

–C'est que tu veux dire avec ça ?

–Moé, j'pense que tu veux aller garder sa vieille...

–Ah! c'est pas une mauvaise idée, ça. C'est-il un conseil que tu me donnes ?

Il s'attrista :

–Ben non, Rose, voyons ! Ça me fait ben de quoi de savoir que tu veux partir d'avec moi. Me semble que je t'ai pas maltraitée, que je t'ai pas bardassée...

–Écoute, c'est pas le temps de parler de tout ça, là. Toi, tu vas t'occuper de Dominique Blais tandis que moi, j'appelle Jean Fortin. Y a son petit gars qui a vidé la petite caisse, tiens.

Elle jeta la boîte sur le lit et tourna les talons, suivie de son mari qui dit :

–Le central du téléphone est fermé à l'heure qu'il est. Ça donne rien d'appeler.

–Ben la Cécile, je vas la faire lever. C'est un cas urgent. Faut que le père Ti-Jean, il fouille son petit garnement...

Elle se rendit dans la cuisine, devant le téléphone à long bec, décrocha le récepteur, retint le crochet tout en virant la manivelle de l'autre main.

On répondit aussitôt. Elle dit :

–Cécile, c'est Rose. J'aime pas te déranger après l'heure, mais j'ai un cas assez urgent. Donne-moi donc chez Jean Fortin.

Ce qui fut fait.

«Monsieur Fortin, c'est Rose Poulin. J'ai un petit problème. Voyez-vous, votre Clément est venu au corps, en ça rien de mal, au contraire. Mais il a pris la clef de la salle des Chevaliers sans ma permission ni celle de Gus pis... je dois vous dire que y a de l'argent qui se trouvait là qu'a disparu... »

«Ça, ça me surprendrait pas que le Gilles Maheux soit en arrière de ça. Sont partis ensemble...»

«Allez donc fouiller dans ses poches pour voir ? On avait pas moins de trois piastres dans la boîte...»

«As-tu appelé Ernest Maheux ?»

«Pourquoi c'est faire ?»

«Parce que ça pourrait ben être son p'tit gars comme je te disais.»

«Écoutez, le petit Maheux est venu au corps, mais il était déjà parti, lui.»

«Il pourrait s'être introduit dans la salle des Chevaliers...»

«Questionnez votre Clément pis vous allez savoir le long, le large pis le travers.»

«Rose, mon petit gars, c'est pas un voleur si tu veux savoir. On l'élève, nous autres, cet enfant-là...»

«Écoutez, si vous cherchez même pas à savoir, demandez-moi pas d'accuser un petit gars que moi, j'ai même pas vu...»

«T'as pas vu le mien non plus, la Rose Poulin, là, toé.»

«Avec la clef, oui.»

«Écoute un peu, on va régler ça que ça sera pas long. Je t'envoye porter cinq piastres, ça fait-il ton affaire ? Pis après, on en parle plus. Final bâton !»

«Si vous voulez ça de même... Mais votre Clément...»

«Laisse-moi m'arranger avec mon Clément, là, toé...»

«Vous pourrez toujours chercher à savoir auprès de monsieur Ernest... »

«On sait ben, c'est pas toé qui vas aller faire des reproches à Ernest...»

«C'est que vous voulez dire avec ça, là, vous ?»

«J'me comprends.»

«Dites-moi donc le fond de votre idée ou ben avez-vous perdu l'idée ?»

«J'ai toute ma tête à moé, tu sauras ça, Rose Poulin.»

«Sauf que vous êtes prêt à n'importe quoi pour protéger votre Clément. Vous accusez sans savoir le petit Maheux qui a rien fait, j'en suis certaine. Asteur, vous levez des doutes sur son père... à moins que ça soit sur moi-même...»

«Écoute, Rose, je t'envoye cinq piastres, baptême, pis laisse-nous tranquilles. Tes produits, tu passeras droit à l'avenir.»

«Au cas où vous le sauriez pas, c'est ce que je fais depuis ben des années. Votre madame, elle se met rien dans la face pis elle se met pas de parfum non plus...»

«Y a rien de mal là-dedans.»

«J'ai pas dit que c'était mal.»

«Avec le ton que tu prends pour le dire, on dirait que c'est ça que tu dis. »

«Je vas vous laisser le dernier mot. Envoyez votre cinq piastres pis on en parlera pus. C'est tout ça !»

«C'est toute, ça, salut !»

Moins de dix minutes plus tard, après avoir fait descendre Clément de sa chambre d'en haut, le grand-père le dépêchait chez Rose pour lui remettre le billet de banque. Il ne donna aucune explication à l'enfant et Rose dit merci sans plus.

Entre-temps, Gus emmena Dominique à la salle des Chevaliers; Gilles, lui, achevait de vider le flacon de gin, attendant pour s'enfuir que la lumière de la salle mortuaire s'éteigne.

Et Jean-Yves Grégoire, à sa fenêtre, regardait dehors, l'oeil triste et lointain. De cet endroit, au deuxième étage de la maison jouxtant le magasin, on pouvait apercevoir la moitié ouest du coeur du village : salle paroissiale, cimetière, presbytère, église, patinoire, quelques maisons, l'hôtel, la maison de Jean Fortin et le bord de la cour chez Ernest Maheux. Souvent le jeune homme s'y installait à l'abri de tentures pour réfléchir à son passé et à son avenir.

Eugène et lui avaient escorté Rachel tout à l'heure et il en retirait de l'amertume plus qu'autre chose.

Depuis l'adolescence, il était tiraillé par divers sentiments, quelque chose le poussant vers cette jeune fille d'en face mais autre chose le retenant d'aller vers elle qui paraissait si indifférence dans toute sa gentillesse tranquille.

Et le Eugène Champagne qui faisait le jars devant elle asteur.

Mais comment composer avec son vieux tracas que le temps ne chassait pas et que la vie familiale entretenait.

On frappa discrètement à la porte et on entra.

—T'es pas couché toujours ? dit une voix de femme.

Car il faisait noir dans la pièce. Il alluma sa lampe de chevet sans bouger du lieu où il se trouvait. C'était Ti-Noire en robe de chambre blanche.

—T'as l'air pas mal jongleux encore à soir, dit-elle à voix basse.

—Bah ! j'pense.

Elle s'approcha et s'assit au pied du lit.

—Tu penses encore à nous autres pis à notre problème.

Il éteignit la lampe.

—Disons, oui. Le monde, ils sont pas sans se douter de ce qui nous arrive.

—Pis après ?

—Y a pas de quoi être fier.

–Qu'est-ce qu'on peut contre la nature ?

Il soupira :

–Rien !

–Ce qui nous arrive t'empêche de... faire la cour à Rachel Maheux, tu me l'as déjà dit, mais tu devrais pas.

Il y eut une pause. La voix de l'homme changea :

–Si tu voyais le Gilles Maheux faire le fou avec Clément Fortin. Des enfants de même, c'est pur, c'est beau, c'est pas... dégénéré comme nous autres.

–Ils font quoi ?

–Le Gilles, il joue à l'homme chaud. Il marche tout croche, il tombe dans le banc de neige...

–Ah ! il est ben drôle, ce petit gars-là !

–Le père Ti-Jean Fortin passe son temps à en dire du mal, mais c'est pour couvrir les mauvais coups de son cher Clément.

–Un grand-père, c'est toujours de même. Leurs petits enfants, c'est la perfection...

Ti-Noire se leva et, marchant à tâtons, elle arriva à son frère et se colla contre lui pour mieux voir dehors.

–Le petit bonyenne, de ce qu'il est donc fin malgré ses mauvais coups. Mais j'pense qu'il se laisse entraîner par le petit Fortin des fois.

–C'est pas les brosseux qui manquent par chez nous : il a le choix pour faire son imitation de quelqu'un.

–On jurerait ben qu'il est chaud raide...

Il y eut encore une pause. Jean-Yves alla s'asseoir sur le lit. Elle resta à la fenêtre.

–Moi, je pense que tu devrais t'en occuper de Rachel, c'est le temps ou jamais. Pour ce qui est de nous autres, arrivera ce qui arrivera !

–Je me demande si c'est pas moins pire pour une femme, ce qui nous arrive...

On se parlait de psychose, un mal venu en héritage de la lignée maternelle et qui en avait déjà frappé deux parmi les plus vieux.

–Ça revient au même...

–Comment se marier et transmettre ça à des enfants ?

–Ça se soigne.

–Se faire interner dix ans loin de sa famille, c'est pas un cadeau à faire à une femme et des enfants.

–Ça nous est arrivé à nous autres pis on a pas fait du monde pire. S'il faut qu'on fasse un mois de clinique... ou deux ou trois, on le fera. Suffira de le prendre comme une maladie physique.

–Les gens, ils prennent pas ça de même, eux autres. Tu le sais, Ti-Noire, et pis c'est une bonne raison qui va te faire partir pour les États comme nos soeurs.

–Ben non, voyons ! Les États, c'est la vraie vie, c'est toute !

La lune était pleine et haute. Elle éclairait tous les environs. Des rayons entraient dans la chambre et piquaient le regard de la jeune femme qu'ils moiraient d'étranges reflets.

Elle se sentait beaucoup plus agitée en ces périodes du mois. Et son frère aussi. Les événements du soir, la veillée au corps, le retour de Rachel, l'intervention involontaire d'Eugène et du vicaire, tout cela s'ajoutant à l'influence lunaire avait conduit Jean-Yves et sa soeur à se parler pour la première fois à coeur ouvert de ce mal sournois qu'ils savaient les guetter dans l'ombre de leur âme.

Clément aida Gilles à se rendre chez lui. Il craignait que son ami ne restât dans la froidure et meure gelé. Rachel vit arriver son frère qui titubait, tombait dans la neige, y restait un moment, était relevé par son ami.

Assise dans une berçante près de la fenêtre de la cuisine, elle réfléchissait à cette drôle de journée qui l'avait fait voyager avec un chanteur de charme que la réalité avait changé en un jeune journaliste plus amusant que beau, qui lui avait permis de donner une chiquenaude à ce fatigant d'Eugène, qui lui avait enfin donné deux jeunes gens comme escorte, un dont l'assiduité l'agaçait et l'autre dont la vieille indifférence lui apparaissait presque normale.

Elle sut que l'enfant ne jouait pas à un jeu. On l'avait soûlé. Dominique, pensa-t-elle aussitôt. Et si ses parents endormis s'en rendaient compte, ça pourrait faire de la dissension avec la compagnie Blais & Frères, et signifier des pertes d'argent pour Ernest. Le mieux était d'aider son petit frère à monter se coucher, et tout faire pour tenir au secret cet événement bénin.

Elle ouvrit la porte et, d'un doigt sur la bouche, fit signe aux gamins de se taire et de se tenir tranquilles. Manoeuvrant du mieux qu'elle put, elle couvrit les bruits de l'enfant par les siens à elle.

Quand il fut là-haut, elle le fit coucher puis lui ôta tous ses vêtements sauf sa combinaison de laine. Le garçon dormait déjà comme une marmotte...

***

Chapitre 13

La nuit du réveillon, on s'était donné rendez-vous.

Ce serait un petit souper entre amis le mardi suivant alors même que la moitié du village et de la paroisse serait en rangs serrés autour de la patinoire à se réchauffer le coeur et à se geler les pieds.

Trop fatigué la nuit de Noël pour jouir pleinement des traditions, le docteur avait été forcé de prendre congé de ses invités pour éviter de sombrer dans un profond sommeil, la tête entre la dinde et la bûche. Et quelques minutes plus tard, les Drouin avaient quitté pour retourner auprès de leurs trois enfants que gardait une adolescente du voisinage.

C'est qu'il avait beaucoup d'ouvrage, le bon docteur, à courir toute la paroisse pour soigner son monde. Et son dévouement l'avait conduit dans trois rangs pour procéder à des accouchements. Et puis il y avait eu le cas urgent de Rachel Maheux, l'assistance à un mourant et des soins à donner à sa vieille sans compter une épidémie de picote volante et tutti quanti...

C'est par exception, la nuit de Noël, que les Drouin avaient confié les enfants à cette jeune fille, car d'habitude, c'est par leur belle-soeur, Marie Sirois, qu'ils les faisaient garder tandis que sa plus vieille était assez grande pour garder les autres à la maison.

Ça aidait Marie à manger. Et à l'occasion, elle faisait du ménage chez les Savoie. Et le docteur lui payait toutes ses gardes chez les Drouin. Petit commis d'occasion, Victor était loin de nager dans l'argent.

«Et puis, redisait le bon docteur, vos visites nous sont aussi profitables qu'à vous autres.» «Étant donné que nous autres, on n'a pas encore d'enfants, on trouve ça normal de payer pour la garde des vôtres quand vous venez nous voir !» enchérissait Anita.

–Je bénis cette belle amitié enrichissante qui vous rapproche, dit le curé qui avait accepté l'invitation des Savoie à souper en la compagnie des deux couples d'amis. Vous savez, une des plus grandes joies de mon sacerdoce consiste à favoriser la fraternité humaine. Aimez-vous les uns les autres : tout le reste suit. Aussi simple que ça, la vie !

Fin connaisseur de la nature humaine, aidé en cela par le confessionnal et les cancans, le prêtre était bien au fait du problème d'Anita. En réalité ses deux problèmes se résumant à l'ennui. Ennui de l'Ouest, ennui de mère sans enfants, ce dernier étant certes le pire des deux, pensait-il.

Le docteur leva sa coupe de vin en disant :

–En ce jour de réjouissances, buvons à Jésus qui nous a donné le plus grand commandement de tous les commandements : *aimez-vous les uns les autres.*

Assis en face de lui, Victor fut le premier à suivre, puis les femmes firent de même. Lent et long, le curé s'essuya d'abord les lèvres avec une épaisse serviette blanche ressemblant à un linge liturgique, et à son tour, il porta le toast.

–À Notre Seigneur ! dit-il, l'oeil piqué de satisfaction.

Et en buvant, il brassa quelques idées dans sa grosse tête ronde.

Si tous mes paroissiens avaient donc la qualité de ces quatre-là ! Mais, bien leur en fasse, ils compensaient pour d'autres qui avaient le péché facile et la chair trop faible.

Rose lui passait par la tête en ce moment, et son front se rembrunit. Il devinait en elle une sorte de concupiscence qu'elle n'arrivait peut-être plus à dompter, à museler. De voir ainsi une bonne chrétienne dévier de la bonne route faisait souffrir son coeur de père des fidèles. Gustave lui avait dit au cours de la journée qu'il croyait que sa femme voulait aller vivre avec la veuve Jolicoeur, mais comment intervenir, comment dire à Ovide qu'il ne devait pas consentir à cela ? Et si ce n'était pas fondé. Et la mère Jolicoeur avait aussi droit à sa chance. Il soupira et dit en posant sa coupe brillante sur la table garnie :

–Si les gens savaient les décisions qu'un curé et un médecin doivent prendre dans une seule journée, ils n'en reviendraient pas.

Georges approuva :

–Des décisions qui changent des vies au grand complet.

Anita le regarda droit dans les yeux en exprimant un certain blâme qu'il entendit et dont il se montra désolé par une moue tout aussi éloquente que muette.

–Ça, on n'en doute pas ! dit Victor en se croisant les mains au-dessus de la table.

Lucienne se sentait bien malgré la pâleur de son visage. Elle ignorait toujours si elle était enceinte et ne s'en souciait guère pour le moment, ainsi entourée d'une parfaite sécurité que la présence des trois hommes les plus importants de la paroisse –pour elle– apportait à ces quelques heures de grande et belle évasion loin d'un quotidien banal et souvent maussade.

Tout fumait sur la table. Un boeuf bourguignon à odeur corsée. Un potage aux carottes. Un plat de patates pilées. Le curé avait exigé qu'on mette les plats sur la table pour que les femmes puissent partager le repas en même temps que les hommes sans se faire de souci pour les assiettes et les quantités à y mettre. Et puis ça le servait bien car il pouvait prendre le minimum poli et ensuite parler de son appétit d'oiseau.

Mais pas chez les Savoie. Anita avait du talent en cuisine quand elle s'y mettait. Et elle s'y mettait lorsqu'il leur venait de la visite, surtout celle-ci.

Au moment de se servir, le prêtre s'exclama :

–Ce que je vois est beau, c'est donc déjà bon !

–Le potage, c'est une recette qui me fut donnée par madame Sirois, avoua Anita sur le ton de la bienveillance.

–Je ne doute pas de sa valeur et de sa saveur... Parlant d'elle, soit dit en toute confidence, je vous demande à tous, à vous cher

Georges en tant que médecin et à vous, Lucienne et Victor en tant que proches parents, de garder un oeil sur elle. C'est une personne si renfermée qu'elle pourrait, sans même s'en rendre compte, laisser souffrir ses enfants faute de crier au secours.

Les Drouin parurent surpris. Ils s'échangèrent un regard interrogateur. Le prêtre le perçut.

—Vous n'avez pas remarqué son tempérament ?

—Ben... oui, c'est une personne gênée, mais...

—Il lui faudrait un mari à notre Marie, dit le curé en déposant la cuiller dans la soupière fleurie.

—Là, j'ai une bonne idée, fit le médecin en présentant la louche à Lucienne. Y a un veuf qui a fait son apparition dans la paroisse. Il demeure chez son père pour un bout de temps. Justement, c'est voisin de madame Sirois. Un peu plus âgé qu'elle. Un fils avec lui. Un bon homme de chantier, paraît-il. Je l'ai même vu. Assez bonne allure ! Il vivait dans le nord de l'Ontario, dans le bout de Sudbury, peut-être Timmins.

L'humeur du prêtre ternit. L'homme se déclarait veuf, mais il trompait les gens puisqu'il était en réalité séparé de sa femme. Son mensonge jusque là avait servi le curé car un soi-disant veuf valait mieux qu'un autre exemple de ménage brisé, mais là, les choses allaient trop loin. Le Fernand Rouleau brossait et même allait voir les filles de bordel et il s'en vantait. Il fallait protéger Marie d'une telle présence dans son voisinage... Il fallait donc faire éclater la vérité.

—Ce n'est pas un veuf, c'est un homme séparé.

—Hein ? fit le docteur au nom de tous.

—Mais c'est une vraie épidémie, les séparations ! s'écria Victor. Noëlla Ferland, Lionel Boucher, Fernand Rouleau...

—Et d'autres qui vous surprendront, soupira le prêtre entre deux cuillerées de potage.

—C'est l'exemple américain qui traverse nos frontières, dit le docteur.

—Un mariage peut faire face à toutes les intempéries s'il est construit en béton armé. L'amour en est le ciment et la fidélité en est l'armature, dit le curé en hochant la tête.

Le docteur promena son regard sur les trois autres et approuva sans réserve :

–Comme c'est bien vrai, monsieur le Curé, comme c'est donc vrai ! Et quelle belle image pour nous faire comprendre clairement !

Des joueurs commençaient d'arriver au chalet de la patinoire. Et sur la glace, plusieurs patineurs, gars et filles, tournaient déjà en attendant le coup de sifflet du vicaire qui leur indiquerait le début imminent de la partie entre le Saint-Sébastien et l'équipe locale.

En attendant l'arrivée des adversaires, les filles occupaient leur quartier habituel. Elles avaient hâte de voir l'ennemi. Et parmi lui plusieurs beaux garçons de seize à vingt-quatre ans et probablement peu –ou pas– de jeunes filles venues avec eux. Elles pourraient donc se laisser faire les yeux doux sans subir la concurrence venue d'ailleurs.

Il avait fait beau temps toute la journée. Et assez froid pour permettre aux responsables d'arroser deux fois la patinoire à l'heure du souper pour obtenir une belle glace épaisse et fraîche.

Quand Roland Campeau entra sur la glace à pied, déjà revêtu de son costume, épaules carrées, sac au dos suspendu à l'arrière à son bâton de hockey, l'atmosphère se réchauffa derrière les bandes parmi les spectateurs, et des cris joyeux d'encouragement se firent entendre. Pas longtemps après, les frères Bureau arrivèrent à leur tour. Ils furent applaudis. Et laissèrent glisser leurs pieds humbles sur la surface gelée, en regardant parfois le public déjà en train de fouetter leur fierté et leur détermination.

Gustave et Rose sortirent de la salle et marchèrent ensemble un bout de chemin puis se séparèrent. Lui entra sur la patinoire pour se rendre au chalet où il serait vendeur de cigarettes, liqueurs douces et chocolat à la place du vicaire qui lui agirait comme arbitre de la rencontre. Et Rose se dépêchait d'aller voir madame Maheux avant de retourner à la salle tenir le restaurant pour les gens qui se rendraient à la dernière veillée au corps du père Jolicoeur avant le service funèbre et la mise du cercueil au charnier pour plusieurs semaines, jusqu'au printemps.

La femme arriva presque nez à nez avec un joueur de hockey au coin du perron de l'église. Venu de chez lui déjà costumé tout comme les Bureau, Laurent Bilodeau, superstar du club local avait choisi de se rendre seul à la patinoire. Ainsi, il aurait l'attention générale pour lui seul et personne d'autre, le temps qu'il marcherait sur la glace.

Ils s'arrêtèrent un moment pour échanger :

–Salut mon petit Laurent. Mon Dieu que tu parais ben dans ton habit de hockey !

–Comment, vous venez pas nous voir jouer, madame Rose ?

–Pas à soir, pas à soir. Mais Gus est là, lui...

–Ah! si monsieur Gus est là, c'est comme si vous y étiez.

–Ça, c'est pas sûr, mon garçon, c'est pas sûr, tu sais. À ben y voir, t'as pas les épaules trop étroites, là, toi.

Il frappa sur le fibre dur de ses épaulettes et rit en disant :

–Ça aide à équarrir son homme.

–Ben, j'vas te souhaiter de compter ben des buts. T'es le meilleur pis... entre nous autres, t'es le plus beau itou.

–Voyons donc, voyons donc, fit-il avec modestie en reprenant son chemin. En ce cas-là, je vais en mettre un dans le but pour vous.

Rose crut déceler en ce propos une métaphore voilée et en fut troublée malgré elle. Elle salua et continua en se disant que même s'il ne l'avait pas fait exprès pour parler de cette façon un brin suggestive, il se trouvait en lui un petit côté coquin qu'elle tâcherait de provoquer si seulement elle avait vingt-cinq ans de moins.

Elle passa devant l'hôtel puis la maison du père Fortin. Au moment de traverser la rue, une importante rumeur lui parvint depuis la patinoire. On acclamait le demi-dieu de la soirée, le roi de la glace en personne, plus populaire encore –à Saint-Honoré– que Maurice Richard, l'unique.

On entra dans le pièce des filles. Ghislaine Fortier répétait :

–Laurent Bilodeau arrive, Laurent Bilodeau arrive.

–Pis ? dit Francine Paradis.

–Ben... y en a qui ont dit qu'il jouerait pas à soir. Sans lui, on perdrait, voyons !

Lorraine Bureau éleva la voix en se levant pour sortir, chaussée de ses patins :

–Qui c'est qui vous a dit ça, qu'il jouerait pas à soir ? Je le savais, moi, qu'il jouerait...

Elle voulait montrer à quel point elle savait des choses de lui. Et sortit en regardant ses pieds. Mais quand elle releva la tête, son sourire se figea dans l'insatisfaction. Sur la glace, près du vestiaire des gars, Laurent conversait avec Jeannine Fortier. Et la distance les séparant était trop faible pour ne rien signifier au regard d'une fine observatrice.

Jeannine possédait plusieurs avantages sur elle. Un an de plus. Trois bons pouces en grandeur. Et le rêve de marier un jour un homme de commerce pour pouvoir travailler au public toute sa vie. Tandis qu'elle, Lorraine, se savait moins douée pour les affaires, même se limitant à soutenir un homme sans participation active à son négoce.

Elle décida de jouer d'astuce pour les interrompre. Arrivée à quelques pas d'eux, elle trébucha volontairement, accrocha Jeannine et tomba dans les bras du jeune homme en émettant des cris aigus d'oie blanche.

Jeannine perdit l'équilibre et tomba sur le postérieur. Laurent poussa gentiment Lorraine et tendit la main à l'autre jeune fille pour l'aider à se relever. Elle grimaçait, histoire de se montrer plus secouée qu'elle ne l'était vraiment. Il lui enveloppa les coudes de ses mains en disant :

–Ça va aller ? Pas... d'avarie ?

–Non, c'est beau.

–Par chance que c'est pas trop trop mottonneux sur la glace ! dit Lorraine, le bec pincé.

Laurent lui dit fermement et calmement :

–Toi, Lorraine, il faudra que tu pratiques ton patin...

–C'est ça que je fais.

L'incident fut clos, mais laissa un peu d'irritation au coeur de l'une et un petit plaisir un tantinet vengeur en la tête de Jeannine.

Par sa fenêtre, Jean-Yves aperçut Rachel qui, lui semblait-il, se dirigeait vers la patinoire. En fait, elle marchait dans la rue de son pas mesuré que retenait la raideur de sa plaie en voie de guérison. Il achevait de se costumer. En partant maintenant, il la croiserait sur la terrasse...

Ti-Noire se mit dans la jouée de la porte ouverte, disant :

–Pars donc tusuite, j'pense que Rachel s'en va à la partie de hockey.

–Ouais, j'ai vu ça.

Il prit son sac et fit deux pas. La jeune fille ne bougea pas. Elle resta bien droite et, les yeux rapetissés pour mieux montrer de la détermination, lança :

–J'ai deux mots à te dire...

–Dépêche !

–Rien que deux mots : «Bats-toi !»

–O.K ! répondit-il sans sourire.

Il ne fut pas long à rattraper Rachel, mine de rien. Ti-Noire restait à la fenêtre à regarder son frère, mais son esprit dépassait le coeur du village, la paroisse, les montagnes frontalières et il arrivait de là-bas un prince charmant monté sur son cheval blanc, un jeune homme beau, fort, bienveillant... et tendre aux moments propices.

Rose parlait à Éva tandis que dans la cuisine, Ernest se chauffait les pieds sur la bavette du poêle en fumant sa pipe.

De coutume, le magasin restait fermé le soir, mais la marchande n'aurait jamais laissé la porte barrée devant une cliente, sachant bien que d'aucunes, affligées d'un mari muet, avaient besoin parfois de simplement jaser un peu.

Assise sous la boîte du téléphone, la visiteuse retint sa voix au début de la conversation puis elle se relâcha. Éva aurait pu croire qu'elle oubliait de se faire discrète tandis qu'en réalité, Rose espérait être entendue par Ernest. Et Ernest, comme s'il avait su son intention secrète, tendait l'oreille et se félicitait de cette partie de hockey qui avait vidé la maison de tous les enfants jusqu'au dernier qui, à sept ans, ne demandait plus la permission pour aller à la patinoire.

Après s'être plainte à mots pas toujours clairs des grandes ennuyances de sa vie avec son cher Gustave, Rose déclara soudain, la voix pointue :

–Tu sais quoi ? Ovide Jolicoeur m'a offert d'aller rester avec la vieille madame Jolicoeur pour en prendre soin. Pis ça me tente pas mal d'y aller. Une grande maison comme ça. Pis une vraie salle de bains. Du monde propre. Et les Jolicoeur, ils vont me payer ben comme il faut.

Debout, adossée à une étagère, bras croisés, la marchande soupira. Depuis le temps qu'elle-même rêvait d'une vraie salle de bains.

–Avec ton mari ?

–Non, non... tuseule... Mais... la paroisse va me crucifier si je fais ça...

Ernest fit jaillir un long jet de salive de sa bouche en le dirigeant vers le crachoir posé à terre à côté du poêle. Le bouillon atteignit sa cible noire et malodorante, sauf des résidus qui atterrirent sur la queue du chat, lequel bougea sa carcasse pour la mettre mieux à l'abri.

L'homme hésitait. La Rose seule dans une maison avec la vieille Jolicoeur à moitié sourde, ça lui donnait des idées... D'un autre côté, son mauvais exemple pourrait donner des idées à d'autres femmes qui avaient du gagne comme elle. «Pauvre Gus, mal amanché comme il est, il doit débander vite.» Et mentalement, Ernest se mit à rire de sa voix imaginaire la plus rauque et tout aussi creuse...

–C'est pas au monde de la paroisse à décider de ta vie, ma pauvre Rose.

–C'est monsieur le curé qui me fait branler dans le manche. Il sait que je veux partir d'avec Gus, pis il m'a sermonné pas mal fort hier.

–J'voudrais pas avoir des propos déplacés envers monsieur le curé. Il sait ce qu'il dit : c'est pas un péteux de broue...

Ernest s'emporta. Le curé n'avait rien à voir dans ça. Il cracha à nouveau et cette fois, le jet passa tout droit pour souiller le plancher. Le chat ouvrit les yeux quand il entendit la chose s'écraser à terre, mais il les referma aussitôt.

–Monsieur le curé, il m'a fait quasiment promettre d'attendre encore six mois pour prendre ma décision finale, mais je me demande quoi c'est que ça pourra changer. Là, j'ai ma chance de me trouver une place. Je vas pouvoir continuer à faire les portes avec mes produits. Pis les deux vont me rapporter...

Ernest se cherchait un prétexte pour se rendre dans le magasin et ça ne venait pas. Une analyse éclair de l'attitude molle de Rose le persuada d'intervenir sans paravent. Depuis qu'il la connaissait, cette femme se montrait toujours volontaire, autoritaire et même sèche, et voilà qu'elle se laissait manipuler par le presbytère : il ne le fallait pas.

Il se leva d'un bond, frappa un coup à la porte et l'ouvrit sans attendre, disant fort :

–Maudit torrieu ! Rose, j'ai entendu malgré moé pis je t'offre mon idée... Fais donc ce qui t'arrange le mieux pis laisse donc faire le curé ! T'as pas dix ans, t'as pas vingt ans, t'as cinquante. Pis tu fais pas de tort à personne.

Éva connaissait bien son critiqueux de mari et savait le plaisir qu'il avait à contrecarrer le curé, mais cette intervention avait l'air de se situer un peu au-delà de ces vieux penchants. Néanmoins, elle enchérit :

–C'est vrai que si je l'avais écouté, le curé, je rouvrirais pas le dimanche, pis le dimanche, ben je gagne autant que tout le reste de la semaine avec mon magasin.

–Y a pas beaucoup de misère, dans un presbytère, vous saurez ça, vous autres. Pis le curé Ennis, il vient d'une famille riche.

–Pis monsieur le vicaire Gilbert, c'est pareil, dit Rose.

–Moé, fit Ernest, je dis : «Manne qui passe, on la ramasse !»

On faisait de plus en plus de la séparation du couple une question d'argent. La grande crise économique restait cruellement présente dans les têtes de celles et ceux qui l'avaient vécue; et à part celui du péché, peu de soucis dépassaient celui de l'argent. Les chicanes de paroisse relevaient toujours, directement ou non, de la lutte pour la survie et non pour le pouvoir, la pauvreté étant depuis toujours le meilleur abrasif de l'orgueil.

Éva prit Gustave en pitié :

—Ton mari, il prend ça mal ?

—Ça peut pas faire autrement. Il a l'air détraqué, assommé, mais ça fera pas ben ben de différence. Je vas rester par icitte. On va se réunir quand les enfants vont venir, aux Fêtes pis toute. Il pourra rester à la salle ou s'en aller vivre avec Thérèse. Garder son ouvrage de bedeau... Une fois le coup donné, il va retomber sur ses pattes.

Éva et Ernest s'échangèrent un regard qui en disait long.

—Ça, vos affaires à vous autres, ça nous regarde pas pantoute ! dit l'homme en hochant la tête.

—Non, pantoute ! approuva sa femme.

Et pourtant, ils venaient de s'en mêler...

Le repas se terminait chez les Savoie. Dessert servi et avalé. Curé repu. Invités reconnaissants. Soifs étanchées.

—Ah ! si j'en avais le pouvoir, je n'hésiterais pas à indulgencier vaisselle, ustensiles, verrerie, tout ce qui a contribué à rendre ce repas si extraordinaire.

Et le prêtre se leva, ce qui signifiait qu'il s'en allait comme il l'avait annoncé, pour aller faire sa visite à la patinoire puis à la salle mortuaire.

—Vos bénédictions vont enluminer toute notre soirée et garder Dieu avec nous quatre même après votre départ.

—J'aimerais bien rester si c'était possible. Et nous pourrions faire une de ces parties de whist. Y a longtemps que je ne me suis pas assis près d'une table à cartes.

Georges s'exclama :

—Soyez sans crainte, monsieur le Curé, nous allons le faire pour vous. Le jeu de cartes est déjà prêt. L'étenderie de vaisselle va rester sur la table; on va juste serrer le manger périssable. C'est la première soirée que je peux vivre en me détendant un peu depuis un bon mois : on va en profiter, tout le monde ensemble.

—Espérons que personne n'aura besoin d'urgence du docteur, que vous puissiez bien vous amuser. Au hockey, une blessure est vite arrivée...

–Je ne me suis jamais plaint d'un patient, même de ceux aux factures impayées.

En marchant à la porte qui donnait sur le vestibule, le curé se montra solennel et paterne :

–Voilà qui vous honore et bâtit votre réputation de meilleur médecin de la région. Là-dessus, je vous salue tous et vous souhaite une soirée divertissante. Le Seigneur sera avec vous quatre tout comme il sera sur la patinoire avec, je l'espère bien, l'équipe de Saint-Honoré.

–On va lui rendre hommage, dit Georges qui regardait le curé enfiler ses couvre-chaussures noirs. Et si le Seigneur est avec nous quatre ici et sur la patinoire, sans doute que nous n'aurons à déplorer aucun accident fâcheux, et que ni les corps ni les âmes ne seront blessés ce soir.

Il aida le prêtre à enfiler son manteau et lui ouvrit la porte. Puis en revenant vers la table, il se frotta les mains pour dire, l'oeil au contentement :

–Tout est prêt dans la chambre : table à cartes, bon vin, bon chocolat, tout est là.

Anita annonça qu'elle ôtait de la table les restes du repas.

–Marie pourra venir demain pour la vaisselle et le ménage, dit Lucienne. Je vas l'avertir en arrivant après la veillée.

Et elle alla aux toilettes

Les deux hommes furent les premiers à se rendre dans la pièce à demi éclairée, chambre à coucher du couple. Une grande pièce formée de deux plus petites dont la cloison avait été défaite à leur arrivée dans cette maison, et qu'on avait meublée à la dernière mode. Et avec deux lits pour éviter à Georges de réveiller Anita les soirs où il devait revenir très tard des malades.

Et puis on se donnait l'illusion des grands espaces de l'Ouest.

Le docteur ouvrit une bouteille de vin tandis que Victor s'asseyait et commençait de mélanger les cartes...

Le panneau à glissière séparant la pièce centrale du vestiaire des gars au chalet de la patinoire, claqua au bout de l'ouverture béante, et le vicaire passa sa tête rose à travers la cloison.

–Mesdemoiselles, le club Saint-Sébastien arrive : toutes dehors ! Les joueurs seront là dans deux minutes, l'autobus est devant la salle paroissiale.

Il s'y trouvait une douzaine d'adolescentes et jeunes filles pour s'exclamer en choeur et sans la moindre sincérité :

–Ah ! non, pas déjà !

Ghislaine Fortier pleurnicha :

–On n'a jamais le temps de patiner, nous autres, les filles; la patinoire, c'est toujours pour les gars pis le hockey.

–C'est plus important du hockey que du patinage de fantaisie. Aimez-vous mieux Maurice Richard ou Barbara Ann Scott ?

–Barbara Ann Scott ! dirent plusieurs ensemble.

«Dire que ça fait déjà neuf ans qu'elles ont le droit de vote, ces femmes-là ! Heureusement qu'elles ne l'ont pas avant leur majorité !» pensa le vicaire qui souriait sans parler.

–On va geler comme des crottes dehors, nous autres ! lança Francine Paradis, étouffée de rire.

Elles s'écoulèrent par la porte l'une après l'autre. Lorraine Bureau ôtait ses patins et y mettait tout son temps. Les jeunes gens étrangers commencèrent d'entrer.

–Vite, vite, vite, dit le prêtre qui referma le carreau.

–Oui, oui, oui, dit la jeune fille penchée en avant.

Les deux premiers joueurs la virent mais pas les autres qui s'installèrent sur les bancs après avoir jeté leurs sacs par terre, sur le plancher usé et rongé par les lames.

Elle avait tout le mal du monde à défaire un noeud du patin gauche, et plus elle se démenait pour en venir à bout, plus le lacet resserrait son étreinte sur lui-même. Ça bourdonnait, ça jacassait, ça criaillait tout autour d'elle.

–Ils ont même pas de chiottes dans leur campe ! dit une voix de rustre.

–Pis pas de bécosses dehors non plus !

–C'est pour ça que le monde, ils sentent la marde par icitte, lança quelqu'un d'autre en ricanant.

–Hey, hey, un peu de tenue, les amis !

Cette fois, c'était leur instructeur, l'abbé Roy, vicaire de Saint-Sébastien, homme dans la trentaine qui ressemblait drôlement à l'abbé Gilbert par ses lunettes à verres ronds, ses lèvres ourlées, la forme de son visage, le regard, tout. Coïncidence qui se soulignait à chacune des rencontres des deux équipes.

Enfin, Lorraine réussit à se défaire de son patin. Elle enfila ses bottes puis se leva pour partir. La moitié des gars avaient déjà ôté leurs culottes; en un clin d'oeil, tout le monde prit conscience de la situation cocasse.

Une autre que Lorraine aurait éclaté de rire et mis les jeunes gens dans l'embarras, mais elle réagit négativement d'autant qu'elle avait en tête les insultes débitées un moment plus tôt à l'endroit de son patelin. Elle fit donc les gros yeux et sortit sous les rires et quolibets.

Après le départ de Rose, Éva, assise à la table de cuisine, montra du remords. Ernest avait retrouvé sa pipe, son crachoir et la bavette du poêle pour ses pieds.

—On aurait dû se taire avec elle. Encourager une femme à rompre les liens sacrés du mariage, c'est pas trop catholique, ça.

—On l'a pas encouragée, on a dit de faire comme elle veut.

—Notre cousin Jos King nous le disait l'année passée aux États, qu'il vivait en état de péché... mortel...

—Parce qu'il s'est accoté avec une autre femme. Rose, elle parle même pas de divorce, elle parle de se séparer.

—Tu l'approuves ?

—Moé, ça me dérange pas une miette, la vie à Rose Poulin.

—L'institution du mariage, c'est sacré pourtant.

—C'est sûr ! Ah! Rose, c'est pas une sainte mais c'est pas une mauvaise personne non plus...

—J'voudrais donc ben connaître le fin fond de cette histoire-là, moi !

—Ça nous regarde pas pantoute ! dit Ernest qui, malgré son dire, eût bien aimé savoir, lui aussi.

Éva se tut. Elle songeait...

Un jeune adolescent grassouillet et joufflu riait et criait parmi la foule rassemblée en deux rangs tout le tour de la patinoire. Il prenait appui de l'épaule à un des poteaux de lumière encerclant la piste de patinage. D'aucuns le reconnaissaient, d'autres pas. Il était tout seul, mais rien n'indiquait qu'il se sentît isolé; au contraire, son visage rouge aux joues tachetées exprimait la plus grande satisfaction. Lui connaissait déjà beaucoup de gens et il désignait par leur prénom tous les joueurs de l'équipe locale.

De l'autre côté, Ghislaine et Francine s'en parlaient :

–Paraît qu'il va rester par icitte avec sa grand-mère dans la rue des cadenas. Pis il va aller à l'école du professeur.

–Sais-tu quel âge qu'il a ?

–Treize ans, j'pense... ou quatorze. Quelque chose de même.

–Sa mère, là, elle reste avec un autre homme à Montréal, il paraît.

–S'appeler Jean d'Arc. Un drôle de nom, hein !

–Jean d'Arc Ferland, le nom de sa mère. Son père, c'est Albert Lacasse qui reste à l'autre bout du village.

Elles ne purent s'en dire davantage. Les flûtes noires, accrochées comme des panaches d'orignal à la devanture du chalet blanc, commencèrent à cracher le Ô Canada sans pour autant que les joueurs ne se soient rangés sur les lignes bleues. La ferveur patriotique ne faisait vibrer que les haut-parleurs, mais le chant remplissait bien son rôle de signal. C'était la voix de Raoul Jobin.

La foule applaudit ensuite tous les joueurs, puis les partants se mirent en position, l'oeil droit rivé sur la main qui s'apprêtait à mettre la rondelle au jeu, et le gauche sur les jeunes filles de l'assistance nombreuse.

La main du docteur frappa la table avec force, et son atout majeur livra toute sa puissance.

–C'est rien qu'un petit deux de pique, mais y a pus de pique ni d'atout dans les jeux, ha ha ha ha ha ha ha... Ça veut dire qu'on fait la levée et qu'on gagne la partie...

Il jouait avec Lucienne contre Anita et Victor. On achevait de vider la bouteille de vin. Il faisait chaud dans la pièce. La femme du docteur avait ôté le haut de sa robe, et cela dénudait ses épaules plutôt fortes. Georges en chemise blanche, bracelets extensibles aux manches, était chanceux comme un bossu. Tout lui souriait. Trop et ce whist qu'on jouait depuis une heure finissait par ennuyer sa femme. Mais il était le maître du jeu, et on s'arrêterait quand il le déciderait. Après tout, n'était-il pas le personnage important de cette table, le penseur, le plus instruit, le plus prospère, l'autorité donc ! Bref, l'homme puisque Victor n'était rien de plus qu'un béni-oui-oui...

–Asteur, si on passait aux choses sérieuses, dit-il.

Les autres se regardèrent. Ils savaient tous les trois ce que ça voulait dire.

–Va donc nous chercher du vin dans la cuisine, Vic !

–O.K. doc !

L'homme obéit. Quand il revint avec la bouteille, cinq cartes ouvertes se trouvaient devant chaque joueur. Georges les y avait distribuées au hasard tout en parlant de la visite du curé, de son souhait d'indulgencier les choses de cette maison, de la certitude qu'il avait de ce que le ciel bénirait leur soirée par l'invisible main du Seigneur lui-même...

C'était la seule pièce de la maison où il y avait une moquette. Elle était en laine veloutée bourgogne. On l'appelait communément tapis de Turquie. Même au presbytère les planchers étaient de bois franc, et recouverts en partie de laizes tissées ou de tapis tressé. Assuré par trois lustres muraux à ampoules de faible intensité et d'une lampe de chevet entre les deux lits, l'éclairage permettait d'entrevoir les rideaux de chintz à larges plis harmonieux, une peinture représentant la vastitude d'un champ de blé des prairies et un crucifix suspendu au-dessus de la deuxième porte qui donnait sur la cuisine.

Une longue commode brune à miroir occupait un mur, et sur l'autre, on pouvait voir un buffet dans le coin, un gramophone au centre et enfin la table à cartes éclairée par une lampe spéciale qui concentrait sa lumière sur un espace restreint.

–Et si on laissait faire les cartes ! proposa Anita contre toute attente puisqu'elle ne menait jamais le jeu.

Georges fronça les sourcils devant cette initiative subite, imprévue. Lucienne aussi fut intriguée mais pas contrariée. Victor approuva la femme de sa voix enrouée :

–Pas question de chier sur le bacul parce qu'on a perdu... mais on pourrait faire autre chose.

–Comme ?

–Danser par exemple, fit Anita en se levant de table.

–Bonne idée, dit Georges, ça va nous permettre de prendre un coup sans se déranger. Ou plutôt, en se dérangeant juste ce qu'il faut pour avoir du plaisir.

Elle se rendit au phonographe, un meuble ancien dont les mécanismes avaient été remplacés par du moderne. Et mit *Blue Moon*, et Georges l'invita aussitôt à la danse.

Percés de longs rectangles se refermant par des panneaux doubles, les murs du chalet laissaient passer deux dizaines de têtes nues; les joueurs de réserve criaient et encourageaient leurs coéquipiers sur la glace. Attaque des uns, contre-attaque des autres, les montées se succédaient d'un bout à l'autre, mais n'aboutissaient pas. L'instructeur du Saint-Honoré contrôlait la porte, rappelait les essoufflés et les remplaçait par des muscles frais. C'était un homme qui se distinguait de ses semblables par son curieux chapeau et la manière insolite de le porter : un feutre cabossé plaqué sur le derrière de la tête, et que pas un vent n'aurait pu déloger. Frère aîné du professeur, il mangeait du hockey comme tous les Beaudoin. La bonne forme physique de Laurent Bilodeau, l'élégante rapidité de Jean-Yves Grégoire, la fougue de Roland Campeau et le vigoureux désir de gagner de leur instructeur étaient tenus en échec par les entourloupettes de Laurent Hallé, les infiltrations étourdissantes de son frère Fernand dans le territoire adverse et surtout les épaules puissantes de Robert Therrien.

Georges déposa un baiser sur l'épaule nue. Le désir devenait plus explicite en lui. Anita et Lucienne se taisaient et se laissaient guider par leurs partenaires. Victor avait hâte que le docteur se décide, car sa chair s'érigeait depuis qu'ils avaient commencé à jouer aux cartes. L'ambiance de cette chambre, il la connaissait depuis plusieurs mois et *'tout y parlait à l'âme en secret'* ainsi que le disait souvent le docteur.

Un autre disque sentimental fut mis par Georges sur la table tournante, et quand il fit demi-tour, son regard croisa celui des trois autres. Il sourit puis se dirigea vers Lucienne. Victor et Anita suivirent l'exemple. Les nouveaux couples dansèrent...

Laurent Bilodeau s'échappa avec la rondelle. Il franchit la ligne rouge sous une tempête de cris et d'acclamations. Plus qu'un défenseur à traverser : le gros grand Therrien. Moins facile que de vendre un habit, mais c'était justement ça, la grandeur du jeu : essai, échec, essai, échec, essai, réussite... Peut-être... Un but compté durant la partie et ça pourrait décider un spectateur à se procurer un nouvel habit pour le jour de l'An. Deux, ce serait mieux... Il ne fallait pas rater ça. Il avait le temps de jouer le grand jeu, la feinte la plus spectaculaire qu'il connaisse mais qui demandait quelques secondes. Un coup d'oeil en biais lui permit de voir que pas un adversaire n'était assez près pour le rattraper et l'empêcher de procéder. Et le défenseur ne pouvait plus reculer. Arrivé devant lui, Laurent s'arrêta net et se prépara à lancer. Therrien ne pouvait qu'avancer pour bloquer l'angle. Laurent pivota sur lui-même, reprit la rondelle et se retrouva seul face au gardien.

Therrien n'avait plus le choix; et il en était bien content. Il jeta son pied en biais et donna à l'attaquant un formidable croc-en-jambe. Laurent bascula, perdit le contrôle de lui-même, de la rondelle, de tout. Mais la chance et le contrecoup firent rouler les dés en sa faveur. La palette de son gouret frappa la rondelle par accident et le gardien fut déjoué. Le joueur frôla le filet et se ramassa contre la bande dans un bruit qui trancha dans le délire de la foule avec le couteau du souffle coupé. Laurent sut par les cris qu'il avait marqué. Il sut par l'instinct qu'il n'était pas blessé ni même secoué, mais il voulut faire peur à ses admirateurs et resta deux secondes affalé puis se releva sans grimacer, sourire dehors, front plissé d'humilité. Poudré de gloire, il retourna au vestiaire sous les hourras les plus éclatants. C'est alors qu'il aperçut une autre vedette locale sur le banc de neige, voisin du pénitencier, de l'autre côté de la patinoire; il bifurqua dans cette direction et d'aucuns manquèrent de pleurer de bonheur en le voyant serrer la main du curé qui fut à son tour très applaudi, qui salua pour bénir et qui poursuivit son chemin vers la salle paroissiale.

Lucienne et Georges tombèrent sur le lit, enlacés, déjà à demi nus, suffoquant. Sur l'autre, Anita aidait Victor à la déshabiller.

Depuis près d'un an, les deux couples échangeaient les partenaires. C'était arrivé sans trop que l'on sache pourquoi. On avait eu vent que cela se faisait dans un rang d'une paroisse voisine. Là-bas, on appelait les échangistes des frappeurs. Le docteur avait dû examiner Lucienne, et son désir d'elle était né. L'exploration psychologique le tentait. Quant à Victor, il se serait suicidé si Georges lui avait dit que ce serait une belle idée de le faire. Une soirée, une danse, des échanges d'idées... Et vogue la galère !

Au réveillon, Lucienne avait révélé qu'elle pouvait être enceinte. Le docteur et sa femme en avaient parlé par la suite. Possible que l'enfant, s'il y en avait un en marche, soit celui de Georges. Et si ça devait arriver, cela montrerait que Anita était stérile ou du moins que son couple avec son mari ne pouvait pas donner d'enfants. Mais la preuve de sa stérilité n'était-elle pas déjà faite, ses relations avec Victor, un homme très viril et un géniteur de surcroît, n'ayant pas dépassé les limites du plaisir ?

Quand on s'était dirigé vers cela, Anita avait vu venir. Elle aurait pu s'objecter, se révolter, manoeuvrer, susciter la chicane avec le couple, mais son obsession quant à leur retour au Manitoba l'avait emporté. Que Lucienne tombe enceinte de Georges et il faudrait partir ! C'était sa seule chance.

Écoeurée une première fois, la femme ensuite non seulement s'était habituée à un autre homme mais elle avait découvert en elle grâce à Victor une immense capacité à jouir de son corps. Tout bien considéré, l'initiateur de cette conduite peu courante était devenu celui qui en profitait le moins. Car Lucienne, femme-objet par excellence qui se voulait elle-même une chose dont on jouit, se sentait hautement valorisée dans cet exercice érotique.

La première période prit fin sur un verdict nul, un faible lancer de la ligne bleue par un défenseur du Saint-Sébastien ayant nivelé le pointage. Dans le vestiaire des locaux, le gardien se lamentait à propos de lui-même. Il ne se trouvait pas à la hauteur. C'était sa façon de ramasser des claques dans le dos pour les quelques arrêts réussis.

Eugène fumait une rouleuse. Il aurait voulu sortir de la cabane et aller suivre le match auprès de Rachel Maheux mais une certaine crainte le gardait dans le vestiaire. Le risque de la voir fuir ou de se faire humilier était beaucoup plus grand devant la foule. Et puis Jean-Yves lui apparaissait être un rival à ne pas trop provoquer. Il les avait vus arriver ensemble à la patinoire et ça le chicotait. Il se devait d'entourer Jean-Yves, il se devait aussi de se garder au coeur de l'action, prêt à bondir sur la patinoire pour sauver la partie si son frère, comme il le disait lui-même devait se montrer plus faible que de coutume.

Un coup de sifflet se fit entendre dehors. Les gardiens suivis des cinq joueurs réguliers patinèrent vigoureusement et allèrent prendre position sous les applaudissements et la voûte étoilée qui se cachait là-haut, loin au-dessus des rayons des grosses ampoules électriques.

Les peaux étaient toutes foncées dans cette semi-obscurité. Aussi nus qu'à leur naissance, les partenaires des deux couples semblaient avoir jeté toutes leurs inhibitions dans la nuit profonde du passé ou l'incertitude de l'avenir. Seul Georges gardait une certaine attention qui lui servait à nourrir son désir pervers. Il prodiguait des caresses à Lucienne qui gardait ses yeux clos même lorsque son corps était agité de soubresauts, et il observait à la dérobée l'incroyable performance de Victor avec sa femme.

Dès qu'elle traversait le miroir de la concupiscence, Anita, le vin aidant, guidée par son nouveau partenaire, entrait dans sa propre chair, celle qui ne craint pas l'âme, qui ne craint pas l'autre, qui n'a plus peur ni des sommets, ni des vertiges, ni de Dieu lui-même...

Il fallait toujours peu de temps à Victor pour lui donner une sorte de courte-haleine gémissante montrant qu'elle explorait diverses régions extatiques du vaste royaume de la volupté.

Georges vit Anita toucher le sexe érigé de son partenaire pour lui faire signe. Il avait beau être docteur et en avoir vu de toutes les couleurs, cet organe à la puissance recourbée, lance qui valait deux fois la sienne, l'étonnait à chaque fois qu'ils se retrouvaient au lit.

Anita écarta un peu plus les jambes, exposant son triangle noir dans toute sa vérité, offrant sans retenue les profondeurs de sa chair chaude et ruisselante. Victor frotta les deux sexes l'un contre l'autre à plusieurs reprises comme pour demander aux grandes lèvres trempées des cris muets, puis il plongea audacieusement. Et d'un seul coup de boutoir cloua la femme aux étoiles d'une nuit brillante et pure.

Bafoué, fripé, frappé, l'esprit de Georges jeta son corps égrotant dans une eau chaude qui l'aspirait sans le noyer. Il se glissa sur sa partenaire dont la peau lui parut devenir lumineuse comme la surface de la mer sous un soleil incandescent. La femme poussa son bassin en avant à la recherche du bateau à couler. Elle enveloppa sa tête de ses bras et l'attira pour que les bouches se touchent et se fondent.

Les rondelles entraient dans les buts du Saint-Honoré comme des couteaux chauds dans du beurre mou. La foule avait maintenant baissé le ton de plusieurs crans. Et quand on l'entendait s'exprimer en choeur, c'était pour marmonner sa déception. Les adversaires s'en donnaient à coeur joie et pour mieux débalancer encore leurs rivaux, ils s'échangeaient des réflexions baveuses.

«À la troisième, on jouera d'une seule main.»

«Me font penser au club du rang croche à Sainte-Cécile.»

«Un score de ballon-panier.»

Aux yeux des filles, à la fin de la période, tous les joueurs étaient perdants. Leurs favoris parce qu'à ce compte de huit à un, ils étaient perdus. Et les adversaires qui se montraient si gueulards et prétentieux. De vrais fraîchiers !

Débiné, le caquet à terre, le gardien enlevait ses jambières en se lamentant :

–Sont pas meilleurs que nous autres, c'est moé le problème. Une pelle ronde ferait mieux à ma place.

Et il rit malgré tout.

–Tout le monde sait que c'est toé le meilleur gardien de buts, dit une voix.

–L'important, c'est pas d'être bon avant la partie, c'est d'être bon durant la partie... Quen Eugène, à toé de jouer !

Son frère prit la relève et peu de temps après, il était habillé au complet. Quand il entra sur la glace, son esprit plastronnait. Quoi qu'il arrive, on le féliciterait. Ou il parviendrait à sauver la partie ou il sauverait la face de son club et de sa paroisse, ou la débandade se poursuivrait auquel cas on accuserait un manque total de motivation chez des joueurs découragés. Il ne pouvait donc en sortir que gagnant, lui, et seul gagnant de ce match. Quelle magnifique occasion de reluire devant le regard impressionné de Rachel Maheux !

Les joueurs adverses foncèrent comme des chars d'assaut dès le coup de sifflet; et Eugène commença à subir un tir nourri, mais, la chance aidant grandement, il bloquait tout.

Après quatre ou cinq coups de reins, Georges se déversa en Lucienne qui ne se sentait aucunement déçue malgré la brièveté de l'acte. Se faire ainsi honorer par le citoyen le plus prestigieux de la paroisse avec la bénédiction de son mari écartait en elle toute velléité de crainte du péché. Elle ouvrit les yeux et regarda le crucifix pour remercier le Seigneur qu'elle savait là comme l'avait promis le curé plus tôt. Elle ressentait beaucoup plus de jouissance depuis qu'on jouait ce petit jeu à quatre, car Victor complétait ce que Georges initiait.

Anita hochait la tête sur l'oreiller, pleurnichait, son bassin gigotait. Vestale enterrée vive sous une chair vivante, divine succube au corps plaintif, ondine flottant dans la luxure, comment te rejoindre en ce monde parallèle où ne sont admis que les rares humains capables de se dire oui à eux-mêmes ?

Georges enrageait de n'être pas aussi vaillant et fort que Victor. Ce n'était pas la colère d'un jaloux qui le taraudait mais bien le déplaisir de rater les grandes extases qu'il imaginait de pouvoir chevaucher un corps de femme sans défaillance durant une demi-heure ou une heure.

Il regardait Victor faire. Et Victor faisait, faisait, faisait comme s'il eût été le piston d'une machine infatigable. Lucienne parfois jetait un oeil puis se remettait doucement la tête contre la poitrine velue de son amant.

Laurent Bilodeau feignit une blessure à la cheville en début de troisième période. Il quitta la glace et ne revint pas. Roger Bureau se mit à administrer des six-pouces aux adversaires dans les coins, mais il ne réussissait guère à hérisser les autres joueurs qui volaient littéralement au-dessus de la glace. Le Saint-Honoré était débordé sur les deux ailes et les visiteurs gardaient le parfait contrôle de la partie. Néanmoins, en dépit de leurs multiples tentatives de percer le gardien, chacune de leurs attaques se brisait sur un mur, si bien que durant la dernière partie de la période, ils s'assirent sur leur avance et se contentèrent de patiner avec désinvolture sans cesser de provoquer le club adverse.

Maintenant, le vicaire arbitre tenait son chronomètre entre ses mains et le consultait presque sans arrêt, ce qui indiquait à tous que le match allait prendre fin dans quelques secondes. Le grand Therrien, gros vilain de la soirée, était à faire une montée, et personne ne songeait plus à lui barrer le chemin, si bien que le gardien fut laissé seul avec lui. Le défenseur prit tout son temps. Il appuya sur le bâton de tout son poids pour lancer. La rondelle fila comme un projectile et Eugène leva la mitaine mais trop tard; elle la frôla et le frappa en pleine gueule avant de prendre une autre direction. Le sang jaillit. Deux dents furent aussitôt crachées. L'homme vacilla un moment puis tomba sur les genoux. La foule était horrifiée. On entoura le gardien. Son frère accourut. Il fallait le reconduire chez le docteur sans attendre. Certains croyaient qu'il pouvait avoir la mâchoire cassée. Ou un os du visage. Les malheurs font vite du chemin quand ils sont bavassés d'une bouche à l'autre. Le blessé n'avait pas le choix : il lui fut donné une serviette, et son frère le prit par le bras pour le soutenir et l'emmener au bureau du médecin.

Victor lâcha enfin son coup. Il vibra de toute sa maigre personne et demeura un long moment à frissonner entre les jambes de sa partenaire, genoux serrés et sexe pénétré. Il lui arrivait souvent de retrouver sa puissance au bout de quelques instants et de reprendre sa course, mais, ce soir-là, il manquait un peu de souffle et il finit par se rejeter sur le côté.

On fut silencieux pendant une dizaine de minutes. C'est le docteur qui rompit le charme et la détente :

–Si monsieur le Curé savait ça, il nous ferait perdre tout ce qu'on a mis de côté dans la banque des indulgences.

–Notre bon curé comme tous les curés de l'Église catholique est pas mal croque-mitaine quand ça touche les rapports conjugaux, dit Victor.

Les femmes écoutaient sans rien dire...

On entendit soudain un bruit sur la galerie. De toute évidence, il arrivait quelqu'un...

Mais dehors, Eugène refusait maintenant d'entrer.

–Ah ! tu vois ben que le docteur est couché, parvint à dire le jeune homme avec sa bouche de travers.

–Pis après ?

–Ben, j'ai pas trop envie de le déranger.

–Tu resteras toujours ben pas de même. Ça pourrait revirer en empoisonnement du sang...

–Ben non... le sang, il sort du corps, il rentre pas en dedans.

Et il se prit une poignée de neige qu'il rapetissa et modela dans sa main pour en faire une boule qu'il appliqua sur sa blessure en geignant.

–T'es plus baise-la-piastre que Séraphin : t'as peur que ça te coûte cinq piastres...

–Cinq piastres, c'est cinq piastres. Allons-nous en ! Je vas prendre de l'aspirine rendu à la maison...

L'autre haussa les épaules.

Ayant jeté un oeil dehors derrière la toile de la fenêtre, le docteur vit les jeunes gens s'en aller. Lui aussi haussa les épaules.

***

Chapitre 14

–Tu sauras mon Gus que tu vas pas me faire tomber en bas de ma décision ! Monsieur le curé non plus. Pis Thérèse pas plus !

Rose paquetait ses affaires dans des boîtes à gueule ouverte étendues sur la table de la cuisine.

–Tu t'en iras pas ! répéta Gustave.

Pour la première fois de sa vie, il donnait un ordre. Ce serait la seule fois où il montrerait un peu de nerf. Trop tard et quart, pensait-elle en continuant dans son assurance tranquille à emballer de la vaisselle.

–J'prends juste une petite partie de ce que y a dans la cuisine. Il va t'en rester trois fois comme je vas en prendre. Ce sera pareil dans la literie...

–J'pense ben, la maison des Jolicoeur est pleine de toute c'est qu'il te faut. C'est du monde riche.

–Sauf que si la bonne dame meurt dans six mois ou un an, je me retrouve dehors. Là, va me falloir un loyer, pis un loyer, ça demande un peu d'affaires.

–T'as pas envie d'emmener le poêle toujours ?

–Il est à moi autant qu'à toi parce qu'on l'a payé à deux, mais je le mettrai pas dans la shed tandis que toi, t'en as besoin. Je suis pas la marâtre à Aurore, moi.

–T'es ben pire !

–Tant pis !

–Tu seras même pas capable de sortir d'icitte avec tes boîtes.

Elle s'esclaffa :

–C'est-il toi qui vas m'en empêcher ?

Il recula de deux pas, se mit dans la porte, coudes sur les hanches et dit, défiant :

–Pourquoi pas ?

–J'ai pas peur. Regarde-toi, t'es un homme tout contrefait. J'ai pas peur de toi, pas une miette.

–Se moquer des infirmités de quelqu'un, c'est toujours puni par le bon Dieu.

–Je l'ai déjà eue ma punition... de vivre avec toi trente ans.

–Pourquoi c'est faire que tu me fesses par la tête de même ?

–Parce que tu me menaces ! Parce que tu voudrais me rejeter dans ta prison, pis ça, c'est violent ! On fait pas ça à une personne qui a décidé de s'en aller. T'as embelle à me laisser tranquille pis ça va ben aller. Regarde-toi dans le miroir : t'as la babine dépendue pis les sourcils comme de la broche piquante. Tu le sais que t'as pas besoin d'une femme, pis de moi, moins encore que d'une autre...

–Tu le sais pas, Rose, ce que j'ai en dedans du coeur...

–Penses-tu que c'est si facile que ça, pour moi, de m'en aller de même ? Je le sais ben que trop, c'est quoi que le monde, ils vont dire... Pis casser avec des habitudes pour en rebâtir d'autres, c'est pas le paradis que tu penses que j'imagine. Mais dans la vie, faut que ça fasse mal pour que ça s'améliore. C'est une loi de la vie, ça !

Soudain, Gustave éclata en des sanglots entrecoupés de hoquets et il se jeta dans une chaise berçante et craquante où il se racotilla en pantin désarticulé, replié sur lui-même, transi de douleur.

Touchée un moment, Rose fut sur le point de lui prodiguer des mots d'encouragement, mais ce baume qu'elle pourrait mettre sur son désespoir risquait de se transformer aussitôt en poudre sur ses espérances comme l'eau qui verglace en touchant une surface plus froide qu'elle.

–T'as des grignons sur le coeur, pis ça fait saboter la carriole de ta vie, mais c'est à toi de les faire fondre si tu veux pas attendre de les voir disparaître d'eux-autres-mêmes.

Grelottant de tous ses membres, marmottant entre ses dents, l'homme parvint à dire :

–T'au... rais... pu... au moins faire ça... après le jour de l'An...

–C'est pas parce que 1950 est à nos portes que je me dépêche de faire sauter les ponts, c'est parce que Berthe Jolicoeur pis son mari doivent s'en retourner à Québec pis qu'ils peuvent pas laisser la vieille dame tuseule.

L'homme se pencha en avant, laissa tomber sa tête entre ses mains, supplia :

–C'est que je vas faire, moi, tuseul dans la vie ?

Elle s'arrêta un moment de faire la navette entre les armoires et la table pour dire, le regard optimiste :

–Mais on n'est jamais tuseul quand on vit comme nous autres dans une paroisse. Quand y a un deuil, tout le monde le partage, quand y a un mariage, un baptême, tout le monde s'en réjouit, quand y a un feu, tout le monde, ça se donne le mot pour rebâtir celui-là qui a brûlé, quand tu marches sur le chemin, c'est tout le monde qui te salue, du petit gars aux vieux pis aux vieilles. On est tuseul dans le bois ou ben en ville, pas dans un village de campagne. C'est dans un village de campagne qu'on est justement le moins tuseul au monde.

Il se redressa, remonta ses bricoles.

–Tu m'as souvent fait sentir que j'aurais jamais dû aller te chercher à Montréal en 1919.

Elle fronça les sourcils et se remit à son ouvrage :

–Ça, c'est pas la même affaire. Quand on a dix-neuf ans, on se sent pas tuseul en pleine ville.

Il se calma un peu et se raccrocha à une idée :

–Comme ça, t'as pas l'intention de t'en aller vivre avec les gars à Valleyfield ?

–Pourquoi c'est faire que tu te fourres des affaires de même dans la tête ?

–Dur de savoir c'est qui te travaille dans la tête. T'écoutes même pus les signes du ciel...

–Les signes du ciel ?

–Monsieur le curé...

Elle l'interrompit :

–Les signes à monsieur le curé, c'est pas des signes du ciel, non, non, non. Les signes à monsieur le curé, c'est les signes à Gustave étrillés par les idées de monsieur Ennis... qui est un homme, pas une femme. Je pourrais même te dire que y a des hommes dans la paroisse qui pensent pas comme lui pantoute.

–Ernest Maheux, qui d'autre, hein ? T'as dû aller lui demander conseil, j'suppose, là ?

La femme fut un peu secouée, mais elle ne dit mot.

Lucien Boucher arrivait à la boutique de forge. Debout dans sa sleigh, cordeaux enroulés autour des poignets, casque de poil calé jusqu'aux oreilles, il avait les yeux petits, devenus interstices, pour deux bonnes raisons. Ernest avait mal ferré son cheval puisque le fer d'une patte n'avait pas tenu, et puis le soleil du jour éblouissait en passant par la neige, forçant les muscles de ses paupières à tirer la toile.

Épaules carrées, mains immenses, d'un abord très sympathique, homme engageant, Lucien était un avocat manqué doublé d'un politicien qui ne s'était jamais présenté à aucune élection, pas même celle pour nommer un commissaire d'école dans le rang 9 qu'il habitait.

Depuis quelques années, sa passion, c'était de travailler sans arrêt, quand sa terre lui laissait des heures de liberté, à une grande cause : la séparation du village et de la paroisse.

«Un cultivateur pis un homme de village, ça parle pas le même langage,» répétait-il sans cesse. «Les besoins sont pas les mêmes. Ça nous empêchera pas de faire des affaires avec le monde du village. On mettra pas une clôture de broche piquante autour des rangs. On est pas des séparatistes, on est des autonomistes. Pareil comme monsieur Duplessis devant Ottawa. On va pouvoir se compléter. Mais à chacun son butin. On va se faire des réservoirs d'eau en cas de feu. On va penser à entretenir nos chemins l'hiver. On va aller chercher des meilleurs octrois du gouvernement.»

Mais l'idée faisait bondir et rebondir le curé chaque fois qu'il en entendait parler. Pour lui, le pouvoir civil dans une paroisse se devait d'être centralisé au village, proche du presbytère. Il avait beaucoup d'influence sur les maires qui s'étaient succédé au Conseil municipal et plus encore sur le très docile et malléable Fortunat; créer de la division serait faire naître la dissension et niveler le pouvoir du presbytère.

L'abbé Ennis tâchait donc de neutraliser l'action de Lucien sans toutefois y mettre le paquet, ce qui pourrait bien arriver si un péril imminent devait menacer Saint-Honoré, soit un vote sur la séparation.

Lucien attacha les cordeaux à l'ambine avant de la voiture et descendit. Il détacha le mors de la bride du cheval et l'attacha à une crampe fixée au mur à cette fin.

Ernest tournait la manivelle du soufflet. Il savait qu'il lui arrivait une pratique, mais la distance des fenêtres de même que la saleté charbonneuse des vitres l'empêchaient de savoir qui était le visiteur. La petite porte s'ouvrit, et Lucien apparut comme un demi-dieu découpé par la brillante clarté du jour.

–Salut ben, mon cher monsieur Maheux !

–Salut ben, répondit Ernest sans l'avoir reconnu encore.

L'homme referma et le forgeron reprit :

–Ah ! c'est toi, Lucien, viens fumer, viens fumer.

–J'fume pas, mais j'ai un cheval qui clopine.

–On va essayer de voir à ça.

–C'est votre ferrage qui a pas tenu...

–Un ferrage, Lucien, c'est pas éternel. Une patte de cheval, ça travaille. Pis fort à part de ça...

–Pas plus qu'une patte d'homme.

–Entre nous autres, un cheval est un peu plus pesant qu'un homme.

La conversation était déjà mal engagée aux yeux du forgeron.

Lucien chercherait à filouter, à s'en tirer à bon compte comme toujours.

Le visiteur s'approcha et prit sa voix la plus douce pour dire :

–Vous l'avez ferré à glace comme vous devez vous en rappeler pis aurait fallu que ça tienne tout l'hiver.

Ernest se racla la gorge et cracha dans le feu qui pétilla.

–Pis ça tient pas ?

–Rien qu'un... Ça prouve que y a un défaut d'ouvrage, autrement, si c'était que par usure normale, les trois autres feraient la même chose.

–Sauf mon Lucien, que ton cheval, il a un sabot pourrissant...

–Lequel des quatre ?

–Celui-là qui garde pas son fer.

–Oui mais c'est lequel, ça ?

–Maudit torrieu, je m'en rappelle-t-il, moi ? Rentre-le par la grande porte pis on va voir à ça.

Lucien respectait assez ce forgeron têtu et grincheux, d'autant que leurs opinions se rencontraient quant à la séparation du village et de la paroisse. Mais en affaires, chacun tirait la couverte de son bord, et pensait que l'autre cherchait à l'exploiter.

Des paquets d'air froid entrèrent dans la boutique en même temps que la grande jument blonde qui alors hennit de déplaisir au souvenir peut-être de la mauvaise humeur du maréchal-ferrant.

–Écoutez, monsieur Maheux, il pourrait se faire une détorse avec un fer qui manque comme ça... Obligé d'abattre mon cheval, ça me mettrait en verrat, pis vous me comprendrez.

–L'as-tu, ton fer ?

–Il l'a perdu, je sais pas trop où.

–Ferme la porte pis je m'en vas regarder à ça quand ça va se réchauffer un peu dans la boutique.

Lucien referma en disant poliment :

–La feu de forge, ça suffit pas à réchauffer une grande bâtisse de même. Vous devriez vous mettre une truie...

–D'un hiver à l'autre, je m'attends de partir pour le bois...

–Vous allez perdre vos pratiques si vous faites ça.

–On gagne ben mieux à forger pour les compagnies anglaises dans les chantiers de l'Abitibi, à Clova pis à Parent.

La jument se mit à hocher la tête et à trépigner de la patte.

Le forgeron se pencha et prit des fers sous la table du feu de forge, et il se rendit sans attendre près du cheval.

–Comment qu'elle s'appelle, ta jument ?

–La Folle. On l'a appelée de même en l'honneur de la femme à Arthur Pelchat.

–Ah oui, je m'en rappelle, asteur que tu le dis.

Il jeta les fers par terre et s'empara de la patte défectueuse par sa touffe de poils. Et se la mit entre les jambes pour prendre la mesure des fers. Le plus ressemblant au sabot serait mis au feu pour ensuite subir les altérations nécessaires sur l'enclume.

–Regarde icitte, mon Lucien, le sabot pourri... T'es pas sans le voir comme moi, là !

–Ôtez le pourri.

–J'pourrai toujours pas piquer les clous dans la chair vive ! Faut que j'me poigne après quelque chose.

–Clouez en sifflet.

–Colouer en sifflet, colouer en sifflet, c'est ça qu'on fait tout le temps, mais faut que les clous mordent un peu. J'sais ben que t'as besoin de ta jument, quant à savoir si j'peux faire tenir le fer...

–Faites de votre mieux pourvu que ça coûte rien... Parce que votre ouvrage est garantie, je suppose...

En même temps qu'il entendait cette phrase très contrariante, Ernest fut bousculé au point de tomber un genou à terre, par le cheval qui se tassa sans prévenir.

–Huhau ! Huhau ! Huhau !

–Vous devriez vous construire un travail pour contrôler les bêtes un peu mieux...

Ernest mangeait sa misère et contenait sa colère. Encore...

Il se releva et remit la patte pesante entre ses jambes puis il compara un premier fer avec le sabot quand soudain, la petite porte s'ouvrit laissant passage à un personnage loqueteux qui s'amena auprès de Lucien tout d'abord en disant :

–Monsieur, je peux vous demander la charité pour l'amour du bon Dieu ?

Lucien se fit très obligeant :

–J'sus prêt à vous donner quelque chose, seulement j'ai pas une cenne sur moé. Allez-vous passer par le rang neuf ces jours-icitte ? On va ben vous traiter...

–Merci, merci, je vas passer par chez vous, dit le vieil homme aux paupières du bas rouges, pendantes et tristes.

Et il s'approcha d'Ernest en répétant sa demande. Le forgeron lui répondit dans une colère noire :

–Pour l'amour du bon Dieu, pour l'amour du bon Dieu, pour-quoi c'est faire que tu fais pas comme moé, toé, le quêteux, pis que tu travailles pas pour gagner ton sel. Maudit torrieu ! Maudit hère que t'es donc !

Le mendiant se redressa et leva la main comme pour prêcher en parabole. Il dit :

–Monsieur, je vous ai demandé la charité pour l'amour du bon Dieu. Vous pouvez me refuser si vous voulez, mais ça vous donne pas le droit de me maudire comme vous venez de le faire.

–Sacre ton camp d'icitte... On va faire passer un règlement pour que les bons à rien comme toé arrêtent de quêter dans la paroisse...

–Je m'en vas, mais ce que vous venez de faire, ça va pas vous porter chance. Vous allez vous souvenir de moé que ça retardera pas. Vous allez voir, vous allez voir...

Et l'homme repartit avec son petit bonheur.

–Vous auriez pas dû faire ça, dit Lucien.

–Un maudit bâdreux de même ! Voir si j'ai le temps de m'oc-cuper de lui, moé...

–C'est le quêteux Labonté de Saint-Éphrem-de-Tring, il paraît qu'il jette des sorts au monde, lui...

–Des sorts, des sorts... C'est rendu que des quêteux, y en passe un par semaine par icitte. Le bossu Couët qui vient de Courcelles, les deux trois fainéants qui viennent de Saint-Louis-de-Blanford, Mathieu la Gornouille de Beauceville... On en a pas, nous autres, par icitte qui vont demander la charité icitte et là. On s'en occupe de nos pauvres, nous autres... Des sorts... des sorts... de quoi c'est que tu veux que ça me fasse, moé...

Ce soir-là, Marie Sirois priait dans sa chambre, agenouillée à côté de son lit. Les grains de chapelet passaient entre son pouce et son index, y laissant chaque fois pour quelques secondes, des traces roses qui s'effaçaient ensuite. L'émotion lui faisait tenir serré l'objet de dévotion. Et pourtant, toute son âme ne se trouvait pas en communion avec le ciel, du moins craignait-elle que les forces du mal ne la guettent dans la nuit...

Possible que la réalité du moment lui donnât raison de craindre puisque de l'autre côté de sa fenêtre, dans l'obscurité, des yeux l'observaient.

Tout le temps qu'elle invoqua la Vierge Marie, ce regard souffrant resta sur sa personne, mais quand elle se leva pour se déshabiller, l'être retraita vivement derrière le tronc d'un arbre, signe qu'il ne s'agissait pas d'une bête. Mais... ne s'agissait-il pas d'une bête humaine, d'un prédateur en train de concocter quelque plan diabolique pour s'emparer du corps et de l'âme de cette pauvre femme et transformer cette maisonnette en un lieu de perdition et d'enfer ? Ne se trouve-t-il pas des êtres marqués bien plus que par le seul destin mais par les terribles créatures des ténèbres ?

La petite femme commença à défaire les boutons de sa robe puis se rendit compte que la toile n'était pas baissée, que les rideaux n'étaient pas tirés. Sa raison lui suggéra que pas un villageois, pas un paroissien ne viendrait sentir chez elle avant d'avoir fait le tour de toutes les maisons d'abord. Quel intérêt pour quiconque de reluquer par ses fenêtres ? N'était-elle point la dernière des dernières de Saint-Honoré ? Et du monde entier ? Dieu lui-même pouvait-il l'avoir oubliée dans sa petitesse ridicule ? Même si le curé disait souvent dans ses sermons que le ciel veille aussi sur les plus infortunés d'entre les humbles...

Pourtant, Marie n'était pas la seule veuve de la paroisse avec des enfants à sa charge. Dans la rue du boulanger de l'autre côté du presbytère habitaient dans une maison tout aussi modeste une femme tout aussi nécessiteuse et ses deux enfants de six et huit ans qui avaient le visage rose pompon et que plusieurs appelaient les petits anges à Maria. Et les bourgeois la prenaient elle aussi pour faire des ménages. Elle était plus à la main que Marie, plus énergique, plus souriante, plus sûre d'elle. Et autant dans le besoin... Et sur le secours direct elle aussi. Tout juste de quoi survivre en ménageant le bois de chauffage...

Rioux avait quitté l'hôtel ce jour-là. Pour Rimouski selon ce qu'il avait dit. Et par train et non par taxi comme il devait le faire. Émilien l'avait surveillé sans en avoir l'air pour savoir ce qu'il emportait avec lui. Il n'avait vu qu'une seule valise. Peut-être donc qu'il avait laissé les photos de Mae West et surtout celles plus... ordurières dans sa chambre ? Il fallait enquêter, fouiller. L'homme avait emporté sa clef mais on gardait un double à l'hôtel. Dans un tiroir de la cuisine. Jeannine avait fait la chambre après son départ mais l'adolescent n'aurait pas osé ni même songé s'y rendre à ce moment-là. D'autre part, il ne voulait pas y faire son exploration en solitaire. Ce serait bien plus excitant à deux... Il téléphona à Léo Maheux après le souper, avant la fermeture du central, et lui proposa de venir faire son tour. Pour fumer. Pour boire une bière en cachette dans sa chambre. Léo ne se fit pas prier. Il adorait le tabac et fumait comme un 'engin de char' partout où il pouvait se dissimuler pour le faire. Ils avaient déjà quelques brosses à leur actif et Léo n'avait jamais subi les sévices physiques ou autres de la part de son père en guise de punition pour sa conduite grâce au mutisme d'Éva qui menaçait souvent de placoter à Ernest pour garder son contrôle des enfants mais le faisait très rarement à moins qu'il ne s'agisse de bonnes choses à dire d'eux. Mère Gigogne.

Ça parlait fort et ça riait dans la chambre du troisième. Il fallait qu'on les entende en bas puis qu'on les oublie. Et ça fumait surtout. Des cigarettes faites. De marque *Export*. Fortes. Émilien avait mis dans la chambre des chaises à bras qui restaient au fond du couloir et servaient l'été à ceux qui voulaient s'asseoir dehors sur le balcon pour respirer Saint-Honoré et voir passer villageois et véhicules motorisés. Et ils se parlaient, assis de chaque côté du lit, pattes allongées sur la couverte de catalogne.

–Mon père a jeté un quêteux dehors aujourd'hui, dit Léo. Le quêteux a menacé de lui jeter un sort, paraît...

–C'est l'histoire du quêteux qui arrive su'l cultivateur pis demande à coucher. Le cultivateur, ça lui dit pas mais il a peur de se faire jeter un sort. Ça fait qu'il dit au quêteux de se coucher aura le poêle. Le quêteux dit : «Avec quoi que je vas m'abrier ?» Le cultivateur lève la patte, lâche une vesse pis répond : «Ben avec ça !» Le lendemain matin, le cultivateur se lève pis voit un tas de marde devant le poêle pis le quêteux assis dans la cuisine. Il demande : «C'est quoi, ça ?» Le quêteux dit : «C'est ta couverte d'hier que j'ai pliée comme il faut.»

Les deux adolescents éclatèrent de rire. Cette histoire scatologique pavait la voie à des choses plus spéciales à odeur d'interdit.

–Hey, fit Émilien sur le ton de la confidence, j'y pense, veux-tu voir des portraits... cochons ?

Léo signifia par un geste de la tête en biais qu'il n'était pas contre l'idée...

–Va falloir aller dans la chambre à Rioux.

–Le scaleur ?

–Y a rien qu'un Rioux icitte pis il est parti à Rimouski.

–Comment ça se fait que tu sais ça ?

–Je l'ai vu partir.

–Non, non, qu'il a des portraits cochons ?

–J'en ai vu.

–T'as la clef ?

–Je vas aller la prendre dans la cuisine en bas. Attends-moi icitte une minute.

–On pourrait se faire poigner...

–Ben non, on va faire attention.

L'adolescent quitta la chambre et descendit les escaliers en sifflotant faiblement pour ne pas éveiller l'attention ou bien pour l'endormir si on s'intéressait à ses gestes. Il y avait beaucoup de monde à éviter : Jeannine qui avait toujours l'air de l'espionner, Ghislaine qui n'espionnait pas mais fouinait partout, Monique qui avait le don de se trouver au mauvais endroit au mauvais moment. C'était d'eux que venait le danger, pas des parents qui avaient les yeux aussi ouverts que l'aveugle du village.

Il se glissa dans la salle à manger puis dans la cuisine sombre. Il pouvait entendre des voix du côté de l'hôtel. Peut-être que les filles jouaient aux cartes ou se faisaient les ongles à une table du restaurant. Manda tricotait au salon en écoutant *Un homme et son péché* et Fortunat était parti on ne savait où juste après le souper.

–C'est quoi que tu cherches ? cria Manda qui l'entendait fouiller dans la boîte des clefs.

Surpris, Émilien bluffa :

–La clef de la chambre à monsieur Rioux. Il m'a prêté une crémone pour aller à la patinoire hier... je vas lui remettre.

–T'en as en masse, des crémones.

–Pas des belles comme ça...

–Ben je vas t'en faire une, moi...

–Une bonne idée, ça, maman...

Et il retourna chercher son ami pour le conduire à l'étage au dessous dans la chambre du pensionnaire absent. La valise pleine de promesses pulpeuses fut mise sur le lit et ouverte. L'enveloppe apparut.

–Assisons-nous à terre à côté du lit.

Ce qu'ils firent.

–On s'allume une cigarette ?

–Non, tantôt, tantôt...

L'adolescent sortit les photos et mit l'enveloppe plus loin. Et il commença de les montrer. C'était Mae West. Entre la troisième et la quatrième, il y avait un cheveu qui tomba. C'était une remarque. Rioux saurait qu'Émilien avait fouillé en son absence et il le souhaitait.

–Tout d'un coup qu'il s'en aperçoit.

–Ben non, voyons... Quen...

Et il en passa une autre à Léo. Alors apparut la première d'une série de plus osées dont le personnage n'était plus Mae West mais une inconnue. Nue. Seins menus. Triangle noir. Cheveux moins pâles. Aucun d'eux n'avait jamais vu une femme dans son plus simple appareil. Les yeux étaient agrandis, la salive abondante et le sexe d'équerre.

–On devrait se passer un Bonaparte ! suggéra soudain Émilien.

–Quoi ?

–Ben... un Bonaparte !

–C'est quoi, ça !

–Se crosser motadit, se crosser !

Faire ça avec Rioux, un homme de trente ans, eût suggéré à l'adolescent qu'il était un fifi, monstrueuse épithète, mais avec un gars de son âge devant les courbes de Mae West, ça lui paraissait acceptable. Érigé comme un singe, Léo était prêt lui aussi, mais à du chacun pour soi, et il ne s'imagina même pas que ça pouvait se faire à deux.

Émilien fit surgir son organe incirconcis. L'autre l'imita. Chacun ne put s'empêcher de regarder l'autre. De comparer à première vue. Léo reprit une photo de Mae West et se mit à agiter sa main sur lui-même tandis que son ami nourrissait son excitation à travers son observation des gestes de l'autre et une lente auto-manipulation.

–Tu veux pas que je t'aide ?

–Pour quoi faire ?

–Ben... j'te passe un Bonaparte : t'as rien qu'à te laisser faire. Pis tu me fais pareil...

Chacun avait le pouls accéléré et l'haleine courte, et cette proposition poussa chacun à sa troisième vitesse de réaction.

–Aimerais-tu ça lui rentrer ça entre les deux pattes ? demanda Émilien en faisant allusion à Mae West.

–Certain... certain...

Léo ne se possédait plus mais l'autre conservait un certain contrôle de la situation encore.

–Passe-moi la, ta souris, que je t'aide...

Émilien approcha sa main du sexe de son ami mais trop tard. Léo grimaçait déjà sous les attaques débridées du plaisir, et un puissant jet blanc semblable à du lait condensé émergea de lui pour s'abattre en cercle autour de sa personne sur le prélart vert, sur son genou et sur les photos cochonnes qu'il souilla.

–Maudit verrat ! c'est que t'as fait là ?

–J'ai déchargé, tu le vois ben.

Émilien oublia son propre plaisir. Il fouilla dans sa poche pour en sortir un mouchoir au plus vite afin d'essuyer ce qui venait de mouillasser sur les portraits.

Il épongea du mieux qu'il put puis se masturba à son tour à toute vapeur.

Quand, le pénis aligné dans son mouchoir, son ami atteignit l'empyrée, Léo quant à lui pensait à la géhenne et il regrettait ce qui venait d'arriver; et son regard restait accroché par un crucifix réprobateur suspendu sur le mur. Comme si le Christ en douleur lui avait dit : «C'est à cause de ce que tu viens de faire, mon cochon, que je meurs sur ma croix dans les pires tourments.»

Dans le noir du soir, Gilles et Clément fumaient une cigarette, cachés au fond de la boutique de forge, assis contre le mur sous un établi. Chacun s'étouffait, crachotait, toussait... Une idée neuve et drôle germa dans la tête de Gilles.

–On va jouer un tour à mon père, dit-il soudain.

–Comment ça ?

–On va paqueter sa pissotière de neige...

–Comme le tuyau d'exhaust à Blanc Gaboury ?

–C'est ça, c'est ça...

–Tu vas te faire sacrer une volée.

–Il saura pas que c'est moi, il va penser que c'est mon frère.

–O.K. d'abord.

Pour éviter de rentrer dans la maison chaque fois qu'il avait envie d'uriner, Ernest avait percé le mur de la boutique et introduit dans la jouée un tuyau de métal à sa grosseur. Les enfants savaient à quoi servait l'objet, mais il était situé trop haut pour eux, et ça les chicotait de ne pas pouvoir y pisser encore.

–Je vas chercher de la neige pis toi, tu vas rester dehors pour voir si elle sort...

Clément comprenait mal le plan mais il obéit et bientôt se retrouva dehors à l'autre bout de la pissotière tandis que son ami, à l'intérieur avec un gros morceau de neige, s'apprêtait à remplir le tuyau. Une autre idée vint alors au garnement : tant qu'à rire, autant faire d'une pierre deux coups ! Il se pencha et cria à voix à moitié retenue :

–Clément, Clément, t'es-tu là ?

L'autre s'approcha la tête. Gilles vit le reflet de son oeil grâce à celui de la lune.

–Reste là, je vas chercher un morceau de bois pour pousser la neige... Grouille pas, là...

L'enfant prit la boîte à beurre sur laquelle ils s'étaient assis pour fumer et la mit sous le tuyau.

–C'est que tu fais ? souffla Clément.

–Grouille pas pantoute...

–O.K. !

Et le petit malvat grimpa sur la boîte tout en sortant son pissou d'entre les boutons de sa culotte. Et se dépêcha d'uriner mais après avoir contracté ses muscles et retenu le jet qui ensuite fut expulsé avec force, si bien que Clément le reçut dans l'oeil et se mit à hurler tandis que son ami éclatait de son rire le plus clair, celui des moments où il jouait les pires tours de cochon.

Puis il paqueta de neige la pissotière en riant mentalement de la face que ferait son père la prochaine fois qu'il s'en servirait.

–Le bon Dieu va te punir, le bon Dieu va te punir... je vas le dire à ton père, vint lui crier son ami.

–Peuh !

Le lendemain midi, tous étaient à table sauf Ernest. Éva avait la face allongée et mangeait son ronge depuis l'arrivée de la malle et d'une lettre des États.

Son noir mari entra en grommelant :

–Y en a un, si je le poigne, il va se faire serrer les ouïes...

Il s'attendait à ce que sa femme dise : «Voyons donc, c'est qu'il se passe encore ?» Mais elle demeura silencieuse parmi les nombreux bruits de la tablée, échanges verbaux, ustensiles sur la vaisselle, toux...

L'homme se lava les mains tout en regardant par un miroir penché qui donnait une excellente vue des occupants de la table :

–Lequel qui est allé dans la boutique hier soir ?

–C'est pas moé ! se dépêcha de dire André.

Il fut aussitôt suspecté.

–Le Gilles ? demanda Ernest pour la forme.

–Ben non, j'étais à la patinoire, moé, dit l'enfant, désinvolte.

L'homme prit place et se versa des Corn Flakes; mais seulement quelques-uns tombèrent dans l'assiette, car il avait atteint le fond de la boîte.

–Bon... on mange quoi à part que de l'air à midi...

–Y a des patates rôties pis de la sauce blanche, dit Éva sans se départir de son visage lugubre.

–Maudit torrieu, ça me prend des Corn Flakes, envoye le Gilles en chercher au magasin, là...

–C'est quoi qui se passe de travers dans la boutique ? dit Éva.

–Bah ! le diable emporte ! Mais y en a un, si je le poigne, il va se faire soincer... pis au coton...

Il promena son regard sur chacun, mais ne put déterminer le coupable avec certitude, gardant toutefois son doute sur le dernier-né en qui il voyait un enfant ramolli style Martial.

–Tu l'envoyes, là, lui, aux Corn Flakes ?

Éva se rendit chercher de l'argent et dépêcha le cadet en commissionnaire.

–Ouais, ben on a une méchante nouvelle d'arrivée à matin, dit-elle en soupirant.

Ernest pensa à la menace du quêteux de St-Éphrem-de-Tring.

–C'est quoi ?

–Mon frère Fred... le cancer...

–Maudit torrieu ! un homme de cinquante ans.

Dans un sens, Ernest était soulagé. Y avait pas de quêteux derrière ça puisque le cancer du pauvre Fred n'était tout de même pas une maladie spontanée.

–Il se fait soigner toujours ?

–Ils peuvent rien faire pour lui. Ça prendrait un miracle, à ce qu'il paraît. Cancer des os : ça pardonne pas !

–C'est que tu veux : va ben tous falloir finir un jour par râler nos derniers râlements. Mais à cinquante ans, c'est une maudite jambette que la vie donne à ton frère.

Rachel sourit à l'autre bout de la table d'entendre ce cynisme râpeux. Sa mère hocha la tête et se tut. Ernest poursuivit :

–Un miracle, ça se peut : y en a dans la vieille Europe. Fatima, Lourdes. Il a les moyens, ton frère Fred, qu'il se fasse emmener dans les vieux pays. On s'en est fait assez tuer du monde par là durant les deux guerres, c'est le moins qu'eux autres, ils nous en guérissent un de temps en temps...

Gilles écoutait attentivement. Cette histoire de miracle, ça ravaudait dans sa tête... Bien entendu qu'il connaissait depuis des années l'histoire de Fatima : les soeurs en parlaient souvent pour édifier les enfants, et nombre d'images illustraient l'apparition de la Sainte Vierge. Oui, mais pourquoi cela ne se passait-il rien que dans les vieux pays ?

Dans l'après-midi, certains enfants se rendirent à la patinoire et d'autres sur le cap à Foley pour glisser en traîne sauvage, certains comme Gilles en 'jumper', le cul sur la planche, la tuque au vent et le rire qui parfois déboulait de la côte entre les sapins verts du boisé voisin.

Le cimetière se trouvait juste à côté derrière la salle paroissiale. Et de l'arrière du cimetière parurent tout à coup, comme venant de nulle part, marchant peti-peta dans le champ devant un traîneau rouge, les petits anges à Maria, Nicole et Yvon Lessard.

Le garçon s'arrêta un moment pour les regarder venir dans la luminosité de plein jour sur ce coteau aux airs de gâteau meringué. Il les vit se tourner vers le cimetière et faire le signe de la croix. Alors il les imagina revêtus d'ailes blanches et s'envolant dans les airs, sautant les clôtures sans même devoir les toucher...

Quand l'occasion se présenta dans l'après-midi, il leur demanda s'ils avaient déjà entendu parler des enfants de Fatima...

***

Chapitre 15

La femme se mit à genoux, mais ce n'était pas pour prier. Il faisait plutôt froid dans la pièce, et Rose frissonnait dans sa robe de chambre. Il montait du bain de la vapeur molle, et elle avait hâte d'entrer enfin dans l'eau chaude. Ne plus avoir à se débarbouiller à la petite serviette, porter des parfums sur de la peau propre, ultra-propre, paraître à son avantage chaque jour que le bon Dieu lui donnerait : quels morceaux de liberté ! Ne plus être encarcanée par toutes ces servitudes de la salle paroissiale : les élèves du professeur, les Chevaliers, les parties de cartes, les morts, les fermières et tout le bataclan ! Elle en avait son quota depuis longtemps de tout ça.

Le niveau lui parut assez élevé : elle plongea ses doigts et les agita pour se rendre compte de la température qui lui parut bonne. Une futile et bizarre question lui vint en tête. Pourquoi s'était-elle donc agenouillée ainsi ? Ce n'était pas nécessaire, et puis les genoux sur le prélart glacé, c'était un investissement sur du rhumatisme. D'un autre côté, ça lui faisait penser qu'il faudrait une descente de bain. S'il ne s'en trouvait pas dans la maison, elle s'en ferait confectionner une en catalogne ou en chenille par Maria Lessard ou une autre dame fermière du village, peut-être la femme à Ti-Bé Veilleux, Alexina. Car elle, Rose, n'avait jamais appris à tisser au métier et préférait consacrer tout son temps à visiter des clientes.

Elle ferma le robinet et, pendant un court moment, elle tendit l'oreille vers la chambre de la vieille dame Jolicoeur endormie. À peine là depuis une journée, elle savait déjà reconnaître les temps de veille et d'éveil de l'octogénaire. Madame Jolicoeur ne ronflait pas mais elle gémissait quand elle avait connaissance de la vie, pas pour indiquer de la souffrance, mais par une manie pour qu'on sache –et qu'elle-même sache aussi sans doute– qu'elle était encore de ce monde. Ou peut-être pour se plaindre de s'y trouver encore ?...

Rose se releva. Elle prit dans une petite armoire bleue un morceau de savon jaune qu'elle mit dans le porte-savon au-dessus de la cuvette puis une débarbouillette et une grande serviette qu'elle disposa sur le bord. Puis une autre serviette qu'elle mit par terre pour servir de descente de bain. Le grand moment arrivait, symbole de liberté retrouvée, celui où son corps et même son âme glisseraient dans la douce humidité d'une eau chaude qui enseignerait à chaque pore de sa peau, chaque sinuosité de son coeur, l'exaltation d'apprendre à fondre ensemble les plaisirs de la chair et ceux de l'esprit tout en respectant la morale chrétienne...

Elle ôta sa robe de chambre qu'elle suspendit à un crochet derrière la porte et elle se mit à fredonner :

«*Papillon, tu es volage !*
Tu ressembles à mon amant.
L'amour est un badinage,
L'amour est un passe-temps;
Quand j'ai mon amant,
J'ai le coeur content.»

Son corps bien enveloppé ressemblait à ceux des peintures de Rembrandt, à celui de Suzanne (et les vieillards) surtout, avec des pieds fins qui apparurent quand elle abandonna ses pantoufles de laine rose pour enjamber le bord de la cuvette.

Elle s'arrêta un moment par prudence pour assurer ses pieds

au fond mais également pour réfléchir tout en continuant de chantonner :

> *"Croyez-vous, mademoiselle,*
> *Que je viens ici pour vous ?*
> *J'en ai d'autre, à ma demande*
> *Qui sont plus belles que vous.*
> *Croyez-moi, mam'zelle,*
> *Je me ris de vous.»*

Plusieurs visages masculins se succédèrent en sa tête. Gustave d'abord qui lui faisait pitié. Puis celui du curé avec son regard le plus austère et accusateur. Et le professeur que cet isolement tout neuf faisait apparaître sous un jour nouveau et quelque peu troublant. Ensuite le vicaire qui avait dit qu'il ne tarderait pas à lui rendre visite dans sa nouvelle vie de recluse...

Pas un remords ne lui venait de se traiter ainsi aux petits oignons, pas la moindre velléité de regret, d'hésitation, de doute. Elle ploya son corps vers l'avant, plongea ses mains dans l'eau et frotta ses jambes, son ventre, sa poitrine. La chair de poule vint quémander de la chaleur; elle lui répondit en s'asseyant enfin dans cette eau si désirable qui l'envahit, la toucha douillettement comme si elle eût été des milliards d'ailes de papillon. Et ça la ramena à sa chanson.

> *«Monsieur, pour l'ingratitude,*
> *Votre coeur n'en manque pas;*
> *Vous avez souvent l'habitude*
> *Bien souvent d'changer d'appas.*
> *Croyez-moi, monsieur,*
> *N'y revenez pas.»*

Et d'autres visages du village traversèrent en image comme des oiseaux volages les feuillages de ses pensées. Le beau Laurent Bilodeau dont elle ne savait pas s'il avait compté un but pour elle comme il l'avait promis. Roland Campeau qui se montrait bien trop inoffensif et innocent pour ne pas être coupable de quelque chose...

Elle mouilla le savon, le frotta vigoureusement à la débarbouillette et entreprit de laver ses cuisses sans craindre de pénétrer profondément dans l'entrecuisses pour y déloger les résidus de leucorrhée qu'elle trouvait si malodorants certains jours, heureusement rares.

> *«Papillon, tu es volage !*
> *Tu ressembles à mon amant.*
> *L'amour est un badinage,*
> *L'amour est un passe-temps;*
> *Quand j'ai mon amant,*
> *J'ai le coeur content.»*

Puis ce fut le visage d'Ernest qui se profila dans une nuit lointaine pour se rapprocher vivement et se transformer en un regard rouge qui ne contenait aucune menace mais quelque chose de rétif et d'un peu pervers, une lueur semblable à ce qui se pouvait apercevoir parfois dans l'oeil écarté de certains chevaux excités sur le point de prendre le mors aux dents...

La fragrance corsée du savon du pays chassait maintenant l'odeur de remucre qui se dégageait de cette pièce peu utilisée ces derniers temps. Rose se cala un peu plus dans l'eau qui atteignit sa nuque puis ses cheveux enveloppés dans une résille. Elle se sentait comme une fleur, comme une rose moussue cajolée par le vent doux d'un soir de juin. Quel bien-être lorsqu'au printemps elle ouvrirait les fenêtres de cet étage pour laisser entrer la brise et les effluves qui se dégageraient de tous ces végétaux des environs, des grands ormes d'en avant, des surfaces fleuries et colorées entourant la maison de Bernadette située à côté, des arbres à lilas penchés au-dessus de la balançoire des autres voisins, les Poirier si discrets.

Ensuite, elle s'accrocha une jambe au bord de la cuvette et la massa légèrement puis la frotta un court temps, y laissant des savonnures blanchâtres. Un autre couplet de sa chanson lui revint en mémoire :

«Si l'amour avait des ailes,

Comme toi, beau papillon,

Il irait de ville en ville

Pour rejoindre mon amant,

Lui faire assavoir

De mes compliments.»

Sans crier gare, soudain, une inquiétude traversa son esprit. Depuis qu'elle jouissait ainsi de sa bienheureuse solitude, elle en oubliait la vieille dame qui pouvait avoir besoin d'elle. Ses plaintes seraient-elles audibles avec une porte, un long escalier et un espace de chambre les séparant. Il faudrait qu'elle trouve une petite clochette à mettre sur sa table de chevet...

Sur le point de renouer avec le charme du moment précédent, elle fut atteinte par une autre question. Pourquoi son imagination ne lui avait-elle servi que des visages masculins depuis qu'elle se trouvait là en train d'apprécier sa liberté ? Elle ne pouvait s'empêcher de penser que sa séparation abaissait des barrières; et ses conversations avec le vicaire, le professeur, avec Laurent Bilodeau et avec Ernest Maheux lui en avaient fait prendre conscience. Mais la chute de ces obstacles n'érigerait-elle pas autour d'elle un mur de solitude bien plus épais encore car imposé non plus par les liens sacrés du mariage mais par la nécessité incontournable d'une discipline personnelle ? Des chaînes invisibles mais ô combien plus serrées que les précédentes ne risquaient-elles pas de l'entourer, de l'emprisonner à jamais ?

Ah ! et puis non, et pourquoi dramatiser dans un tel moment de rêve ? Pourquoi transformer en maladie une simple échauffaison passagère ? Elle n'avait qu'à penser aux femmes du village, à Éva et son nez tout rouge quand elle le dépoudrait, à Rachel et sa tristesse mal camouflée et tout aussi poudrée, à Ti-Noire qui simulait patience et pondération, à la gesteuse Lorraine Bureau, à l'ineffable Bernadette au rire farfelu qui radotait la nostalgie, à la femme du docteur, à la mine furtive et fautive, à Octavie Buteau qui se crachait les poumons en expectorant dans une petite boîte à l'église et qui ne devait plus s'accuser au confessionnal que du seul péché de ne pas mourir, à Jeannine Fortier et Claudia Bilodeau, ses deux meilleures clientes à la naïveté trop apparente...

Elle regarda sa main : la peau plissotait. Ce n'était pas l'âge, c'était l'eau. Vil prix à payer pour être propre, pour être bien...

Ernest bougea ses doigts devant lui au-dessus du plat des mains dans lequel il finissait de se laver la tête. Une poignée de cheveux lui apparut. Ça lui piquait tellement dans le cuir chevelu depuis la veille qu'il avait décidé de se le savonner comme il faut avant le samedi, jour où il le faisait d'habitude.

–Maudit torrieu ! La maudite ouvrage dans le charbon, moé, je vas finir par perdre tous mes cheveux... La mère, viens voir ça...

Éva travaillait dans son magasin : elle n'entendit pas. Les enfants étaient tous partis, les plus jeunes à la patinoire, les adolescents avec leurs amis et Rachel au restaurant. L'homme se pencha et se cala la tête dans l'eau sale, et il se frotta à nouveau et plus vigoureusement le fond de la chevelure pour aboutir ensuite au même résultat quant à la chute de cheveux. Et se retrouvant deux fois plus en maudit.

–La mère, maudit torrieu ! viens voir ça icitte !

La voix cette fois fut si terrible que sa femme accourut en geignant :

–Tu vois ben que je travaille, là, moi...

–Je le sais que tu travailles, je le sais... Regarde ce qu'il m'arrive. Les cheveux me tombent, comme du foin sec, de l'autre côté d'une p'tite faux...

La candeur d'Éva se transforma pour lui en cynisme insupportable quand elle dit :

–Ah ! c'était à toi de pas insulter le quêteux Labonté ! Il t'a jeté un mauvais sort, asteur endure !

Il y a de ces moments dans une vie d'homme où toutes ses peurs convergent et s'additionnent pour se décupler. Ernest entrait la tête première dans un de ces moments effrayants et fantastiques. Inattentive et peu encline à patienter, la pauvre femme ajouta de la risée irréfléchie à l'injure :

–J'vois pas pourquoi c'est faire que les cheveux te tomberaient, toi, tu travailles même pas de la tête... même si ça t'arrive des fois de travailler du chapeau...

Pour la toute première fois de sa vie, Ernest blasphéma. Aussi impitoyablement flagellé, il lui revint en mémoire tous ces sacres et jurons qu'il avait si souvent entendus dans les chantiers et qui jamais n'avaient valu à leurs auteurs les foudres du ciel, encore moins les visites de Lucifer.

–Maudite sainte Viarge ! siffla-t-il à voix basse et infernale.

Cela eut pour effet de raplomber Éva dans une circonspection meilleure, de l'interpeller, de la mettre sur la sellette. Ce ne serait pas leur première chicane depuis trente ans, et on s'était alors toujours parlé bec et ongles, mais sans violence physique. Voilà que celle-ci s'annonçait différente... Elle prit conscience tout à coup de l'importance que pouvait avoir sa chevelure pour cet homme de cinquante ans qui avait toujours fait montre d'une certaine fierté quand les dimanches et fêtes l'extrayaient de sa noire boutique de forge. Et puis planait au-dessus de ce problème de chevelure sûrement causé par le charbon, une odeur de superstition, le malheur commandé et dirigé par un étranger venu inopinément réclamer un dû auquel il n'avait droit ni au nom de Dieu ni au nom du diable.

Depuis le départ coléreux du quêteux de St-Éphrem-de-Tring et l'avertissement que Lucien Boucher lui avait servi ensuite, Ernest combattait sa peur en l'écoutant un instant puis en lui faisant des simagrées le moment d'après. Jeter des sorts relevait du mal, pas du bien, et Labonté ne pouvait donc pas être l'associé de Dieu dans son rôle de clochard pitoyable.

–C'est pas grave, voyons, les miens itou, ils tombent à poignée. C'est pas ça qui va te faire mourir...

L'agressivité de l'homme était maintenant à court de mots. En une fraction de seconde, il chercha une solution à son mal moral et ne put trouver, en guise de réponse, que son vieil ami l'isolement, le refuge dans la solitude...

–Tasse-toé donc ! fit-il en bousculant Éva pour se rendre dans la chambre à coucher.

Reculant brusquement à cause du coup reçu, elle perdit l'équilibre et tomba vers l'arrière, ses reins heurtant la lessiveuse. Le choc fut si dur qu'elle en fit une deuxième chute, celle-là à terre sous l'oeil effrayé du chat couché.

Abasourdie, elle eut du mal à se relever et quand elle y parvint, elle choisit de retourner au magasin et de laisser son mari reprendre ses esprits, enfermé dans la chambre noire.

***

Chapitre 16

–Non, mais vous avez pas vu la belle babine à Eugène, vous autres : une vraie gueule de cheval !

–De picouille, tu veux dire !

–Paraît qu'il a même pas voulu se faire recoudre par le docteur pour pas que ça coûte de l'argent.

Rachel écoutait, mais elle ne participait pas à cet échange sur le gardien blessé l'avant-veille. Jeannine, Ti-Noire et elle placotaient, assises à une banquette du restaurant, sirotant chacune un Pepsi avec une paille. Dehors, il continuait de faire un temps doux mais sans soleil ce jour-là. Parfois, on entendait des éclats de voix et des rires d'adolescents : c'étaient Émilien, Léo et trois autres qui jouaient aux cartes dans un petit réduit derrière la grande salle, pièce qu'on appelait le 'bar à tuer'. On y confinait les vrais soûlons ou les personnages ivres-morts. Et parfois aussi d'aucuns qui désiraient revirer la brosse s'y réfugiaient volontiers, sachant qu'en principe, le lieu leur était attitré.

Ti-Noire portait un rouge à lèvres foncé qui accentuait la couleur de ses cheveux; Jeannine en avait mis un pâle; et Rachel ne portait aucun maquillage.

–Tu parles pas beaucoup, toi, Rachel, aujourd'hui... Jongleuse, on dirait ?

Elle soupira, haussa les épaules puis fit une réponse élusive :

–Bah !... la fatigue...

Jeannine se fit taquine :

–C'est pas parce qu'on parle en mal d'Eugène, toujours ?...

Ti-Noire répondit pour Rachel :

–Ça me surprendrait que son coeur batte pour quelqu'un du bas de la Grande-Ligne, hein ma noire ?

Et elle s'esclaffa un peu à la manière excessive de sa mère tout en poussant Rachel du coude. Le commentaire incluait une question cachée portant sur sa relation avec Jean-Yves ou du moins son sentiment pour lui. En fait, le coeur de la jeune femme continuait de tergiverser, de descendre au fond d'un puits noir où peut-être se trouverait la vérité. Sa vérité. L'incident qui avait opposé ses parents la veille et que sa mère lui avait raconté, la rendait encore plus farouche face à l'amour humain. Et sur les entrefaites, la séparation de madame Rose... Et cette obligation qu'avaient les femmes mariées de porter cinq, dix enfants, ça lui paraissait si effrayant, si peu humain. Se marier peut-être, mais n'avoir qu'un ou deux enfants, rester mince comme Alexina, la femme à Ti-Bé Veilleux, ne pas dilapider sa santé, faire de sa vie une broderie ouvragée, pas un long exercice de travaux forcés. Ce qu'on disait être un mariage fécond n'était-il pas pour la femme simplement une terre ingrate qu'il fallait cultiver à force de sacrifices ? Les autres jeunes filles la disaient trop pessimiste et scrupuleuse. La plupart se promettaient bien d'empêcher la famille et de n'avoir que deux ou trois enfants tout au plus, ajoutant qu'en outre, elles ne s'en accuseraient jamais au confessionnal. Mais en catholique invétérée, Rachel ne parvenait pas à envisager les choses avec une telle désinvolture. Il n'était pas si tard que ça pour entrer au couvent; elle pourrait s'y instruire bien plus, rester maîtresse d'école durant toute sa vie active, ne jamais se faire bousculer par un homme... mais ne jamais s'en faire aimer non plus... Elle avait le goût de rencontrer Esther Létourneau qui côtoyait les soeurs tous les jours, côtoyait aussi les prêtres au presbytère où elle vivait, jeune femme dont on disait qu'elle finirait par prendre le voile. S'ouvrir le coeur devant Jeannine et Ti-Noire, ce serait risquer de les faire rire, de les éloigner. Pour s'échapper du coin où elle se trouvait, il lui fallut manquer de discrétion :

–Bah ! c'est mes parents qui m'inquiètent. Mon père, il est en train on dirait de faire une pelade pis il s'en prend à tout le monde, à ma mère surtout... pis même à un quêteux... il dit que c'est un sort que le quêteux Labonté a jeté sur lui...

–Ça se peut, ça, dit Jeannine. Il me fait assez peur, ce quêteux-là, moi.

–Voyons donc, des sorts, c'est des folies, ça !

–Dis pas ça, Ti-Noire, fit Jeannine sur un ton sérieux. C'est le diable qui est en arrière de ça.

Marielle haussa les épaules et demanda à Rachel :

–Qu'est-ce que t'en penses, toi ?

–Y a monsieur Lambert qui est venu imposer ses mains à notre cheval déjà pour guérir ses coliques pis le lendemain, le cheval était mort...

–Comme ça, tu crois pas aux miracles ? dit Jeannine.

–Aux miracles, c'est pas pareil ! dit Rachel.

–Le bon Dieu est plus fort que le diable, mais le diable agit sur la terre itou, pis il le fait à travers ceux qui jettent des sorts.

–Parlant du diable, les filles, v'là le démon blond qui s'amène, dit Ti-Noire qui regardait par la fenêtre. On dirait même qu'il s'en vient par icitte.

–Lorraine Bureau se vante de sortir avec lui. Il a réveillonné chez eux, dit Jeannine.

–Ça veut rien dire, elle, c'est une m'as-tu-vu qui se prend pour le nombril de la paroisse, dit Marielle.

–Hey, les filles, on le laisse entrer au restaurant, pis on va le regarder toutes les trois en pleine face : on va ben voir laquelle qu'il va regarder le plus, lui. Juste pour rire !

–On va le faire gêner...

–Ben non, y est jamais gêné avec personne, lui.

–Essayons !...

–Il va peut-être passer son chemin tout droit...

L'idée de ce concours improvisé excitait au moins deux des trois filles et même Rachel se prit au jeu afin d'oublier ses malaises physiques et moraux. On perdit le personnage de vue puis on entendit des pas dans l'escalier extérieur. La porte s'ouvrit, et bientôt le jeune homme parut. Aussitôt il aperçut les trois paires d'yeux qui le dévisageaient et, bon vendeur qu'il était, il éventa le piège en faisant tourner les siens sans arrêt de l'une à l'autre tout en cherchant à leur débiter une phrase de vendeur en même temps qu'il s'approchait de leur table :

–Salut vous autres ! Savez-vous, on vient de recevoir une trentaine de belles robes du côté des femmes. Si ça vous le dit de voir ça. Comme vous le savez, c'est ma mère qui s'occupe... avec dévouement et compétence... de ce rayon-là...

Désarçonnées, contrariées dans un sens, elles se bornèrent à des intentions superficielles. Il se rendit au comptoir où il prit place en attendant Jeannine qui tarda juste un peu, le temps de lui faire sentir qu'elle le considérait comme un autre client sans plus. Là encore, il ne s'y laissa pas prendre. Il comprit le signe, et ça lui injecta les yeux et la tête d'une réflexion à base de calcul. Chacun savait que la veille du jour de l'An, beaucoup iraient patiner pour ensuite veiller à l'hôtel et défoncer l'année. Et s'il invitait l'une d'elles à l'accompagner ce soir-là, il ferait d'une pierre plusieurs coups : ça forcerait Lorraine, l'envahisseuse, à prendre ses distances, ça rendrait jalouses les autres filles du village dont le coeur n'était pas encore occupé et ça lui ferait une blonde... pour un mois ou deux. Et tant qu'à faire, pourquoi ne pas mettre du piquant au jeu; après tout, c'est elles qui avaient ouvert la partie ?

Pendant qu'entre deux gorgées de Coke, il alignait des chiffres sur une serviette de table tout en prêtant oreille à leurs propos badins, il goûtait au plaisir anticipé de les embêter et de les confondre. Le moment venu, il ramassa son souffle et ses épaules comme pour mettre un adversaire en échec au hockey et il dit en se tournant sur son banc mobile :

–Et si une de vous trois acceptait de défoncer l'année avec moi, ce serait laquelle ?

–Quoi ? dit Ti-Noire qui avait compris mais hésitait à croire qu'il avait pu dire pareille chose.

Il répéta la question en s'approchant, large sourire dehors.

–À toi de choisir, mon noir, dit Ti-Noire. Nous autres, on est trois veuves à l'herbe comme c'est là. Ben à moins que Rachel sorte avec Jean-Yves, mais j'pense pas...

Rachel esquissa un sourire sans répondre. Cela se transforma en défi pour le jeune homme qui oublia aussitôt son projet et s'adressa à elle :

–Si tu veux venir patiner samedi soir...

–Ben... correct...

–On se voit à la patinoire à neuf heures ?

–Ben... j'irai.

Et il partit tandis que les filles se remettaient de leurs émotions. Quand la porte se referma sur lui, Jeannine lança :

–Grand fatigant qu'il est ! Moi, j'aurais dit non à ta place, Rachel. Il fait trop son empereur, celui-là.

–Bah ! j'suis venue pour dire non pis ça a sorti oui de ma bouche. C'est juste pour entrer dans 1950...

Marielle aussi était déçue mais pas pour elle-même. Il lui semblait que son frère méritait Rachel...

L'incident laissa du brouillard sur la place. Et ce fut un sujet de conversation moins amusant qui retint le gros de leur attention dans la demi-heure suivante. Il fut question de Fernand Rouleau, ce revenant dont on disait de plus en plus qu'il n'était pas veuf comme il le prétendait, mais séparé, et que la raison de cette séparation et de son retour à Saint-Honoré était sérieuse...

–D'aucuns disent qu'il serait parti vite de l'Ontario, dit Rachel qui l'avait entendu d'Ernest qui l'avait su de l'aveugle Lambert qui lui, l'avait appris au bureau de poste.

–Ben moi, je vas savoir le court pis le long quand je vas le voir au magasin, promit Ti-Noire. Je vas lui tirer les vers du nez à celui-là, moi.

C'est ainsi que plus d'une heure auparavant, les jeunes filles s'étaient réunies avec chacune un état d'âme particulier; voilà que le malaise intérieur était passé de Rachel à Jeannine et que Ti-Noire avait, semble-t-il, hérité de l'incertitude première de Rachel. Et Rachel y voyait plus clair. Du moins pour jusqu'en 1950... Et tourne et tourne la roue de la vie et des relations interpersonnelles...

Dès son retour, Fernand Rouleau s'était rendu au moulin à scie y rencontrer Dominique Blais et lui demander de l'embauche. L'industriel lui en avait promis pour après Noël alors qu'il faudrait débiter une grande quantité de billes venues du chantier de la *John Breakey* dans la concession de Dorset.

L'homme s'y trouvait donc depuis l'avant-veille à 'clairer' la grand-scie, travail qui consistait à attraper un morceau de bois fraîchement débité qu'une courroie de cuir entraînait, et à l'insérer entre les mâchoires d'une scie à ruban pour qu'il soit alors fendu en deux planches grossières, lesquelles une fois séchées au printemps tard, seraient aplanies pour en faire des faces de boîtes à beurre.

Le teint olivâtre, l'oeil inquiet et poché, la mâchoire accusée et le visage maigre, Fernand songeait. Des images de son passé se bousculaient en sa tête et se superposaient avec tout ce que le moment présent dans ce moulin sombre imposait à ses sens.

Une Indienne blessée, maîtrisée...

Le convoyeur ramena la bille entamée au scieur qui d'un geste habile la retourna sur elle-même afin de la renvoyer aux dents de la scie...

L'Indienne se contorsionne pour éviter le viol, mais elle est retournée, frappée, frappée... Ce n'est pas un viol... c'est une prise de possession puisque la jeune femme n'est qu'une sauvage...

La grand-scie, cette fois, ne débita qu'une croûte puisque la bille était noueuse et crochue.

Les jambes féminines se font écarter pas des genoux masculins impitoyables et le sexe est attaqué, éventré, souillé...

De l'ouverture servant de porte menant à la bouilloire et à l'engin qui faisait virer le moulin surgit un visage familier mais combien terrible à voir chaque fois. François Bélanger, homme à la gueule monstrueuse toute en plis et boursouflures, semblable à un bouledogue à la peau lâche et abondante, vint crier d'une bouche hideuse, quelque chose à l'oreille de Dominique qui l'approuva en riant puis en regardant du côté de Fernand.

Un bruit strident s'éleva depuis la scie...

L'Indienne se désâme, crie au meurtre, mais cela durcit encore plus le sexe et le coeur de l'homme...

Quatre dollars et demi par jour qu'il touchait pour exécuter ce travail dans le bruit excessif, l'air cru, l'odeur de puisard dégagée par les écorces des billes ayant séjourné dans un bassin chauffé en bas du moulin. Pas payeux, disait-on des frères Blais mais l'ivrognerie de Dominique mise à part, ils ne se payaient pas de grand luxe pour eux-mêmes.

C'est la parole de cet homme blanc contre celle de cette femme indienne, déclare le juge pour blanchir le violeur présumé. Mais l'épouse de Fernand, une autre Indienne, croit sans peine en la culpabilité de son mari qui la bat et la méprise...

La vitesse de la scie se mit à décroître de même que les divers bruits de poulies et courroies. C'était l'heure de la pause de dix minutes du milieu de l'après-midi. Les hommes se hâtèrent de descendre dans la salle de l'engin où ils trouvèrent chaleur et François qui vendait du Coke et des petits gâteaux Vachon.

Dominique fut le dernier arrivé. Il fit un clin d'oeil à François qui lui répondit de la même manière sans que personne ne s'en rende compte puisqu'il avait déjà les yeux bloqués par ses paupières épaisses et ne pouvait y voir qu'à travers un interstice mince et étiré.

Quand il eut fini de boire et manger, Fernand interrompit sa conversation à bâtons rompus avec les autres hommes et sortit pour aller uriner. Déjà le moulin se remettait en marche quand il revint, et il fut le dernier à prendre l'escalier. Pendant un moment, il regarda l'imposant feu que l'on pouvait apercevoir à travers un orifice dans lequel François allait pelleter du bran de scie suivant les besoins de la pression dans la chaudière.

Sa femme l'injurie, lui hurle qu'il se fera régler son compte par des Indiens, veut se sauver avec l'enfant. Il les rattrape, lui donne une raclée et, à son tour, se sauve avec le garçonnet. Il ne peut plus vivre là-bas et prend vite le train pour revenir dans sa paroisse natale où les Indiens ne viendront jamais...

Il aurait passé des heures à regarder la flamme qui le fascine, l'hypnotise mais l'ouvrage demande et commande. Au moment de se remettre à gravir les marches –il n'en reste que deux– son regard tombe sur un pot qu'on a déposé sur une espèce de tablette à côté de l'embrasure. Il contient un liquide et un objet qu'il ne reconnaît pas à l'instant. Un autre que lui aurait eu un haut-lecoeur à se rendre compte de ce que c'était. Un pénis d'animal, croit-il l'espace d'une seconde. Puis l'ongle de la chose allongée lui révèle qu'il s'agit en fait d'un doigt humain...

La nécrose a fait en sorte que des filaments de peau flottent en se balançant. Tout cela relève quasiment du fantastique mais se passe bel et bien sous ses yeux. Il se retourne et aperçoit l'affreuse grimace qui sert de rire à François. Il avance et voit les hommes qui le regardent arriver; aucun ne sourit, pas même Dominique qui le laisse approcher. Et sans crier gare, l'industriel embaumeur lève le bras, la main, les doigts...

Fernand sursaute. Il manque le majeur dans ce trou entre les deux autres doigts. Tous se mettent à rire. Dominique alors crie à Fernand qui le regarde, bouche bée :

–C'est mon doigt que t'as vu dans le formol là-bas. Je l'expose pour montrer aux travaillants qu'il faut être plus prudent que moé, mon ami.

–En arrière de la grand-scie, c'est pas trop dangereux, argumente Fernand.

–Oui, mais tu resteras pas là tout le temps.

Ils ne s'en dirent pas davantage; déjà le bruit de la scie couvrait tous les autres et ne laissait plus de liberté qu'aux pensées les plus cachées enfermées dans les basses-fosses de l'âme...

Fernand se remit au travail. Content. L'ensemble des choses qui l'environnaient lui plaisait fort. Lumière jaune. Odeur âcre. Cacophonie. Il avait toujours nourri son goût pour l'insolite, et ça l'avait conduit à une tribu indienne du nord de l'Ontario. Fréquentation de lieux mal famés, de prostituées, participation à des messes noires, des orgies.

Et il priait parfois le soir... Et mille fois, il avait lu un texte du chanoine Arnoux, seule lecture de chevet :

«Dans l'enfer, un diable crie à l'autre : frappe, écorche, égorge, tue, assassine promptement, mets vivement celui-là sur les charbons, jette celui-ci dans les fourneaux et chaudières bouillantes. Et les filles vaines auront entre leurs bras un très cruel dragon enflammé comme feu ou, si tu aimes mieux, un diable en forme de dragon, lequel, avec sa queue serpentine, leur liera et enchaînera les pieds et les jambes et embrassera tout leur

corps avec ses cruelles griffes, mettra sa bouche baveuse et puante sur la leur, vomissant en icelle flammes de feu et soufre avec du poison et venin... avec son nez morveux et vilain, inspirera dans le leur un souffle très puant et envenimé... Et finalement ce dragon leur causera mille douleurs, mille coliques et cruelles torsions du ventre, et tous les damnés crieront avec les diables : Voici la paillarde ! Voici la putain; qu'elle soit donc tourmentée; sus, sus, les diables ! Sus démons ! Sus, sus, furies infernales ! Voici la paillarde, voici la putain ! Jetez-vous sur cette putain et qu'on lui rende autant de tourments !»

Fernand priait le diable certains soirs entre le vin et le gin...

Et le diable l'écoutait peut-être puisqu'il avait mis cette Marie Sirois dans une maison voisine qui, chance ! appartenait à son père. Marie qu'il ne connaissait pas depuis l'enfance ou l'adolescence puisqu'elle n'était pas originaire de Saint-Honoré et qu'elle était venue s'y établir alors que lui-même avait déjà quitté la région. Marie Sirois dont il savait déjà beaucoup de choses...

***

Chapitre 17

Rachel Maheux s'en allait à la patinoire dans le froid mordant de ce dernier soir de l'année 1949.

Des pensées moroses ombrageaient pourtant son coeur et sa marche, une marche à pas mesurés mais plus assurés maintenant. Elle avait Martial en tête. À vingt ans, son frère jouerait sa vie deux fois au cours de l'année à venir sous le couteau du chirurgien. Il serait charcuté et deviendrait donc un infirme. Et la vieille question de chaque être humain lui tournait dans l'esprit : pourquoi venir au monde et souffrir autant ? Pourquoi certains comme Laurent Bilodeau en avaient-ils autant reçu et d'autres comme Martial devaient-ils se battre pour conserver chaque pouce de terrain devant les sournoises attaques de la maladie et peut-être de la mort ?

«Y aura ben une justice de l'autre bord !» redisait Éva depuis toujours mais sans beaucoup de conviction.

Et chaque fois qu'elle se servait du batteur d'oeufs, elle s'arrêtait un moment pour servir à ses filles un autre de ses aphorismes préférés :

«On fait pas d'omelettes sans casser des oeufs.»

Souffrance, résignation, péché, maladie, tristesse, désespoir :

que Dieu en laissait passer, qu'Il en laissait donc se répandre, des maux impossibles dans cette vallée de larmes !

«C'est la misère qu'on a qui rembellit son âme pis qui va nous donner une meilleure place au paradis.»

Crainte de l'homme, crainte de Dieu, la jeune Rachel pouvait-elle asseoir une vocation sur pareille absence d'espérance ?

Elle soupira, remonta plus haut sur son épaule les lacets attachés qui servaient de bretelle à ses patins. Ça ne pouvait être que physique, cette morosité ! Elle avait perdu pas mal de sang en décembre par menstruations et par chirurgie. Anémie. Le vague à l'âme disparaîtrait quand elle mordrait à nouveau à belles dents dans la vie. Et pourquoi ne pas commencer maintenant ?

Il y avait déjà beaucoup de patineurs sur la glace. Surtout de jeunes adolescentes et quelques enfants accompagnés de leurs parents. Plusieurs s'apprêtaient à s'en aller au contraire des jeunesses qui vieilliraient quelque peu le portrait général, l'heure avançant.

Elle longea la bande, se rendit droit au chalet et pénétra dans le quartier des filles déjà rempli de patineuses. À croire qu'elle arrivait la dernière !

–Viens t'asseoir ici ! lui cria Lorraine Bureau qui lui adressait un sourire sucré. On va se tasser un peu...

Adossées sous l'ouverture donnant sur la pièce centrale se trouvaient à la suite l'une de l'autre, Ti-Noire Grégoire, Claudia Bilodeau, Monique et Jeannine Fortier, puis Lorraine qui occupait une encoignure.

On s'échangea des salutations, et l'arrivante put bientôt s'asseoir. Jusque là, elle n'avait regardé que les visages, mais son attention passa aux vêtements puisque Lorraine fit exprès de parler du froid exigeant.

Il lui sembla que les filles portaient toutes du neuf, ce qui ne suscitait en elle aucun sentiment négatif, aucune peur de la compétition. À part Lorraine, rares étaient celles qui cherchaient à épater et à surpasser une rivale ! Mais il entrait plus d'argent chez les Grégoire, les Bilodeau et les Fortier à cause de leurs commerces que dans les goussets de Rachel dont la paye de maîtresse d'école ne permettait aucune extravagance, surtout avec ces dettes de médecine et d'hôpital à essuyer.

La fumée de cigarette de la section des gars se répandait par-dessus les cloisons avec la chaleur et venait s'ajouter à celle qui rôdait déjà et que produisaient quelques fumeuses comme Jeannine Fortier et Francine Paradis.

Ça parlait fort, ça riait, ça criait, ça toussait, et des nez enchifrenés reniflaient.

–Paraît que tu t'es trouvé un cavalier pour défoncer l'année ? dit Lorraine en prenant Rachel par le bras. T'es ben chanceuse, nous autres, on est tuseules comme des vieilles coqs d'Inde...

Rachel n'avait pas l'humeur assez rose pour laisser l'autre picorer dans sa fierté. Elle répondit sans rire :

–T'es pas sans savoir que j'ai rien cherché... ça fait que... dis pas que j'ai trouvé... Y en a assez qui cherchent sans le dire... tu trouves pas ?

Lorraine para le coup :

–Ça, c'est ben trop vrai ! Pis la santé, comment ça va ?

–Comme tu vois, je me sens capable de patiner.

Claudia intervint :

–C'est pas dangereux, tu penses, de patiner aussi vite après ton opération ?

–Ah! je jouerais pas une partie de hockey avec les gars, là, mais ça se vit comme on dit... La plaie est ben fermée; c'est un peu raide, c'est tout !

Lorraine se rappela que Laurent lui avait dit sans trop de ménagement quelques jours plus tôt de prendre des leçons de patinage... Des petites lumières semblables à des mouches à feu se mirent à piquer son oeil... Et ça ne l'embellissait point...

Dans la pièce centrale, Gustave jetait un quartier de bois dans la truie qui ne dérougissait jamais. Tenir compagnie au vicaire, passer un temps interminable qui poireautait dans tout son logement de la salle depuis le départ de Rose, fuir la tristesse qui, modiste impitoyable, travaillait à coiffer son coeur d'une casquette de cloporte, voilà ce qu'il faisait là ce soir-là...

–Monsieur le vicaire, je vous trouve ben dévoué de venir passer la veillée icitte. On est chanceux d'avoir des prêtres comme on a, nous autres, par icitte, ben chanceux...

Même usée à la corde, cette vieille parole flagorneuse, au demeurant sincère chez plusieurs, ébranla le prêtre dans son intention ferme d'aller visiter Rose chez elle après la fermeture de la patinoire vers dix heures et demie. Rien d'étonnant pour les voisins à cette visite tardive puisqu'il pouvait fort bien s'agir de réconfort qu'il allait prodiguer à la pauvre vieille veuve affligée. Il ne resterait pas une heure. Quant à Rose, elle verrait qu'il tenait sa promesse et ne pourrait y trouver à redire puisqu'elle-même avant d'abord lancé l'invitation. Mais cet air de chien battu chez Gustave compliquait un peu les choses. Même si tout ça restait sous le signe de la plus entière décence, et si cette rencontre malgré l'heure et la nuit devait être parfaitement honnête, il se sentait la conscience d'un maquignon tout à coup. Peut-être à cause de l'heure et de la nuit justement...

–C'est pas du tout un devoir déplaisant à remplir que de se trouver parmi ses jeunes paroissiens la veille du jour de l'An...

Gus souleva le rond du poêle avec la bordiche et il écrasa la flamme à l'intérieur en disant :

–Oui, mais vous pourriez être assis au presbytère, à la belle chaleur, à lire des grands livres sur l'histoire du monde.

Assis sur une berçante, chaussé de ses patins, calotte à palette et cache-oreilles, le prêtre fumait une cigarette avant de retourner sur la glace.

–Chaque chose en son temps, Gustave. Faut entretenir son esprit bien sûr, mais aussi son corps. Men sana in corpore sano !

–Parlez-moi pas en latin, moé, j'ai de la misère à comprendre le français...

–Une âme saine dans un corps sain !

–Ah !

–Sauf votre respect, Gustave, vous pensez pas que vous la faites ronfler un peu fort, la truie ? Le Colisée de Québec, c'est une histoire de tuyaux qui a mis le feu le printemps passé, à ce qu'il paraît.

Une tête d'enfant parut dans le carreau de la pièce des gars, et demanda un Coke. Gustave le servit depuis une caisse de bois, encaissa l'argent tout en parlant au prêtre :

–Sauf votre respect, monsieur le vicaire, ça fait des années que c'est moé qui chauffe la sacristie, l'église pis la salle, pis tout ça, je vous le garantis, sera encore debout que ça fera un bail que vous pis moé, on sera pus là.

–Je disais ça comme ça... j'ai ben confiance en vos capacités pis en votre jugement...

–J'suis peut-être pas l'homme de la situation dans une vie de ménage, mais les rondins pis le bois de chauffage, ça me connaît.

La conscience du vicaire fut à nouveau tiraillée, et l'homme la fustigea sans rien lui dire, et simplement et se levant pour quitter les lieux et aller patiner.

–Voulez-vous que je mette des records ? Des grandes valses, pourquoi pas ?

–Plus tard, Gustave, quand les plus jeunes seront partis. Autrement, les petits gars vont s'imaginer assez grands pour faire patiner les petites filles...

–À votre service !

Du côté des gars, Laurent et Jean-Yves se parlaient comme si de rien n'était, comme si le second ignorait que le premier avait invité Rachel à défoncer avec lui l'année 1950. Tout comme courent chaque fin de siècle des superstitions quant aux attitudes que l'on peut avoir au moment où cela se produit, des demi-craintes existaient chez les âmes les plus influençables quant à leur entrée dans la seconde partie d'un siècle. Se sentir heureux à minuit du premier janvier de l'année sainte, ce serait une promesse de bonheur pour sans doute beaucoup de temps par la suite.

–Va falloir qu'Andronique nous fasse jouer sur la même ligne, opina Laurent. Pis quand ça sera à nous autres sur la glace, on jouera offensif pis quand ça sera l'autre ligne, on jouera défensif. C'est la manière de gagner des parties. Nous autres, on va compter des buts pis l'autre ligne va empêcher l'adversaire d'en compter dans nos buts, à nous autres. Simple comme le nez au milieu du visage, ça...

en haut de page

L'instructeur cherchait quant à lui à équilibrer ses forces en opposant à l'adversaire des trios d'égale force.

–On n'a pas une mauvaise machine de hockey, on a un mauvais chauffeur, plaisanta Jean-Yves.

Laurent sourit et pencha la tête en disant, faussement désolé :

–C'est notre Eugène qui sera pas prêt à revenir de sitôt dans les buts.

–Paraît qu'il a pas voulu se faire soigner pour sauver de l'argent. Séraphin pas pour rire !

–Pour moi, il va même pas s'acheter un habit pour ses noces, celui-là. C'est égal, on en vendra à d'autres...

Gilles Maheux prêtait oreille à ces propos qu'il avait par ailleurs entendus en d'autres mots dans d'autres bouches. Mais si son esprit se trouvait là dans la boucane parmi les adolescents et les grands, son coeur restait dehors dans l'air pur et froid à se demander pourquoi Paula Nadeau ne se montrait pas le béret à la patinoire. Que pouvait-elle donc faire tandis que le monde heureux patinait ? Elle finirait peut-être par arriver ? C'était à lui le tour d'utiliser les patins et il les avait, bien serrés, bien gelés dans ses pieds, mais voilà que son rêve de la prendre par la taille et la main pour la faire patiner dans le soir lumineux commençait à s'étioler à mesure que passaient les minutes impatientes.

Et pendant ce temps, au presbytère, une partie de cartes allait bon train au beau milieu du vaste bureau du curé. Il formait équipe avec Marie-Anna dont le mari avait pour partenaire la femme du docteur Savoie. Et le docteur, calé dans un fauteuil de cuir brun, se mêlait aisément à la conversation qu'en fait il dirigeait le plus souvent.

Il aurait préféré que les Drouin soient invités plutôt que ce couple moins familier, mais cela avait dépendu du prêtre, pas de lui. Il se dit beaucoup de bien de certains paroissiens, du maire, de Gustave, de la famille Bureau, de la courageuse madame Lessard et de ses enfants si saints.

Le curé gagnait comme toujours. Chanceux comme le bossu Couët, disait Georges de lui. Et le prêtre riait avec mesure et retenue derrière ses lunettes rondes et ses cartes. Soudain, il déclara de façon surprenante :

–Paraît que les Drouin vont nous donner un autre héritier ?

Anita et Georges s'échangèrent un regard rempli d'étonnement, mais le docteur ne se montra pas décontenancé :

–Je devrais pourtant le savoir en tant que son médecin traitant.

–Attention, allez pas penser que je dévoile un secret de confession, il n'en est rien. C'est une observation seulement... disons plutôt une supposition. Je me suis dit que si je misais juste, vous confirmeriez la chose, mon cher docteur.

–Eh bien, mon cher curé, quand je saurai, je ne vous en informerai pas, car moi aussi, je suis tenu par le secret professionnel...

–Bien entendu, bien entendu...

Et le curé jeta un regard appuyé sur le docteur qui ouvrit les mains comme pour repousser une attaque pour ensuite changer le cours de la conversation...

Jeannine et Jean-Yves patinaient ensemble. La jeune femme portait un nouveau costume. Court. Bleu roi. Évasé. Avec une bande de fourrure d'un blanc qui éclatait sous les lumières. Et sur la tête un petit caluron à fourrure blanche.

Quand Rachel les aperçut au moment d'entrer elle-même sur la patinoire, elle ressentit un léger pincement au coeur. Quelque chose au fond d'elle-même avait espéré ces derniers temps, surtout ces derniers jours, que le fils des Grégoire lui fasse la cour de manière assidue...

C'était quasiment une féerie de couleurs sur la glace. Claudia portait son costume noir avec bordure en imitation de fourrure rouge vif et ça lui donnait l'air d'une vedette de cinéma d'autant qu'elle patinait dans cette élégance raffinée qui la caractérisait en toutes choses. Elle fut vite rejointe par son cavalier élingué à fine moustache émincée.

Ti-Noire quant à elle arborait et le portait bien, un costume en corderoi (corduroi) vert avec bordure en simili-fourrure style léopard, jaune et noir.

Et Rachel ne portait de luxueux que cette demande de Laurent de l'accompagner pour finir l'année en sa compagnie. N'était-il point le jeune personnage le plus recherché de la paroisse, le gentilhomme numéro un ? Et celui dont on disait qu'il serait le premier millionnaire à émerger de Saint-Honoré un jour ? Mais elle ne l'avait même pas aperçu encore, et il lui vint à l'idée qu'il aurait bien pu lui faire faux bond. Qu'importe, elle commença à promener, sans forcer le coup de patin, sa personne modeste revêtue d'un pantalon gris en coton mercerisé et d'un manteau de drap tout aussi peu coloré.

Dans la pièce des filles, des yeux la regardaient par le petit carreau vitré, mais l'oeillade n'avait rien de bien sympathique. Lorraine portait aussi du neuf, un costume couleur de pureté, neigeux et à bordure nuageuse, mais c'était à autre chose que d'en faire parade, bien au contraire, qu'elle songeait en ce moment.

Dans le vestiaire des gars, de jeunes yeux surveillaient la patinoire, et ceux-là arrivaient à peine à se rendre à celui des trois carreaux vitrés qui se trouvait le plus bas dans la porte. Paula parut enfin comme venue de nulle part, telle une apparition de la Vierge Marie... Le regard de Gilles Maheux s'éclaira, brilla, laissa échapper des lueurs extatiques. Le petit monstre respira fort, et il entra alors dans sa perception une odeur pas très agréable qu'en d'autres circonstances il n'eût même pas remarquée. Il regretta de ne pas s'être lavé soigneusement pour ne pas risquer d'éloigner celle qui faisait tant battre son coeur. Pétrifié, il n'arrivait pas à se décider de sortir, se demandant si une fois sur la piste, il aurait le courage d'aller vers elle et de lui demander pour... de lui offrir de... Ah! s'il s'était donc mieux lavé aussi !

Après quelques tours de patinoire, Jeannine et Jean-Yves se séparèrent pour aller se réchauffer. Elle ne portait que des bas de cachemire sur les jambes et se plaignait de l'intensité du froid. Et lui-même, tête nue, pas assez habillé, tremblait de tous ses os. On se donna rendez-vous pour dans un quart d'heure quand, selon ce que leur avait dit le vicaire, les enfants seraient partis et que de la bonne musique arroserait la glace.

–Mon petit Maheux, ta grande soeur est-elle sur la patinoire ? demanda Laurent à Gilles.

–Ouais ! dit l'enfant, l'air absent.

Et le jeune homme coupa court à sa conversation prenante pour aller remplir une promesse. En sortant, il poussa l'enfant devant lui en disant :

–Envoye, envoye, va prendre l'air, va te trouver une blonde parce que, dans pas grand temps, monsieur le vicaire va chasser tous les moins de treize ans.

Gilles se montra docile et il entra sur la glace, mais il s'arrêta aussitôt près de la bande pour regarder faire Laurent afin de l'imiter ensuite, comme s'il se trouvait des tas de manières d'aborder une personne du beau sexe. C'était une façon de se faire inoculer un peu de courage, lui qui n'en manquait pourtant pas quand il s'agissait de faire un coup pendable à quelqu'un.

Laurent rattrapa Rachel. Ils s'arrêtèrent. Le jeune homme fit un geste dans le style mousquetaire. Elle sourit. Il lui enveloppa la taille d'une main, lui prit la main de l'autre, et ils commencèrent à patiner. Il n'en fallait pas davantage pour rendre le garçon fort intrépide. Et il s'élança à la poursuite de Paula qu'il venait de voir passer. Un autre de son âge, meilleur patineur, se mit à sa hauteur et cria :

–Veux-tu baucher avec moé, Maheux ?

–Mange de la marde, toé !

Mécontent, l'autre lui donna un bon coup d'épaule et le garçon s'étendit de tout son long avec sa fierté un moment éreintée. Il choisit pourtant la conciliation, d'autant que Paula venait en sa direction. Il se releva et fonça vers elle à une vitesse de rapprochement doublée par le fait qu'elle venait en sens inverse. Il avait dessein de s'arrêter sec et de saluer comme d'Artagnan. Hélas ! les jambes ne possédaient pas la dextérité de l'imagination; il freina trop tard et la frappa mais pas assez fort pour qu'elle tombe, même si elle chancela un moment en s'arrêtant à son tour.

–Voyons, qu'est-ce qu'il te prend donc, Gilles Maheux ?

Au lieu de dire, il agit; mais son geste chevaleresque lui fit perdre l'équilibre et il tomba assis sur la glace. Cette autre mésaventure eut pour effet de faire oublier à Paula le choc subi et même de la faire rire.

–C'est que tu fais ?

–Ben... veux-tu patiner ?

–C'est ça que je fais.

–Ben... avec moé ?

–On est ben que trop jeunes pour ça, nous autres.

–Ben non, voyons !

De tempérament fort, Paula se reprit, pensant que ce serait un bon moyen de montrer qu'elle n'était plus une enfant :

–Correct d'abord !

Même si c'était ce qu'il avait recherché, Gilles fut éberlué devant ce résultat inespéré. La suite fut moins mouvementée et le contact se fit de soi, puis ils n'eurent aucun mal à harmoniser leurs coups de patins.

Le vicaire les aperçut et songea que le moment était venu de renvoyer les enfants chez eux. Il entra dans le chalet et annonça au microphone tout en surveillant la patinoire :

–Attention, attention, tous les enfants de moins de quator... de moins de treize ans, vous devez vous déchausser pour vous en aller... Attention... Gilles Maheux, Paula Nadeau... vous êtes trop jeunes pour faire de la fantaisie...

–Maudit, on vient de commencer, s'écria le garçon.

–Faut ben obéir, d'abord que c'est monsieur le vicaire qui parle.

Ils durent donc se séparer après seulement deux tours. Il se promit de la raccompagner chez elle mais n'osa lui en parler de suite. Quand il entra dans le vestiaire des gars, il aperçut son frère Léo qui volait un baiser à Francine Paradis dans la demi-obscurité derrière le chalet, et ça le troubla profondément...

–Gustave, mettez-nous des grandes valses de Strauss, dit le vicaire au bedeau triste.

–O.K. ! patron !

Et tandis que la musique se faisait entendre, les jeunes gens et jeunes filles se retrouvaient pour la plupart sur la glace après une période de réchauffement dans la cabane où la truie se battait avec vaillance contre les attaques sans cesse répétées du bonhomme hiver agressif, polisson et snoreau, qui passait son temps à fourrer son nez glacial et indiscret dans les deux vestiaires.

Les quelques-uns qui auraient pu vouloir patiner avec Lorraine n'osèrent l'approcher tant elle avait l'air bête. En fait, elle surveillait l'occasion tout en la préparant. À cinq reprises, elle chuta en des moments où elle aurait pu être vue par Laurent et Rachel. Et chaque fois, grimaçant, elle mit du temps à battre son costume pour le débarrasser de la neige collée. Son intention était de répéter le geste posé à l'endroit de Jeannine le soir du match de hockey; mais cette fois-ci, Rachel serait la victime. Ses chutes à répétition et celle de l'autre soir seraient son alibi. Et qu'importe si Laurent lui redisait de prendre des cours de patinage pourvu qu'elle savoure le plaisir de faire tomber Rachel Maheux...

Le moment le meilleur serait celui où Rachel entrerait sur la glace après un répit dans la cabane, avant que Laurent ne la rejoigne sur la patinoire. Cela ne tarda pas à se produire au début même d'une nouvelle valse égratignée. Courant quasiment derrière sa victime, Lorraine se laissa tomber quand elle crut que sa chute pourrait l'enfarger. Et elle réussit parfaitement son coup sous le regard même de Laurent qui se présentait sur la glace à ce moment précis.

Rachel tomba, glissa et frappa la bande. Cela se passa bien, presque doucement, sans cris, sans mots... Mais elle demeura inerte un bon moment comme si elle avait perdu conscience puis alors que son cavalier et Lorraine arrivaient, elle se recroquevilla pour gémir et grimacer de douleur.

Jean-Yves accourut. Jeannine fut là deux secondes plus tard. L'attroupement grandit. Laurent s'agenouilla.

—Y a quelque chose qui va pas ?

Rachel continuait de se plaindre et de se tenir le ventre.

—Ben, je l'ai pas fait exprès, moi ! clamait Lorraine qui commençait à regretter son mauvais coup.

—Toi pis tes maudites singeries ! lui dit Laurent.

—Elle va se replacer, voyons donc !

—Elle vient de se faire opérer pour l'appendicite, intervint Jean-Yves, c'est dangereux en maudit, ça.

Le vicaire se pencha aussi sur la blessée et crut lire du danger dans le teint farinacé de son visage.

—On n'a aucune chance à prendre avec ça, on va l'emmener dans le chalet. Qui va aller chercher le docteur ?

Jean-Yves se porta volontaire.

–Il est au presbytère, dit le vicaire. Dépêche-toi...

On transporta la blessée qui gémissait toujours. Lorraine y ajouta ses propres lamentations de douleur morale. Quand Rachel fut étendue sur un banc, la tête sur des chandails pliés, les jeunes filles l'entourèrent pour la réconforter. Jeannine, Ti-Noire, Claudia, Monique, toutes s'inquiétaient tout en se faisant rassurantes. Une rupture à l'intérieur, et elle pouvait mourir. Lorraine laissait échapper des vraies larmes maintenant, engoncée dans un coin, clouée au mur par le remords.

La musique s'était arrêtée. Paula questionna, sut ce qui s'était passé. Mais la cause de ce brouhaha, perceptible dans le vestiaire des gars, resta cachée à Gilles qui ne cherchait pas à se renseigner tant sa fébrilité était grande. Il avait ôté ses patins et maintenant exerçait sa surveillance de la patinoire en attendant de voir Paula passer. Et son observation avait commencé après l'incident survenu à sa grande soeur. Il était en ce moment à peu près le seul à ignorer qu'il s'agissait de Rachel. Et son coeur et son esprit étaient vissés sur la glace.

–Gustave, refaites de la musique, ordonna le vicaire par le carreau du centre.

–O.K. boss !

Jean-Yves courut à en perdre haleine, se demandant ce que le docteur pourrait bien faire sans sa trousse de soins. Il gravit le long escalier du presbytère, trois marches à la fois, sur le bout des lames et sonna un bon coup puis entra sans attendre qu'on vienne répondre. Il s'avança et faillit se cogner au docteur que le curé envoyait voir.

Il avait sa trousse avec lui le bon doc; s'habillant en vitesse il se hâta à la suite du visiteur imprévu. Un voile d'inquiétude couvrait les visages, même ceux des patineurs.

Rachel reprenait son calme. La douleur au bas du ventre se stabilisait. De plus en plus certaine que le problème n'était pas interne et qu'il s'agissait sans doute d'une déchirure au niveau de la plaie, elle se reprit à sourire et alla même jusqu'à réconforter son agresseur.

–Ça parle au diable, si c'est pas ma petite Rachel ! s'exclama le praticien. Un petit problème de quelqu'un qui devrait faire un peu plus attention. On va voir à ça... Les messieurs, les enfants, vous pouvez vous en aller. Quelqu'un peut-il l'aider à ôter son pantalon ?...

Enfin Paula passa. Gilles sortit et vit trois, quatre grands sortir du quartier des filles, mais ça ne l'intéressait pas et il rattrapa la jeune adolescente alors qu'elle quittait la patinoire.

–Paula, Paula, veux-tu que...

–Que quoi ?

–Ben... que je te reconduise chez vous ?

–Ben... tu veux pas rester avec Rachel ?

–Non...

Elle trouva cette attitude assez peu méritoire, mais dut s'en accommoder.

Il firent un bout de chemin en silence puis elle demanda à voix posée malgré son inquiétude intérieure :

–C'est-il vrai que ton frère Martial, il va se faire opérer pour se faire ôter un poumon ?

–Ben... oui.

–Penses-tu qu'il pourrait mourir ?

–Ben... oui.

–Veux-tu qu'il meure ?

–Ben non !

–Ma mère, moi, elle veut pas se faire opérer.

–Ah !

–Elle dit qu'elle va revenir sans ça.

–Ah !

Ils firent un autre bout sans parler, passant devant le magasin, devant chez Bernadette, devant la maison des Jolicoeur où Rose n'en finissait pas de prendre son bain. Soudain, le garçon dit :

–Es-tu ma blonde ?

–Hein ?

–Ben... es-tu ma blonde ?

–On est ben trop jeunes pour ça, voyons !

–Ah !

–As-tu hâte de retourner à l'école ?

–Ben... non... n... oui... Ben pas pour l'école, là, ben parce que tu vas être là...

–On va exercer une séance pour Pâques.

–Ah !

Gilles était distrait. Il ne songeait plus qu'à ce baiser que Léo et Francine se donnaient un peu plus tôt et à son désir d'en faire autant avec Paula. Elle dit :

–T'as pas peur que Rachel retourne à l'hôpital ?

–Pourquoi ?

–Ben... parce que...

–Non.

–J'te dis que Lorraine Bureau, elle regrettait de l'avoir fait tomber. Elle disait que c'était pas sa faute... Le docteur, il a pas voulu qu'on reste avec Rachel.

–C'est quoi que tu dis ? Rachel est pas tombée...

–Ben oui, elle s'est fait mal dans le ventre...

Un gros morceau de vérité s'abattit comme un arbre sur la pensée du garçon, comme si tout à coup, il émergeait d'un monde différent, du monde de l'absence.

–Motadit ! c'est quoi ça ?

En quelques mots, Paula résuma la situation. Le garçon se sentit tout nu pendant un moment puis il s'enculotta sans hésiter :

–Je retourne à la patinoire.

Le désir d'un baiser se transforma en la certitude qu'il y avait droit. Il approcha sa bouche, mais l'adolescente l'esquiva. Il insista :

–Donne-moi un bec.

–Ben non, es-tu fou ?

–T'es pas ma blonde ?

–Ben non, voyons !

–Ah !

Il tourna les talons en disant :

–Ben salut d'abord !

–Salut ! dit-elle avec un regret dans la voix.

Et il courut les pattes aux fesses...

En chemin, il rencontra Jean-Yves et Laurent qui escortaient Rachel et se dirigeaient vers chez lui. Sa soeur le rassura sur son état. On l'avait examinée. Ce n'était que sa plaie qu'elle devrait laisser se refermer en ne bougeant pas pendant plusieurs jours.

Le garçon poursuivit son chemin pour aller reprendre ses patins. Mais avant, il se rendit derrière la cabane et se mit à l'endroit exact où Léo et Francine s'étaient embrassés. Et il regarda en direction du cap à Foley. Mais la nuit l'empêchait de voir quoi que ce soit. En son imagination pourtant, il revoyait ces drôles de traces encavées sur le roc et qui ressemblaient tant à des empreintes de raquettes. Et que d'aucuns appelaient des pistes du diable... Déçu, vide, le coeur démantibulé, voici qu'il ravalait sa salive et sa honte.

Les fêtards ayant l'âge de raison se retrouvèrent comme prévu à l'hôtel pour y vivre leur dernière heure de 1949. Resté un moment avec Rachel à converser avec ses parents, Laurent quitta et passa droit devant l'hôtel. Il n'avait plus guère le goût de prendre part à une sauterie de fin d'année.

On l'attendait pourtant à l'intérieur. Jeannine espérait. Ti-Noire comptait là-dessus. Jean-Yves se serait senti plus tranquille de le voir arriver. Quelqu'un mit la boîte à musique en marche et fit jouer un disque de Madame Bolduc.

Peu après, Jeannine apprit à Ti-Noire que Fernand Rouleau se trouvait dans le bar à tuer. Marielle se donna le prétexte d'être à la recherche de son frère et s'y rendit.

–Qui que t'es, toé ? demanda l'homme un peu gris.

–Moi ? La fille à Freddy Grégoire, Marielle... Tout le monde m'appelle Ti-Noire...

–Ah ? Maudit, t'étais pas haute comme trois pommes quand j'sus parti pour l'Ontario, moé...

–Ah ! c'est toi, Fernand Rouleau ?...

Tout fut promptement fermé à la patinoire : tourne-disques, lumières, chalet. Le vicaire annonça qu'il se rendait prendre des nouvelles de Rachel Maheux et il partit, laissant Gustave dans le noir et le froid à s'interroger et à se croire le seul de tout Saint-Honoré qui défoncerait l'année dans la solitude et le chagrin...

Rose s'étonna d'entendre sonner à sa porte à pareille heure. L'horloge de la cuisine venait de faire entendre onze coups, et elle achevait de préparer une commande de produits de beauté à la compagnie Avon.

Elle noua plus serré le cordon de sa robe de chambre et se rendit à la porte en supputant sur l'identité du visiteur. En fait, elle croyait qu'il s'agissait d'une visiteuse. Très sûrement Bernadette Grégoire qui avait vu de la lumière chez sa voisine et venait faire une saucette, histoire de ne pas finir l'année et le demi-siècle dans l'isolement. Ou peut-être bien la Solange écartée et qui frappait à la mauvaise porte, croyant arriver chez sa tante Bernadette.

La surprise fut donc totale.

–Bonsoir madame Rose, dit le vicaire en riant et bégayant, j'ai vu de la lumière et je me suis dit que ça pourrait être une bonne idée de venir vous saluer en passant.

–En quel honneur ? En quel grand honneur ? Entrez.

Il obéit, referma la contre-porte puis ôta ses pardessus...

–Donnez-moi votre manteau... pis votre calotte...

–Il fait un froid... un froid de Canada !

–Ah ! mais c'est la fin décembre, pas la fin juin !

Au bout de quelques banalités, Rose entendit une plainte venir de la chambre de la vieille dame et s'y rendit. Elle en revint bientôt en disant :

–Elle voulait savoir qui c'était : elle s'inquiétait. Mais là, elle est ben contente et rassurée de savoir que c'est un prêtre.

–Je vais lui donner une bénédiction tout à l'heure.

–Ça serait une ben bonne idée !

Une idée fugace traversa l'esprit de Rose. Si jamais un jour ou l'autre, elle devait recevoir certains autres visiteurs à une heure aussi tardive, elle pourrait chaque fois rassurer la vieille dame en lui disant qu'il s'agissait du vicaire ou même du curé... Mais qui donc pourrait venir chez elle si tard à part le vicaire ? Et en un autre jour que le dernier de l'année ?...

Elle le fit entrer au salon, première pièce à droite et alluma. Le prêtre se rendit aussitôt au piano pour jeter un coup d'oeil sur des photos vieilles d'une quarantaine d'années au moins.

–De ce que je trouve ça fascinant, de voir le passé fixé à jamais sur pellicule...

–Ça fait drôle de vous voir habillé en homme ordinaire.

–Voyons, madame Rose, vous m'avez vu souvent...

–L'été, en habit d'ouvrage, mais en propre comme ça...

–Et comment me trouvez-vous en vrai homme ?

–Ça vous va bien... ah ! mais la soutane itou, hein ! Assoyez-vous donc. Le fauteuil brun, là, c'est le meilleur.

–Et vous ?

–Le divan...

Elle s'interrompit et reprit en repliant ses bras sur elle-même :

–C'est un peu froid. Venez donc jaser dans la cuisine plutôt.

Ce qu'ils firent pour un quart d'heure alors qu'il glissa :

–C'est toujours intéressant de connaître les airs d'une maison. On appelle ça les êtres. De cette façon, quand on pense aux personnes qui y demeurent, on peut les imaginer plus aisément.

–Ça veut-il dire que vous aimeriez ça faire le tour ? Ah ! ça va me faire ben plaisir de vous guider... Commençons par le haut...

De la concupiscence se répandit dans l'esprit du prêtre et dans sa chair. Quelque chose se mit à tourner dans sa poitrine. Et c'était agréable et quémandeur. Les choses évoluaient à vitesse d'enfer. Il la précéda dans l'escalier. Elle ne put s'empêcher de l'imaginer en petite tenue. À en juger par la densité de sa barbe, il devait posséder une toison corporelle absolument démentielle capable de réchauffer une morte...

Il y avait quatre chambres à cet étage. Et la chambre de bains. Elle ouvrit la porte de chacune en disant chaque fois :

–C'était ben tenu avant et ça le sera autant maintenant.

–Je n'en doute pas, je n'en doute pas.

À sa chambre, elle entra carrément à l'intérieur.

–Regardez si c'est beau, ces tentures-là.

Un corset à baleines se trouvait sur le lit. L'abbé ne vit à peu près rien d'autre. Ses yeux devinrent mouillés derrière ses lunettes. Rose le remarqua. Elle prenait conscience de l'excitation de l'homme et peut-être de sa vraie motivation pour être venu à cette heure. Souventes fois, à la sacristie, elle avait senti son regard la détailler puis se réfugier dans un refus lointain, sans doute dans le sous-bois de la spiritualité à l'abri confortable de ses voeux.

Quoi faire ? Comment arriver à se définir elle-même devant cette première proposition à peine voilée ? Se laisser toucher par cet homme constituerait le pire des sacrilèges. Ce serait briser deux voeux d'un coup : celui de chasteté d'un prêtre et celui de fidélité d'une femme mariée... même séparée. Donner son corps à cet homme de Dieu, ce serait donner son âme au diable !

–Je me sens tout drôle, Rose.

–Comment ça ?

–Peut-être que je n'aurais pas dû me rendre ici ce soir. Pour un homme dans la trentaine qui a prononcé des voeux, ce n'est pas à conseiller de... d'aller dans la chambre d'une dame aussi... intéressante que vous et qui vit toute seule.

–Dieu nous en demande beaucoup, oui...

Montrant de l'emphase dans un geste douloureux, il hocha la tête, se tordit les mains, disant dans un souffle profond :

–Trop, Rose, trop...

–On ferait mieux de retourner en bas peut-être.

–Au moins parlons un peu !

–De quoi donc ?

–De ce qu'il est possible de comprendre et de ce qu'il faudrait comprendre mais qu'on ne comprend pas.

Cette attitude tourmentée du prêtre s'ajoutant à pareille phrase sibylline réduisit en la femme l'appel des sens mais augmenta sa curiosité. Peut-être avait-elle pour une fois la chance de pénétrer l'âme de l'homme en reluquant un peu dans l'âme de cet homme.

Tout d'abord, elle se rendit au lit et enleva discrètement son corset qu'elle mit dans le tiroir d'une commode pansue. Elle se retourna et s'appuya le derrière au meuble.

–J'aimerais ça savoir ce qui se passe dans la tête d'un jeune prêtre qui visite une femme seule dans sa chambre ?

–Si je le savais moi-même, ma pauvre madame Rose.

Elle émit un long soupir avant de déclarer :

–On sait tout ce qui se passe en soi-même, mais le problème, c'est qu'on sait pas comment tout ça s'arrange. Quand on prend les choses une par une, c'est clair; c'est quand on essaye de les rattacher ensemble que ça nous emporte dans la nuit noire.

–Les paroles que l'on s'échange maintenant sont aussi excitantes qu'un sermon de Lacordaire.

Le prêtre regrettait l'insondable magie du corset et l'incroyable luminosité des patiences sensuelles. Était-ce là l'intelligence de la grâce venue au secours de la chair ? Depuis qu'il portait la robe qu'il se sentait comme un conscrit forcé de faire la guerre à outrance à cet autre lui-même et dans la chaleur du lit, il finissait parfois par céder à son ennemi pour ensuite retomber dans ce marécageux hivernement de ses penchants safres et détestables.

–La tempérance qui porte sur la boisson est moins importante que celle qui porte sur le neuvième commandement, mais elle doit être prônée avec autant de force. Les ravages dans les familles et tout... On en connaît...

–Je voulais parler de Lacordaire, le prêtre français... pas du Cercle de tempérance.

–Ah !

–Et puis, il n'y a pas que la boisson qui fait des ravages dans les familles...

Rose se sentait visée, sachant bien pourtant qu'il n'avait pas suggéré cela dans ce but. Mais après l'attitude tourmentée du jeune homme, sa faiblesse évidente, et cette déplaisante démonstration d'ignorance concernant Lacordaire, voilà qui finissait de saccager le charme mystérieux de la situation insolite où ils s'étaient retrouvés non sans une certaine intervention masquée de leur volonté propre. Le prêtre consulta sa montre en disant :

–Si je ne veux pas m'annuiter, il faudrait que je retourne au presbytère. Monsieur le curé pourrait se demander si je ne suis pas en train de fêter la Saint-Sylvestre à l'hôtel avec les jeunesses du village.

—Je voudrais vous poser une question, mais j'sais pas trop si je dois le faire...

Le ton de la voix, l'image du corset venue dans sa tête, l'excitant soupçon que faisait naître cette question rejetèrent le prêtre en plein vestibule de l'enfer. Il fut sur le point de lui dire de se taire, de se faire évasif, mais au nom du prêtre et non du feu, il dit quand même :

—Je vous écoute, Rose... je pourrais même entendre votre confession au besoin...

Elle hésita avant de dire :

—Comment monsieur le curé a-t-il pris ma séparation d'avec Gustave ? Est-ce qu'il en a parlé devant vous ?

À son tour, le prêtre hésita avant de répondre :

—Je dois vous avouer que j'ai mis le sujet sur le tapis au moins trois fois. Il n'a rien dit. Il s'est montré songeur. Peut-être peiné, je ne sais pas...

—Fâché peut-être ?

—Possible ! Il est capable de grandes colères, comme tout le monde sait. Et il supporte plutôt mal de se faire contredire quand il croit avoir raison. Et quel être humain ouvre la bouche, même Adolf Hitler, avec la conviction d'avoir tort ? Non, je n'ai pas pu lire en lui à votre sujet. Comme vous savez, monsieur Ennis n'est pas homme de séparation mais d'union. La division de certaines familles, la division de la paroisse, tout ça l'inquiète, en bon père spirituel de tous ses paroissiens qu'il croit fermement être... et qu'il est effectivement. Son opinion vous inquiète tant que ça ? Et celle de votre vicaire ?

La femme resserra le cordon autour de sa taille, ce qui fit ressortir son buste. Elle s'approcha et, regardant son interlocuteur droit dans les yeux, elle affirma sur un ton très sûr dans lequel passait plus que de la certitude mais l'expression même de sa volonté :

—Je sais que vous ne me jugez pas, monsieur le vicaire; autrement, vous seriez pas là cette nuit.

Il bredouilla, refroidi :

–Pourvu que... le voeu qui va avec le sacrement soit respecté, c'est l'essentiel...

–Pour le meilleur et pour le pire, dit le sacrement du mariage. Rien que pour le meilleur, c'est impossible en ce bas monde. Pour le meilleur **et** pour le pire, oui, c'est possible. Mais pour le pire seulement, ça non plus, ce n'est pas possible. Il n'y avait plus de meilleur avec Gustave, il n'y avait plus que du pire. Ne pas vivre dans la même maison que son mari ne détruit pas le sacrement et ses exigences de fidélité... Vous et moi, monsieur le vicaire, on est capables de marcher sur du feu, vous ne pensez pas ?

Il pencha la tête, battit des paupières, marmonna comme s'il avait été honteux soudain :

–Sûrement, sûrement !

–Allez-vous visiter madame Jolicoeur ?

–Sûrement !

Il tourna les talons et s'engagea dans l'escalier. Cette fois, c'est la tonsure du prêtre qui retint l'attention de la femme et non plus sa toison qu'elle avait imaginée en montant...

Il entra dans la chambre sombre de la vieille dame grise et se rendit au pied du lit où il lui adressa quelques mots. Puis il la bénit et quitta les lieux.

Peu de temps après son départ, Rose entra sous ses draps et couvertures lourdes et chaudes. Elle ferma les yeux dans l'obscurité et rebâtit par la mémoire et l'imagination la visite du prêtre. Peu à peu, un douillet confort l'effleura puis l'envahit. Son corps entra dans un nuage soyeux et duveteux. Sur fond de nuit, des images à couleurs sombres mais chatoyantes se succédaient paisiblement...

Et parmi elles, une scène du plus pur désir. L'abbé frappe à sa porte de chambre. Elle sait qui est là comme on sait dans un rêve sans voir. La femme est allongée sur son lit dans le clair-obscur. Elle est nue dans un jupon de satin. Des odeurs florales entrent par les fenêtres, mêlées et neuves. Dehors, le soir est doux et bon. Il lui suffit de penser oui pour que la porte s'ouvre et qu'apparaisse l'homme voulu, nu. Les regards se croisent, brillent, se pénètrent, s'accrochent. Et les corps se rapprochent. Il vient s'asseoir sur le lit en plein coeur de la volupté féminine, la poitrine velue, noire, musculeuse. Tout en elle est chaud et neuf, tendre et corsé. Tout est attente et appel. Tout est fantaisie et ravissement. L'homme exhale une odeur légère, comme une mixture fine et tout juste perceptible de plusieurs produits Avon qui s'ajoutent à une senteur masculine prononcée...

L'image se penche sur elle, de plus en plus. Rose s'ouvre : elle sera couverte, aimée, prise... Mais ce n'est qu'une image qui au moment enfin de la toucher s'évanouit dans une sorte de légèreté fuyante.

Ce désir outragé, assassiné rejette la femme dans un monde de conscience où elle ne trouve que noirceur, silence et solitude. Elle se demande quelle heure il est, présume qu'on doit approcher de 1950, de l'année sainte...

À quelques maisons de là, dans la noirceur, le silence et la solitude, Éva se berçait, bras croisés. Mais non, le silence est rompu parfois et lui dit qu'elle n'est pas si seule... En haut, les enfants et Ernest dorment. Et là, juste à côté, dans la chambre de ses parents, Rachel dort aussi. On a voulu qu'elle soit là et pas en haut dans sa chambre habituelle pour au moins la nuit. Et sa mère voulait absolument veiller sur elle un bout de temps.

Et parfois Éva bouge sur la berçante qui craque un peu sous son poids. Et une odeur exécrable lui assaille les narines. C'est le crachoir qui est à terre entre la chaise et le poêle. Il faudrait bien qu'elle le vide et qu'elle le lave. Ernest s'en apercevrait peut-être... Mais il ne dirait pas merci. Il ne disait jamais merci.

Elle se leva et marcha jusqu'à la porte près de laquelle se trouvait le commutateur. Une lumière jaune éclaira la pièce. Elle retourna au poêle prendre le récipient cabossé au rebord noirci par une sorte de boue faite de salive épaisse et de résidus de sa pipe accrochés là quand il la frappait sur le métal pour la vider.

Du bout des doigts, elle le mit dans l'évier sous la champlure et fit couler l'eau dedans. Quand le récipient fut plein, elle y plongea la main avec courage et se mit à en extraire les restes solides qu'elle déposait sur un vieux journal mis sur le comptoir. Quand l'eau du crachoir commença à s'éclaircir, elle tourna la tête et regarda l'heure à une horloge juchée sur une tablette verte. Il était minuit. On entrait dans l'année sainte.

À côté de l'horloge, il y avait un crucifix... La femme regarda Jésus souffrant, soupira puis elle fit mentalement son signe de la croix.

***

Chapitre 18

La porte située entre le magasin et la cuisine voisine claqua fort, remise à sa place par un ressort gémissant. Pipe devant, pas colossal, regard épineux, Freddy s'approcha de l'escalier qui menait à l'étage des chambres et cria à travers son bouquin et sa boucane :

–Jean-Yves, grouille-toi donc à matin, c'est pas l'ouvrage qui nous manque.

–Uha, uha, uha, uha, uha, uha...

Manda riait de la gorge à sa manière bruyante.

–Hê, hê, hê, hê, hê, hê...

Et Solange riait sec parce que Manda riait.

Des milliers de fois, le pauvre homme avait entendu ce concert disgracieux depuis le retour de sa femme de l'hôpital psychiatrique; et chaque fois, malgré sa vieille patience bourrue, ça le mettait hors de lui.

Il fit trois pas de plus et aperçut les deux femmes qui se berçaient en le regardant comme s'il avait été un gibier de potence en train de s'époumoner pour essayer de contourner l'inévitable, de saisir l'insaisissable...

–Uha, uha, uha, uha, uha, uha...

–Hê, hê, hê, hê, hê, hê, hê...

Et Solange en plus se mit à se balancer de l'avant à l'arrière sur sa chaise droite.

–Il est pas en haut, je suppose ?

–Uha, uha, uha, uha, uha, uha...

–Hen, hen, fit Solange en hochant négativement la tête.

–Où c'est qu'il est ?

–Uha, uha, uha, uha, uha, uha...

–Hen, hen... fit Solange en montrant vers l'arrière.

–Dans le salon ?

–Hen, hen, fit négativement l'handicapée. Hen, hen...

–Toujours pas rendu dans la maison rouge à dix degrés en bas de zéro...

–Hen, hen, fit affirmativement la muette. Hê, hê, hê, hê, hê...

L'homme regarda sa femme, ses cheveux échappés de sa toque, les plis rouges de son visage et demanda, sachant bien qu'en cette période de la lune, il n'en tirerait rien :

–Il fait quoi dans la maison rouge ?

–Uha, uha, uha, uha, uha, uha...

Il se rendit à la porte et put apercevoir des pistes dans la neige.

–Pis Ti-Noire, elle dort encore ?

–Hen, hen, affirma Solange.

L'homme mit son chapeau gris cabossé, ses couvre-chaussures et il sortit en veston brun déboutonné. Direction, la maison rouge, située juste derrière l'autre, dans laquelle son père avait ouvert le magasin avant le début du siècle, une quinzaine d'années après la fondation de la paroisse et son érection canonique. L'été pour trois mois, on fermait la maison jouxtant le magasin pour vivre dans la vieille beaucoup plus fraîche à cause des arbres l'entourant et beaucoup plus chaude à cause de l'âme des ancêtres qui restait attachée aux choses, aux poutres, aux cloisons...

C'est là que Jean-Yves parlait à sa grand-mère, une femme restée si belle dans la soixantaine, et son grand-père, si grand, si fort et souriant sous sa moustache fuselée. Il les avait connus juste assez pour les trouver parfaits, et leur souvenir en lui demeurerait ineffaçable et inaltérable. Non, ils n'étaient pas entrés dans un sommeil éternel, mais ils s'étaient simplement transformés en une vivacité posthume que l'on pouvait percevoir mieux dans la maison rouge que partout ailleurs dans les environs. Car il la sentait aussi un peu partout dans le coeur du village, cette énergique lucidité, et même croyait la voir se balader sur le cap à Foley à l'occasion...

Appuyé au comptoir, il crayonnait un nom dans sa tête, et de manière incessante : Rachel Maheux. Toutes ces années à la voir chaque jour et toujours l'éviter, et maintenant la rechercher tandis qu'elle sortait avec un autre. Mais Laurent Bilodeau était-il le véritable rival ? La ténacité avait pour nom Eugène Champagne qui restait aux aguets depuis des années, c'était connu dans la paroisse, aussi connu que son avarice légendaire. La petite Maheux, elle va finir par sortir avec moi, qu'il disait parfois à Bernadette avec un clin d'oeil confidentiel.

Il entendit les pas dans l'escalier puis la marche dans la neige croûtée de la galerie et devina qu'il s'agissait de son père. Et savait qu'il se ferait copieusement engueuler, réprimander. L'homme entra mais se montra bien moins vindicatif que son fils ne l'avait anticipé, croyant au surplus l'avoir mérité.

–Jean-Yves, ça te fait du bien de venir icitte... ça serait pareil pour moi itou, mais maudit de ce qu'on a de l'ouvrage au magasin pis dans le hangar !

–Je vous suis, papa, je vous suis...

Et le jeune homme se dirigea vers son père qui ne fit pas demi-tour sur le moment. Freddy regarda à gauche, à droite en disant, l'oeil énigmatique :

–C'est la première fois que tu viens icitte en plein hiver... toi itou, tu sens quelque chose de pas ordinaire dans la maison rouge, hein ?

A la fois déconcerté et rassuré, Jean-Yves dit :

–Oui... quelque chose de pas ordinaire...

Le vicaire Gilbert avait son atelier de bricolage au grenier du presbytère; il y passait beaucoup de son temps de jour l'hiver à fabriquer des maillets pour les jeux de croquet, des coffrets qu'il destinait à sa parenté de Beauceville, des prie-Dieu pour la sacristie et des agenouilloirs pour l'église. À part les devoirs sacrés de sa charge de vicaire et ceux plus profanes d'animateur de l'oeuvre des terrains de jeux, les travaux manuels occupaient le plus clair de son temps en sus de la lecture du bréviaire.

Ce bréviaire, il le lisait en marchant sur la galerie du presbytère par les belles soirées estivales; mais par temps froid, il le faisait souvent dans cet atelier où la propreté méticuleuse ne témoignait guère des travaux incessants qu'il y accomplissait. Engoncé dans une berçante blanche qu'il y avait installée pour jouir parfois de moments de répit, le prêtre se livrait à sa lecture, sans cesser de remettre entre les pages du livre saint les embardées de son imagination et de ses souvenirs récents.

Il lui arrivait de lire tout haut en postillonnant pour mieux exorciser les environs en les vidant de ces vilaines créatures hirsutes et perverses qui trop souvent parvenaient à toucher sa chair à travers sa main droite. Aussi, il changeait le bréviaire de main pour un temps, mais la distraction le ramenait dans l'autre, et les chenapans invisibles revenaient aussi vite le tourmenter.

Mais voilà que l'une de ces bêtes énergumènes se présenta à lui sous forme de corset à baleines qui se trémoussait suavement dans l'espace entre les machines à bois. Le prêtre introduisit sa main tremblante sous les verres de ses lunettes et pesa sur ses paupières fermées, mais cela ne suffit pas à chasser l'image tracassante. Et la main glissa doucement jusqu'entre les cuisses pour que le pouce frotte et anime le désir déjà explicite.

La respiration se raccourcit, le bréviaire se referma. La main déboutonna le pantalon, pénétra... Le corset dansa, dansa, dansa jusqu'au moment où les mouchures de l'amour mouillèrent ses overalls...

Lorsque la confusion céda sa place au flegme, l'homme se rendit compte que son index de la main gauche était prisonnier, écrasé entre les pages de son livre saint. À lui causer une douleur dont il se libéra aussitôt...

Étendue sur un long linge de coton qui recouvrait la table d'auscultation, Lucienne était prête pour subir son examen. Et prête pour tout ce que le bon docteur voudrait bien lui faire.

Mais Georges n'était pas revenu encore après que sa femme lui eut demandé de le rencontrer un moment dans une autre pièce. L'échange se fit à voix retenues mais elles parvinrent néanmoins à Lucienne qui put discerner qu'ils se disputaient.

–Ce n'était pas ça, l'accord...

–Je l'examine en tant que médecin.

–Je ne le crois pas.

–Je ne peux pas t'en dire davantage.

–Si elle est enceinte...

–Elle l'est probablement, et si c'est le cas, elle ne saurait l'être plus qu'elle ne l'est en ce moment...

–Quel cynisme !

–Cynisme ?

–Si elle est enceinte, tu pourrais bien être le père, et ça, tu sais ce que ça veut dire.

–C'est un examen général, pas un examen gynécologique. Veux-tu assister ? On va le lui demander. Tu pourrais bien être une infirmière, après tout.

Elle soupira et se calma. D'autant qu'elle avait ses sentiments bien en contrôle et que cette intervention lui servait à mettre de la pression sur son mari.

Il se montra professionnel dans son examen et, pas une fois ne toucha ni même n'effleura comme lors des soirées chaudes.

Fernand Rouleau arriva au magasin en se souvenant de la belle façon qui lui avait été faite dans le bar à tuer par Ti-Noire la veille du jour de l'An. L'intérêt de la jeune fille pour lui ne devait pas tourner en eau de vaisselle. Il avait le goût de le raffermir. Surtout, il avait envie de fouiller dans l'âme du personnage qu'il imaginait tourmentée à cause de la combinaison apparence physique et façon de s'exprimer. Car Marielle s'était faite provocante et mystérieuse à la fois. Par-dessus tout, il espérait pouvoir explorer sa devanture et si possible bien plus que cela.

Mais comment se retrouver seul avec elle et pouvoir échapper à tous ces yeux inquisiteurs qui hantaient les lieux, depuis ceux de Bernadette derrière le comptoir des femmes à ceux bien plus inquiétants de Freddy derrière ses lunettes et les cases vitrées du bureau de poste en passant par le regard rond de Solange et celui plus insondable de Jean-Yves. Et il y avait le risque de se retrouver quelque part nez à nez avec Manda qui rirait ou crierait. Par bonheur, il restait des coins et recoins singuliers. La mezzanine à chaussures, on ne pouvait voir d'en bas ce qui s'y passait. La petite pièce des réserves de cannage au-dessus de l'escalier central. Et puis les hangars bourrés d'angles, de couloirs, de portes, de marchandises en vrac par piles hautes comme les murs...

Toute cette réflexion, c'était bien beau mais encore faudrait-il que Ti-Noire soit quelque part du côté du magasin et non pas dans sa chambre... quoique se glisser dans le bord de la cuisine où se trouvait l'escalier du deuxième étage de la maison ne représentait que la difficulté de l'audace pour un vieil habitué des lieux comme lui malgré toutes les années au loin.

L'homme avait su choisir son heure, c'était celle du souper : approximativement six heures du soir. Plus de Bernadette qui retournait toujours chez elle vers cinq heures. Plus de Solange partie manger. Pas de Jean-Yves non plus. En fait c'était Freddy le responsable des clients et son ouïe baissant, il fallait frapper à la porte de la cuisine pour lui faire signe de venir, car il négligeait de rester à l'intérieur du magasin durant la demi-heure du repas, ce qui lui coûtait plusieurs dollars par mois à cause de certains petits voleurs et même de quelques vieux ravaudeux.

Après sa journée au moulin, Fernand était parti vers le coeur du village plutôt que vers chez lui pour cette première visite au magasin général avec une intention arrêtée. Pourtant, ça ne lui réussit pas. Freddy le servit et Ti-Noire ne se montra pas. Même scénario le jour suivant. Mais le troisième soir, c'est Marielle en personne qui vint lui répondre.

Elle fit la contente et s'engagea dans une conversation intéressée. Il lui parla du moulin, de ce qu'il avait fait comme métier en Ontario, de ses capacités en anglais. On blagua sur Dominique, sur l'amour, la mer et la mort.

Emportée elle aussi par une intention cachée, celle de savoir qui était réellement ce revenant, elle ne flaira pas le danger chez lui comme elle aurait sans doute pu le faire dans d'autres circonstances.

Tout en parlant, il examinait souvent les tablettes, balayant la marchandise du regard, cherchant quelque chose de disponible au magasin de coutume, mais qui ne s'y trouvait pas en ce moment parce que l'étalage n'avait pas été renouvelé par Freddy ou quelqu'un d'autre. Et il trouva.

–Aurais-tu du Nescafé ?

–Ah! sûrement !

Elle se tourna aussitôt et fit trois pas en direction de l'étalage concerné.

–J'aimerais mieux en gros pot ? En as-tu ?

–Je devrais, je devrais...

Elle regarda attentivement au-dessus de la dernière tablette du haut, là où se trouvaient souvent des surplus.

–Bon... on va trouver ça dans la chambre de réserves. Viens donc avec moi, Fernand !...

Pendant qu'elle contournait le long comptoir pour se rendre à l'escalier central, l'homme se ramassa en lui-même, et cela parut dans son langage gestuel incontrôlé, les épaules se voûtant, la tête et les yeux s'abaissant, les muscles autour de la bouche se rétractant. Il se demandait comment interpréter cette invitation, tâchait de calculer les gestes à poser.

Elle portait des talons hauts comme souvent la semaine, même pour travailler au magasin. Tout comme son frère, elle craignait son propre esprit et cette bête qui pouvait en surgir à tout moment pour l'empaqueter comme une marchandise et l'emprisonner dans une boîte dont elle ne pourrait s'échapper qu'après des mois, des années ou une décade complète, à l'instar de ce qui était survenu à sa mère. Elle se servait donc de la coquetterie comme d'un emballage brillant à son équilibre mental précaire, et qui lui permettait d'oublier la Chimère endormie.

Ainsi, Fernand put, à la suivre, promener à satiété un regard pervers sur l'arrière-train montueux arrondi par une jupe noire, glorifié par les pas légers.

La jeune femme portait aussi un châle de laine blanche à frange sur un chemisier rouge framboise ouvert au col. Sur le palier, avant d'ouvrir la porte, elle se tourna pour lui dire :

–Si je t'ai fait monter ici, c'est parce que des fois, les caisses sont quasiment au plafond.

Il fit un signe de tête affirmatif voulant dire que ça allait de soi; toutefois, ses ardeurs durent descendre d'une ou deux... tablettes.

Ti-Noire avait calculé son coup pour être sûre de garder le contrôle de la situation.

De sa main droite, elle tourna le commutateur; et de l'autre, la poignée de la porte, et entra. La pièce paraissait plus petite à cause des étagères bourrées de caisses et des îlots centraux.

–Eh! que ça sent le cani là-dedans ! Je vas faire venir madame Rose pour mettre du parfum.

–Ah! le tiens, c'est le bon !

–Pourtant, y a rien de périssable... Pas de pain...

–Y aura une caisse de biscuits au thé qui traîne depuis trop longtemps.

–Ça se pourrait ben, ça ! En tout cas, Jean-Yves va y voir, je vas l'avertir.

Elle fit lentement le tour d'un îlot puis d'un deuxième en cherchant des yeux...

–Brrrrr ! en plus qu'il fait pas chaud, fit-elle en rajustant son châle.

Et elle trouva la caisse voulue qui portait la mention NESCAFE en petites lettres rouges. C'était à bout de bras. Elle tendit ses mains, tira, mit ses paumes sous la boîte...

–Veux-tu que je t'aide ?

–Envoye donc, mon noir !

Elle recula; il prit sa place et descendit la caisse.

–Madame Rose, elle a un flacon d'odeur qui enterre tout ce qui sent mauvais dans une chambre...

Il commenta :

–Moi, je trouve que ça sent l'épicerie, c'est tout.

–Ah !

–Toi Fernand, finalement –remarque ben que c'est pas de mes affaires pantoute, là– es-tu veuf ou ben si t'es divorcé ? Parce que y a des 'gensses' qui disent une affaire, pis d'autres qui disent une autre affaire.

–Le monde, ils s'intéressent donc ben à moé.

–C'est rien que par curiosité.

–C'est mieux être veuf que divorcé, tu penses pas ?

–Nous autres, icitte, les Grégoire, on craint pas ça, le monde divorcé... Mes soeurs vivent aux États pis là-bas, c'est normal... ben peut-être pas normal mais courant.

–Ben dans ce cas-là, je vas te laisser te questionner, ma Ti-Noire pis un jour, je te dirai la vérité si ça t'intéresse tant que ça.

–Ah! je parle pour parler, moi, tu sais. J'ai une grande gueule à ce qu'on dit.

Elle le précéda à la porte, sortit puis lui laissa le passage. Un personnage inquiétant de pâleur misérable leur apparut au pied de l'escalier. Il s'arrêta et les regarda un moment. C'était le Blanc Gaboury au visage crayeux sous sa toque noire.

–Blanc, s'exclama Ti-Noire, tu viens chercher les sacs de malle; ils sont prêts.

–Pis nous autres, on descend une caisse de Nescafé, dit Fernand comme pour excuser quelque chose.

–Ouais, ça sent de loin ! dit Blanc sans montrer, par le regard, qu'il leur adressait une flèche narquoise.

–Je peux faire un bout avec toi ? demanda Fernand.

–Si tu te dépêches pis si tu me donnes quinze cents pour ton passage.

–Je refuse jamais de payer ce que j'achète... du Nescafé ou ben une place avec le postillon pour m'en aller chez nous... même si le postillon est déjà payé par le gouvernement d'Ottawa...

–Si t'es pas content, mon petit Rouleau, tu marches. Quand on n'est pas consomption, ça fait du bien... pis même quand on l'est.

Cynique, le ton n'était pourtant pas cinglant. C'était la manière de cet homme malade d'adresser ses simagrées à la vie pour lui montrer qu'il se moquait tant qu'on peut du mauvais tour qu'elle lui jouait.

–Je paye mon café pis je peux même traîner tes sacs à malle...

–Mes sacs à malle pis tout le reste, je traîne ça sans quémander d'aide de personne.

–Dans ce cas-là, traîne-les pis traîne-moé avec...

Tout le monde éclata de rire, mais le faciès anémique du Blanc y coupa court le premier.

***

Chapitre 19

–Connais-tu ça, Ernest, une champlure qui dégoutte ?

–Des fois, des fois, répondit l'homme avec un sourire moqueur éclairé par la flamme du feu de forge.

Rose avait un problème dans sa salle de bains. Ovide lui-même s'en était rendu compte et lui avait dit de consulter Ernest pour faire réparer ça par lui vu que le forgeron allait souvent à Québec et pouvait s'y procurer le nécessaire. Et parce que personne n'agissait officiellement comme plombier dans la paroisse.

–J'ai pas d'homme pour m'arranger ça, comme de raison...

–Le bon Dieu a dit : «Demandez et vous recevrez.»

Sur un large sourire de l'autre côté des flammes, Rose dit :

–Parlant du bon Dieu, Éva m'a conté que t'avais refusé la charité pour l'amour du bon Dieu au quêteux Labonté de St-Éphrem pis que le diable t'a puni...

Ernest portait un petit casque en forme de chaloupe renversée tout souillé de crasse charbonneuse. Il y mit la main, cessa de tourner la manivelle et revint à son naturel gloseur et négatif, tiraillé entre l'emportement qui menaçait de l'envahir à cause des ragots de sa femme et sa peur de défier le sort :

–Je crains pas l'yable le diable, même si j'fais un ouvrage

d'enfer icitte. Mais j'me chicane jamais avec le bon Dieu, pis c'est ça qui compte. Je perds trois quatre cheveux à cause de la poussière de charbon, pis la mère, elle s'énerve avec ça, elle. Les femmes, vous autres, vous avez pas besoin de lunettes pour voir gros, large pis épais. Un lièvre, c'est pas un cheval !

L'homme baissait les yeux parfois. et son regard incarnat léchait la poitrine rebondie à travers le tissu gris du manteau. Il se croyait à l'abri, derrière la danse nerveuse du feu bleu et jaune, mais la femme captait ses états d'âme à travers le langage du corps sans en perdre un seul iota.

–La compagnie Avon est en train de mettre au point un bon produit pour les cheveux qui tombent...

–Quand les cheveux me tomberont pis quand le produit sera inventé, on s'en reparlera; en attendant, si t'as de quoi qui coule, je vas aller voir à ça.

Elle plissa les paupières derrière ses lunettes et esquissa un sourire énigmatique.

Faire des reproches à Éva, ça aurait été lui dire que Rose était venue à la boutique. Inutile si sa femme ne l'avait pas vue. Mais il avait l'orgueil encore plus ébranlé qu'auparavant à cause de cette pelade qui semblait se poursuivre, et dont le village maintenant semblait au courant. Quelqu'un lui avait parlé d'un guérisseur à Mégantic qui avait un don pour arrêter le sang de couler et les cheveux de tomber. Il connaissait, disait-on, un remède à base d'herbages et de crin de cheval. Les raisonnements sont souvent à la source des meilleures médecines et voilà qu'il s'en trouvait deux à la base de celle-ci : un, la plupart des remèdes sont à composantes végétales; deux, quoi de plus solide comme élément capillaire que du crin de cheval ?

Ce soir-là, il téléphona au thaumaturge spécialiste du système pileux et prit rendez-vous pour l'après-midi suivant. Endimanché, il s'y rendit par autobus sous un ciel chargé et menaçant après avoir simplement dit à Éva : «Je vas me faire soigner les cheveux.»

Mais il ne dit pas où il se rendait. Vu qu'il prenait l'autobus de Sherbrooke, elle présuma qu'il allait là-bas ou bien quelque part dans un des villages du parcours, probablement Lambton où le couple avait commencé sa vie de ménage trente ans plus tôt.

Le charlatan lui imposa les mains et le baume. Cela se passait dans une maison de campagne près du lac Mégantic. Il en coûta dix dollars à Ernest qui ensuite prit un taxi pour retourner au plus vite au terminus afin de rentrer à la maison le soir même par le prochain autobus.

Et c'est la tête empesée, luisante mais regonflée d'espoir qu'il remonta dans le véhicule de retour, un autobus blanc, bleu et ovoïde.

–C'est pas un quêteux baveux, maudit torrieu, qui va me priver de mes cheveux, grommela-t-il en s'asseyant à côté d'un personnage bien mis à la petite moustache grisonnante.

–Comment dites-vous ?

–Bah! rien... j'me parlais.

–La meilleure manière de se comprendre, c'est encore de se parler à soi-même.

–C'est quoi, veux-tu rire de moé, là, toé ?

–Mais non ! Je pensais juste que vous disiez que la tempête s'en venait.

–Je le sais pas, moé, quel temps qu'il va faire ?

Un peu froissé par ce ton, l'autre homme railla :

–Brillant comme vous êtes, vous devriez...

Ernest se tourna et chercha du regard une autre place. Plusieurs étaient libres, mais toutes à côté de quelqu'un. La banquette située tout à l'arrière étant inoccupée, il s'y rendit sans répondre quoi que ce soit. Et pas longtemps après, il se canta dans un coin pour roupiller un peu. Il tâcherait de se coller à la vitre à la sortie de Saint-Sébastien pour revoir une fois encore le grand rang menant à Lambton où il avait vécu de 1918 à 1928 sur une terre située à mi-chemin entre les deux églises. Dehors, la neige, poussée par le vent, commençait à fouetter les maisons. Qu'importe quand on se laisse emporter par un véhicule chaud et par des pensées ouatées. Car il ne fut pas long à songer à Rose et sa champlure qui dégoutte. Un paquetage qui faisait défaut sans aucun doute. Il en ramènerait un de chez Demers, le quincaillier de Lévis ou bien irait au magasin Buteau du village voisin. Et il se rendrait chez la bonne femme pour lui réparer son robinet... Qui sait s'il n'aurait pas alors l'occasion, par un accident quelconque, de lui apercevoir les 'plus beaux morceaux' ?...

Et les milles se succédèrent dans les blancheurs de la somnolence et de l'hiver. Le petit moustachu aux airs de voyageur de commerce avait complètement disparu dans la tourmente ronflante et dans la mémoire aux images éparpillées du forgeron assoupi.

L'homme se rendit vaguement compte des nombreux arrêts et départs qui s'échelonnaient de terminus en terminus, ou bien accompagnaient ces voyageurs qui allaient d'un point quelconque à un autre point quelconque, menés par les affaires de leur destinée...

De plus en plus souvent, le chauffeur fronçait les sourcils comme pour y mieux voir dans la poudrerie. Mais aussi par inquiétude. Il se dit que cela tenait au fait que depuis des années, il avait accompli son trajet quotidien sans jamais de péripéties majeures. Ne savait-il pas comment composer avec les intempéries ? Les voir venir. En contourner les difficultés. Mais il lui semblait transporter une fatalité ce jour-là. Cela tenait-il aux passagers ? Il les connaissait de vue pour la plupart. Cet Ernest par exemple dont il connaissait le prénom, la maison, et qui souvent prenait l'autobus depuis sa terre de la Grande-Ligne jusque chez lui au village de Saint-Honoré. Et cet agent d'assurances à la fine moustache, il savait même son nom. Et ce jeune couple, les Dostie de Lambton. Son chemin de Saint-Georges à Sherbrooke en passant par Lac-Mégantic, ce n'était rien de plus qu'un long village...

Des lames commençaient à se former par endroits sur le chemin étroit, mais le véhicule les coupait sans peine. La visibilité allait de passable à nulle. Le fond de la route étant de gravier, les pneus avaient bonne prise, mais sur de l'asphalte dans les villages, ce serait glissant.

On descendait maintenant la grande côte qui débouchait sur Lambton. Au bout, le chemin faisait un T devant un garage. Déjà des maisons commençaient à faire rempart contre le vent et ses attaques ponctuées d'accalmies. On quitta le chemin graveleux pour entrer sur du macadam. Le chauffeur toucha en précaution la pédale des freins. Encore. Encore. Nulle réponse. Il crut un instant que la chaussée était trop glissante à cause de l'asphalte, mais son expérience lui dit rapidement que non seulement cela se produisait mais qu'en plus, les freins ne répondaient simplement pas.

De la neige pouvait s'être infiltrée jusque sur les sabots; il suffirait de pédaler et pédaler à plusieurs reprises afin que par la friction, l'amiante se réchauffe, s'assèche et morde enfin. La vitesse du véhicule étant raisonnable, l'homme put débrayer et passer en deuxième, ce qui réduisit encore l'allure.

Personne ne s'inquiétait dans l'autobus, Ernest moins que les autres, lui qui demeurait indolent dans son demi-sommeil. Et l'agent d'assurances pas plus, lui qui restait apathique depuis ce rejet subi à cause de ce passager à cheveux résineux.

Soudain, Ernest se réveilla sec. L'ombre du quêteux Labonté venait de traverser son esprit, lui soufflant, tel un spectre menaçant, qu'il aurait bientôt la tête comme une fesse d'enfant.

–Un crâne d'oeuf, un crâne d'oeuf, se mit à grommeler le personnage qui se leva et marcha vers l'avant pour se débarrasser de sa hantise...

Le chauffeur pédalait encore et encore, désespérément maintenant que le T approchait. Si les freins ne devaient pas répondre, il resterait une chose à faire et une seule : tenter le virage devant le garage et surtout éviter les réservoirs à essence.

Au dernier moment, alors même que le forgeron était à mi-chemin de sa destination, les freins mordirent enfin, soulageant le chauffeur d'un peu de sa tension poussée à l'extrême. Mais ils répondaient d'un côté seulement. Le gros véhicule se mit en travers et glissa; et pourtant il fallait tourner les roues et amplifier le mouvement en croisant l'autre chemin. Surtout, il fallait prier très fort le ciel pour qu'il n'arrive pas une automobile ou une voiture à chevaux dans l'une ou l'autre direction et se trouve au mauvais moment en travers de la trajectoire rendue incontrôlable.

Ernest s'arrêta, mains accrochées au dossier de la banquette de l'agent d'assurances afin de garder son équilibre; il sentit une force plus grande que celle du quêteux peser sur lui. Soudain, les roues arrière touchèrent une portion non glacée...

Ce qui à l'observateur eût paru se produire en lenteur arrivait à train d'enfer pour ceux-là en train de devenir victimes d'un accident grave. L'autobus se renversa et poursuivit sa lancée, toiture devant, vers les réservoirs.

À l'intérieur, c'était encore le silence des gorges malgré les bruits des choses et l'ordre disloqué. Le premier heurt fut suivi d'un second choc, et, une fraction de seconde plus tard, le sort dans ce qu'il a de plus implacable, inéchangeable et insoutenable, frappa. Il y eut une explosion qui répandit partout de l'essence et des flammes.

Ernest prit conscience que les choses s'étaient immobilisées bien que l'événement tragique fût encore à se poursuivre. Et lui se trouvait emmêlé parmi des choses ayant perdu de leur sens : le volant, les bras du chauffeur, une toque de fourrure. Des cris immenses surgirent de toutes les bouches à la fois, ceux de la douleur et du désespoir. L'oeil habitué aux flammes depuis tant d'années, le forgeron vit qu'à l'arrière où il se trouvait lui-même un moment plus tôt, des personnes brûlaient en hurlant, toutes voix d'hommes, de femmes et d'enfants confondues. Tous y passeraient si on ne les sortait pas de là, et la seule issue se trouvait au-dessus de lui : la porte. Il fallait l'ouvrir d'urgence, mais elle était bloquée par son propre mécanisme d'ouverture. Le chauffeur tentait déjà de le dégager, mais il s'y prenait mal, parce que choqué et désorienté par ce nouveau sens des choses dans un véhicule renversé.

Familier non seulement avec le feu mais avec les manivelles et poignées, Ernest attrapa la tige de métal et la poussa de tous ses muscles dans le bon sens : la porte s'ouvrit et retomba sur ses gonds de l'autre côté, laissant béante l'ouverture ainsi créée. Déjà des gens arrivaient dans une progression gauche à travers les banquettes qui formaient plancher, ayant eux-mêmes compris malgré leur peur panique, que la seule issue était devant.

–Envoye, sors d'icitte ! tonna le forgeron quand la première personne, une femme dans la trentaine, parvint à lui.

Il la poussa de toutes ses forces sans penser où il mettait les mains, sans égard au degré de force utilisée, sans considération pour la délicatesse ou la politesse. Son tempérament rugueux devenait tout à coup un atout majeur dans un sauvetage dramatique. D'autres sortirent.

–Toi, le chauffeur, sors pis poigne-les pour que ça grouille !

Le sang-froid de l'un fut transmis à l'autre par une force invisible. Tout cela durait depuis moins d'une minute. D'autres désespérés rampèrent jusqu'à leur délivrance. Ernest savait déjà que des gens étaient perdus là-bas au fond et probablement déjà mourants. Quand plus personne ne vint, il se mit vivement une mitaine qu'il avait dans sa poche de mackinaw et attrapa la toque de fourrure du chauffeur dont il se fit une sorte de masque protecteur contre le feu et la fumée. Et en s'aidant des coudes, il rampa vers la flamme, sachant d'instinct et de sa longue expérience, où s'arrêter. Sauver la vie d'un autre exigeait qu'il protégeât la sienne.

Son autre main lui servait de thermomètre. Au moment où la chaleur devenait insupportable, il avait à portée de bras un homme assommé qui ne pourrait sûrement pas s'aider lui-même. Le forgeron héroïque lâcha tout et agrippa le corps comme s'il eût été une patte de percheron; il laissa la rage en lui atteindre son paroxysme, et toutes les misères qu'il avait eues dans sa vie sous les chevaux devinrent force musculaire et détermination inébranlable.

Le corps suivit, emporté par l'irrésistible.

Et fut quasiment projeté dehors. Quand il voulut retourner, la flamme l'atteignit et le jeta à l'extérieur à son tour, à coups de souffrance et de certitude.

–On peut rien faire pour ceux-là qui restent ! Pis sont déjà morts : le feu, ça tue dans quelques secondes pas plus. Que tout le monde recule, ça pourrait sauter encore !

–Aidez-moi à le porter plus loin, dit le chauffeur en parlant du dernier rescapé.

Ernest se pencha à la tête de l'homme et il reconnut le petit agent d'assurances qui sans le vouloir l'avait lui-même sauvé en le poussant à se réfugier à l'arrière où un rêve l'avait par la suite incité à se rendre à l'avant afin de descendre de l'autobus au terminus prochain.

Il y eut en tout six morts dans l'accident : trois hommes, deux femmes et un enfant.

Ernest avait les cheveux grillés et la face cloquée.

Il aurait pu être content de lui-même après une telle conduite si brave. Son courage se dit. On le félicita quand les choses se tassèrent et qu'il se retrouva dans le garage. Et pourtant, tout s'ef-

façait sous sa grande obsession : le sort que lui avait jeté le quêteux Labonté de St-Éphrem. Qui en douterait maintenant ? Il ne
lui restait qu'une solution, une seule, et quand on lui parlait, il
répétait :

–Maudit torrieu, faudrait que je monte à St-Éphrem-de-Tring
au plus sacrant...

Et les gens ne comprenaient pas, certains allant jusqu'à dire
que le pauvre homme était encore sous le choc...

Si la pommade du charlatan de Mégantic était parvenue pour
quelques heures à rendre sa chevelure plus volumineuse, voilà que
le feu l'avait aplatie, brûlée, ruinée. Plutôt de se tourner vers une
autre tentative de guérison, l'homme préféra donc remonter jusqu'à la racine du mal qui s'appelait Labonté...

Aux questions de la famille, il répondit sans plus, racontant
brièvement sur un ton laconique presque cynique, l'accident de
Lambton dont la moitié du Québec parlait à cause des journaux et
de la radio.

Et le jour suivant, il téléphona au taxi Roy sans dire à personne où il allait. En montant dans l'auto, il dit simplement :

–On va à St-Éphrem-de-Tring... tu vas passer par le rang 9 qui
a été ouvert avant-midi selon ce que m'a dit le père Ti-Jean, pis
on va arrêter voir Lucien Boucher chez eux. Pis fais ben attention
à ta manière de mener ta machine, toé, avec rien qu'un bras pis
toute, là...

L'autre homme devint rouge comme une tomate. Insulté, coléreux, il se retrancha dans un mutisme crispé. Ernest Maheux voya-
geait souvent avec lui pour se rendre à Québec et souvent il gro-
gnait, mais il ne lui avait jamais fait d'impolitesses.

Ce fut silence jusque chez Lucien Boucher. Alors, Ernest dit
quand l'auto s'arrêta devant la porte de la maison grise :

–C'est pas parce qu'un homme a un membre en moins, que
c'est un moins bon homme ! Regarde... le président Roosevelt
avant le président Truman... paralysé comme la bonne femme Rémi
Nadeau, ça l'a pas empêché de faire trois termes pis de mener la
deuxième Grande Guerre...

–Ouais...

Quand Ernest revint, le taxi dit en manoeuvrant le bras de vitesses :

–Paraît que d'aucuns veulent séparer la paroisse du village pis que Lucien Boucher essaye de bricoler une sorte de bloc pour ça...

–Si tu veux savoir, c'est pas pour ça que j'sus venu icitte aujourd'hui.

La face du taxi redevint cramoisie.

–Ça me regarde pas pantoute...

Et il se tut jusqu'au village de St-Éphrem. On fut enfin devant la masure du quêteux, une cabane de quinze pieds de côté située derrière l'entrepôt du magasin général. Elle fumait, la chaumière, signe que le bonhomme s'y trouvait, d'autant que le froid devait le retenir chez lui.

Le forgeron descendit de voiture. Il rajusta son casque à palette et frappa. Le quêteux ouvrit et l'invita à entrer sans le reconnaître.

–Assisez-vous !

–J'aime autant rester deboutte.

Ernest remarqua un fusil à baguette accroché au mur et divers objets de piété et d'images saintes dispersés dans tout le maigre espace qui incluait aussi un poêle à deux ponts et un sofa.

–C'est que j'peux faire pour vous dans ce cas-là ? demanda le vieil homme à la voix rauque.

–J'sus venu te demander de me laisser tranquille avec ton maudit sort sur mon dos.

Le quêteux reconnut alors son oiseau, se souvint clairement de l'événement de la boutique. La requête du forgeron le mettait en position de force. Il dit :

–C'est pas à moé de lever un sort, c'est au bon Dieu qui nous entend. Mais... si vous me le demandez pour l'amour du bon Dieu comme moé, je vous ai demandé la charité, je vas voir c'est que je peux faire.

–Maudit torrieu, je perds mes cheveux pis j'sus venu proche de mourir brûlé à Lambton...

–Comme j'vous dis, demandez-le pour l'amour du bon Dieu...

–Je te l'demande pour l'amour du bon Dieu... C'est l'année sainte qui commence pis toute, on devrait pas trop se détruire les uns les autres.

–Ben d'accord avec vous, monsieur Maheux.

–Tu sais mon nom ?

–On n'oublie pas un homme tel que vous...

–Pis ?

–Ben... mettons-nous à genoux devant le crucifix pour demander au bon Dieu de nous aider...

Labonté savait que ça aurait été trop lui demander de le faire tout seul, et il donna donc l'exemple. Ernest s'agenouilla en maugréant. L'autre pria :

–Pater Noster qui nous entend... pardonnez à monsieur Maheux icitte-dans... À l'avenir, il va donner la charité aux pauvres quêteux comme moi pis il va faire attention de pas les insulter. Dominus Vobiscum...

–Et cum spiritu tuo.

Quand Ernest fut de retour dans l'auto, le taxi dit en manipulant son bras de vitesses, la main passée à travers le volant :

–C'est le quêteux Labonté, icitte, ça m'arrive de le monter à Québec quand je passe par St-Éphrem, par icitte... C'est un jeteux de sorts, vous devriez vous tenir loin, on sait jamais...

Ernest répliqua en grondant :

–Toé, je te paye pour mener ta machine comme il faut, pas pour parler pour rien dire. Sers-toé comme il faut du bras que t'as pis j'te demanderai rien de plus. Passe par Notre-Dame-de-la-Guadeloupe parce que j'ai des effets à acheter au magasin Buteau.

–J'pensais que vous achetiez toutes vos affaires au magasin à Freddy par chez nous.

–Freddy, il a jamais de clous à cheval, si tu veux que je te le dise. Pis en plus, ça me prend un paquetage pour une champlure...

***

Chapitre 20

Sans trop savoir pourquoi, Laurent avait demandé à Rachel pour la voir au restaurant. Il préférait un rendez-vous là plutôt que chez elle. Sans trop savoir pourquoi, Rachel aimait mieux cette manière elle aussi. Veiller au salon, ça aurait été l'exposer, lui, à faire des demandes auxquelles elle ne se sentait pas encore prête à répondre favorablement. Tandis que chez Fortunat, leur rencontre serait plutôt inscrite sous l'enseigne de l'amitié. Et puis, bien malgré elle, Jeannine, qui agissait généralement comme serveuse, ferait office de chaperon.

L'engouement pour le jeune homme n'avait pas crû en elle et la jeune fille s'en inquiétait. Et quand elle voyait les yeux perdus de Jean-Yves au magasin, ça la désolait. Par contre, la présence de Laurent dans sa vie tenait Eugène à distance et de cela, elle ne se plaignait guère.

Elle fut à l'heure, lui en retard. Cela permit à Rachel et Jeannine d'échanger un peu sur les événements récents du quotidien de la petite paroisse en buvant un Coke, assises à une banquette.

–Finalement, la santé ? Ton accident sur la patinoire pis ton mal de ventre, on dirait que tout est revenu à l'ordre ?

–Fausse alerte, on dirait. D'après le docteur, c'était pas intérieur, mais une sorte de décollement des tissus au niveau de la plaie. Mais j'ai eu chaud encore une fois.

–La mosus de Lorraine Bureau, elle l'a fait exprès. C'est parce que tu rencontrais Laurent ce soir-là...

–En tout cas, c'est elle la pire : elle l'a regretté pis elle s'est pas fait aimer par personne pour ça. Mais j'lui en veux pas : peut-être qu'elle l'a pas fait méchamment. C'est une fille qui est pas bien avec elle-même. On l'est pas personne, mais elle, c'est à sa manière. C'est comme mon père, il est ben marabout...

–Hey, hey, ton père ferait jamais des affaires de même. On a su ce qu'il a fait à Lambton... Sortir un homme du feu au péril de sa vie...

–Ben c'est ça que je veux dire : en dedans de lui, il est pas ce qu'il donne l'air en dehors. Dans le fond, on est tous un peu comme ça. On porte des masques. D'aucuns en ont un qui brille, d'autres s'en mettent un qui repousse.

Jeannine toucha la main de Rachel et dit joyeusement :

–Pis le tien, c'est quoi ?

Rachel regarda un moment dans le vide puis répondit :

–Moi, c'est d'avoir l'air sûre de moi pis au fond de moi-même de jamais savoir quelle décision prendre. J'sus jamais certaine de rien pis j'ai toujours l'air sûre de tout.

–Ben... c'est un bon masque, ça. Utile pour toi-même autant que pour les autres. Surtout dans ton métier !...

Laurent se présenta enfin, la tête enveloppée d'un passe-montagne bleu foncé. On le reconnut à sa grandeur et à son parka beige bordé de fourrure de même teinte. Pour ne pas être gênée et de trop, Jeannine quitta aussitôt la table après avoir salué l'arrivant d'un signe de la main et d'un demi-sourire.

–Haut les mains ! dit-il en pointant Rachel de sa main en forme de pistolet.

–Comment tu trouves le froid ?

–Ah ! quel hiver c't'hiver, ma chère !

Il retira sa cagoule : sa chevelure d'or apparut, ébouriffée. L'indocilité des mèches ourlées fut leur seule réponse à ses tentatives de les dompter en les râtelant de ses doigts écartés. Mais leur rébellion lui conférait un air gamin, un je-ne-sais-quoi étourdi, fantasque mais que Rachel trouvait charmant.

–En tout cas, faut s'emmitoufler.

–On est pas mal en dedans, ici. Pour moi, monsieur Fortunat a chauffé la fournaise comme il faut.

Il se tourna vers Jeannine :

–Je gage qu'il te reste du bon café chaud pis que tu vas te dépêcher de m'en apporter un.

Puis à Rachel :

–T'aimerais pas mieux un café ?

–Peut-être plus tard. Là, je vais finir ça.

Il prit place en face d'elle...

–J'ai du Nescafé, c'est correct ? demanda Jeannine.

–C'est mieux.

–Ou ben du lait chocolaté.

–Du Nescafé.

Et le tête-à-tête commença. Santé, accident de Lambton, courage d'Ernest, relation Fernand-Ti-Noire, hockey...

Dans la cuisine où Jeannine allait de temps à autre préparer du Nescafé, Fortunat écoutait la radio avec sa femme. Il savait déjà qui se trouvait au restaurant et cherchait une idée au fond de lui-même pour faire bouger les choses entre les jeunesses. Il lui semblait que Laurent et Jeannine formeraient un couple d'avenir tandis que Rachel serait plus heureuse à fréquenter Jean-Yves.

Tiens, mine de rien, il sèmerait une graine... Il suivit Jeannine, qui emportait deux cafés, et se rendit avec elle jusqu'à la table du couple.

–Mon petit Bilodeau, comment ça va ? Quand est-ce la prochaine partie de hockey ? J'ai entendu dire que vous allez peut-être changer de coach. Me semble qu'Andronique fait de la belle ouvrage. En tout cas, on peut pas te reprocher à toi, de pas faire la tienne...

Et l'homme s'esclaffa, le menton plus mobile que de coutume.

–On va la gagner, la prochaine, c'est garanti.

–Toi à l'aile gauche, Jean-Yves Grégoire au centre pis Roger Bureau à l'aile droite : une ligne imbattable qui défoncerait l'adversaire, tu penses pas ?

Jeannine intervint :

–Papa, il resterait rien pour l'autre ligne d'attaque.

–Ah! ben, une fille qui va nous montrer à jouer au hockey asteur : c'est le boutte du boutte.

–C'est pas moi qui l'invente.

–Elle a peut-être raison, dit Laurent en posant son regard sur la jeune fille. C'est ça que doit penser Andronique.

–Pis toi, notre maîtresse d'école, c'est que t'en penses, demanda l'hôtelier.

–Moi ? Le hockey, ça me connaît pas plus que... que...

Fortunat sauta sur l'occasion :

–Que tenir hôtel.

–Disons.

–Tout s'apprend. J'ai été cultivateur, me v'là commerçant pis hôtelier. C'est comme Laurent qui est déjà dans le commerce pis qui pourrait faire un sapré bon hôtelier. C'est un homme au public pis tout.

Personne ne lut entre les lignes, ni celles concernant le hockey, ni celles portant sur l'hôtellerie...

Fortunat ne s'attarda point et, deux instants plus tard, exultant, il retourna à la cuisine. Ça avait été bien plus facile qu'anticipé de glisser son message.

Juste après son départ, quelqu'un entra. C'était Rose qui venait porter un tube de rouge à lèvres à Jeannine. Surprise de voir Rachel et Laurent, sentant le besoin de dire quelque chose et de justifier sa présence, elle attaqua la première :

–Bonsoir les jeunesses ! Par chance que y a des fournaises dans les chaumières à soir ! On est bien en dedans... Nous autres, à la maison, c'est pareil. Madame Jolicoeur est ben au chaud. Pis moi, jamais je pars plus que deux heures de suite. Comme de raison, c'est pas une mourante pis faut ben que je fasse les commissions. Pis, Laurent, en as-tu fait un, un but, l'autre soir ?

–Rien qu'un... pis pour vous, madame, comme je vous l'ai promis.

–Ah! j'suis ben contente !

Puis elle s'adressa à Rachel et Jeannine :

–L'autre soir, je l'ai rencontré avant la partie en m'en allant voir Éva, pis j'ai réussi à lui faire promettre de compter un but pour moi... mais j'pense qu'il l'a pas fait rien que pour moi.

–Ah oui, madame, rien que pour vous ! C'est vous qui me l'avez demandé après tout.

–Ben moi, je te demande le prochain, fit Jeannine en riant.

–Réservé. Pis à Rachel, une partie au complet...

–Ben vous me donnez le goût de prendre un bon café...

–Un Nescafé, précisa Laurent en faisant de ses doigts un geste exprimant la qualité.

Il ne vint à l'idée de personne, elle-même moins que les autres, que cette femme tout juste séparée de son mari puisse se laisser aller à faire de la façon aux jeunes gens.

Et pourtant, de retour chez elle moins d'une heure plus tard, Rose s'embusqua derrière les rideaux de sa chambre sans lumière pour surveiller le retour de Rachel à la maison. Mais ce fut un passant marchant clopin-clopant qui attira tout d'abord toute son attention. Laval Beaudoin revenait du débit de boissons et il semblait chaudasse car en temps normal, il avait le pas sûr.

Rose soupira. Une idée folle, incontrôlable un moment, lui passa par la tête. Elle venait de plusieurs choses s'additionnant. Le clair d'étoiles qui rendait la femme romantique et sensuelle, la maigreur jaune de l'éclairage de la rue, le besoin de jouir pleinement de sa liberté nouvelle déjà si rétrécie. Et si elle l'invitait à entrer chez elle un soir alors qu'il rentrerait chez lui avec un coup dans les jambes et donc de l'audace dans les bras ? Une fredaine. Juste une jase en passant ! À peine fleureter. Et puis non ! L'aveugle d'en face verrait. Ça se japperait vite par toute la paroisse jusqu'au presbytère.

Et le regard embrasé, elle laissa l'image évanescente de Laval s'éloigner dans le froid noir de ce soir clair, le personnage à chaque pas enjambant ses propres hésitations.

Elle se demandait s'il valait la peine de surveiller la porte de l'hôtel et d'attendre pour voir le couple sortir et marcher dans sa jeunesse dorée... Avant d'en avoir soupesé les pour et les contre, elle vit Rachel et Laurent sortir et descendre dans la rue blanche. Ils avaient l'air de se moquer du froid de loup que toutes les cheminées disaient en fumée blanche. Et ils échangeaient avec animation sans jamais se dire des silences jusqu'au dernier moment alors qu'ils s'arrêtèrent au pied de l'escalier des Maheux.

Elle put voir le jeune homme s'approcher, mettre ses mains gantées sur les épaules de la jeune fille... Quel sens Rachel donnerait-elle au baiser ? Amitié, frivolité, amour ? Ni Rose ni Rachel ne le sauraient jamais.

Ils s'embrassèrent.

Rose rit en pensant que leurs lèvres pourraient rester collées. Elles s'éloignèrent. Les corps aussi. Les mains. Les pas. Les coeurs étaient-ils les seuls à se rapprocher dans cet éloignement général ?

Rose s'étendit sur son lit.

Le bruit de la goutte d'eau lui parvint par les deux portes ouvertes. Par un pareil froid, elle ne pouvait pas fermer l'une ou l'autre des pièces; c'est dire qu'elle devrait s'endormir dans ce minuscule et ridicule tapement qui, à la longue, pouvait frapper ses tympans comme un vrai marteau de forge...

Quand donc Ernest viendrait-il s'en occuper ?

***

Chapitre 21

Marie ouvrit la porte; son front se rembrunit. De la peur et de la douleur se mélangeaient en son âme. Elle savait pourquoi cet homme était venu. Elle le craignait non seulement pour ce qu'il allait dire mais simplement pour ce qu'il était.

Pourtant, Fernand se fit doucereux, et ses mots, surtout le ton pour les dire, étaient choisis pour amadouer et enjôler, pas pour menacer :

–Suis venu pour vous dire que votre loyer, vous le paierez quand ça vous adonnera. On est pas pressé. Le père, c'est pas ça qui va le faire mourir...

L'homme nourrissait la secrète intention de régler lui-même le coût du loyer puis de se faire payer ensuite par la veuve. Peut-être lui en ferait-il don si les choses allaient entre eux comme il le souhaitait...

–Donnez-moi une semaine pis je vas vous les trouver, vos dix piastres.

Il se frappa les mains l'une contre l'autre.

–Je pourrais rentrer une minute. Pour pas faire geler votre maison pis pour me réchauffer un peu. Je reste pas loin, c'est vrai, mais j'arrive du moulin... pis le frette, là, c'est pas rien...

Elle ouvrit plus grand et céda le passage. L'homme entra et resta debout sur le tapis, se frottant les oreilles sous les rabats détachés de son casque de cuir doublé mouton.

–Venez vous assire pis prendre une tasse de thé.

–À deux conditions...

Elle haussa les épaules, signifiant parlez...

–La première c'est que vous me disiez 'tu' et pas 'vous', parce qu'on est du monde de la même génération. Pis la deuxième, c'est d'accepter une livre de thé quand je vas repasser devant chez vous ces jours-citte après avoir été au magasin à Freddy...

–Une tasse de thé, ça coûte pas une livre de thé.

–Si jamais je viens en prendre une deuxième ? dit-il en souriant, la bouche en forme d'énigme.

Il entendit les voix des enfants et regarda vers l'escalier menant à l'étage.

–Par chance que c'est une maison pièces sur pièces, c'est pas trop dur à chauffer. Avec un coup de frette de même, le bois baisse vite.

–Si tu manques de bois... je peux te dire tu ?

–Si tu veux...

–Tu me fais signe pis je t'en apporte. On en a pour deux hivers, nous autres.

Les paroles apaisantes agissaient comme un huilier sur des engrenages secs. Marie s'éloignait quelque peu de sa première impression.

Rendu à table, l'homme désigna ses bottes pour les excuser :

–La neige est lisse pis dure, ça fera pas d'eau sur le plancher.

–Quand même ça serait, ben un bon coup de moppe pis c'est propre.

Il prit place. Elle se rendit au poêle sur lequel se trouvait une théière qu'elle déplaça pour faire augmenter la température de son contenu soit du thé du midi renforcé par le temps passé depuis son infusion.

Plutôt de tourner longtemps autour du pot, plutôt d'étudier la jeune femme par observation de sa personne et des lieux de son existence, plutôt d'attendre pour fouiller en elle en passant par des petits chemins, l'homme plongea au creux d'une question aussi soudaine qu'énorme :

–Qui c'est qu'on est, pis c'est quoi qu'on fait donc dans ce bas monde ?

–Comment ? se surprit-elle.

–Tu dois te poser ben des questions sur la vie, toi qui es veuve avec quatre enfants. Pis moi itou, je m'en pose.

La femme jeta un coup d'oeil sur l'horloge en disant :

–Drôle d'heure pour aborder des sujets comme ça !

Il répliqua :

–Y a pas d'heure pour questionner la vie... pis la mort...

–Quant à ça...

La femme se racla la gorge et prit deux tasses de métal de couleur bleue avec picots blancs dans une armoire et les mit sur l'autre extrémité du poêle en attendant que le thé soit chaud. Et elle prit place à l'autre bout de la table après avoir jeté un coup d'oeil vers l'escalier.

L'approche de Fernand l'intéressait. Catholique fervente, il y avait au fond d'elle une source et une soif, une source qui n'apaisait pas sa soif...

–Veux-tu ôter ton mackinaw ?

–Non, je vas juste le déboutonner.

L'homme revoyait déjà en sa tête les images qu'il avait prises d'elle un moment auparavant et d'autres en l'observant par sa fenêtre un soir récent. Ce qui le fascinait chez cette femme, c'était tout le contraire de ce qui lui plaisait chez Ti-Noire. Sa faiblesse, sa maigreur, sa détresse, son visage perdu, son esclavage des événements de la vie et du quotidien, sa vulnérabilité...

Aussitôt après avoir jeté sur la table la profondeur du sujet qu'il voulait explorer, l'homme se contenta pour un bon moment de raconter des grenailles concernant son travail au moulin, les frasques de Dominique, les tours joués au chauffeur de la bouilloire. Et il posa des questions sur le quotidien de Marie tandis qu'elle servait le thé bouillant et noir.

Puis on parla de Blanc Gaboury et du sort qui était le sien. Et après ces détours, on revint à la question existentielle du départ. Fernand avait une idée bien ancrée : il désirait intéresser et rassurer Marie, et pour ça, il devait percer sa carapace. Si ce n'était pas ce jour-là, ce serait à une prochaine visite.

–As-tu déjà essayé de parler avec ton mari depuis qu'il est... parti pour l'autre monde ?

–Je lui parle tous les soirs.

–Il va jamais te répondre si tu fais rien que lui parler comme ça... Faudrait prendre un chemin, une recette pour le contacter...

–Si tu parles de spiritisme, c'est défendu par la sainte Église catholique.

–Bah! défendu, défendu ! Pas sous peine de péché mortel ! C'est parce que les prêtres veulent garder le contrôle sur tout ce qui regarde les affaires spirituelles.

Marie ne dit rien. Son regard parlait par son absence. Elle ne se sentait pas assez de hardiesse, d'étoffe pour faire une incursion dans le monde spirituel qui ne passe par les voies établies par la sainte Église, bien qu'elle en ressente fortement l'attrait. Fernand sut lire derrière cet air perplexe et il jeta, lapidaire :

–Samedi soir. Neuf heures. Icitte à table. On parle à ton mari.

Elle hésita un moment puis regarda l'escalier en disant :

–Les enfants ?

–Sauront pas c'est quoi.

–Faudra être plus que deux personnes.

–Ça, c'est sûr : deux, c'est pas assez.

–Qui d'autre ?

–Peut-être ben... Ti-Noire Grégoire... pis peut-être ben... Dominique Blais.

–Ti-Noire ? Ça me surprendrait.

–Elle est pas farouche...

–Dominique Blais... encore plus...

–Pas peur des morts, lui... V'là pas longtemps, il s'est endormi avec le père Jolicoeur juste à côté...

–Si monsieur le Curé apprend ça, on sera pas mieux que morts. La charité envers moi, ça serait fini.

–C'est pas une messe noire qu'on va faire, on va juste invoquer les esprits... même pas les invoquer, tâcher de leur parler. Y a pas de mal à ça. Et puis, c'est ton mari qu'on va appeler.

Le regard de Marie devint nostalgique et lointain. En même temps, son esprit raisonnait. Si on était quatre à table avec les enfants dans la maison, qui donc pourrait lui faire des reproches ?

Fernand n'attendit pas la réponse. Il vida le contenu amer de sa tasse d'une seule lampée, se leva, se rendit à la porte, disant :

–Attends-nous pour neuf heures samedi au soir. Si je peux pas emmener Ti-Noire ou Dominique, je trouverai quelqu'un d'autre. Pis même si eux autres viennent, je vas peut-être trouver quelqu'un d'autre. Le Blanc Gaboury, tiens : il a pas peur de l'autre monde, lui non plus...

Quand il fut parti, Marie se sentit plus rassurée qu'avant son arrivée. Paradoxe qu'elle ne comprenait pas. C'est que des gens viendraient vers elle et qu'elle serait moins seule... pour un temps.

Rioux posa sa petite valise à terre entre deux bancs près du comptoir. Il était seul dans le restaurant. Revenu de Rimouski par train, arrivé avec le postillon, il avait faim et soif. Mais il voulait éviter que le repas compte pour une journée complète de pension et voulait donc manger comme un client ordinaire du restaurant.

Il se racla la gorge, fouilla dans sa poche, sortit de la monnaie, la fit tinter sur le comptoir. Enfin quelqu'un vint.

–Ah! c'est vous, monsieur Rioux ?

–Eh oui, mademoiselle Jeannine. En chair et en os.

–Un bon voyage par chez vous ?

–Comme prévu. Mais ça me déplaît pas de reprendre ma petite vie dans la Beauce. Pis vous autres, un beau jour de l'An ? Des becs en masse... Quen, je peux te souhaiter une bonne et heureuse année ?

Elle tendit la main par-dessus le comptoir et garda une distance suffisante pour éviter que l'homme ne l'embrasse malgré sa volonté exprimée par un étirement manifeste vers elle.

Et elle le regretta encore moins quand il ôta sa toque et découvrit sa calvitie qui le vieillissait de dix ans au moins.

–Qu'est-ce qu'on peut vous servir ?

–Tu me ferais peut-être un bon sandwich aux tomates avec beaucoup de mayonnaise...

Elle hocha la tête :

–Y a pas de tomates rondes de ce temps-là, voyons !

–Pourtant vrai !...

Il réfléchit.

–T'as une idée ?

–Aux oeufs, ça manque pas, ça !

–Ouais, aux oeufs frits, c'est une bonne suggestion.

–Avec du café ?

–Si c'est du trouble, tu me donneras un Coke avec ça.

Au moment de partir pour aller passer la commande à sa mère dans la cuisine, Jeannine croisa son frère Émilien. Elle le regarda droit dans les yeux, eut un moment d'hésitation et poursuivit son chemin.

Le jeune homme fit l'étonné :

–Quen, monsieur Rioux qui nous revient du bout du monde !

L'autre le regarda avec intensité, disant :

–Le bout du monde ?

–Ah ! c'est juste pour vous faire étriver un peu.

–Le bout du monde, cher ami, on le porte en soi, pas besoin de courir la planète pour le voir, pour le connaître.

Émilien s'appuya au bout du comptoir et dit en riant :

–Moi, suis dur de comprenure...

–Quand tu voudras que je t'explique tout ça, tu viendras me voir. Il me semblait que tu devais me tutoyer...

–J'aime autant pas...

Pour Rioux, c'était bon signe. Signe que le jeune homme voulait cacher le fond de lui-même à son entourage, signe qu'il avait quelque chose à cacher à son entourage en ce qui les concernait...

On se parla du froid, de l'école sur le point de recommencer.

Survint le taxi Roy qui afficha une humeur impraticable. Tout d'abord, il n'échangea qu'avec Émilien à propos de hockey. Jeannine vint servir le sandwich à son client qui le fit accompagner d'un Coke et commença à manger au comptoir tandis que les deux autres hommes discutaient, assis dans la cabine voisine.

–Les joueurs de par icitte, ils jouent trop franc, maugréa le taxi en reluquant vers le mesureur de bois. Les étrangers, c'est pas toujours fiables.

Émilien comprit qu'il s'était passé quelque chose entre ces deux-là; il regarda dans les deux directions, surveillant la prochaine chique à être poussée par l'un ou l'autre.

Au lieu de fafiner, Rioux fit en sorte de fermer le clapet du taxi en disant :

–Aurélien, j'ai pas pu monter à Québec avec toi ni revenir; a fallu que j'arrête à Sainte-Marie les deux fois. J'ai de la parenté par là. Mais la prochaine fois, pis ça retardera pas, tu pourras compter sur moi. Quand je suis parti, j'aurais dû te le dire plus vite : j'ai fait une coche mal taillée. As-tu rempli ta machine pareil c'te journée-là ?

Chicaner l'autre davantage ne lui aurait servi à rien et le taxi se contenta de faire l'indépendant :

–C'est ben rare que je remplis pas.

L'homme de Rimouski paya Jeannine et lui laissa un généreux pourboire puis il ramassa sa valise et quitta la pièce après avoir salué du geste, et il monta tout droit à sa chambre.

Pendant quelque temps, il réfléchit, allongé sur son lit, une catalogne le recouvrant à demi, car il faisait frisquet dans la petite pièce, la vis du calorifère ayant été tournée à mi-course durant son absence.

Comme les choses changeaient chaque fois qu'il retournait chez lui ! Une autre de ses anciennes amies convolerait en justes noces. Lui avait eu beau essayer encore et encore, jamais il n'avait réussi à se complaire avec une personne de l'autre sexe. Mais comment adhérer à l'autre façon de se gouverner quand la morale et l'opinion crucifient l'anormalité sexuelle et affective ? Pendant longtemps, il avait confessé à Dieu et aux prêtres ses penchants que d'aucuns très rares trouvaient tolérables, mais que les autres qualifiaient de vicieux et d'affreux, et parmi ces gens-là, un vicaire qui en un premier temps condamna puis, par une série de voies détournées, finit par entrer lui-même dans le jeu. Ils avaient couché ensemble pendant des années jusqu'au moment où un scandale avait éclaté, éclaboussant le prêtre et plusieurs jeunes gens. Raymond avait alors trouvé son travail de mesureur de bois dans la Beauce. L'exil ferait oublier bien des choses, mais son passé le suivrait toujours puisqu'il le portait en lui.

La chaleur commençait à reprendre ses droits. L'homme pensa au piège qu'il avait tendu à Émilien. Il se désabria et se rendit prendre sa valise qu'il avait laissée dans la placard durant son voyage, la déposa sur le lit et l'ouvrit. L'évidence lui sauta aux yeux. L'enveloppe portait des traces révélatrices. Du liquide l'avait aspergée : indubitable ! Les photos : mélangées ! Plus de signe indicateur, ce signet poilu dont se servent bien des espions amateurs ! Et en retournant les photos, il en trouva quelques-unes de Mae West portant les mêmes résidus que l'enveloppe jaune elle-même. Il n'eut aucun mal à imaginer ce qui s'était passé là, à la différence près qu'il croyait Émilien coupable seul son crime de masturbation. Il poussa la valise au pied du lit puis s'y coucha encore pour se laisser envahir par un état proche voisin de la somnolence.

Des pensées inextricables mais toutes luxurieuses barbouillèrent l'intérieur de sa tête pour un long temps. Certaines lui venaient tout droit de son désir érigé, d'autres claudiquaient à travers une logique nébuleuse, cherchant à justifier une visite impromptue à la chambre du jeune homme, et souvent les sentiments venaient se suspendre comme des banderoles à slogans au-dessus du fatras général. Son âme lui apparaissait comme une ville frontière chargée d'hommes, d'attelages et de bâtisses, toutes choses confondues dans une même image où elles se juxtaposaient et s'entrecroisaient à la fois comme dans un rêve paradoxal, et toutes emportées par un tourbillon de volupté, enchâssées dans une réalité sensuelle étourdissante et enivrante.

Un bruit le ramena à la réalité du moment. Il lui apparut clairement qu'on montait l'escalier du couloir central. Que l'ascension se prolonge vers le troisième étage et il saurait qu'il s'agissait du jeune homme ! D'ailleurs ce pas parlait par sa lourdeur négligée : ni celui léger d'une jeune fille, ni celui empâté de la mère, encore moins celui glissant de Fortunat...

Une porte se referma là-haut. Mais pas comme celle d'Émilien, de coutume un peu plus discrète. Si ce n'était pas lui, qui donc d'autre ? Un nouveau pensionnaire ? Un voyageur de commerce ? L'inspecteur Pagé ? Non, pas l'inspecteur, puisque les classes n'ouvriraient que le lundi suivant.

Il lui fallait un prétexte pour aller frapper à la porte d'Émilien. Et un bon. Juste parler, ce serait risqué, ce serait risquer. Que survienne Jeannine ou Monique ou que le jeune homme se plaigne, et on pourrait le jeter dehors sans espoir d'être logé par quiconque dans le village. Faire disparaître les photos et feindre un soupçon : Émilien se sentirait menacé et cela pourrait tourner au vinaigre. C'est un service qu'il devrait lui demander. Comme tous les autres de la famille, l'adolescent possédait cette aptitude à servir qui fait les commerçants aimables. Qu'on les surprenne dans la même chambre et ce motif expliquerait tout dans une assurance à toute épreuve.

Il attendit une bonne dizaine de minutes puis quitta sa chambre et monta à celle du jeune homme où il frappa en douceur. La porte s'ouvrit. Émilien ne parut pas surpris et fit entrer son visiteur après avoir jeté un coup d'oeil vers le puits de l'escalier.

–Suis venu te demander une petite faveur.

–Voulez-vous vous asseoir un peu ? fit le jeune homme en désignant son lit.

–Pas nécessairement !

Émilien, lui, prit place. Le lit craqua sous son poids. Il enveloppa un de ses genoux de ses mains croisées et attendit que l'autre s'exprime.

–Sais-tu, depuis quelque temps, ça m'arrive d'avoir des étourdissements. J'ai vu le docteur à Rimouski, il dit que c'est rien. Tant mieux. Mais un étourdissement, ça peut pas être rien quand on y pense. En tout cas, c'est pas normal. Ce que j'aimerais, pis ça, c'est entre nous autres, c'est que tu gardes avec toi une clef de ma chambre. Rien qu'en cas. Écoute, suis pas en danger de mort. Mais c'est quoi ? Le coeur ? Du diabète ? Un caillot dans la tête. Ou juste un problème mineur avec mon nerf optique ou le liquide de mes oreilles ?

–C'est que je peux faire avec votre clef de chambre, moi ?

–Mettons que tu vois de la lumière sous la porte en pleine nuit, tu ouvres et jette un coup d'oeil. Ou que mon cadran sonne jusqu'au bout pis que je me lève pas le matin. Ou un bruit de chute. Tout ce qui te paraît sortir de l'ordinaire, tu vérifies ce qui se passe.

–Ah! y en a une en bas, une clef. Y en a même deux. Faudrait quasiment que je le dise à mes parents...

–Surtout pas ! Pourquoi les inquiéter pour rien ? Parce que moi, j'suis sûr que c'est pas grand-chose, tu comprends ?

–C'est beau !

Émilien sourit en pitié.

–Qu'est-ce que t'es en train de penser ?

–Si vous plantez la pirouette dans les escaliers, vous allez faire mourir mes soeurs de peur...

–T'inquiète pas pour ça ! Ça va pas arriver.

Devant ce sourire inintelligent rivé sur le visage du jeune homme, Rioux ne put s'empêcher de dire :

–As-tu repensé à notre dernière conversation et aux portraits à Mae West ?

L'adolescent redevint sérieux. Même qu'il était déstabilisé.

–N... non, bredouilla-t-il.

–On dirait que y a quelqu'un qui a fouillé dans ma valise, c'est pas toi, c'est sûr, malgré que je t'en voudrais pas une miette pour ça. Il manquait rien sauf qu'on dirait qu'un nez curieux a...

–Même si je dis que c'est pas moi, vous me croirez pas, dit l'adolescent avec un air niais mais un peu défiant quand même.

Rioux s'approcha lentement, avec sur le visage un sourire onctueux qui contenait de l'indulgence et de l'excitation muselée. Émilien non seulement supporta son regard mais y répondit avec dans le sien l'évidente expression de l'acceptation et du désir.

–Toi, mon petit maudit, je vas te manger comme tu peux pas savoir...

Au dernier moment, il se rua presque sur le jeune homme et

s'en empara sans la moindre hésitation. Les bouches se rencontrèrent dans une folie furieuse.

Pendant ce temps, au restaurant, Jeannine regardait le taxi s'en
aller. Elle se demandait si elle devait fermer de suite ou attendre
encore au cas où... Tant qu'à perdre du temps, se dit-elle, autant
compter les pourboires de la journée qui, selon son évaluation,
n'atteindraient sans doute pas un dollar.

En prenant le sorbet contenant la monnaie, elle aperçut à l'arrière une lettre adressée à Raymond Rioux, arrivée l'avant-veille.
Elle irait la lui porter dans quelques minutes après avoir compté
son argent.

Elle savait que le cent 1927 avec astérisque possédait une certaine valeur comme pièce de collection. Cinquante dollars, affir-
maient d'aucuns. Cent, enchérissait le taxi. Une fortune, répétait
souvent Ti-Noire Grégoire sans du tout le croire. Extravagance
verbale ou non, Jeannine vérifiait toutes les pièces de monnaie
qui lui passaient par les mains et si l'une d'entre elles se distinguait par un aspect particulier, sortait de l'ordinaire, elle la mettait
de côté, la gardait dans un petit cochon de porcelaine posé sur sa
commode dans sa chambre.

Quand l'argent fut compté, toutes les pièces arborant la banalité de la tête du roi Georges V ou celle de Georges VI furent
remises dans le sorbet. Jeannine prit l'enveloppe et partit pour
aller la porter à son propriétaire...

Comme deux bêtes lubriques torturées par un feu inapaisable,
l'homme et le garçon se prodiguaient mutuellement des attouchements qui ramassaient leur totale attention. Ils n'entendaient point
les pas dans l'escalier... On explorait l'inexploré. Rioux souleva
le chandail du garçon, le lui accrocha à une épaule et caressa la
poitrine qu'il savait déjà légèrement mamelue.

Jeannine frappa à la porte du mesureur de bois. Numéro 22.
Pas de réponse.

–Monsieur Rioux, c'est Jeannine Fortier... J'ai une lettre pour
vous.

Silence.

–Monsieur Rioux, monsieur Rioux, chantonna-t-elle.

Elle tâta la poignée, poussa, vit que ce n'était pas fermé à clef mais se ravisa aussitôt. Il pourrait se vexer, se plaindre, quitter l'hôtel...

–Monsieur Rioux, monsieur Rioux...

Elle regarda l'enveloppe et une idée lui vint. Elle irait la confier à Émilien avec mission de la remettre à l'homme. Et elle gravit les marches menant au troisième étage.

L'adolescent fut le premier à exploser. Il souilla le pantalon de Rioux et le sien. L'homme se prit en main et entreprit un va-et-vient rapide et irrésistible.

Jeannine frappa à la porte en disant :

–Émilien, c'est Jeannine, j'ai une lettre pour monsieur Rioux.

Les deux hommes figèrent net. S'il fallait qu'elle entre, ce serait une catastrophe et pour l'un et pour l'autre, et pire encore.

–Réponds, souffla Rioux qui se dépêchait de cacher son sexe et remonter sa fermeture-éclair.

–Ouais...

–As-tu compris ?

–Rentre pas, j'sus pas habillé...

–C'est beau ! Je la mets à terre, la lettre...

–C'est beau, ça, je la prendrai tantôt.

L'esprit de la jeune femme fut à ce moment traversé par un doute. Rioux était-il dans sa chambre ou ici avec son frère ? Elle déposa l'enveloppe par terre, écouta un moment...

Rioux marcha vers la porte afin de la bloquer ou bien de se camoufler derrière si Jeannine devait ouvrir. Le plancher craqua. La jeune fille entendit, se força à croire qu'il s'agissait du pas de l'adolescent.

–Partons la mer est belle, embarquons-nous pêcheurs; guidons notre nacelle, ramons avec ardeur...

Émilien chantonnait pour abuser sa sœur au cas où elle se trouverait encore de l'autre côté de la porte. Elle partit. On l'entendit redescendre.

Rioux souffrait le martyre moral. S'il fallait qu'elle se soit rendue dans sa chambre ou bien qu'elle s'y rende, elle devinerait, et il se demanda s'il n'avait pas manqué de jugeote et si on n'aurait pas dû prendre le taureau par les cornes. Ils auraient eu le temps de se rhabiller et de répondre, utilisant ensuite au besoin la même salade quant à ses étourdissements...

Il soufflait fort en hochant la tête et en la frottant de sa paume. L'adolescent se rendit à la porte, écouta, sortit, ramassa l'enveloppe et referma.

–On ferait mieux de se voir dans ma chambre, dit Rioux. Je m'en vas. Tu viendras plus tard me la porter...

Émilien le regarda, les yeux brillants, mais il ne dit mot...

***

Chapitre 22

–J'me demande pourquoi c'est faire que tu m'annonces ça de même à la dernière minute.

–Tu fais pareil, toi, Ernest.

–Pour aller sur la Grand-Ligne ou ben à La Gadeloupe, pas pour monter à Warville aux États, maudit torrieu.

–J'ai repensé à ça pis si je vas pas le voir tusuite, mon frère, je le reverrai jamais. À part de ça, si tu veux venir, t'as rien qu'à faire ta valise: y a de la place dans les gros chars.

–Ça prend quelqu'un pour tenir ton magasin, tu peux en trouver même si Rachel reprend son école. Mais moé, tu sais ben que j'peux pas fermer la boutique comme ça avec toutes les maudites sleighs des Blais à réparer.

Ils étaient dans la boutique, lui derrière son enclume à côté du feu somnolent et elle, un mackinaw mis en travers de ses épaules, à mi-chemin entre le portillon et lui.

–En tout cas, j'ai envoyé Lucille acheter mon billet à la gare des gros chars à Mégantic. Je pars demain.

–Pis tu vas aller à Mégantic à pied ?

–Je vas faire comme toi pis prendre l'autobus.

–C'est mauditement dangereux, ça ! Les Thibodeau, ils ont

remplacé celle qui a brûlé par une maudite barouche pire encore...

Éva se plut à lui lancer une flèche en plein talon d'Achille :

–J'ai pas un sort sur le dos, moi. Le quêteux Labonté, je l'ai toujours ben reçu...

Ce qui contrariait l'homme, ce n'était pas le départ inopiné de sa femme pour aller au chevet de son frère cancéreux, mais sa propre conscience. Il avait fait le rêve de se rendre chez Rose réparer sa champlure et disposait du paquetage qu'il croyait requis, mais la présence d'Éva suffirait à l'empêcher de la cocufier. Il voulait bien s'approcher du feu mais ne désirait pas se brûler. Jeter un coup d'oeil sur la poitrine rebondie de la femme à Gus, peut-être, la frôler comme ça en travaillant, passe toujours, mais plus que ça l'effarouchait.

–Ben tu y diras, à ton frère, de prendre soin de lui pis qu'on pense à lui. Même si il se pense fini, lui, dis-y que les miracles, ça existe. Tu pars après-midi ? Pis tu vas rester comment longtemps là-bas ?

–Je vas revenir dans une semaine.

–C'est ton argent, fais ce que tu veux avec.

–Oui, c'est mon argent...

Le jour suivant après le repas du midi, le forgeron se présenta chez Rose avec plusieurs outils dans les mains dont la plupart qu'il savait inutiles. Il fallait que les gens, surtout l'aveugle qui placoterait au bureau de poste, sachent qu'il allait travailler dans la maison des Jolicoeur.

–Ah! si c'est pas mon cher Ernest !

–La maudite goutte qui dégoutte, ben j'sus là pour ça !

–Ben voyons, t'as ben l'air en démon aujourd'hui ? Ça serait-il le départ d'Éva pour les États qui te fait pas ?

–Ben non... j'ai parlé sans méchante humeur.

–C'est mieux parce que j'voudrais pas tu sois onéreux.

–Quoi ?

–Cherrant.

–Le maréchal cherrant, c'est pas moé, c'est le maudit Georges

Pelchat. Un vrai mange-canayen, celui-là ! Mais là, le temps que j'sus sur ta galerie, ça va te coûter de l'argent.

–Rentre, rentre donc !

Il regarda à gauche, à droite et entra aussitôt, les bras chargés et fatigués.

–Mets donc ça à terre pour tusuite pis déshabille-toi...

Il obéit en grommelant :

–Pis coudonc, qui c'est qui t'aura dit que ma femme était partie pour les États ?

–C'est elle.

–Quand ça ?

–Hier.

–T'es venue au magasin hier ?

–Elle avait besoin de petites affaires de femme pour son voyage.

–Les femmes, ça pense rien qu'à se grimmer.

–T'es le premier à aimer ça, Ernest, une belle femme ben potelée pis grimmée, hein ?

Il haussa les épaules :

–Bah! j'dis pas non.

Rose s'était mise sur son trente-six. Quelque chose lui avait dit que le forgeron se présenterait ce jour-là pour effectuer la réparation. Elle portait une matinée de soie avec petit appliqué coloré sur le côté droit du buste, et une jupe noire. S'était fait un manucure et avait ramassé sa chevelure en toque. Rouge à lèvres appuyé et fard aux joues, elle donnait l'air d'une jeune grand-mère. De quoi étourdir le bonhomme.

Quant à lui, il s'était bien lavé la veille au soir et ce matin-là, il avait revêtu ses overalls de rechange, car depuis que sa femme tenait magasin, elle changeait le plus souvent possible ses vêtements pour qu'il entre le moins possible dans la maison cette odeur chevaline qu'elle trouvait de plus en plus infecte avec les années.

Il choisit une clef anglaise parmi ses outils de même que la boîte du paquetage et se tint debout devant elle qui l'examina de pied en cap.

–Ah! si le bon Dieu m'avait donné un homme comme toi,

mon cher Ernest, si le bon Dieu m'avait donc donné un homme comme toi !

Cette parole eut l'effet d'une ruade de cheval sur l'esprit du forgeron. Qu'est-ce qu'elle voulait dire avec ça ? Comment devait-il réagir à ça ?

Il questionna par son indifférence apparente :

—Ouais, ouais...

—Si tu veux ben me suivre.

Elle le précéda dans l'escalier et monta plutôt lentement pour qu'il puisse en avoir plein la vue. Non, elle n'avait plus la taille effilée et tout cela pour elle n'était qu'un jeu, mais un jeu qu'elle voulait jouer étourdiment et dangereusement.

—J'ai les bottes graisseuses, ça va faire de l'eau dans ta maison, là, toi.

Elle s'arrêta, se tourna gracieusement et dit avec un clin d'oeil dans la voix :

—Je donnerai un bon coup de moppe.

—C'est pas la première fois que je viens icitte-dans. En haut, je veux dire.

—Ah!

—J'ai déjà eu des réparages à faire, ça fait longtemps.

—Je commence à être souffleuse dans les escaliers : je dois être trop pesante. Ah! vieillir, hein, Ernest ?

Il poursuivit sur sa pensée à lui :

—Ah! ça fait au moins vingt ans...

—Comme ça, Éva est partie pour les États ?

—Si je me rappelle, y a trois chambres, icitte en haut, hein ?

—Oui, je vais te montrer ça !

—Pas nécessaire : l'important, c'est la goutte d'eau qui te fatique la nuitte !

Elle parvint sur la dernière marche et montra à sa gauche :

—C'est ça, la chambre de bains. Entends-tu la goutte ?

—On va y faire une trimme, à ta champlure.

—Ben moi, je vas te laisser travailler en paix, pis je vas rester dans ma chambre. Si t'as besoin de te faire aider, tu viendras me le dire, ça marche ?

–Hum, hum...

Ernest ôta son mackinaw qu'il accrocha derrière la porte, et l'ouvrage commença rondement. Il coupa l'eau avec la valve du tuyau d'amenée dans l'armoire derrière le bain et mit la clef anglaise en position afin de dévisser la bague du robinet.

Dans sa chambre, Rose vida un tiroir de commode sur son lit et le remplit tranquillement pour mieux ranger des choses déjà en parfait ordre. C'était pour passer le temps. Elle ne se sentait ni inquiète ni mal à l'aise.

Le forgeron s'agenouilla pour mieux travailler. Ému, nerveux, apeuré par l'attitude de Rose, il serra mal la molette, et comme le mors était usé, la clef échappa lorsqu'il appliqua de la pression et la poignée lui écrasa le majeur contre la cuvette. Le sang gicla. Qui de Dieu ou du diable s'en mêle quand il s'agit de faire évoluer une situation?

–Ayoye donc, maudit torrieu de maudit torrieu de baptême de maudit torrieu...

Le seul juron liturgique utilisé par Ernest en de très rares occasions était celui-là. Même à l'accident de Lambton, beaucoup plus tragique que ce simple incident, il s'était abstenu de sacrer.

Rose délaissa son travail inutile et se rendit à la salle de bains. Les gouttes rouges tombaient sur la porcelaine.

–Veux-tu me dire ?...

L'homme se tenait le majeur avec l'autre main comme pour faire saigner encore plus.

–C'est rien, c'est rien.

–Je vas te soigner ça, ça sera pas long.

Et le femme trouva de la ouate et un rouleau de diachylon dans l'armoire au-dessus de la cuvette. Il y avait aussi une paire de ciseaux.

–Attends un peu, je vas nettoyer ça... Je vas rouvrir l'eau...

Ce qu'il fit après quoi il mit son doigt sous le jet. Le sang venait d'autour de l'ongle.

–Je vas envelopper ça pis serrer un peu pour que ça se calme, fit-elle en montrant une pièce de ouate.

Mais il la prit et le fit lui-même.

–J'ai d'l'air d'un maudit gauche pis c'est quasiment rien que ça que j'sus... La clef a lâché...

–C'est vissé serré.

–Le mors est usé.

–Entoure ton doigt ben comme il faut, je vas coller du plasteur dessus.

–Je vas m'arranger avec ça.

–Voyons, t'es pas capable tuseul.

–Quant à ça...

Il tendit la main. Elle lui confia le sparadrap et les ciseaux et s'empara du doigt blessé qu'elle tamponna avec la ouate. Le sang se faisait plus rare. Elle arracha un autre morceau de ouate du rouleau de l'armoire et le tailla à l'oeil à la mesure du doigt et l'y appliqua en tournant autour. L'y retenant d'une main, elle libéra le blessé de ce qu'il avait dans la sienne et lui redonna son doigt, le temps de se tailler des longueurs de diachylon qu'elle suspendit à la poignée de porte en les y collant par leur extrémité.

Ernest la regardait faire sans parvenir à dégager son attention de ses gestes roulés, de ses formes se balançant et de ses parfums envoûtants. Elle faisait exprès de prendre tout son temps.

–Faut pas mesquiner sur la ouate, dit-elle en dégageant le doigt une seconde fois.

Elle rejeta le coton avec le premier dans une corbeille et annonça qu'elle voulait mettre du mercurochrome sur la blessure. Il protesta :

–Pas nécessaire pantoute !

–Laisse-toi faire pis écoute-moi !

Tandis qu'elle appliquait le liquide rouge sur la blessure, le téléphone se mit à sonner en bas.

–Ah! ils rappelleront... C'est pas mêlant, on dirait qu'ils le savent quand c'est pas le temps d'appeler.

–Ben ça soulage, ça, Rose. Tantôt, je me sentais le pouls battre dans le doigt. Merci.

–De rien ! Pis j'ai pas fini.

Le téléphone se tut.

Après le mercurochrome, ce fut le pansement de ouate puis l'application des bandes de sparadrap.

–Parle-moi d'une belle catin de même ! dit-il en levant son doigt pansé à hauteur de vue.

–T'es bon pour un coup de massue, Ernest.

–Pas sur la tête.

–Sur le doigt.

–Laissons ça de même !

Il baissa la main, et leurs yeux se rencontrèrent un moment au milieu d'un silence troublant.

Il fut le premier à réagir :

–Bon, ben merci encore! Je vas finir ça, là, moi.

Rose n'aurait pas voulu elle non plus que les choses dépassent ce stade. Le téléphone l'appela à nouveau. Elle se hâta en disant :

–Ils tiennent à me parler, ceux-là...

–On dirait, hein !

Il se rendit couper l'eau et se remit à genoux pour enserrer à nouveau la bague avec la clef à molettes. La voix pointue de Rose grimpa l'escalier :

–Ernest, Ernest, c'est Bernadette qui voudrait te parler. Elle t'a vu entrer icitte. Paraît qu'elle a quelque chose de brisé...

Il sortit dans le couloir.

–Dis-y que je vas arrêter en passant tantôt.

–Elle voudrait te parler.

–Dis-y ça, c'est toute !

–C'est bon.

Quand son travail fut terminé, le forgeron ramassa ses choses et descendit au premier étage où Rose l'attendait avec un billet de deux dollars dans la main.

–Je vas te devoir combien ?

–Les coûtements seront pas trop gros. Bah ! si on compte le

pansement pis toute, donne-moi une piastre pour mon ouvrage pis le paquetage, on n'en parle pas !

–Ça vaut deux, quen.

Elle mit le billet dans sa poche puis lui montra un petit tube rond en disant :

–Ça, c'est un petit parfum que je te donne pour Éva, pour quand elle va revenir de voyage.

–Ben non, voyons !

–Ben oui, envoye !

–La mère, c'est elle qui s'occupe de ça, les cadeaux... Moi, j'connais rien là-dedans.

–Tu vas voir, elle va être contente.

Et elle ouvrit le flacon et le lui mit sous le nez.

–Elle va aimer ça... pis toi itou...

–Ouais...

Et elle referma le contenant qu'elle glissa avec le billet de banque dans son mackinaw.

–Comment ça coûte ?

–Je te l'ai dit : c'est un tip.

–Bon...

Il se chargea de tous ses outils et sortit après qu'elle eut ouvert la porte devant lui.

–L'ouvrage va être ben bonne, j'pense... Mais si ça dégoutte encore, appelle-moi.

–J'y manquerai pas, Ernest, j'y manquerai pas.

De l'autre côté de la rue derrière sa fenêtre, l'aveugle se berçait et par le regard de sa grosse Anna-Marie, il apprenait les choses et les commentait à sa manière joyeuse.

–Ernest Maheux qui sort de su' Rose avec ses outils. C'est drôle que les affaires brisent depuis qu'elle est là...

–Peut-être ben que c'est elle qui a des affaires brisées.

–C'est que tu veux dire avec ça ?

–Disons que je me comprends.

–Fait frette dans la maison, les vitres sont pleines de glace. Des calorifères qui marchent pas...

–Une chatte en chaleur...

–Quoi c'est tu dis ?

–Disons que je me comprends...

–Ah ! pis quen, il s'en va su' Bernadette asteur.

–Du réparage pis du ferrage : Ernest, il va poigner du lumbago, là, lui.

–Arrête donc de toujours parler tuseul !

–C'est pour mieux voir c'est que j'pense, tu sauras.

Bernadette ouvrit la porte de sa maison et de son sourire éclatant en s'exclamant:

–J'espère que je te dérange pas trop, là, Ernest. Je t'ai vu aller réparer quelque chose su' les Jolicoeur pis je me suis dit que tant qu'à te déplacer avec tes outils... J'ai une poignée de porte qui tourne pas. C'est les enfants à Ovide qui ont du mettre de quoi dans la serrure. La Odette, c'est pas du monde. Ah, la p'tite bonyenne ! Peut-être une pince à cheveux ou je sais pas trop quoi. Aurais-tu le temps de voir à ça ?

–Où c'est, ça ?

–Dis-moi donc, t'es-tu cassé le doigt ? Toute une catin !

Il mit ses outils sur le tapis, répondit :

–Ouais... Ben pas cassé, mais magané un peu, là, avec la champlure à Rose Martin.

–Ah! elle avait une champlure de brisée, oui, j'pense qu'elle m'avait parlé de ça... Ah! j'vous dis que pas d'homme dans une maison, tout s'en va à gandole.

La vieille demoiselle étala un large rire éclaté.

–Ah! suffit de pas relâcher les affaires pis de suivre ça de proche. Rose se fera pas dépasser par les problèmes.

–Ça, c'est certain : une femme ordonnée comme elle. Viens par icitte... En réalité, c'est la porte de la dépense, c'est pour ça que j'peux pas laisser ça de même, tu comprends...

Tout en travaillant, Ernest réfléchit aux conséquences heureuses de l'intervention de Bernadette. Elle placotait à gauche et à droite ce qu'elle entendait mais toujours des belles choses ou bien montrait le beau de l'histoire qu'elle savait. Tout le contraire d'une semeuse de zizanie et de scandale dont bien des villages étaient affligés; sa langue propre contribuait à éviter bien des controverses et souvent transformait des faussetés malodorantes en nouvelles plaisantes et savoureuses, et jamais personne ne serait accusé à faux à cause de ses propos qui respiraient le bonheur.

Dans une autre perspective, l'homme regrettait son attitude chez Rose. Elle avait le poitrail plus fier que jamais. Peut-être qu'elle aurait voulu se le faire travailler. Ah! que d'étincelles il se rappelait avoir vues dans son regard, maintenant qu'il était trop tard pour tisonner le feu ! Et se promenait toujours de par ses narines le subtil parfum qu'elle portait comme si toute sa personne avait été un jardin de fleurs.

–Pis ça va à ton goût ? vint dire Bernadette, la voix crémeuse.

–Comme tu disais : c'est des cochonneries que les enfants ont fourrées là-dedans. Regarde si ça vire ben...

Il tourna la poignée à plusieurs reprises.

– J'aurais ben demandé à Jean-Yves de venir, mais il connaît pas ben ça, ces affaires-là.

–Il a appris autre chose, c'est aussi bon.

–Ah! c'est le meilleur garçon du jour, c'est certain.

–Va donc chercher le ramasse-miettes pour nettoyer les saloperies.

–Bonne idée, ça, au lieu de placoter pour absolument rien dire.

Elle tourna les talons tandis que lui réunissait les saletés en un petit tas.

Au retour, la femme parla du voyage d'Éva et elle osa même parler, mais à mots muselés, de la chevelure en perte de grâce de l'infortuné forgeron :

–Vous passez chacun votre tour par Mégantic de ce temps-là, pis pour cause de maladie tous les deux...

Il se leva sans dire un mot et s'en alla à la porte où elle le rattrapa avec un billet d'un dollar à la main.

–J'ai pas de change, donne-moi vingt-cinq cennes...

–Prends ça, prends ça...

–Vingt-cinq cennes, que je te dis ! Pis quen, je vas aller au magasin ces jours-citte, tu me le donneras là...

Sans attendre, il ramassa ses outils, salua en grommelant et s'en alla.

Bernadette se sentait coupable de quelque chose sans savoir trop ce que c'était...

***

Chapitre 23

Dominique Blais s'amena en 'dumbarge' et en boisson. Il avait concocté un plan avec Fernand afin de tromper les gens sur leurs intentions. On croirait qu'il y avait un travail quelconque à effectuer à la grange des Rouleau sise en bas de la côte derrière la maison chez Marie Sirois.

On s'était dit qu'il vaudrait mieux conserver le secret sur cette histoire de séance de spiritisme afin de protéger la veuve, comme elle l'avait d'ailleurs elle-même demandé.

L'avant-veille, Fernand proposait à Ti-Noire de venir; elle avait accepté à la condition que Rachel Maheux vienne avec elle. Et Rachel trouva l'idée originale. Laurent était obligé de partir pour Montréal afin d'y être le lundi matin alors qu'il ferait une tournée de grossistes, et donc il ne lui demanderait pas pour sortir. Les deux jeunes personnes étaient venues ensemble à pied après le coucher du soleil, sans attirer l'attention de quiconque.

Et les trois femmes, en ce moment, sirotaient un thé fort en attendant les deux autres participants. Déjà couchés, les enfants dormiraient bientôt et ne seraient pas les témoins des appels à être adressés à l'esprit de leur père.

À deux milles de là, un peu en retrait du coeur du village, une famille à genoux récitait le chapelet. Maria, la mère, femme toute en nez, se laissait entraîner, yeux fermés, par de pieuses envolées vers le paradis de la sainte Vierge Marie.

Yvon, sept ans et Nicole, huit ans, se tenaient chacun derrière une chaise, mains croisées, corps droit, l'âme voguant dans la magie céleste, le coeur alangui, les paupières exaltées...

À chaque dizaine de chapelet, tous changeaient de position et pouvaient s'appuyer à la chaise devant chacun pour reposer les bras, la colonne, et soulager un peu les genoux. Un sursis bien mérité que cette manière de changer le mal de place avant de replonger dans la mortification et la prière plus profonde c'est-à-dire celle qui fait souffrir le corps et le mortifie pour mieux élever l'âme et la baigner de grâce.

Le visage pivelé comme un oeuf de dinde, la chevelure noire comme le cap du cap à Foley et raide comme la broche de la clôture qu'il fallait longer pour s'y rendre glisser l'hiver et pique-niquer l'été, Yvon eût été le chou de la classe si sa mère n'avait pas été veuve et si pauvre. Ayant commencé l'école à cinq ans, il se trouvait dans la même division que sa soeur aînée soit en deuxième année, avec Mère Saint-François-de-Sales comme maîtresse bien-aimée.

Le pauvre avait eu la picote avant Noël, mais ses taches de rousseur étaient naturelles et aucunement le résultat de cette maladie enfantine.

–Notre Père, qui êtes aux cieux, que votre nom soit sanctifié, que votre règne arrive; que votre volonté soit faite sur la terre comme au ciel.

Les deux petits répondirent en choeur, à ton égal et pointu :

–Donnez-nous aujourd'hui notre pain quotidien; et pardonnez-nous nos offenses comme nous pardonnons à ceux qui nous ont offensés; ne nous laissez pas succomber à la tentation. Mais délivrez-nous du mal. Ainsi soit-il !

La fillette, noiraude maigréchine, se demandait chaque fois ce que signifiaient les mots 'succomber à la tentation'. Qu'est-ce qu'une tentation? Qu'est-ce que succomber? Quant au gamin, il ne réfléchissait à aucun des mots, mais se livrait tout entier et leur force et leur pouvoir.

Les Avé se succédèrent. Soudain, une main toucha le front de Nicole. Sa mère vérifiait aux fins de savoir si son état fiévreux augmentait. L'enfant était grippée depuis deux jours, et le matin encore, son front brûlait. Ça se sentait toujours au toucher, mais ça n'avait pas empiré. Maria se dit qu'elle devrait peut-être la faire asseoir dans une berçante pour la suite du chapelet, mais elle se ravisa. L'enfant guérirait deux fois mieux grâce au médicament du sacrifice s'ajoutant aux vertus de l'aspirine.

Ce souci d'elle que montrait sa mère stimula la fillette qui voulut rester droite à la fin du chapelet tandis que Maria lisait des motets à la vierge dans son livre de messe.

«Vous êtes pure, chaste et sans tache, ô Marie ! Vous êtes l'éclatante Porte du Ciel. Ô Mère auguste, chérie du Christ, recevez les pieux accords de nos louanges. Nous vous le demandons du coeur et des lèvres. Que nos coeurs et corps restent purs: par vos prières si douces. Obtenez-nous le pardon pour l'éternité. Ô bonne! Ô Reine ! Ô Marie ! Vous seule êtes restée pure...

Salut, étoile de la mer, Mère féconde de Dieu toujours Vierge, heureuse Porte du ciel qui avez reçu l'Ave de Gabriel, changez le nom d'Éva et établissez-nous dans la paix..."

Alors la femme reprit en latin ces paroles qu'elle chanta :

« Ave maris stella, Dei Mater alma, Atque semper Virgo, Felix coeli porta. Atque semper Virgo, Felix coeli porta..."

La fillette vacillait mais tenait bon.

«Brisez les liens des captifs, éclairez les aveugles, dissipez nos maux, demandez pour nous tout bien. Montrez-nous notre Mère; offrez notre prière au Dieu qui, par notre salut, a voulu naître de vous. Ô Vierge incomparable, Vierge douce entre toutes, obtenez-nous, avec le pardon de nos péchés, d'être doux et chastes. Accordez-nous de vivre dans l'innocence: guidez nos pas, et faites-nous voir Jésus dans les joies éternelles. Louange à Dieu le père...

Dans ses paupières survoltées, Nicole voyait maintenant des entités vaporeuses et blanches... Sa mère se remit à chanter :

«Sumens illud Ave Gabriélis ore, Funda nos in pace, Mutans Hevae nomen, Funda nos in pace, Mutans Hevae nomen...

Seuls les mots tenaient l'enfant encore debout et les mots se poursuivirent :

«Ô la plus glorieuse des Vierges, la plus brillante des étoiles...

La plus brillante des étoiles, la plus brillante des étoiles...

«Vous êtes la porte du grand Roi, et le palais de la lumière...

La plus brillante des étoiles, le palais de la lumière... Les mots lumineux s'entrechoquaient comme des verres de cristal, vrillaient dans sa tête comme des éclairs venus du fond de l'univers et apparaissant dans un monde fantasmagorique de neige et de glace, et Nicole s'effondra en silence et en lenteur. Son front heurta le plancher dans un bruit mat.

Maria rejeta le missel sur la chaise et empoigna l'enfant qu'elle releva à demi.

–Sainte Vierge Marie, elle a perdu connaissance... aide-moi, Yvon, on va l'emmener dans ma chambre sur mon lit...

Ce qui fut fait sans peine tant le corps était léger. Maria lui lava la tête à l'eau froide, et la petite reprit ses esprits en disant :

–Maman... j'ai vu la Sainte Vierge...

–Oui, oui, la Sainte Vierge, elle va te protéger, elle va te guérir... On va dire un *Je vous salue Marie*...

L'horloge sonna neuf coups lents et longs comme si le mécanisme avait été retenu par la main sèche et rouillée d'un vieillard plus que centenaire usé par l'ennui.

Il ne manquait plus que Fernand Rouleau à la table de Marie. C'est lui, bien entendu, qui verrait au rite nécessaire pour obtenir la circulation des bons fluides et les contacts avec les entités de l'au-delà.

–M'a dit qu'il aurait tout ce qu'il faut, déclara Dominique. Il devrait pas retarder asteur. Il a ben dû voir les lumières de la 'dumbarge'.

–Il devait être le premier arrivé, dit Marie de sa voix éteinte.

–On va y penser fort tout le monde ensemble, pis ça va le faire arriver, suggéra le seul homme présent.

Il se fit une pause mais pas un n'entra vraiment dans un état de concentration qui eût pu influer sur les événements. De toute façon, Fernand était déjà en route. Il faisait exprès d'être en retard afin que la veuve se dégêne un peu avec les autres pour que certaines barrières autour d'elle tombent et qu'elle soit réceptive à ce qu'il avait l'intention de déverser dans son âme.

–On va la déniaiser, la Marie Sirois, maugréa-t-il en frappant à sa porte.

–C'est lui, je vas ouvrir, dit Dominique. Dérangez-vous pas, les femmes !

Fernand entra avec une grosse boîte entre les mains. Il la déposa à terre le temps d'enlever son manteau et ses couvre-chaussures. Bien mis, endimanché, souliers fins, pantalon pressé, cravate, il avait les cheveux gelés par le froid et la brillantine.

Marie occupait l'extrémité de la table près du poêle et de là pouvait, en levant les yeux simplement, jeter un oeil à l'escalier. Dominique avait pris place à l'autre bout tandis que Ti-Noire et Rachel, côte à côte, étaient attablées à la gauche de la veuve. Restait donc le côté droit pour l'arrivant. Il déposa la boîte sur la table et l'ouvrit puis en sortit des choses en parlant de leur usage au cours de la séance à venir :

–Une croix noire, c'est pour que tout se passe avec la bénédiction de Dieu...

Cela plut aux trois femmes mais laissa Dominique indifférent.

–Une bible... pour être encore plus certains...

Rachel l'ouvrit et chercha l'imprimatur d'un évêque catholique sans en trouver. Fernand expliqua :

–Comme tu vois, c'est pas une bible catholique, mais le bon Dieu fera pas de différence... pis les esprits encore moins... Une lampe à l'huile, c'est avec ça qu'on va s'éclairer.

C'était une petite lampe enveloppée dans des linges noirs qui s'avérèrent être des draps...

–Les draps, c'est pour boucher les vitres. Y a-t-il quelqu'un pour s'en occuper ?

Marie se leva. Il poursuivit :

–Ça va empêcher quoi que ce soit de lumière de rentrer dans la maison par les fenêtres.

Il sortit un objet aux airs de pendentif :

–Un pendule... c'est pour essayer de trouver qui c'est de nous autres qui a un don pour faire un lien, un corridor entre le monde des vivants pis l'autre.

–Le meilleur médium ? intervint Rachel.

–C'est ça.

–Ben ça sera pas moi, déclara Ti-Noire.

–On sait jamais, on sait jamais, dit Fernand qui sortit ensuite des chandelles et une bouteille contenant de l'huile. Et un livre noir avec titre doré : "Forces psychiques"

Quelques minutes plus tard, ils étaient tous à table. Les choses avaient trouvé leur place de manière à créer une ambiance un peu insolite apte à faire surgir les énergies et les canaliser vers l'appel aux morts. L'éclairage provenait de la petite lampe mise entre les deux hommes et non au milieu de la table qu'il fallait garder libre pour pouvoir s'y joindre les mains. Une chandelle collée dans une soucoupe brûlait sur la tablette de l'horloge. L'autre éclairait la croix noire sur une planchette que Marie et les enfants avaient baptisée la *tablette des verres* surplombant l'évier.

–Pour commencer, dit Fernand, l'oeil railleur, faut croire en ce qu'on fait icitte à soir. Ayez pas peur personne de vous faire tirer des roches par n'importe qui parce que y a rien de répréhensible dans ça. C'est ni de la fumisterie, ni de la mystification, c'est ce qu'on appelle une expérience. Une expérience qui va peut-être ben réussir ou peut-être ben pas réussir. Au fond, à la base de tout ça, y a une idée scientifique pis je la lis dans mon livre :

«Ce n'est pas la matière qui génère l'énergie, mais l'énergie qui organise la matière.»

–Tabergère, s'exclama Dominique, je te pensais pas connaissant de même !

–C'est pas moi, c'est le livre.

–Oui, mais t'as l'air de tout connaître ce que y a dedans.

–Ben... je l'ai lu souvent.

Chaque assistant avait changé de visage maintenant que seules des lueurs allumaient leurs traits sombres et l'on pouvait sentir bien plus fortement la présence des âmes.

Rachel et Ti-Noire ne disaient pas un mot. Et Marie faisait tourner son jonc autour de son doigt. Et Dominique pensait que

quoi qu'il arrive, il jouerait le jeu; il ne voulait pas casser la soirée juste parce qu'il ne croyait pas une seconde qu'un esprit puisse
avoir le moindre intérêt à communiquer avec les vivants si tant
est que survivent les âmes après la mort, ce dont il doutait pas
mal aussi.

–Je lis ce qui est écrit ici, dans la page seize... Mais bientôt,
d'autres chercheurs, dont Agénor de Gasparin et le professeur
Thury, remarquèrent que la table bougeait encore, même si personne n'avait les mains sur le plateau. Parfois même, elle quittait
le sol et s'élevait sans que l'on pût voir aucun support. On crut
d'abord à une hallucination collective, mais les photographies de
ce phénomène, obtenues en présence de Camille Flammarion, ne
laissèrent plus de doute sur la réalité : une table pouvait s'affran-
chir des lois de la gravitation !

–Camille Flammarion, c'est qui ? demanda Dominique.

–Un savant français.

Cette approche scientifique injectait à la séance un sérieux inattendu. Rachel s'intéressa davantage et Dominique se mit sur le
qui-vive, d'autant qu'il commençait à revenir à froid faute d'alcool régénérateur d'ivresse depuis près d'une heure.

–Comment ça se manifeste, un esprit ? demanda Marie.

–Ça peut cogner après les murs. Ça peut faire bouger la table,
la faire danser pour dire quelque chose. Ça peut être une apparition sur le mur ou même au plafond, ou dans l'air ambiant. Ça
pourrait être de la vapeur ou quelque chose qui ressemble à ça...

Mine de rien, ils regardèrent tous à la dérobée la demi-obscurité de la pièce. Fernand les ramena à l'attention :

–Camille Flammarion écrivait : «Les esprits peuvent agir les
uns sur les autres sans l'intermédiaire des sens; la force psychique
existe. Sa nature reste inconnue.»

Ti-Noire dit joyeusement :

–On croit tout ça, mon Fernand. Tu peux commencer la séance
si tu veux.

–Mais c'est déjà commencé. D'abord, il faut se mettre dans
l'ambiance, et c'est pour ça que je vous lis des paragraphes dans
mon livre. Tiens, écoutez ça.

"En principe, l'Od est le fluide magnétique ou vital qui, à chaque seconde de notre existence, émane de tout notre être. A l'état normal, ces effluves dont on soupçonnait l'existence, grâce aux phénomènes de l'hypnotisme, nous demeurent totalement invisibles. Le premier, Reichenbach, découvrit que les sujets en état d'hypnose voyaient très nettement ces effluves dans l'obscurité.

À la suite d'un très grand nombre d'expériences dont toutes possibilités de suggestion consciente ou inconsciente étaient exclues, il a établi que la puissance de ces effluves variait d'après les émotions, l'état d'âme ou de santé de ceux qui les produisaient, qu'ils étaient toujours d'un rouge jaune du côté gauche, et bleuâtre du côté droit. Il a encore constaté que de semblables effluves émanent non seulement de l'homme, des animaux, des plantes, mais même des minéraux.

Il est parvenu à photographier l'Od émanant des cristaux de roche, l'Od humain, et même celui de masses de métal amorphes, celui que produit le bruit et le frottement. Il a démontré que l'Od existe dans la nature entière, ce qu'avaient d'ailleurs enseigné les occultistes de tous les temps et de tous les pays.

L'Od explique le mystère des tables tournantes.

Grâce à ces effluves, on a pu constater que ce fluide était le même que celui qui produit les manifestations des tables tournantes.

En effet, ces manifestations s'accompagnent de phénomènes lumineux : l'émission du fluide concorde avec les mouvements de la table ! Celle-ci ne bouge que lorsque les radiations des mains des assistants deviennent suffisamment puissantes. Ces radiations se condensent en colonnes lumineuses au centre de la table, et plus elles sont intenses, plus la table s'anime. Quand elles s'éteignent, la table retombe, inerte. Voici le mystère éclairci !...

À mesure que la lecture avait progressé, la voix s'était faite plus solennelle, caverneuse, plus solide aussi afin que naisse mieux la fascination et pour que les phrases et leur sens profond encerclent la tablée entière en la prédisposant à sa mainmise, à son emprise.

Ensuite, il leur parla d'Eusapia, l'un des plus grands médiums de tous les temps, racontant sa chute à un an et la blessure subie au pariétal gauche, ce qui avait permis «d'ouvrir le troisième oeil». Il nomma quelques grands esprits qui avaient vu 'opérer' la femme italienne en période de transe : Sully Prudhomme, Branly, Pierre Curie, Camille Flammarion.

–Rachel, toi, t'es instruite, intervint Dominique, qui c'est donc, ces hommes-là ?

–Ben... des écrivains, des savants...

Fernand lut le compte-rendu d'une séance où Eusapia avait été médium et où, devant Pierre Curie, la femme avait été transportée dans les airs sur la chaise où elle était assise. Puis il fit osciller le pendule au-dessus de la table et en vint à une conclusion :

–C'est Marie qui possède le meilleur don. Tant mieux, d'abord que c'est son mari qu'on veut contacter dans l'autre monde.

Soudain, on entendit un bruit, comme ceux dont Fernand avait fait état déjà à travers sa lecture. Marie déclara :

–C'est les enfants, en haut...

Soulagement et déception.

–Asteur, si vous êtes prêts, on va appeler le mari à Marie... Comment il s'appelait ?

–Lucius...

–Lucius qui ?

–Jobin.

–On va l'appeler par son prénom. D'abord, je m'en vas oindre d'huile indienne les mains de tous les assistants. Ça va aider parce que c'est de l'huile sacrée. Que chacun se tienne la main ouverte paume en l'air !

Il utilisa son pouce pour distribuer l'onction à chacun puis réclama à nouveau les mains droites au centre de la table.

–Faut que ça fasse un cercle... Asteur, chacun doit fermer les yeux pis penser fort à Lucius. Tâchez de voir son visage dans votre tête.

On obéit en silence.

–Tu crois pas que mon médius manquant va empêcher Lucius d'apparaître ? demanda Dominique.

–Ben non, ben non !

Marie avait tout le mal du monde à contrôler ses doigts. L'index voulait se soulever. Le pouce se repliait et se redressait sans arrêt...

–Lucius, on sait que la mort existe pas. On sait que tu es là dans un monde d'à côté. On est là à t'attendre. Si tu nous entends, Lucius, manifeste-toi. Fais bouger la table, fais danser la table, fais tourner la table...

Ti-Noire continuait de garder sur son visage un air mi-sérieux, mi-amusé, et cela dérangeait le maître du jeu.

–Marielle n'est pas avec nous autres... Sa pensée vagabonde, son coeur folâtre...

–O.K. je me concentre pour de vrai.

–Fermez les yeux et répétez après moi... Lucius...

–Lucius...

–Si tu nous entends, fais-nous signe...

–Si tu nous entends, fais-nous signe...

–Lucius, on va répéter ton nom trois fois six fois...

Pas un ne remarqua qu'ainsi, on utiliserait le chiffre 666 à la réputation diabolique. De plus, sans doute que pas un n'avait jamais entendu parler de l'infernale référence rattachée au chiffre maudit par le ciel.

–Lucius, Lucius, Lucius, Lucius, Lucius, Lucius...

Marie commença à gémir.

–Lucius, Lucius, Lucius, Lucius, Lucius, Lucius...

Les gémissements s'étirèrent, et la main de la veuve se mit à battre la table.

–Lucius, Lucius, Lucius, Lucius, Lucius, Lucius...

Fernand ouvrait souvent les yeux pour garder son emprise sur le jeu et les participants. Les pleurs de la veuve devinrent beaucoup plus longs, comme chantés à la manière indienne, bizarres et lointains comme une mélopée.

Incessants. Incessants.

–Ouvrez pas les yeux, concentrez-vous, concentrez-vous...

Fernand tourna la clef de la lampe pour augmenter quelque peu l'éclairage. À ce moment, l'impensable se produisit. La croix noire tomba sur les deux verres de la tablette et les entraîna dans sa chute dans l'évier où ils se brisèrent, le tout dans un bruit que l'atmosphère de la pièce rendit effrayant. Les deux hommes sursautèrent mais pensèrent aussitôt qu'il s'agissait d'un bête accident fondé sur les lois les plus élémentaires de la nature : instable dans son équilibre, la croix avait glissé et chuté.

Ti-Noire échappa un cri pointu et bref tandis que Rachel ramassait toute son énergie pour ceinturer ses émotions et les tempérer. À l'étonnement général, le fracas n'avait pas sorti Marie de sa transe médiumnique et il parut alors émerger d'elle une forme ectoplasmique qui se mut au-dessus de la table, qui émergea encore et se mut une autre fois. Tous furent saisis de crainte.

«Pas de bon sens !» se disait Dominique.

«Je ne désire pas aller plus avant dans cette expérience !» marmonna mentalement Rachel.

«Je... C'est... Ben...!» parvenait à peine à concevoir Ti-Noire.

Le plus abasourdi de tous était Fernand lui-même. Il avait participé à bien autre chose que ça et rien, à part des événements arrangés d'avance, ne s'était jamais produit, pas même parmi un groupe d'Indiens convaincus de la puissance de l'au-delà.

La voix rauque, Marie s'écria :

–C'est moi, c'est moi... c'est toi, toi... Si beau...

Puis elle se mit à rire d'un rire saccadé, purement joyeux avant de reprendre:

–C'est moi, moi... c'est toi, toi...

Fernand crut qu'il valait mieux interrompre une expérience qui avait tout l'air d'échapper à sa volonté; il secoua la veuve par une épaule jusqu'à la voir émerger de son univers abracadabrant.

–Qu'est-ce qui s'est passé ?

–À toi de nous le dire ! fit Dominique qui se rajusta sur sa chaise.

–Maman, maman... dit un enfant qu'on pouvait à peine apercevoir en haut de l'escalier.

–Oui, c'est quoi ?

–C'est quoi, le tapage ?

Fernand répondit pour Marie :

–C'est rien, c'est des verres qui sont tombés.

–Des verres ? s'enquit la veuve.

–Là, dans le 'sink'...

–Retourne te coucher, Émilie !

–O.K.

–On devrait allumer la lumière électrique, dit Rachel.

–Bonne idée, répondit Fernand qui se rendit aussitôt tourner le commutateur près de la porte d'entrée.

Marie se rendit à l'évier constater les dégâts.

–C'est rien, dit Dominique, on va passer le chapeau avant de partir pis tu pourras t'en acheter d'autres.

–Je t'en donnerai deux autres du magasin, assura Ti-Noire qui tremblait encore.

–Asteur, on se dit ce qu'on a vu pis entendu chacun de notre bord. Je commence. J'ai vu comme un nuage sortir de Marie pis s'envoler...

–Moi itou ! dit aussitôt Ti-Noire.

–J'ai vu quelque chose, mais ça doit s'expliquer, affirma Dominique de sa voix la plus froide. Toi, Rachel, as-tu vu de quoi?

–Oui...

Elle fut interrompue par Marie dont l'esprit paraissait survolté.

–Je l'ai vu, je l'ai vu, mon mari. Il était brillant comme des lumières de machine... Mais c'était lui, je le sais, je le sais...

On se suspendit à ses lèvres.

–Il paraissait plus jeune... Pas vingt ans encore... Il m'a dit qu'il me protégeait, qu'il venait icitte chaque nuit... qu'il veillait sur les enfants... Mais je comprends pas, il lui manquait un doigt. Pourtant, il avait tous ses doigts de son vivant...

–Celui-là ? demanda Dominique qui souleva sa main gauche au-dessus de la table.

–Oui... oui, celui-là... Mais c'était lui, c'était pas vous, monsieur Blais, c'était pas vous...

Fernand intervint :

–Si c'est nos énergies qui ont soutenu sa forme, ça se peut qu'il reflète ce qu'on est dans notre corps physique... Pis comme Dominique a un doigt qui manque...

Mais en lui-même, l'homme croyait de plus en plus fort que Satan était présent derrière tout ça. L'usage du 666. La bible non catholique. L'huile qu'il savait avoir été concoctée par une sorte de sorcier soupçonné de meurtre. La croix tombée... Et surtout cette forme bizarre émanant du médium...

Il baissa les yeux pour ne pas laisser paraître un jet de flammes qui s'en échappait. Son coeur devint lubrique, sadique. Il faudrait dépasser et de loin cette séance. La veuve ne reculerait pas, maintenant qu'elle avait pénétré dans l'occultisme. Il faudrait une cérémonie avec... avec du sang qui coule...

***

Chapitre 24

Comme il le faisait presque chaque dimanche, Dominique donna une pièce de dix cents à Gilles Maheux pour la quête. Habilement, l'enfant lui substitua aussitôt un vieux cent américain. De cette façon, il pourrait aller s'acheter une bouteille de liqueur douce Opéra après la grand-messe chez Freddy qui ouvrait son magasin entre la sortie de l'église et l'heure du midi.

Quand le bedeau passa la tasse, l'enfant jeta la pièce en lui imprimant une force pour qu'elle glisse et que le son rappelle celui d'un dix cents. C'était faire du zèle puisque le jeune industriel n'était pas regardant pour ces choses-là et n'aurait jamais soupçonné le subterfuge.

Rachel et Ti-Noire avaient pris place dans un des bancs des Grégoire, mais l'occasion de se parler de la séance de spiritisme ne leur avait pas été donnée. À leur départ pour l'église qu'elles avaient fait coïncider, Rose les avait rattrapées et la conversation avait porté sur autre chose. Sans se le dire, elles savaient déjà qu'elles en jaseraient après la messe.

Et cela se produisit. Elles se retrouvèrent derrière le comptoir des dames, Ti-Noire surveillant l'arrivée de clientes.

–Pour moi, y avait de quoi de truqué là-dedans, dit Rachel.

–Par Fernand Rouleau ?

–Je pense...

–Oui, mais Marie Sirois aurait jamais embarqué comme elle l'a fait.

–Un adon...

Elles ne purent s'en dire davantage pour le moment. Le magasin se remplit et des gens se firent servir autant du côté des hommes que de celui des dames. Il fallut même que Ti-Noire téléphone à sa tante Bernadette pour avoir de l'aide. Quant à Freddy et Jean-Yves, ils ne perdaient pas une seconde.

Encore une fois, Gilles profita de la situation. Il gravit quelques marches dans l'escalier central où se trouvaient les caisses de liqueur douce et tint sa pièce de dix cents en l'air jusqu'à obtenir l'attention de Jean-Yves qui comprit et fit un signe de tête approbateur. Tout en rempochant sa pièce, il tira d'une case de caisse une bouteille d'Opéra qu'il redescendit décapsuler à l'aide de l'ouvre-bouteille mural. Puis il se rendit s'appuyer le dos au comptoir-table central sur lequel quelques hommes étaient assis pour placoter en attendant leur tour de se faire servir. En l'oubliant lui, pour un bout de temps, on avait tout le temps d'oublier la bouteille et le dix cents. Il s'accroupit et entra dans l'espace sous le comptoir. Il y avait là une place taillée sur mesure pour sa grosseur d'enfant entre un empilage de pelles et un présentoir de balais. De là, il pouvait apercevoir les gens entrer et sortir, et entendre ce qu'on se disait au-dessus de lui. Et quand il aurait bu son Opéra, il coucherait la bouteille vide à côté des manches et s'en irait tranquillement en douce...

Le magasin se vida aussi vite qu'il s'était rempli. Les gens étaient pressés de rentrer à la maison pour midi. On avait faim pour avoir jeûné depuis la veille afin de communier l'âme en règle avec les exigences de la sainte Église. La conversation put reprendre entre sa soeur et Ti-Noire, et l'enfant se mit à l'écoute.

–Comme ça, tu penses que c'était truqué ? Par Fernand pis monsieur Dominique ?...

–Voir si on est capable de parler aux morts !

L'attention de Gilles décupla. Il ne devait pas perdre un seul mot de ce qui se dirait. Il avait bien vu Ti-Noire et Rachel partir vers le bas du village la veille au soir, mais, faute d'intérêt, il n'avait pas cherché à savoir où elles allaient.

–Je vas demander à Jean-Yves de venir, veux-tu ? Il va nous donner son idée.

–O.K.

Le jeune homme ne demandait pas mieux que de se mêler à la conversation. Il savait pourquoi Ti-Noire et Rachel s'étaient rendues chez la veuve Sirois la veille, mais n'en connaissait pas davantage, l'occasion de parler avec sa soeur ne s'étant pas présentée depuis.

Il n'y avait pas de bancs tournants près du comptoir des dames et on échangea debout

–Le croirais-tu qu'on a vu un mort hier ?

–Ti-Noire veut dire un esprit...

–Contez-moi ça.

La jeune femme fit le récit de leur aventure commune et de leur expérience bizarre. Rachel apporta quelques correctifs mais avant d'émettre ses doutes, elle attendit l'opinion du jeune homme.

–Dur de parler, j'étais pas là.

–Ce qu'on te conte est vrai, aussi vrai qu'on est là, Rachel pis moi. La forme au-dessus de la table, qu'on a vue trois fois, crois-tu que c'était un fantôme, un esprit ? Si oui, crois-tu que c'était Lucius Jobin, le mari à Marie ?

–Dominique Blais était là : il doit avoir une bonne idée, lui. C'est pas un homme pour croire à n'importe quoi.

–Il a pas voulu dire son idée après la séance, affirma Rachel. Mais je pense qu'il était ébranlé lui aussi.

Jean-Yves préférait s'abstenir de commenter. Il ne voulait ni approuver ni ridiculiser. Quand son propre esprit risque à tout moment de dévaler la pente, il n'est guère opportun de condamner même ce qui apparaît douteux ou erroné.

Le mieux était de se montrer approbatif quant à leurs perceptions à elles. Mais Rachel restait évasive. Il lui posa la question sans ambages :

–Tu en dis quoi, toi ?

–Qu'il y a une explication simple...

–Comme ?

–Une manigance de Fernand et Dominique.

–Tu disais que Dominique était jongleux ensuite.

–Paraissait... Mais peut-être qu'il jonglait à son quarante-onces de gin.

–Si on croit que la Sainte Vierge est apparue à Fatima pourquoi ça serait impossible que l'âme d'un homme réponde aux appels de sa femme pis d'autres personnes réunies pour ça ? argua Ti-Noire.

Fasciné par Fatima, les miracles et les fantômes, Gilles se dit qu'il demeurerait sous la table tant que Rachel ne sortirait pas du magasin pour aller à la maison.

Ti-Noire fit exprès de quitter subitement les lieux pour se rendre à la cuisine afin de laisser ensemble son frère et Rachel. Cette fois serait peut-être la bonne...

–C'est demain que tu recommences ton école ? Tu te sens en bonne forme pour ça ?

–On ne peut mieux.

–Finalement, on s'est pas parlé depuis ton accident sur la patinoire.

– Pas un gros accident : une fausse alarme sans plus.

–Ces choses-là, on sait jamais...

Sous la table, le gamin avait terminé son Opéra et il trouvait bien ennuyeuse cette conversation, maintenant qu'on ne se parlait plus de revenants et d'apparitions.

–Dis donc, mon petit frère, je l'ai vu se prendre une liqueur, il te l'a-t-il payée toujours ?

–Il m'a montré son dix cents. Il doit l'avoir payée à mon père.

–Je pense pas qu'il soit voleur, mais avec les enfants de nos jours, on sait jamais.

Gilles rapetissa dans ses culottes et se mua lui-même en statue de marbre malgré la faim qu'il commençait à drôlement ressentir. Les jeunes gens se parlèrent encore quelques minutes, mais toutes les phrases paraissaient vides. Du caquetage pensait l'enfant caché. Et pourtant, ce n'étaient ni les mots, ni les idées qui avaient un sens, mais les ondes qui se dégageaient. Il rôdait en chacun et dans l'air une angoisse amoureuse. La distance les séparant était ce qui les rapprochait le plus. Mais aucun n'arrivait à livrer la moindre partie de l'étrange sentiment inspiré par l'autre.

–Mon doux Seigneur, comme dirait maman, j'y pense, c'est moi qui devais préparer le dîner vu que ma mère est partie pour les États pis j'ai complètement oublié ça. Tu vas m'excuser...

–Par chance que ton père s'est acheté une boîte de Corn Flakes hier...

Elle rit :

–Oui... Quand il est en peine, y a rien que ça qu'il sait se faire. Salut là !

–Salut Rachel ! Bonne journée pis bon retour dans ton école !

–Merci !

Il la regarda aller, sortir, traverser la rue, disparaître à sa vue. Au fond de ses yeux, la rosée de la tristesse se formait sur les fleurs de ses sentiments.

Gilles surveilla ses pas. Le jeune homme marcha doucement vers la porte extérieure et s'y rendit. Il jeta un coup d'oeil dans les deux directions puis se rapprocha du comptoir central et dit :

–Tu peux sortir de là, mon Gilles, c'est le temps d'aller chez vous pour manger.

L'enfant ne bougea pas. Jean-Yves se pencha et répéta :

–Faut que je barre la porte...

L'enfant fouilla dans sa poche et sortit son dix cents. Il se glissa hors de sa cachette et tendit la pièce.

–Garde ça ! L'Opéra, je te la donne.

Le garçon sourit et dit, incrédule :

–Ben... ben marci...

***

Chapitre 25

Quand il aperçut Paula Nadeau qui s'en allait au couvent, Gilles sortit de chez lui et courut, pattes aux fesses, pour la rattraper.

Au dernier moment, elle entendit les pas derrière elle, mais ce fut un vériable coup de vent qui la frôla. Car il voulait non seulement la rattraper mais la dépasser.

Le garçon boudait la fillette.

Elle avait refusé d'être sa blonde, de se laisser embrasser, et il lui gardait rancoeur. Paula cherchait à comprendre. Cette soudaine indifférence lui pinçait un peu le coeur. D'un autre côté, à l'école, on aurait ri de la voir se lier d'amitié avec un garçon plus jeune; il y avait André Veilleux dans sa classe, un compagnon de son âge et bien plus beau que Gilles Maheux...

Tout était pour le mieux. Elle poursuivit sa route, laissant son jeune amoureux éconduit dans sa course frustrée. Chacun croisa des adolescents qui marchaient dans la direction opposée pour se rendre à la salle paroissiale à la classe du professeur. Par conséquent, le monde du couvent était hautement féminin. Les soeurs en tête, deux maîtresses laïques puis des filles seulement de la sixième à la onzième année. De garçons, il n'y avait que le nombre en équipollent de la moitié des classes des cinq petites divisions. En tout, une quarantaine de garçonnets et une centaine de filles. Gilles se sentait bien dans cet univers. Les filles de neuvième et dixième l'aimaient toutes comme un petit frère espiègle au rire de cristal, malcommode mais jamais méchant. Et les religieuses lui pardonnaient aisément d'être à la traîne dans son bureau et même d'avoir parfois quelques dégouttières au nez. Si les psychologues avaient été à la mode en ce temps-là, ils auraient pu craindre que cet univers ne retienne l'enfant plus longtemps que nécessaire dans un état d'infantilisme, et que son transfert deux ans plus tard dans le monde viril de l'école du professeur ne s'avère une césure brutale et bouleversante.

Tous les enfants furent groupés dans le vestibule d'entrée, tassés comme des sardines, pour entendre Mère Supérieure faire son laïus d'accueil au début de cette seconde partie de l'année. La clef maîtresse de son propos fut l'annonce de leur entrée dans l'année sainte.

–Beaucoup d'entre nous ici ne verrons qu'une seule année sainte, car la prochaine n'arrivera qu'en l'an 2000. Et quand on pense à la bombe atomique, peut-être que la terre n'existera plus en l'an 2000. Les enfants, nous allons tous prier maintenant pour que le monde se convertisse comme l'a demandé la Vierge de Fatima aux trois petits miraculés Lucie, François et Jacynthe. Joignez les mains et regardez l'image de Notre-Dame-du-Perpétuel-Secours et priez... Je vous salue Marie...

Gilles balaya l'assistance du regard. Il passa vite sur Paula mais s'arrêta sur les petits Lessard qui priaient avec une dévotion incomparable. Et il se demanda pourquoi lui ne possédait pas cette ardeur, pourquoi il ne ressentait rien de spécial quand il priait, aucune excitation intérieure du genre de celle que Paula avait été capable de provoquer dans sa poitrine, un tourbillon formidable qui lui avait donné des ailes et avait failli le tuer au bout de son envolée en 'jumper' dans la côte du Grand-Shenley.

Aimer sans voir, était-ce possible ?

Notre-Dame-du-Perpétuel-Secours, là, devant, accrochée sur le mur, ce n'était qu'une image dans un cadre, pas une réalité vivante. Si on parvenait à entrer en contact avec les morts comme l'avait laissé entendre le récit de la soirée chez Marie Sirois, si des enfants avaient vu la Vierge à Fatima, pourquoi ne pas essayer de parler avec Marie, mère de Dieu... Il sentait que lui ne le pourrait pas mais que les petits Lessard le pourraient, eux... Ne les appelait-on pas les petits anges à Maria ? Tandis que de lui-même, il entendait bien plus souvent dire 'petit démon'...

–Et aussi, les enfants, on va dire un autre Avé pour demander à la Vierge Marie que monsieur le curé puisse se rendre à Rome durant cette année sainte qui commence, pour demander à notre très saint Père, le Pape Pie X11, de prier pour notre belle paroisse de Saint-Honoré... Je vous salue Marie...

Visage exangue, sec et ridé, la supérieure ne pouvait accuser le rire de la faire vieillir avant son temps; ce que de son esprit la coiffe et la cornette laissaient voir à travers les yeux et la bouche paraissait cérébral et flétri. Austère et bocquée, il lui arrivait de gifler certains gamins hyper-actifs ou bien de leur jeter dans les mains une volée de coups de règle.

Sa règle reflétait son image mentale : dure, épaisse, inhumaine. Par chance pour les petits, la religion et la dévotion la retenaient le plus souvent dans des attitudes au pire raboteuses et râpeuses. D'ailleurs, trop de punitions corporelles distribuées au couvent et le curé lui-même serait intervenu, car si le prêtre était entêté plus qu'elle encore, il ne croyait pas en la peur comme ingrédient principal de la bonne recette pour exercer une autorité saine et efficace, sauf exception.

Elle ouvrit les yeux. Son regard croisa celui de Gilles qui baissa la tête et fit bouger ses lèvres pour prouver qu'il priait.

–Et maintenant, nous allons prier pour que la guerre disparaisse de la surface de la Terre. Je vous salue Marie...

Fut-ce Notre-Dame-du-Perpétuel-Secours qui vint réquisitionner l'âme du garçon pour la mettre à son service ou bien le ciel alors n'avait-il rien à voir avec la vigueur de son imagination, toujours est-il que le regard de l'enfant devint brillant. Plusieurs morceaux d'image se rassemblèrent comme les éléments d'un casse-tête pour donner une version définitive de son projet. Il organisarait des apparitions de la Sainte Vierge à Saint-Honoré et cela produirait des miracles qu'il pourrait voir de ses yeux... Puisque les adultes appelaient les morts, pourquoi les enfants n'appelleraient-ils pas les saints ?

À midi, il se rendit à la maison et mangea en vitesse. Sa mère étant absente, il se servit des Corn Flakes, ensuite il se prépara ce qu'il appelait une beurrée de lait-sucre en aspergeant de sucre blanc une grosse tranche de pain de ménage dont il avait trempé une face dans un plat de lait légèrement caillé. Son mets préféré.

Puis quand son père fut là, il quitta la maison et, mine de rien, se glissa dans la boutique de forge où il emprunta l'échelle pour se rendre dans les ravalements. Il y trouva une image de la Vierge encadrée et mise sous la protection d'une vitre. En la regardant, il eut le souvenir de la Studebaker chromée du cavalier d'une de ses soeurs. Sous le soleil d'été, son pare-chocs éblouissait tant il brillait. Il lui faudrait quelque chose de chromé à mettre tout autour du cadre : il aurait tout le temps d'en trouver avant la fin du printemps. Son plan diabolique prenait forme avec l'aide, qui sait, du diable lui-même...

En ces heures-là, Rachel recevait de la visite à l'école. D'abord, en jetant un coup d'oeil sur les élèves en récréation du midi, elle vit venir Eugène Champagne, crut qu'il passerait droit pour se rendre à la gare du village voisin ou à la ferronnerie Buteau, mais dut se rendre à l'évidence quand il fit bifurquer sa jument dans la cour de l'école.

–Bon, qu'est-ce qu'il veut donc encore, celui-là ?

S'il se présentait à elle simplement pour essayer de lui faire le tour de la tête, elle le chasserait impitoyablement. Une maîtresse d'école ne reçoit pas son amoureux à l'école, encore moins un prétendant inintéressant.

Il frappa trois coups et ouvrit sans attendre, mais pas largement, et passa, par l'espace ainsi créé, sa tête qu'il agrémenta de son rire rouge aussi disgracieux que factice.

–Oui, entrez, cria la maîtresse retournée à son bureau.

C'était déjà à moitié fait.

–Ça sera pas long, Rachel, je viens par affaires.

–Approche !

–Ben, j'vas me balayer les pieds un peu, là...

Il lança, tout en nettoyant ses bottes :

–Coudon, as-tu trouvé qu'il faisait pas trop frette dans l'école à matin ?

–Monsieur Vaillancourt a dû mettre une bonne attisée dans la fournaise hier soir...

Eugène éclata de rire et le bruit devint tout croche à la fin. Et il s'approcha.

–Ben content de savoir ça !

–De savoir quoi ?

–Ben... que t'étais ben en arrivant à matin...

–C'est comme je te dis...

–C'est pas monsieur Vaillancourt qui a chauffé la fournaise, c'est quelqu'un d'autre...

Rachel comprit vite mais resta muette. Il marcha entre les bancs jusqu'à son bureau. Et il parla sur un ton bas, quasiment à mi-voix :

–Tu comprends, Paul Vaillancourt partait pour les chantiers ces jours-icitte. On a su que c'est sa femme qui devait venir chauffer l'école quand c'est que t'es au village, pis on a tenté notre chance. Après toute, c'est pas toujours aux mêmes l'assiette au beurre... J'ai rencontré le commissaire Dubé qui a appelé les autres commissaires. Ça fait que me v'là le concierge officiel de ton école jusqu'à la fin de l'année... J'ai la clef dans ma poche, là...

–Ah!

–T'es pas fâchée de ça, toujours ?

–Non, non... C'est madame Vaillancourt qui doit être fâchée, pas moi.

–Non, elle s'en fait pas avec ça. Avec sa trâlée d'enfants, tu comprends, elle a de quoi s'occuper.

–Si de quoi brise, tu vas être moins à la main qu'eux autres.

–T'auras qu'à sortir dehors pis faire sonner ta cloche à vache pis tu vas me voir arriver tusuite, que le soleil soit tombé ou ben qu'on se trouve à potron-minet comme d'aucuns disent.

Il avait encore la gueule un peu tordue et c'est cela qui faisait dévier son rire à gauche. Il commença sa prochaine phrase en humant l'air :

–Ça sent quelque chose qu'est ben mangeable.

–De la soupe aux légumes...

–Sais-tu ça que t'es chanceuse d'avoir une fournaise, toi ? Y a juste icitte, le couvent pis la première école du rang six qui en ont une. Le couvent, pour cinq étages, ça prend ça... Pis un poêle à deux ponts pour ta cuisine. Tu diras pas qu'on te traite pas ben dans le bas de la Grand-Ligne, hein ? J'espère qu'on va te garder avec nous autres par icitte pis que t'auras pas l'idée de t'en aller comme tes soeurs dans les montagnes de Notre-Dame-des-Bois.

–Une personne fait ce que ça y tente, hein ?

–Ah! c'est certain, ça !

–En attendant, Eugène, ménage pas le bois de chauffage parce que si les tuyaux d'eau pètent, c'est toi qui en subiras le blâme.

–Inquiète-toi pas, j'sus pas un mouron.

À son tour, Rachel rit :

–Non mais d'aucuns disent que t'es proche de tes cennes. Le monde, ils disent n'importe quoi, tu trouves pas ?

–C'est le Jean-Yves Grégoire qui répand ça sur mon compte. Lui, il a beau garrocher l'argent par les châssis, c'est Freddy qui paye. Il connaît pas la valeur d'une piastre...

–En plus que c'est pas toi qui payes le bois de chauffage.

–Justement !

–Bon, ben, si c'est toute ce que t'avais à me dire... Va falloir que je fasse rentrer les enfants pour pas que l'école commence en retard...

–Certain, certain... Pour le reste, la fille qui va sortir avec moi, elle va voir que j'sus ni cupide ni stupide. J'sus pas tuseul à fumer des rouleuses au pays du Québec. Je te lance l'invitation comme on lance un défi, Rachel... Avec des yeux comme les tiens, tu pourrais me faire dilapider une fortune...

–J'pense pas que t'aies à rogner ta fortune pour moi...

–Ah! j'sais que tu sors avec Laurent Bilodeau, mais c'est peut-être pas l'amour éternel...

Et il se lança dans un rire roulé en même temps qu'il sortait de sa poche de mackinaw une cigarette faite d'avance et un peu maganée par son transport.

–Je peux-t-il m'en allumer une ?

–C'est comme je te dis, faut que je sonne la cloche.

Et Rachel se leva. Il la précéda dans l'allée tout en manoeuvrant pour allumer sa cigarette et parler en même temps :

–Je peux te garantir que t'auras jamais été aussi ben chauffée que par moé le reste de c't'hiver. Pis si quoi que ce soit arrive, envoye un jeune me chercher. J'sus venu à l'école icitte déjà comme tu sais pis j'ai eu frette en masse: c'est pas ça que j'veux pour les enfants, pantoute.

Avec lui et n'importe qui, le seul sujet où Rachel se montrait vulnérable, c'était celui des élèves. Elle eut le ton moins piquant pour le reconduire. Dans le vestibule, il se pencha et ramassa un objet qu'il tendit :

–En v'là un qui a perdu son efface...

–Merci ! Pis, ton accident, t'en mourras pas ?

Il était content qu'elle s'intéressât à sa gueule et répondit dans un petit rire de satisfaction :

–Je m'en rappellerai pas le jour de mes noces.

Elle fronça les sourcils, sentant qu'il prenait un autre détour pour montrer ses plumes. Avant qu'elle ne puisse le faire, il s'empara de la cloche et entrouvrit la porte pour l'agiter.

–Je les ai quasiment vus venir au monde tous ces jeunes-là. Le temps passe vite...

Elle soupira :

–Des fois pas assez vite...

La visite eut pour effet de la faire réfléchir à son avenir. Elle donna du travail aux élèves et se rendit dans sa chambre pendant quelques minutes pour tâcher de faire le point une fois de plus. Laurent semblait sérieux quand il disait vouloir la fréquenter sur une base régulière et cela avait commencé. Il était clair que Jean-Yves brûlait de se révéler à son tour et les mots à peines voilés de Ti-Noire le laissaient présager. Et voilà que cette teigne d'Eugène serait constamment sur ses talons, cherchant par tous les moyens à l'appâter pour mieux la harponner.

Dix fois déjà elle s'était penchée sur ce dilemme et autant de fois elle avait laissé au destin le soin de décider pour elle. Mais pas cette fois. Tout d'abord, il lui fallait trancher une première question. Le voile ou la vie. Et c'est Esther Létourneau qui lui aiderait à y voir clair. Elle résolut de la rencontrer au cours de la fin de semaine à venir.

Rachel rencontra Gustave Poulin sur le chemin du presbytère. Ils s'échangèrent quelques mots et l'homme lui apprit qu'Esther se trouvait en ce moment même à l'église à pratiquer l'orgue.

–Ça doit pas être trop chaud au jubé ?

–Pas si pire, sais-tu. C'est samedi pis je chauffe l'église depuis à matin pour demain.

–Bon, ben, je vas aller la voir là.

–Coudonc, ta mère est revenue des États ?

–Dans le courant de la semaine prochaine.

–Ton père est allé réparer quelque chose pour Rose ?

–Un tuyau pis il a manqué s'arracher un doigt : j'sais pas trop comment il a fait son compte.

–C'est vrai que c'est curieux: un homme adrette comme lui...

–Vous lui en parlerez parce que moi, j'en sais pas plus.

–Très bien...

Rachel entra dans l'église par la porte de côté et put aussitôt monter à la mezzanine par l'étroit escalier du couloir de la sacristie. Déjà, elle entendait les envolées du grand instrument et il lui semblait qu'elles contenaient un flot de passions inassouvies, le déchaînement de toutes les puissances du désir. Se pouvait-il que les mains de l'âme d'Esther soient à l'opposé de celles de sa personne physique ou bien quelqu'un d'autre, peut-être l'amie de Jean-Louis Bureau venue de Saint-Martin, touchait-elle l'orgue devant l'autre qui lui avait cédé sa place ?

Sans doute que la température serait acceptable là-haut puisque la première chaleur générée par la fournaise alimentée depuis l'aube y rôderait pas mal grâce à sa tendance naturelle à monter.

À mesure qu'elle progressait derrière les bancs de la mezzanine puis ceux du premier jubé, Rachel se sentait transportée par les accents pathétiques et formidables. Et ça élevait son âme vers le Seigneur.

Esther s'arrêta net de jouer, se leva et accourut vers l'arrivante :

–Ah! ben Mozart, quelle belle visite !

–Je regrette quasiment de m'être montrée, c'était si beau, si grand, comme une musique venue du ciel...

–L'orgue, ça vous emporte aisément dans un autre monde, mais il faut savoir en revenir... Et trop en savourer, ça finit par émousser un peu le sens de l'ouïe.

–Me semble que ça se peut pas.

–J'en joue depuis des années... Quel bon vent d'hiver t'amène vers moi après-midi ? Visite de maîtresse d'école de rang à maîtresse d'école de village ? Soit dit sans aucun snobisme parce que moi, si ce n'était de la distance et de monsieur le Curé, je pense que j'aimerais bien mieux une classe avec toutes les divisions. C'est plus... familial.

On poursuivit pour quelque temps sur ce sujet après avoir pris place dans un banc, puis Rachel en arriva à l'objet de sa visite :

–Je vais parler sans détour, Esther, je continue à me sentir tiraillée entre mon attrait pour le voile et mes dispositions, si je peux appeler ça ainsi, pour la vie d'une profane ordinaire. Je t'en ai déjà glissé un mot mais aujourd'hui, je veux y voir clair une fois pour toutes et je pense que tu peux m'aider. Vois-tu, j'arrive pas à aimer un homme, la preuve en étant que trois d'entre eux me font la cour si je peux dire et que j'parviens pas à me décider d'en choisir un. En fait, y en a un que je veux pas, au moins, ça, je le sais...

–Eugène Champagne ?

–Comment tu le sais ?

–Dans un petit village comme le nôtre, tout se sait, tout se dit, tout se transporte. Garde ça pour toi à jamais, mais monsieur le curé m'a parlé de toi. Tu sais, il te respecte beaucoup. Il prétend, lui, que le tien, ce n'est pas Laurent Bilodeau mais plutôt Jean-Yves Grégoire. C'est un homme qui observe les gens et il se trompe rarement.

–C'est sûr qu'il est un homme ben intelligent, notre pasteur, mais les affaires de coeur, il a pas trop l'expérience...

–Pas l'expérience mais la connaissance.

–Mais est-ce que j'ai le choix, Esther ? Je continue de croire que y'a un autre appel qui se fait sentir en moi...

–Le voile, non, non. C'est trop tard.

–Y a ben le séminaire des vocations tardives pour les gars à Saint-Victor. Je serais pas la première dans sa vingtaine à entrer au couvent.

–Tu veux que je te donne une preuve claire que t'es faite pour autre chose que le couvent ? Pense que si trois garçons s'intéressent à toi, c'est que tu leur as donné des signes. Sans t'en rendre compte, c'est sûr, mais tu l'as fait. Et ça, ça veut dire que dans le fond de ton être, c'est le monde pas le cloître qui est ta destinée.

–J'ai encouragé personne. Ça m'arrive de me fagoter comme la chienne à Jacques pour les faire fuir, Eugène surtout...

–Mais ça, justement, c'est un signe. Tu veux être aimée, mais pour toi-même, pas avec un masque sur ton vrai visage. Ce qui veut pas dire, comme dirait madame Rose, que de se mettre un peu de couleur, c'est chercher à tromper.

–Pourtant, monsieur le curé refuse de donner la communion aux femmes qui portent du rouge à lèvres.

–Là, y a tout un côté spirituel. L'hostie consacrée et la coquetterie, ça va mal ensemble dans son esprit.

Il se fit une pause. Rachel pensait à l'importance de l'argument amené par Esther. Mais faut-il confier à la seule raison le soin d'arroser, de sarcler et de moissonner le jardin de son coeur?

–Saute à l'eau !

–Quoi ?

–Oui, saute à l'eau pour une fois !

–J'ai pas envie de m'assommer ou ben de me déboîter le cou.

–À peu près cent pour cent des jeunes filles sautent à l'eau en se mariant. C'est la vie, ça. Mais toi, t'as peur de l'eau.

–C'est sûr, ça, pis c'est normal !

–Normal ? Non. Regarde les autres faire et fais la même chose qu'elles pour une fois.

–Je peux toujours pas marier le premier venu.

–Chaque jeune homme a sa valeur: y a pas de premier venu pis de dernier venu dans la paroisse.

–Je peux te dire que sur ma liste, je mettrais jamais Fernand Rou... Je devrais pas nommer personne...

–Peut-être qu'en le connaissant mieux...

–Non, non, j'ai pas confiance et j'aurai jamais confiance en lui. On dirait tout le temps qu'il se dérobe, qu'il maquille son vrai visage, qu'il se travestit d'une façon ou d'une autre...

–Disons que c'est l'exception. Je vais te dire franchement, de Laurent Bilodeau, Eugène Champagne ou Jean-Yves Grégoire, je me demande lequel apportera le plus de bonheur à sa femme et à ses enfants.

–Laurent est un peu m'as-tu-vu et frivole. Jean-Yves manque de volonté, on dirait. Quant à Eugène, il serait capable de monnayer sa propre mère, je pense.

–Saute à l'eau, Rachel. J'aime pas te dire ça parce que monsieur le curé pense le contraire, mais prends l'exemple de madame Rose. À cinquante ans, elle a plongé malgré tout ce qui le lui interdisait. On est marié pour la vie, c'est sûr. Tu dois trouver ça terrible de m'entendre parler de même, mais dans le fin fond de moi-même, c'est ça que je pense. Mais je ne veux pas que ça se sache pour éviter de causer du chagrin à monsieur le curé...

–Je comprends. Et sois sûre que je me tairai là-dessus comme sur tout le reste.

La conversation bifurqua et porta à nouveau et pour un temps sur les banalités du métier d'enseignante. Au beau milieu d'un propos anodin, le visage de Rachel s'éclaira. Elle interrompit Esther dans un coq–à–l'âne :

–Je vas sauter à l'eau, je vas sauter que ça sera pas long !

–Si tu te déboîtes le cou, je t'aiderai à te soigner.

–Tu sais, Esther, Ti-Noire et Jeannine sont mes deux meilleures amies mais j'aurais pas pu parler de ça avec elles. C'est pour ça que j'ai voulu te voir. T'as passé par de grandes souffrances et ça mûrit une personne : je savais que tu m'aiderais.

–J'aurais bien aimé me mêler plus à vous autres dans le passé mais monsieur le curé m'a toujours surprotégée. Être élevée dans un presbytère comme moi, ça met autour de l'âme des chaînes que d'autres ont pas et n'auront jamais.

Rachel put lire les mots mystère et tristesse au fond du regard de l'autre, mais elle n'osa chercher à les traverser pour aller explorer l'inconnu qui lui semblait être un territoire vierge, sauvage et inviolable.

***

Chapitre 26

Le curé demanda à Esther comment elle avait trouvé la température de l'église. Plutôt froide, répondit-elle sans penser que son opinion pourrait porter à conséquence.

Elle poursuivit sa marche vers l'escalier et sa chambre tandis que le prêtre, rejeté à l'arrière sur sa chaise à bascule derrière son bureau, mordait avec colère le bouquin de sa pipe fumante.

–Dégoûtant ! marmonna-t-il entre ses lèvres et la tige de bois dur.

Il tira et entendit un grésillement venir de la combustion de son tabac. Cela ajouta à son désagrément. Ce n'était pas contre Gustave qu'il en avait mais contre Rose qui avait abandonné son mari et trahi sa parole. Et depuis, le pauvre homme rejeté ne se rendait pas compte qu'il n'était plus que l'ombre de lui-même, qu'il torchait l'ouvrage, que son chemin d'infortune risquait de se transformer en chemin du cimetière. Pareille démolition d'un si bon homme ne pouvait se poursuivre sans que lui, le berger de la paroisse, n'intervienne. Que Rose restât chez les Jolicoeur pour prendre soin de la vieille, soit, mais qu'elle accepte son mari avec elle ! La maison était grande, ils ne se pileraient pas sur les pieds. La morale serait sauve. Et les bonnes moeurs...

Il était venu à ses oreilles qu'Ernest avait fait une visite à la femme séparée. Travail, travail, peut-être mais pourquoi le forgeron s'y était-il rendu alors que sa propre femme séjournait quelque part aux États ? Pire encore, le prêtre apprenait par la bouche de l'aveugle quelques jours plus tôt que le vicaire lui-même avait visité Rose tard la veille du jour de l'An, et il n'avait surtout pas cherché à en savoir plus, tant ça le dérangeait déjà... Cette femme se mettait-elle sur la voie de transformer une maison honnête en demeure louche ? Non, bien entendu qu'il ne s'était rien produit de mal lors de ces visites, mais c'était un commencement; et la meilleure façon de tuer le scandale avant qu'il ne se produise, c'était encore de le déraciner dans l'oeuf, dans la terre avant sa germination... Il irait voir Rose le lendemain après-midi. Et Gustave, l'homme engagé par la fabrique, redeviendrait le bon bedeau qu'il avait toujours été jusqu'au départ inacceptable de sa femme bien-aimée...

En ouvrant la porte, Rose fut frappée par l'étonnement. Le long coup de sonnerie l'avait appelée de sa chambre, et en descendant l'escalier, elle avait pensé à Thérèse, à Bernadette, à Manda Grégoire et même à Ovide Jolicoeur venu de Québec. Le dernier visiteur attendu, c'était bien le curé.

Il salua à sa manière habituelle, dénuée de chaleur; elle le conduisit au salon. Ils se parlèrent du temps doux qu'il faisait ce jour-là puis, une fois débarrassé de son manteau et de son chapeau, le prêtre s'enquit de l'état de santé de la vieille femme, de l'adaptation de Rose dans cette grande maison.

–Je me sens... chez moi.

–Tant mieux pour toi !

–Y a rien qui cloche excepté une champlure que j'ai fait réparer cette semaine par Ernest Maheux.

Le prêtre était sur une berçante, Rose sur le grand divan. Chacun avait les bras croisés, la nuque raide.

–D'abord, je voulais te dire que j'ai pas apprécié ton manque de parole à mon égard. Tu m'avais promis d'attendre l'été...

–La chance qui passe, on la ramasse. C'est quelqu'un d'autre qui aurait la place icitte pis la place, c'était fait pour moi... sur mesure comme dirait Laurent Bilodeau.

–T'aurais au moins pu revenir au presbytère ou même me téléphoner pour me dire que tu reprenais ta parole.

–Vous auriez tout fait pour m'en empêcher.

–Là, Rose, tu vas reprendre ton mari avec toi, ici même. L'espace ne manque pas...

Elle se dressa aussitôt sur ses ergots et l'interrompit sans aucune gêne :

–Jamais ! Chassez-vous ça de l'esprit pour l'éternité, monsieur le curé !

Le prêtre hocha la tête :

–Rose, je ne peux pas te laisser détruire un homme comme tu le fais et je ne peux pas te laisser te détruire toi-même...

–Je me suis jamais autant construite que depuis que je suis rendue icitte et y'a pas personne qui va me faire changer d'idée...

–Attention, ça peut aller loin, tout ça.

–C'est déjà rendu trop loin, monsieur le curé, beaucoup trop loin. J'admets pas, j'admets plus que vous vous mêliez de mes affaires de même. Parce que je suis rien qu'une femme pis que vous êtes un homme pis un prêtre? C'est pas une raison...

–Ton devoir d'état, il est écrit en toutes lettres par la sainte Église. Tu veux que je te le rappelle. *Fidélité non seulement dans les actes, mais jusque dans les pensées, les désirs et les affections. L'amour qui se traduit par la patience, le soutien mutuel, le dévouement. La sainteté du mariage: respecter les lois de la nature et de la vie. Soumission raisonnable de l'épouse. Vivre ensemble.* C'est ça que demande et commande l'Église notre mère.

La femme se leva et lança avec l'air le plus combatif qu'elle put composer :

–En ce cas-là, faites moi jeter hors de la sainte Église !

Le prêtre se leva aussi. Il tonna :

–Tu vas t'attirer les foudres du ciel. Satan... te... guette...

–Jetez-moi vivante en enfer si vous voulez...

–Si tu restes seule ici, le scandale va éclater tôt ou tard. Dès qu'une personne... masculine va venir, toute la paroisse va jaser...

Heurtée profondément, elle échappa sa pensée :

—Vous êtes rien qu'un vieux retors... Je vous mettrai pas dehors, mais je ne vais pas en écouter plus.

Elle quitta la pièce et emprunta l'escalier. Après quelques marches, elle cria :

—Au lieu de surveiller une femme seule qui essaye de survivre, vous devriez vous occuper des séances de spiritisme qui se passent dans la paroisse, mais ça...

Aussitôt échappé, aussitôt regretté. Rose savait qu'on avait appelé les morts chez Marie Sirois; mais, Fernand Rouleau mis à part, elle n'aurait jamais voulu nuire aux personnes qui avaient pris part à la séance. Son réflexe de défense l'avait entraînée trop loin et elle s'en voulait déjà. Elle reprit son ascension et laissa le curé lancer des questions qu'elle ne voulut même pas entendre.

Le prêtre trouva ses vêtements et quitta la maison plus coléreux qu'à son arrivée. Il en saurait plus sur cette histoire de spiritisme, dut-il questionner tous les villageois l'un après l'autre.

Comment une pareille chose pouvait-elle s'être produite à son insu et quand ? Mais surtout qui donc avait participé à cela dans une belle paroisse aussi catholique ? Certainement des jeunes gens mais qui ? Mais qui ?

Tout en reprenant sa marche dans la rue glacée sous les yeux étonnés de l'aveugle qui gardait son regard rivé dans les oreilles de sa femme, le prêtre repassait en son esprit les noms des jeunes susceptibles de s'être fourvoyés.

«Émilien Fortier que ça me surprendrait pas. Et le petit Léo Maheux. Et peut-être ce nouveau venu qu'il ne connaissait que par sa mère frivole, Jean d'Arc Ferland. Ou bien l'étranger de Rimouski qui pensionnait chez Fortunat...»

Bernadette pourrait peut-être le mettre sur la piste. Elle était toujours la première et la mieux renseignée. Mais elle ne parlait pas toujours et ne révélait pas tout. Il devrait faire bonne contenance devant elle, parler de l'événement comme d'une broutille, en sourire, et si le chat ne sortait pas du sac, peut-être pourrait-il en apercevoir au moins la queue ou la moustache ?

Bernadette se montra si heureuse de voir le curé entrer chez elle et l'homme fut si engageant et plein de bonne humeur qu'elle tomba dans le piège quand, resté debout devant la porte ayant décliné l'offre d'ôter ses vêtements, il questionna sur le sujet qui le brûlait comme le feu du purgatoire :

–Je ne suis pas scrupuleux comme tu sais et c'est pas une grosse affaire, mais je voudrais rappeler aux fidèles dimanche prochain dans mon sermon que la sainte Église réprouve le spiritisme. On m'a raboudiné que des choses se passent. Je ne voudrais pas faire de peine à personne en particulier...

–J'ai cru entendre Ti-Noire en parler. En travers des branches comme on dit. Vous le croirez pas, mais y aurait eu une séance chez Marie Sirois. Organisée par Fernand Rouleau. Ah! la jeunesse, ça veut tout essayer comme de raison. J'pense que y avait Rachel Maheux pis Dominique Blais pis d'autres peut-être. Ils ont eu ben du plaisir, il paraît... Si c'était pas péché véniel, je pense que j'irais moi aussi...

Elle s'esclaffa. Le curé repoussa ses lunettes sur ses yeux et tourna les talons en disant sèchement :

–Bon, ben salut là !

–Je vous remercie de votre visite.

Et l'homme de Dieu retourna au presbytère avec une paire d'yeux belliqueux, brillants at arrondis. L'escarmouche avec Rose le préparait pour la bataille avec Fernand Rouleau. Car c'était lui, ce menteur et malvat qui avait entraîné les autres, tous du bon monde autrement. Et même des meilleurs comme Marie Sirois et Rachel Maheux...

Au vicaire, il dit, l'air détaché :

–Auriez-vous l'obligeance d'aller sortir ma machine, je dois sortir du village. Il y a un travail d'éradication qui m'attend. Et ça ne va pas attendre une journée de plus.

Le vicaire ne posa pas de questions et obtempéra.

Fernand dut mettre le paquet quand le prêtre sitôt entré chez les Rouleau l'apostropha. Et il sut y faire. Tout y passa sous une courtoisie excessive, une soumission à outrance et un chauvinisme paroissial à toute épreuve en apparence...

–C'est rien, monsieur le curé, c'est des choses que les Indiens ben catholiques de l'Ontario m'ont fait voir. Moi, j'ai rien vu à mal pis les autres non plus... C'était comme pour rire, s'amuser...

–On rit pas avec des choses pareilles. Satan est puissant.

–Pas tant que le bon Dieu, pas tant que le bon Dieu.

Fernand multiplia les lichettes.

–Vous serez assez bon pour pas parler de tout ça à madame Sirois. Elle est, j'dirais trop sensible. Elle s'en voudrait le reste de sa vie pis elle en voudrait à tous ceux qui étaient là l'autre soir...

–Ça va rester entre nous autres, ton père, toi et moi. Mais à une condition, Fernand, c'est que tu te conduises comme un bon paroissien.

–Monsieur le curé, j'ai fait ma demande à Barthélémy pour devenir Chevalier de Colomb...

–Ah! ça, c'est bien, c'est même très bien !

Quand il se remit en route, le prêtre respira. Son regard erra sur les champs blancs piqués de vieux sapins noirs. Un cas de réglé. L'autre, celui de Rose, c'est à la manière féminine qu'il le règlerait : par un détour. Une rose aura beau posséder les épines les plus acérées, elle ne se tient que sur une tige fine et fragile.

Le bien fait le mal en n'agissant pas. Le bien se devait d'agir pour éviter que Rose ne fasse trop de mal à d'autres, surtout à son mari, et ne s'en fasse trop à elle-même pour commencer.

Sur le chemin du retour, il s'arrêta chez Fortunat. Les deux hommes tinrent conciliabule dans le bar à tuer.

–En tant que maire, c'est un peu difficile pour moi de mettre ça sur la table du Conseil, mais vous pourriez le faire inscrire par le conseiller Boulanger.

–Peux-tu l'appeler pour moi ?

Fortunat hésita :

–Ça serait peut-être mieux que vous le fassiez vous-même.

–J'aimerais mieux que tu le fasses; j'ai mes raisons.

–Parfait, parfait...

***

Chapitre 27

Lundi soir : séance du Conseil municipal, salle paroissiale, pièce où sont exposés les morts. Six conseillers dont deux du village et quatre des rangs. Et Fortunat, le maire, appelé à trancher quand il y a égalité des votes si l'unanimité n'est pas obtenue d'emblée.

–Étant donné que c'est la première Assemblée du Conseil de cette année 1950, monsieur le curé est venu nous donner sa bénédiction, annonça Fortunat qui occupait le centre d'une longue table devant la salle, là où se trouvaient les cercueils en d'autres temps.

Il y avait une vingtaine d'assistants assis sur des chaises carrées, et parmi eux, l'aveugle Lambert et sa femme qui, elle, enverrait au journal régional un compte-rendu de la séance, François Bélanger, chauffeur du moulin à scie, Gustave Poulin, le professeur Beaudoin et Fernand Rouleau de même que Lucien Boucher et sa femme. Le curé se leva et prit la parole :

–Monsieur le Maire, messieurs les conseillers, madame, messieurs, en ce début d'année sainte, il n'est de plus agréable devoir pour le pasteur de cette paroisse que celui de venir assister à cette première séance du Conseil. Année mariale, année de concertation, année de réunion... année d'unanimité dans la foi et l'espérance. Année de charité aussi, certes, mais de charité bien placée soit celle qui commence par nous-mêmes de cette grande et belle paroisse, la plus belle de toute la Beauce... et peut-être même du Canada français. Mais je ne suis pas là pour vous livrer une homélie et je vais dire simplement une courte prière pour mettre vos délibérations sous les meilleurs auspices. Au nom du Père et du Fils et du Saint-Esprit. Ainsi soit-il !

Tous se levèrent. Chacun baissa la tête. Le prêtre glissa sur le ton de la parole ordinaire et non de la prière :

–C'est une courte invocation appelée *Oblation de soi*. S'y rattache une indulgence de trois ans. Et une indulgence plénière une fois par mois. Peut-être serait-il indiqué que vous l'ajoutiez à l'ordre du jour en cette année sainte en plus de la prière habituelle d'ouverture de vos séances...

«Recevez, Seigneur, toute ma liberté. Acceptez ma mémoire, mon intelligence, et toute ma volonté. Tout ce que j'ai, tout ce que je possède, c'est vous qui me l'avez donné; je viens vous le rendre, et le livre entièrement à la disposition de votre volonté. Donnez-moi seulement votre amour et votre grâce, et je suis assez riche, je ne demande point davantage...»

Fortunat dit :

–Une indulgence de trois ans pour une courte prière comme celle-là, c'est une bonne affaire...

–C'est une excellente affaire, approuva le prêtre. Et maintenant, vous pouvez procéder...

Tous se rassirent et Fortunat introduisit l'ordre du jour :

–Deux points importants à discuter, à décider peut-être... Un, la participation financière du Conseil au voyage de monsieur le curé à Rome et en Terre Sainte...

Le curé coupa :

–Pardonnez-moi d'intervenir, mais je préférerais que cela soit discuté en mon absence. Faites le reste et ensuite, je quitterai pour cette partie-là.

On applaudit.

–L'autre proposition, elle est du conseiller Jérôme Boulanger. Que soit défendu par règlement le colportage sur le territoire de la municipalité. Mendiants, vendeurs par les portes...

Le prêtre ne put s'empêcher de se racler la gorge discrète-ment. Rose, elle devrait aller le vendre ailleurs son savon d'odeur si le Conseil adoptait la motion. Personne n'ignorait que ce que pensait le conseiller Boulanger, le curé le pensait aussi, et l'oppo-sition, surtout en la présence du prêtre, avait des chances d'être mitigée.

–Est-ce que je peux prendre la parole en tant que citoyen ? dit Lucien Boucher de sa voix la plus suave.

–Si quelqu'un sait qu'il a ce droit, c'est toi, Lucien, dit le maire.

–Nous autres, dans les rangs, on penserait même pas à propo-ser une affaire de même. Les quêteux, on les reçoit. Ils nous sont utiles, que ça soit rien que l'utilité de faire nos devoirs de charité. Les vendeurs de produits, c'est du monde qui nous rendent ser-vice. Pis quand c'est que y a une grange qui brûle, on passe par les portes pour ramasser de l'argent pour la personne éprouvée, hein ? Va-t-il falloir un règlement avec des trous dedans ? Le jour où c'est qu'on aura notre Conseil séparé de celui du village, on perdra pas notre temps avec des motions de même... Pis Boutin-la-viande le samedi, pis le boulanger Bégin, allez-vous leur défen-dre de passer par les portes eux autres itou ?

À mesure que l'homme s'exprimait, le visage du curé tournait au cramoisi. Personne du Conseil n'avait encore dit le moindre mot sur le sujet et voilà que ce séparatiste de Lucien Boucher sapait les chances de voir la motion adoptée. Et une fois encore, il en profitait pour glisser son message de division... Il ne devait pas laisser faire. Sans la demander, il prit la parole :

–Si un tel règlement avait seulement existé l'an dernier, mon cher Lucien, les gangsters venus vendre des parts de la mine d'or de Long Lac, Ontario ne se seraient pas rempli les poches à nos dépens. Les corvées ainsi que les quêtes spéciales pour ceux qui brûlent, ce sera comme avant. Et bien entendu qu'il pourrait y avoir un passe-droit dans le règlement pour en exempter le bou-cher et le boulanger, ainsi que le laitier au village. Ce sont là des services qui sont nécessaires, je dirais essentiels. Le reste, pas be-soin. On a nos pauvres à nous autres, quel besoin de mendiants venus de St-Ephrem-de-Tring ou de St-Louis-de-Blanford. Quant aux vendeurs itinérants, il faut leur fermer la porte. Nos magasins vendent les mêmes choses qu'eux autres à moins cher, et l'argent reste chez nous.

–Monsieur le curé, dit Lucien, les produits Watkins...

Mais il fut interrompu :

–Justement, mon Lucien, ils sont vendus par qui, les produits Watkins, par Placide Beaudoin, un homme de St-Éphrem-de-Tring. C'est de l'argent qui s'en va ailleurs et par conséquent, ça ouvre la porte à des vendeurs de poudre de perlimpinpin comme il y en a trop de nos jours.

Des conseillers exprimaient une semi-approbation par des signes de tête en biais. La tournure des choses montrait à l'évidence que le curé était l'instigateur de la proposition Boulanger. Plusieurs se rendaient aux arguments de Lucien Boucher, mais ils hésitaient à les approuver officiellement. L'aveugle était le seul de l'assistance pour le moment à penser à la représentante Avon. Il avait beau ne pas approuver sa conduite, on ne pouvait empêcher Rose de gagner sa vie et d'exercer son métier. Sans doute le curé n'avait-il pas songé à elle, et pourtant, il l'avait visitée encore la veille... Se pouvait-il que se cache quelque chose de malicieux derrière cela ?

Il fut sur le point de donner ce cas en exemple, mais se ravisa pour ne pas indisposer son patron, le curé qui le payait pour transporter chaque jour son courrier, pour creuser des fosses au cimetière, pour sonner les cloches.

–Souvent, les enfants d'école ramassent de l'argent par les portes pour la Sainte Enfance, ils vont-ils pouvoir encore ? demanda le conseiller Demers du haut de la paroisse, un homme court à pipe croche.

–Mais bien entendu, mais bien entendu ! s'exclama le curé comme s'il était le Conseil municipal à lui tout seul.

–On risque pas de passer pour des arriérés ? dit un autre conseiller. Je veux dire que réduire la liberté, c'est pas une affaire qui a trop d'avenir...

Le curé ricana :

–Mon cher ami, un règlement anti-colporteurs, c'est les paroisses qui ont un esprit d'avant-garde qui se donnent ça. C'est tout le contraire, c'est le progrès qui veut ça.

Il y eut une pause. Fortunat parla :

–Écoutez, on a pas mal d'arguments sur la table déjà. Peut-être qu'on ferait bien d'y songer d'ici la prochaine séance pis là, après mûre délibération, on prendra un vote.

Fortunat comme toujours avait calculé son affaire. Le curé ne serait pas là sans doute à la prochaine séance. Lucien peut-être pas non plus. Les conseillers consulteraient les gens autour d'eux. On aurait le temps de songer à des amendements. La décision serait la meilleure.

Le curé pensa qu'un vote maintenant serait risqué. Il verrait les conseillers séparément, leur téléphonerait, ferait pression sans en avoir trop l'air.

Le professeur pensa à Rose. Serait-elle exemptée ? Fallait-il l'informer quant à la motion ? En additionnant ce qu'il savait des événements récents ayant touché Gustave et sa femme, il soupçonna une manoeuvre du prêtre pour casser la femme et l'amener à se soumettre. Pas question de s'en mêler puisque c'était la Fabrique et non la commission scolaire qui lui payait son salaire. Et la Fabrique était dans les mains de l'abbé Ennis.

–Ma foi, c'est une belle idée, dit le curé.

Les conseillers approuvèrent l'ajournement de la discussion du règlement Boulanger. Le maire déclara qu'il prévoyait une Assemblée spéciale lundi en huit. Le prêtre trouva l'idée parfaite et quitta les lieux satisfait.

Il y eut cinq minutes d'arrêt. Gustave vendit quelques bouteilles de Coke. Il s'entretint avec Fernand Rouleau qui prit alors conscience du fait que Rose verrait son commerce mourir si le règlement Boulanger devait être adopté. Il pensa avertir la femme puis se ravisa. Le curé savait tout ce qui se passait dans la paroisse : valait mieux ne pas se le remettre à dos si peu de temps après cette histoire d'appel aux revenants.

Gustave ne retourna même pas à la salle du Conseil ensuite. Il s'habilla et se rendit chez Rose.

–Faut que je te parle, lui dit-il à la porte, percevant qu'elle ne voulait pas le laisser entrer. C'est ben important pour toé.

–Tu peux entrer mais j'veux pas entendre parler de ce que tu sais.

–Certain ! Pas un mot !

Il resta debout à l'intérieur et lui raconta ce dont il avait été témoin au Conseil. Rose comprit aussitôt que c'était elle seulement au fond que visait le prêtre.

–T'es pas de mèche avec lui par hasard ?

–Pourquoi c'est faire que je viendrais te le dire ?

–Dans ce cas-là, je te remercie pour ton courage. Pour une fois que tu l'as pas écouté au doigt.

–C'est que tu vas faire ?

–J'ai pas le choix, va falloir jouer le jeu. Pis si je perds, y en a qui vont payer le prix, pas rien que moi.

–Même si le règlement passe, t'auras rien qu'à continuer comme avant ton porte à porte...

–Faut pas que ça passe ! Ils pourraient me mettre à l'amende pis manger tous mes profits.

–Bon, ben, bonne chance là !

Elle dit, détachée :

–Merci d'être venu me le dire.

Il rouvrit la porte quand elle commença sa propre campagne en demandant qui se trouvait à l'assemblée. Il parla de Lucien Boucher, du manque de chaleur de quelques conseillers face à l'adoption du nouveau règlement.

Quand il fut sorti et eut refermé, elle parla tout haut, mâchoires serrées :

–D'abord que c'est de même, mon cher curé, il va s'en passer des flammèches. Il va s'en passer...

Puis de sa chambre, elle surveilla les allées et venues dans la rue. Quand elle vit venir François Bélanger et Fernand Rouleau qui marchaient ensemble, elle retourna en bas et les interpella et les invita à entrer une minute.

–Venez vous assire à la cuisine, je vas faire infuser du thé.

–On sera pas longtemps, dit Fernand.

–On est de bonne heure à l'ouvrage le matin, enchérit l'autre en mâchouillant tellement les mots que la femme ne les saisit pas.

Qu'importe, c'est avec le Fernand Rouleau qu'elle désirait pour le moment établir une relation. Et pas rien qu'avec lui. Non, elle ne se chercherait pas un amant, mais elle se ferait des amis. C'était sa seule chance devant un curé aussi menaçant.

–Je gage que vous arrivez du Conseil, là, vous autres.

–Oui, marmonna François.

–Il s'est rien passé comme de coutume.

–Rien ? dit-elle en regardant le jeune homme dans les yeux.

–Rien de ben intéressant.

Fernand avait dans la tête le règlement Boulanger, mais il se disait que Rose n'en pouvait rien savoir. Qu'elle l'apprenne de quelqu'un d'autre ! On ne manquerait pas de l'informer.

–Par hasard, il aurait pas été question d'un règlement anti-colporteurs ? fit-elle tout en préparant son thé.

–Ah ça ? Oui, mais ça passera pas. C'est remis déjà...

–Avez-vous pensé que monsieur le curé se trouvait en arrière de ça pour me viser, moi ? Vous savez que j'en fais du porte en porte, hein ?

–Pourtant vrai, j'avais pas pensé à ça. Toé, François...

–Meu.. menen... padon.. sfitt...

–Voulez-vous ben me dire, y a-t-il quelqu'un qui vous a télé-phoné pour vous avertir ?

–Oui, ça ressemble à ça...

–Qu'est-ce tu ferais, Fernand, si t'étais à ma place ?

–Laissez-les faire. Ils vont se tanner d'en parler...

–Monsieur le curé lâchera pas le morceau. C'est une tête d'Ir-landais comme le dit souvent Ernest Maheux.

–Pourquoi il fait ça ? Vous devez le savoir.

–Il veut quelque chose que j'peux pas lui donner. J'suis une femme séparée. Peut-être ben que toi itou, t'es séparé d'après ce que j'ai entendu dire. C'est pas au curé d'essayer de replâtrer les morceaux de force.

François pencha la tête et ricana de sa grosse voix caverneuse. Il marmonna :

–J'ai... nen nenfant... tou moé... Mekantik...

–T'as un enfant à Mégantic ? T'es sûr de ça ?

François fit un geste désinvolte de la main et gronda sans rien ajouter de plus. Il aimait se vanter de cette paternité, invention de son esprit par laquelle il s'époumonait à crier qu'on pouvait l'aimer malgré sa gueule monstrueuse.

On but. La rencontre fut brève. Fernand tenait à s'en aller au plus tôt. Quand il salua en sortant, Rose lança à la Mae West :

–Si ça vous adonne, revenez me voir une bonne fois.

Fernand fronça les sourcils.

François qui les avait naturellement froncés ferma la ligne de ses yeux et ça rabaissa imperceptiblement les siens en les ramassant vers le milieu, vers la glabelle hérissée de longs poils.

✳✳✳

Chapitre 28

L'agitation revint en force s'installer dans l'âme de Rose après le départ des deux hommes. Elle se sentait comme un oiseau à peine libéré d'une cage de fer et que l'on enfermait dans une basse-fosse de béton armé.

Elle vida la théière, mit la vaisselle à tremper et monta dans sa chambre. Toutes sortes d'idées se bousculaient en elle. Peut-être aurait-elle dû éviter de se frotter au curé, surtout de se montrer odieuse en le traitant de vieille pipe.

En se jetant tout habillée sur son lit dans le clair-obscur d'une lampe jaune, elle parla tout haut pour se répondre à elle-même :

–Il l'a cherché, il l'a cherché.

–Mais c'est lui qui a le gros bout du bâton.

–Lutter, il faut lutter, ma vieille.

–Les mains vides ?

Qui l'appuierait, si elle devait faire campagne contre le règlement Boulanger ? Qui oserait l'appuyer contre le presbytère ? Lucien Boucher ? L'homme passait pour une belle tête croche avec son histoire de séparation du village et de la paroisse. Plus il parlerait contre le règlement, plus la position du curé s'en trouverait renforcée. Le professeur Beaudoin ? Tout à fait entre les mains de l'abbé Ennis, d'autant que le prêtre tolérait de le savoir aller chaque soir prendre sa grosse bière à l'hôtel ou au débit clandestin. Les Bureau, les Savoie et même les Bilodeau faisaient tous partie du clan des notables dont le curé était l'âme dirigeante sans en avoir l'air... Fortunat en tant que maire et par tempérament ne prendrait position qu'à la toute dernière minute si besoin était.

–Ernest Maheux, c'est le seul qui est capable de tenir tête au curé...

–Mais il est pas conseiller... Ça va regarder drôle si il s'en va au Conseil me défendre... Et qu'en penserait Éva, elle ?

–Téléphone aux conseillers de la paroisse...

–Une séparée qui vend des produits de beauté à leurs femmes, les hommes que tu connais moins, ça peut les braquer en faveur du maudit règlement.

–Une pétition peut-être ?

–Freddy voudra pas s'en mêler. Ti-Jean Fortin va refuser de signer. 'Boutin-la-viande' voudra pas contredire le curé même s'il cherchera à sauvegarder ses intérêts; d'ailleurs Fernand l'a dit que le curé avait dit que le règlement ne saurait toucher au boucher, au boulanger et au laitier. L'aveugle Lambert aura peur pour ses 'jobbines'. Fernand Rouleau s'est montré frette comme de la neige pis tout comme François Bélanger, il possède aucune espèce d'influence dans la paroisse.

–Dominique Blais va signer, lui. Pis Ernest. Pis Gustave. Pis probablement le père à Roland Campeau... Pis Marie Sirois. Pis les jeunes filles du village, Rachel, Jeannine, Monique, Ti-Noire, même Claudia Bilodeau...

–C'est cent noms au moins qu'il te faudrait. Une semaine pour les trouver, c'est courir après la lune.

Il y avait un côté touchant dans l'intervention rapide de Gustave pour la protéger, mais comment oublier que ça l'avantageait, lui, d'agir ainsi. La femme tira vers elle le coin d'un drap laineux du lit défait et se recouvrit le visage. Pour la première fois depuis longtemps, elle avait peur. Mais cela ne dura que quelques secondes et elle dessilla les yeux et se leva.

–Où est le problème, ma vieille ? T'as qu'à vendre tes produits ici dans la maison. Le salon est grand. Les femmes se déplaceront. Moins de marche à faire. Un peu moins de revenus pis après. Éva, elle, court pas les portes pour gagner son argent... La compagnie Avon pourra pas te remplacer parce que le règlement va valoir pour une autre femme autant...

–Pis c'est le curé qui va prendre sa niaise... pis y'aura peut-être des hommes qui viendront te visiter pour acheter des cadeaux pour leur mère.

La pression se glissa hors d'elle et en même temps, elle se sentit envahie par un goût irrésistible d'amour charnel. Elle se rendit devant son miroir de commode et commença de défaire les boutons de sa matinée de soie. Son buste apparut. Elle le toucha des deux mains par-dessus la dentelle blanche de la brassière. Et ferma les yeux et laissa librement défiler dans son imagination les hommes dont elle aurait voulu être aimée sur-le-champ : le beau Laurent Bilodeau, le professeur Beaudoin, Ernest Maheux, Roland Campeau, le vicaire Gilbert... et même Fernand Rouleau...

Puis elle murmura des noms :

–Jean-Yves Grégoire, Eugène Champagne, le docteur...

–T'es folle, y a que Ernest de ton âge pis il est marié solidement, tu le sais, ça...

–Je vas me la payer, la traite, Thomas Ennis, prêtre curé, je vas me la payer, la traite pis grâce à toi, au fond... Tu fourniras pas à les entendre, les péchés de la luxure dans ton confessionnal pis ça va te faire sécher que tu vas vouloir te précipiter en bas de ta chaire pis de ta chair.

La femme retourna au lit et se défit de son corset puis se glissa entre les couvertures. Sa main frémissante coula entre ses cuisses, s'agita. L'imagination devint frénétique; les visages masculins se succédèrent, les corps masculins la couvrirent l'un après l'autre; la moitié des jeunes hommes de la paroisse ayant dépassé vingt ans la chevauchèrent et leur semence tomba en paquets dans le ventre de son âme... Alors ses sens éclatèrent tous ensemble... Et elle fut longtemps pantelante, à reprendre son souffle...

Ernest bouillait. Menaçant, il jeta son doigt à la face de Lucien Boucher qui se tenait debout près de la porte :

–Ils vont pas le passer, leur maudit règlement, je te le dis.

–Je le savais que vous seriez contre ça vous itou pis c'est pour ça qu'en retournant à la maison, j'ai voulu arrêter pour vous en parler.

–T'as ben fait, mon Lucien, t'as ben fait !

En l'esprit du forgeron, la meilleure façon de lever complètement le sort que lui avait jeté le quêteux et donc de faire cesser la chute de ses cheveux, c'était de réparer son erreur. En se battant pour la liberté de faire du porte en porte, il se battait pour lui-même. Les noms qui lui vinrent à l'esprit ne furent pas ceux de personnes de la paroisse, donc jamais celui de Rose, mais ceux du quêteux Labonté et de Placide Beaudoin de St-Éphrem-de-Tring et du bossu Couët du fin fond de Courcelles, qui lui aussi venait quêter l'été. En selké. On avait l'habitude de leur donner une cenne aux mendiants, c'était pas pour ruiner une maison comme la sienne où l'homme et la femme avaient du gagne.

–Provoquer le curé, c'est périlleux, monsieur Maheux.

–Il est bourré d'argent, lui, il comprend pas les 'gensses' qui doivent gagner leur vie misérablement.

L'homme se rendit à l'escalier et prit sa pipe laissée entre les barreaux de la rampe. Il la bourra de tabac à même une blague jaune qu'il avait dans sa poche d'overall. Il la mit dans sa bouche; des fils de tabac pendaient. Il dit en croquant le bouquin :

–Si tu veux t'assire...

–Non, je m'en vas. Le rang est ben méchant. Le fond du chemin est comme de la mélasse... mollasse... Séparés du village, nous autres des rangs, on la rebâtirait, la forme du chemin. Mais le Conseil actuel veut pas payer pour ça. On brise nos chars, on peut pas circuler le printemps...

–Ah! j'dis pas que c'est sans allure, la séparation du village pis de la paroisse. À chacun ses cossins !

–On se partage des services communs comme la pompe à feu qu'on va continuer à payer pour. Le village aura pas à payer pour nos chemins pis nous autres, on paiera pas pour l'aqueduc du village. C'est ben facile à comprendre que ça ferait ben mieux l'affaire de tout le monde. Pis on aurait plus d'octrois du gouvernement. Pas besoin de la jarnigoine au pape Pie XII pour saisir le bon sens de ça !

–Le curé a moins de misère à contrôler un Conseil municipal que deux.

–C'est justement. Ils disent : diviser pour régner, mais dans ce cas-là, c'est le contraire.

–J'dis pas que c'est bête, la séparation, j'dis pas que c'est bête, pis je m'arracherais pas les cheveux si ça devait survenir un jour ou l'autre...

–Ça empêcherait personne de venir faire ferrer leurs chevaux icitte ou ben d'acheter à votre magasin... Ma femme m'a dit que madame Maheux était partie en voyage...

–Aux États, oui, voir son frère qui se meurt du cancer.

–Le cancer, une ben vilaine maladie. Pas de pardon avec ça.

–Comme tu dis !

–Bon, ben, je m'en vas. J'pourrai pas être là lundi prochain pour la séance spéciale. Allez-y pis combattez le règlement Boulanger si ça vous le dit.

–Certain que ça me le dit ! Ha, ha, tout le monde craint le curé mais pas moé, tu sauras.

–Un homme qui se tient deboutte pis qui tient son boutte se fait toujours respecter.

– Rien de plus vrai, mon Lucien, rien de plus vrai ! Mais des fois, ça prend du temps pis en attendant, il fait rire de lui...

Le terminus d'autobus, c'était l'hôtel chez Fortunat. Éva descendit avec sa petite valise, le coeur bas et la fatigue au bout des bras. En entrant dans la maison, elle fut étonnée de voir son mari sortir de la chambre sur son trente-six. Un court instant, elle crut que c'était pour exprimer son agrément de la voir revenir de voyage et son visage s'éclaira. Aussitôt, elle pensa qu'elle devait sûrement se tromper.

–Veux-tu ben me dire où c'est que tu viens donc, endimanché comme ça ?

–Je viens de nulle part, je m'en vas en quelque part.

–Ah !

–À une Assemblée de Conseil.

–Ah!

–Je me dépêche si j'veux pas être en retard.

–Bon !

La femme posa sa valise par terre et ôta ses couvre-chaussures qu'elle laissa sur le tapis tressé devant la porte puis elle reprit sa valise grise et se rendit à la chambre. Il dit en se nouant de travers une cravate à pois jaunes sur fond noir :

–Tout l'argent de ce qu'on a vendu depuis que t'es partie est dans ta petite boîte de tôle icitte dans la commode.

–Ah!

–Le curé, il va se faire parler dans le fraisier à soir par moi-même icitte.

–Quoi c'est qu'il se passe encore ?

–Un règlement de fous qu'ils veulent passer au Conseil.

–Ah!

–Bon, je vas y aller pour pas être en retard...

Elle s'assit sur le lit et ne bougea pas. Il mit son veston puis son manteau de poil rasé.

–Tu me demandes pas des nouvelles de Fred ?

–J'imagine qu'il est pas mort mais qu'il est pas fort. Dans ses culottes, j'danserais pas le rigodon moé non plus.

Non seulement la femme revenait avec la certitude de ne jamais revoir son frère vivant mais elle avait dans son maigre bagage une pleine boîte de nostalgie. Jamais autant qu'au cours de ce voyage aux États n'avait-elle pris si vive conscience du temps passé, du temps perdu ! Qu'ils étaient loin sa jeunesse, sa fraîcheur et son fou-rire de 1916-1917-1918 !

–T'as pas oublié de ramener le Kodak, toujours !

–Non, pis j'ai des bebelles pour les enfants.

–Ça, c'était pas nécessaire. Ils en ont assez eu à Noël...

–Pas grand-chose: des petites breloques pour les filles pis des crayons de cire pour les petits gars.

–Ouais, ben j'y vas...

Elle soupira longuement...

Aussitôt que Fortunat eut relut la proposition Boulanger, Ernest se leva et lança sans demander la parole :

–Moi, je vas vous dire des grosses vérités, icitte à soir. C'est pas montrer trop trop de charité chrétienne que de fermer nos portes aux gens qui tendent la main pour manger. Plusieurs fois par année, j'entends dire par monsieur le curé en chaire, qu'il faut vêtir ceux qui sont nus pis donner à boire à ceuses qui ont soif. Le bon Dieu a pas spécifié qu'il fallait que ceuses qui ont faim viennent de la même paroisse ou ben de St-Éphrem-de-Tring.

Fortunat avait un sourire légèrement caustique planté de travers d'un côté du visage. Il savait que le forgeron avait jeté un quêteux à la porte et que ça lui avait valu un sort, mais étant lui-même contre le règlement Boulanger en son for intérieur, il se retint de plaisanter.

D'abord confortablement installé dans sa certitude comme le lecteur d'un journal intéressant sur le bol des toilettes, pipe infatuée à la boucane fastueuse et atroce, le curé sentit son visage se métamorphoser sous cette charge imprévue, virile et baignée de partisannerie.

Partisan de la Rose ! pensa-t-il aussitôt d'Ernest.

–On a du bon monde qui passe par icitte. Le bossu Couët, c'est pas un homme calamiteux parce qu'il est pauvre pis difforme. Pis Conrad Plante de St-Thophile qui vient vendre des produits Raleigh, c'est pas une mauvaise nature. On n'en a pas dans les magasins, des produits Raleigh pis des produits Watkins...

–L'affaire qu'il y a, Ernest, dit calmement le curé, c'est que nous autres de par ici, on envoie personne faire du porte en porte dans les autres paroisses.

–Monsieur le curé, ça, c'est tout ce que vous pouvez dire. Vous savez peut-être pas tout ce qui se passe dans la paroisse.

–Renseigne-nous.

–Monsieur le curé, y'a des secrets qu'un homme peut pas trahir comme vous-même le secret de la confession.

Le conseiller Boulanger regarda le prêtre puis il demanda, un rictus de bisc-en-coin :

–Ça serait toujours pas madame Poulin qui va vendre ses produits Avon ailleurs ?

Ernest fut tout à fait décontenancé par cette intervention. Le curé et d'autres devaient croire qu'il était là pour défendre Rose. Il jeta un oeil du côté de Gustave qui semblait effondré sur sa misérable chaise dure.

–Ça, je le sais pas. Demandez-y à elle... ou ben à Gus qui doit savoir ça... Pis de toute manière, ça serait tant mieux que des gens de par icitte aillent ailleurs pour ramener de l'argent dans la paroisse.

Le coup avait porté. Le ton d'Ernest chuta de plusieurs crans. Lui aussi. Mais lui-même avait frappé le curé à la bonne place et le prêtre lâcha prise :

–Après tout, peut-être que notre ami Ernest a raison. Attendons que d'autres paroisses autour adoptent le même règlement et alors, on verra pour nous autres.

Tous les conseillers se sentirent libérés de la pression que le curé leur avait fait subir durant la semaine; et la proposition de règlement fut retirée. La générosité légendaire du prêtre fut soulignée après son départ. Le Conseil ne mit pas beaucoup de temps à débattre du fonds à mettre à la disposition de l'abbé Ennis pour payer une partie de son prochain voyage à Rome et en Terre Sainte. Même Ernest trouva que huit cents dollars, ce n'était pas la mer à boire. Après tout, le curé serait le représentant de près de deux mille fidèles de Saint-Honoré là-bas, et on avait mis en évidence le fait qu'il rapporterait pour chacun une éclisse de la croix du Christ ou peut-être –mais qu'importe ! –un éclat de bois provenant d'un vieux cèdre millénaire dont l'écorce avait pu être en contact avec les montants ensanglantés de la sainte croix... Si ça valait pas quarante cents par tête de pipe, une éclisse de même...

–Le reste de l'argent nécessaire, déclara Fortunat, proviendra de la caisse personnelle de monsieur le curé, des dons privés des citoyens et des profits d'une grande partie de cartes qui aura lieu dans le courant de l'hiver. Un youkeur à tout casser !

***

Chapitre 29

–Si j'ai le goût de piquer une jase au restaurant à soir ? Bah ! pourquoi pas ? J'y serai à huit heures, par là... Après avoir aidé Jean-Yves à dépaqueter la malle. Mon père est parti à Québec.

...

–Salut ma noire !

Et Ti-Noire raccrocha.

Son frère était à l'autre bout du magasin, devant la vitre de la porte donnant sur la rue, dans l'attente du postillon qui ne saurait tarder. C'était pour lui une occasion de voir Rachel arriver de sa semaine d'école. Elle le verrait sans doute, le saluerait de la main, et ça le nourrirait pour quelques heures.

Toute la journée, le temps avait été doux et maussade, oscillant entre la pluie verglaçante et la neige mouilleuse: aucunement un ciel de la mi-janvier en tout cas. Il regarda sa montre. Sept heures et demie. Moins d'une minute s'écoula et la Plymouth noire de Blanc se pointa le nez puis s'arrêta doucement devant le magasin. Comme prévu, Rachel descendit de l'auto. Ils se saluèrent, se sourirent et, svelte et belle, la jeune femme traversa la rue sous un regard attentif et un peu triste.

Blanc ouvrit la valise et commença de jeter les sacs au bout de ses bras, visant le perron où ils atterrirent tous. Cinq dont deux assez lourds, qui contenaient Le Soleil, Le Petit Journal et Le Photo Journal. Jean-Yves ouvrit la porte et les saisit un à un qu'il jeta à l'intérieur. Puis les deux hommes groupèrent leurs efforts pour traîner sur le plancher de bois par leurs attaches en corde les sacs de toile grise et les emmener jusqu'au bureau de poste à l'autre extrémité où Ti-Noire attendait en grillant une cigarette et s'entretenant avec l'aveugle.

–Tu devrais t'habiller mieux que ça ! dit Jean-Yves.

En effet, Blanc ne portait pas de manteau sur son veston. Et son vêtement le plus protecteur était son chapeau à large rebord noir.

–Pourquoi faire ?

–Il fait un temps de consomption.

–Je l'attraperai pas, je l'ai déjà.

Jean-Yves s'en voulut. Accaparé par l'image de Rachel, il avait dit n'importe quoi sans penser. Mais une telle remarque plaisait à Blanc. Elle était de celles qui lui permettaient de claironner son mépris de la mort.

–Pas obligé de le faire exprès pour geler tout rond.

–Mon ami, quand je serai derrière les célestes lambris, ce qui ne saurait tarder, le chaud pis le frette, ça me fera ni chaud ni frette.

–Pis le chemin ?

–Pigrasseux pas mal. Si l'hiver continue de même, gèle pis dégèle, on va se ramasser avec des ventres de boeuf comme jamais ce printemps.

Les sacs furent jetés sous la planche à bascule qui séparait le vestibule du bureau lui-même, devant le petit homme aveugle qui se renfrogna pour se faire encore plus petit et moins nuisible. Jean-Yves leva la planche et entra.

–Mon Dieu, Blanc, t'en as pesant à soir !

–C'est de même tous les vendredis, vous savez ça, monsieur Lambert, jeta nonchalamment le tuberculeux.

–On dirait que c'est pire à soir, dit l'aveugle.

–À l'oreille, tout est pire.

Pour la millième fois, Blanc regarda les orbites vidées recouvertes de paupières rouges affaissées et il se dit encore que Dieu, tant qu'à distribuer de la souffrance sur cette terre, devrait la concentrer sur quelques-uns comme sur Jésus-Christ. Tant qu'à faire, tant qu'à crever à petit feu des poumons, il la prendrait, cette cécité qui diminuait tant le petit homme.

Puis il haussa les épaules en se disant que Dieu ne se mêlait pas de tout ça ou alors qu'il était un Dieu de merde s'il favorisait autant les uns et s'il laissait la fatalité détruire les autres. Obsolète question existentielle qui lui servait fréquemment à remplir des vides, des ventres de boeuf sur le chemin de sa divagation quotidienne. Jamais d'atermoiements débilitants pour jalonner sa route mais beaucoup de plaisanteries sinistres et souvent une humeur massacrante devant la mascarade de la condition humaine. Parfois du cynisme à l'état pur.

Pendant que le frère et la soeur commençaient à vider les sacs, les deux hommes échangèrent pendant quelques minutes à propos des caprices du temps puis Blanc partit. Son propre courrier, il le ramassait toujours le lendemain.

Quand il sortit, Lorraine Bureau faillit lui rentrer dedans. Elle avait couru et arrivait à bout de souffle. C'est avec une horreur mal camouflée qu'elle fit deux pas de côté pour laisser passer l'homme malade.

—Tu fais ben de t'éloigner, je crache la mort, railla Blanc avec un sourire écorcheur au bord des lèvres.

—Bon, bon, bon, ouais, ouais, ouais... égrena-t-elle en mordant peu dans les mots.

Et elle entra en retenant sa respiration malgré l'essoufflement afin d'éviter le plus possible les microbes qu'elle imaginait rôder dans l'air ambiant.

L'arrière de l'ensemble des cases donnait sur le vestibule où Lorraine arriva en sautillant. Elle se colla le nez sur une vitre du côté où Ti-Noire distribuait les lettres.

—Salut Ti-Noire, c'est moi, Lorraine.

L'autre sursauta en apercevant le nez écrasé et les yeux grossis, ce qui donnait au visage souriant de la jeune femme l'air de François Bélanger.

—Suis venue te rejoindre tout de suite : on ira au restaurant quand t'auras fini.

–Je pensais que tu me rejoindrais là-bas, lui répondit Ti-Noire qui s'approcha le nez de l'ouverture de l'autre côté.

Jean-Yves, pendant ce temps, roula un journal en quatre et d'un geste sec, le fit glisser dans la case. Le paquet frappa la vitre et le bruit arracha un petit cri à la jeune fille. L'aveugle éclata de rire.

–T'es mieux de faire attention, dit-il, parce que tu pourrais te faire crever un oeil. Regarde-moi: aimerais-tu ça te voir la face comme moi ?

–Ben non, voyons !

–Attention, le Jean-Yves, il a le bras raide pas mal pis ça arrive qu'il casse un carreau avec le journal. Si tu te mets le nez à la mauvaise place...

L'homme fut interrompu par le bruit d'une vitre brisée. Hasard ou sixième sens, la coïncidence avait quelque chose d'étonnant. Par chance, c'était beaucoup plus loin que l'endroit où se trouvait Lorraine, et elle fut épargnée par les éclats de verre.

–Fais attention, là, toi, s'écria la jeune fille.

–Je l'ai pas fait exprès...

–T'es-tu fait faire mal ? s'inquiéta l'aveugle.

–Non, mais c'est dangereux icitte.

–Je te l'ai dit.

–Ti-Noire, je m'en vas au restaurant. Tu vas venir, c'est ben sûr, là ?

–Je te l'ai dit au téléphone... Veux-tu que je t'apporte ta malle avec moi ?

–Bonne idée, ça !

Et Lorraine partit.

–Salut, ma petite Bureau, dit l'aveugle.

Elle ne lui répondit pas même si la voix de l'homme avait pu contribuer à garder son visage un peu plus loin que l'accident banal et peut-être la perte d'un oeil...

Une quarantaine de minutes plus tard, elles étaient quatre jeunes filles autour d'une table dans une banquette du restaurant. Un chat gris au poil hérissé s'amena et sauta sur la table entre les bouteilles de Pepsi.

–Hey, toi, Frou-Frou, lui lança Jeannine qui le prit aussitôt dans ses mains et le ramena sur elle.

Rachel, sa voisine, flatta la petite tête et Ti-Noire ne put résister à l'envie de laisser glisser sa main sur la grosse queue à longue fourrure. Lorraine n'appréciait pas beaucoup cette présence qui faisait dévier la conversation loin du sujet qu'on avait tout juste abordé, celui qui portait sur les jeunes gens et passait par la partie de hockey du dimanche à venir qui ramènerait à Saint-Honoré les fiers-à-bras de Saint-Sébastien.

Sans que personne n'en ait encore parlé, c'était Laurent Bilodeau que chacune avait à l'esprit pourtant depuis le début de leur meeting improvisé. La dernière pour en parler serait Rachel, pensaient les trois autres, mais c'est elle qui jeta le sujet sur la table à l'étonnement heureux de Lorraine plus encore que des deux autres.

–Commérez pas ça, les filles, mais pour moi, avec Laurent, ça durera pas...

–Hein ?! dirent en choeur Jeannine et Ti-Noire.

Puis Rachel mentit, ce qui lui arrivait rarement :

–J'suis pas décidée encore, mais je vas peut-être faire un an de noviciat.

–Hein !? redirent en choeur ses deux amies tandis que Lorraine restait muette.

–Tant que j'aurai pas essayé, ça me sortira pas de la tête.

–On te croit pas, nous autres, dit Jeannine.

Rachel éclata de rire :

–Vous faites bien parce que... non, j'irai jamais au couvent même si j'ai déjà souvent pensé à ça.

Lorraine reçut le joyeux mensonge comme un soufflet sur la joue. Elle devint songeuse... Déçue plus tôt par l'arrivée imprévue de Rachel au restaurant, elle ne resta pas longtemps et partit.

Sitôt rendue à la maison, elle téléphona à Claudia pour lui rapporter sur un ton anodin à travers d'autres propos superficiels, qu'elle avait entendu Rachel parler de son intention de s'en aller au couvent à l'été, ce qui laissait forcément supposer sa rupture avec Laurent... Claudia tomba dans le panneau et en parla à son frère. À son tour, il fut piégé. Comme son lien avec Rachel n'avait encore rien d'une chaîne amoureuse, il voulut aussitôt sauver la face. Car on n'est pas coq de village, blond et frisé, hockeyeur émérite, appelé par la brillance, l'aisance, couru par toutes les filles, sans que l'amour-propre ne soit à la proue du vaisseau de sa vie comme une sorte de gouvernail paradoxalement situé à l'avant plutôt qu'à l'arrière.

Le lendemain, il téléphona à Rachel et sans que rien ne transpire du cancan véhiculé par Lorraine, appuyé par toute la jacasse dont il pouvait disposer, diplomate délicat, il les mena tous les deux à envisager la fin de leur relation dans sa forme présente en lui proposant des rencontres occasionnelles amicales en guise de remplacement.. Il prêchait à une convertie et en bout de ligne, chacun vanta la franchise de l'autre.

Jeannine devait apprendre la chose de la bouche de Rachel et la répéter à Lorraine au téléphone. Celle-ci injecta une nuance navrée à sa voix pour dire :

–Je trouve ça de valeur : me semble qu'ils faisaient un beau couple, ces deux-là, tu trouves pas ?

–Ah oui !

–Tout ça, ben ça rend notre Rocket Bilodeau disponible...

–Oui pis non.

–Oui pis non ?

–Ben... il m'a demandé pour sortir avec lui...

–Voyons donc, Jeannine Fortier, il vient de casser avec Rachel.

–C'est que tu veux que je te dise, c'est comme ça.

Lorraine refusait d'admettre cette nouvelle déconfiture; elle haussa le ton :

–Moi, je te conseille pas de t'embarquer avec lui... Tu vas trouver qu'il a les mains longues. Fais ce que tu voudras, mais... Je l'ai pas dit à Rachel mais à toi, je le cacherai pas. Je pense que c'est pour ça que Rachel était déjà tannée... Il respecte pas trop les filles... On n'est pas des poupées pour amuser les gars, hein, après tout. C'est que t'en penses ?

–Moi, quand je veux mettre un gars à sa place, c'est pas long. Eux autres, ils s'essayent pis nous autres, on dit non. C'est comme ça que ça marche de nos jours.

–En tout cas, tu sauras m'en redire quelque chose... Tu vas ben voir par toi-même...

–Je te remercie de l'avertissement : je vas en tenir compte...

Au cours de la semaine, Rachel régla un second cas, celui d'Eugène Champagne. Venu à l'école sous un vain prétexte, elle en profita pour lui annoncer qu'elle avait rompu avec Laurent. Il rit à s'en décrocher la mâchoire inférieure. Cela se passait dans la classe sous l'éclairage d'une ampoule jaune de cent watts qui avait pour effet de bronzer les peaux et de cerner les yeux.

–Ça veut-il dire que je peux t'inviter à aller au théâtre samedi soir ? Pis c'est moi qui paye même si tu travailles pis que tu gagnes de l'argent. Le film en fin de semaine qui vient, ça s'appelle *Madame porte la culotte*... C'est que t'en penses ?

–J'pense que j'vas dire non...

Debout comme un gamin puni devant le bureau de la maîtresse derrière lequel Rachel était assise, Eugène devint jongleur, cherchant quoi dire.

–Ça te fait-il rien que je me roule une cigarette ?

–Envoye.

–Je vas m'assire un peu...

Il sortit son paquet de tabac et son livret de papier et prit place à un petit banc d'enfant. Et il se cacha derrière un mince rire sans conviction.

–J'en ai passé, des journées à l'école icitte, je te dis... Pis comme ça, tu dois avoir quelqu'un ?

Aussitôt, il regretta d'avoir ouvert une chausse-trappe juste devant ses pas et voulut se reprendre :

–Quand ton temps sera venu, tu vas me faire signe, je le sais. Dans la vie, faut patienter. Pis quand tu patientes, t'arrives jamais en retard... même si tu fais des pâques de renard...

Et il s'esclaffa. Elle dit, la voix appuyant sur chaque mot :

–C'est comme tu dis, Eugène, y'a quelqu'un, pis j'pense que c'est le bon. Demande-moi pas qui, tu vas le savoir le temps venu. Comme tu dis aussi, faut patienter pis quand tu patientes, t'arrives jamais en retard...

Évincé une fois de plus, Eugène ne se découragea pas. Il lui vint une idée.

—Coudon, fais-tu chanter les enfants des fois ?

—Oui.

—Je veux dire là autre chose que le *Ô Canada* ou ben les chants d'église...

—Pourquoi ?

—Parce que si t'en avais besoin, nous autres chez nous, on a tous les albums de la bonne chanson qui sont sortis. Si t'en as besoin, je pourrais te les prêter. Gratis ben sûr !

—C'est ben de valeur, mais nous autres itou, au village, on les a tous. Pis je pense ben que la moitié de la paroisse les ont eux autres itou.

—Ben, je t'offrais ça comme ça... Coudon, y'a pa eu d'épidémie de poux cette année dans le rang...

—Dès que y a un enfant qui se gratte, je lui fais un examen du fond de la tête.

—Ça, c'est ben faire son ouvrage de maîtresse d'école... T'en veux pas une, une cigarette ? C'est sûr, toi, tu fumeras jamais.

—Je laisse ça aux gars, ce vice-là. Quand je vois le beau Martial sur le bord de se faire coupailler un poumon pis qui fume encore des rouleuses pareilles aux tiennes, là. Du LaSalle dans du papier Vogue...

—C'est le meilleur.

—Quoi ?

—Le tabac LaSalle... ben meilleur que le Zig Zag...

—Un ou l'autre pour les poumons...

—Ça fait pas de tort à la santé, fumer, voyons donc. Pis à part de ça, mourir de ça ou ben mourir d'autre chose.

Rachel soupira, haussa les épaules et continua de corriger les cahiers des élèves tout en prêtant une oreille distraite aux propos à bâtons rompus de son visiteur qui pendant une heure se fit collant comme une sangsue...

***

Chapitre 30

Le pauvre homme était plus tousseux que d'ordinaire ce soir-là. Après une autre quinte, il se demanda si l'air sec et poussiéreux de la gare n'en était pas le second responsable après le bacille réveillé qui se remettrait probablement en veilleuse au cours de la nuit. Mais il restait des heures avant la nuit profonde...

Sans manteau comme le plus souvent mais avec son chapeau noir qu'il portait, disait-il, pour empêcher le froid de s'emparer non pas de la chaleur de sa tête mais de ses idées sombres, il était debout dans le coin de la bâtisse qui comportait deux fenêtres, l'une donnant devant, sur le train entré en gare, et l'autre sur les rails qui amenaient le convoi.

Le puissant phare de la locomotive parut, et en même temps, un sifflement plaintif se fit entendre. L'ingénieur du train avait sans doute mal tiré sur le cordon du sifflet. Ou bien s'agissait-il de ce jeune passager attendu qu'il ramènerait à Saint-Honoré avec les sacs de courrier ?

Blanc respira fort. Ça silait dans sa poitrine. Il se dit: «C'est de valeur que le chef de gare passe pas la vadrouille un peu plus souvent sur le plancher.» Puis il relâcha ses pensées pour les laisser vaguer dans des souvenirs alignés comme les roches d'une digue, et tout aussi inertes et inutiles. Les images se succédèrent, mais il voulut leur couper court, transformant sa raison en ciseaux qui tranchèrent le fil du film de sa vie. À quoi bon songer à un passé que l'on ne peut investir dans un futur qui n'existe pas ?

Une seule image remplaça toutes les autres.

Il se regarde sortir de la gare, marcher sur la voie ferrée sous les lampadaires jaunes jusqu'à l'obscurité profonde, ôter son chapeau et le déposer plus loin pour éviter qu'il ne soit brisé, s'étendre sur l'accotement graveleux, épaules appuyées aux dormants, la nuque sur un rail glacial... Une lumière éblouissante s'approche, le sifflement retentit, les roues géantes font un fracas d'enfer... la barrière de métal qui sert de pare-chocs à la locomotive passe juste au-dessus de son visage, il sent le fer mouillé... Une seconde lumière, mille fois plus éclatante que la précédente, comme issue d'un ostensoir grandiose, l'enveloppe tout entier, s'empare de son âme, la pénètre, s'insinue dans sa chair et ses os, coule dans son sang et transforme toute la substance de son corps en l'énergie la plus pure, la plus douce, et qui le soulage à jamais de la tracasserie, de l'aberration, de la peur et du méprisable, de la torpeur et de l'insupportable...

L'arrivée du train noir remplaça cette image méconnaissable de lui-même par une autre image méconnaissable de lui-même: celle de son visage olivâtre que lui crachait la vitre en se moquant de ses rêves dérisoires.

Le wagon à passagers s'arrêta et un seul voyageur en descendit. Plus jeune que Blanc mais au visage plus terreux encore dans cette peau unicolore tiraillée par les os, ombrée par un chapeau brun, Martial Maheux venait rendre une courte visite à sa famille pour faire le plein de courage et d'énergie avant de plonger tête première dans ce qu'il avait baptisé le beau risque soit la première des deux grandes opérations chirurgicales destinées à lui redonner un deuxième souffle et à lui conserver cette chose que chacun ne possède qu'à un seul exemplaire: son futur.

Pendant un moment, Blanc baissa les yeux, et son pouce de la main droite tenta d'égaliser les bosses durcies du mastic cerné qui retenait la vitre devant lui. Cette venue d'un frère dans la maladie ne le rendait pas moins taciturne et en fait, devenait une écharde dans sa conscience. Martial l'inciterait à fermer les poings pour se battre, jouerait au néophyte zélé et voudrait le convertir à la vie, le chercherait derrière ses retranchements au nom de la mansuétude, et lui, moribond déjà muré dans la crypte de l'irrémédiable devrait défendre l'indéfendable.

La seule planche de salut qui restait à son désespoir transi, c'était l'attaque. Il prit résolument la poignée de la porte et sortit en accrochant de travers sur sa face le cadre égrianché d'un vieux sourire empoussiéré et empesé.

–Quen, salut Martial ! Ma machine est de l'autre bord. Rentre en dedans te réchauffer, moi, je m'occupe des sacs de malle...

–Fais pas trop frette... en tout cas d'après ce que t'as sur le dos. Pourquoi c'est faire que tu t'habilles pas mieux que ça ?

–Tout le monde me dit ça.

–Regarde, j'ai un manteau doublé en fourrure de loup-marin, je pourrais quasiment coucher dehors avec ça.

–T'as raison, j'sus pas assez habillé. Je vas rentrer avec toi pis les laisser jeter les sacs sur le quai.

–Pis je t'aiderai...

Ils entrèrent sans rien dire pour un moment. Martial posa sa valise bleue à côté d'un banc et il y prit place. Blanc resta debout et lança :

–J'ai su que tu passais au couteau finalement: tu fais ben...

–Se morfondre à attendre que l'air du temps me ramène à la santé, fini pour moi ! J'aime autant crever sur la table que de passer des années au lit à courir après mon respir...

Il se fit une pause. Blanc cherchait un terrain neutre. L'autre poursuivit :

–Pis toi, Albert ?

–Pis moi ?

–C'est que t'en penses pour moi pis c'est que t'en penses pour toi-même ?

–Sais-tu, mon ami, ce que je pense, moi, c'est pas des pensées, c'est pas des idées, c'est même pas des opinions, c'est rien que des images... des images qui ont jamais rien à voir avec les fleurs, les robes de mariée pis les beaux paysages. C'est des images qui ressemblent à des caillots de sang, à des morceaux de chair mélangés avec des morceaux d'os, à des espèces d'insectes venus d'un autre monde... Des images de magie noire pis de bonhomme sept-heures...

Choqué, Martial dit :

–On en reparlera, Blanc. Pis à part de ça, quoi de nouveau dans la thébaïde paroissiale ?

–La quoi ?

–Un endroit considéré comme ennuyant où il se passe jamais rien...

–Y a Rose Poulin qui a laissé son mari... Pis y a ta soeur Rachel qui sort... qui a sorti avec Laurent Bilodeau, mais j'ai su que c'était fini. Pis y a ton père...

–L'accident de Lambton pis ma mère aux États... J'ai reçu une lettre la semaine passée...

Le train se remit en marche et roula doucement jusqu'à l'arrivée en position du dernier wagon. Les sacs tombèrent sur le quai; un fanal fut agité; le convoi partit.

Sur le chemin de Saint-Honoré, on se parla peu pour un temps. Martial s'arrêtait à des choses agréables comme l'odeur singulière de la Plymouth. Assis devant, le jeune homme questionnait les lumières aperçues le long de la route. Un moulin de laine au loin. Une maison où il y avait trois jeunes filles d'environ son âge, belles comme des coeurs. La ferme d'un cultivateur ayant la réputation de fabriquer le meilleur sirop d'érable du comté. Puis la vieille maison pièce sur pièce dans laquelle vivaient Clodomir et sa nombreuse famille.

–Ça fait longtemps que t'es pas venu, je pense.

–Pas mal ! dit Martial, la gorge serrée.

Blanc perçut le malaise de l'autre et se tut.

Bientôt on s'arrêta devant l'école; Rachel monta en s'exclamant, la voix rieuse :

–Salut jeune homme ! On t'attendait rien que pour demain.

–Je peux aller coucher à l'hôtel, répondit-il du tac au tac.

–Ta chambre t'attend...

Blanc se sentait soulagé. Plus besoin de répondre aux silences pesants de ce passager miroir qui lui renvoyait une image méconnaissable de lui-même...

Appuyés au bout du comptoir des marchandises sèches, Jean-Yves et sa soeur placotaient en s'adressant parfois à Ti-Paul Maheux venu attendre les journaux du vendredi soir dont il dévorait les bandes dessinées.

–As-tu une blonde de ce temps-là, mon Ti-Paul ? demanda Ti-Noire.

–Il tourne pas mal autour de la grande flûte à Jérôme Boulanger...

–Hein? la grande Gaétane ? Elle doit ben manger son lunch sur ta tête...

Ti-Paul se mit debout et prit une pose de gymnaste, disant :

–Dans les petits pots les meilleurs onguents.

Ti-Noire demanda :

–C'est-il un amour partagé toujours ?

–Attention, on peut se faire mal quand on tombe amoureux, pis se fendre le coeur, dit Jean-Yves.

–C'est-il ton cas ? fit Ti-Paul.

–Crains pas.

–Y a ma soeur Rachel qui parle de toi dans ses rêves la nuit.

Cette phrase pourtant banale aurait un effet crucial dans l'évolution de la relation entre Jean-Yves et la jeune femme. Elle contribua à faire se solidifier le ciment que Ti-Noire voulut aussitôt armer :

–Pas surprenant: ça paraît quand elle te regarde, mon grand.

Il esquissa un sourire, haussa les épaules et lança en quittant pour le bureau de poste sur un pas mal assuré :

–Voyons donc là, vous autres...

Au même moment, Solange qui regardait à l'extérieur par la porte d'en avant tourna les talons et marcha à vive allure entre les comptoirs vers sa soeur et Ti-Paul à qui elle s'adressa avec un signe de la main :

–Hen, hen...

–C'est qu'il y a ? demanda Ti-Noire. La malle arrive ?

–Hen, hen, dit Solange affirmativement.

Et elle insista en s'adressant à Ti-Paul :

–Hen, hen...

–Rachel arrive avec Blanc ?

–Hen, hen, dit-elle affirmativement plus un rire saccadé.

Mais elle continua la conversation :

–Hen, hen...

–Blanc veut de l'aide pour les sacs de malle ?

Elle dit non de la tête.

–Hen, hen...

–Va donc voir dehors, dit Ti-Noire.

–Ah! ça doit être Martial qui arrive avec Rachel...

–Hen, hen, hen, hen, hen, hen...

Jean-Yves entendit de loin et regretta de ne pas s'être tenu à la porte comme souvent le vendredi soir à l'arrivée du postillon. Dehors, Rachel traversa la rue en compagnie de son frère, le coeur contrarié de n'avoir pas entrevu la silhouette de Jean-Yves à travers les vitrines du magasin général. Bien sûr qu'il se trouvait à Saint-Georges, lui aussi, avec l'équipe de hockey...

Celui qui aida Blanc à traîner les sacs sur le plancher ce soir-là fut Gilles Maheux qui donna un élan à chacun et le fit voler par-dessus la planche à bascule devant le nez de l'aveugle qui recula vivement la tête à cause du vent, et se la cogna sur le mur.

–Attention, Gilles ! lança Ti-Noire à voix pointue.

Elle avait failli recevoir le deuxième sac sur elle.

Chez les Maheux, la cuisine paraissait petite. Un moment, Éva retint une larme à l'entrée de son fils aîné tandis qu'Ernest balbutiait une salutation peu convaincue. «S'il avait été moins flancs mous, celui-là, il se serait jamais ramassé au sanatorium !» pensait-il souvent à propos de Martial. Et il lui préférait de loin son Ti-Paul capable de varloper n'importe quel jeune de son âge et le Gilles qui en aurait encore plus dans le casque.

–Y en a-t-il qui sont allés à la malle ? demanda Rachel.

Éva répondit :

–Y a Ti-Paul comme quasiment tous les soirs, pis le Gilles itou, je pense.

–Ah!

Éva devinait l'état d'âme de sa fille. Dans un quart d'heure, vingt minutes, quand les Grégoire achèveraient de dépaqueter la malle, elle l'enverrait au magasin chercher une boîte de jus d'orange, la vitamine C étant une des choses les plus recommandées pour soigner la consomption. Comme ça, elle ferait d'une pierre deux coups, le deuxième étant que Rachel et Jean-Yves puissent se parler... Pas trop fervente de hockey, elle le supposait à son poste au bureau de poste...

–Pis toi, Rachel, dit Martial, les amours avec Laurent, ça a pas fait long feu; c'est notre Eugène qui doit se montrer les plumes de ce temps-là ?

Elle rit :

–Laissez-moi vous conter sa visite à l'école cette semaine...

Depuis l'heure des vaches que Rose fortillait dans sa chambre où elle se sentait en captivité. Elle avait le goût de sortir, de marcher dehors, de voir du monde... Où aller à part qu'au bureau de poste ou chez Éva ? Impossible dans les deux cas. Elle avait vu Martial arriver. La tuberculose se trouvait des deux côtés de la rue: pas question de la fréquenter. Restait le restaurant. Il s'y tiendrait peut-être un beau loup un peu déluré à qui adresser des regards fripons.

Elle y fut dans les prochaines minutes.

Personne n'y flânait. Monique servait aux tables à la place de Jeannine. Rose prit place au comptoir et demanda un Coke. La conversation ne tarda pas à explorer la veine sentimentale. Les amours des jeunes filles y passèrent toutes. Rose montra un intérêt particulier pour celles de Roland Campeau et Monique et la relation brisée entre Rachel et Laurent et cette nouvelle en train de se nouer entre Laurent et Jeannine.

–Où c'est qu'elle est à soir ?

–Partie à Saint-Georges avec mon père pis ma mère. Pis Émilien, monsieur Rioux pis Léo Maheux. Le char était paqueté.

–C'est tranquille icitte.

–C'est comme je vous dis, le monde, c'est pas mal tout rendu au hockey à Saint-Georges. J'ai vu partir Dominique Blais pis

Fernand Rouleau avec le taxi Roy. François Bélanger, Pit Poulin pis même Jos Page.

–Pis toi ?

–Fallait quelqu'un pour tenir le restaurant pis l'hôtel.

–Ton frère ?

–Trop bébé.

Un client entra. Rose ne se retourna pas. Monique le salua. Il prit une banquette sans rien commander.

–C'est le gars à madame Ferland, souffla Monique à sa cliente.

–Ah!

–Tu veux quelque chose, Jean d'Arc ?

–Non merci, pas tusuite.

Rose eut un moment de tristesse à la pensée que l'adolescent vivait sans ses parents, surtout à ne plus voir sa mère que deux ou trois fois par année maintenant qu'il habitait avec ses grands-parents. Elle n'aurait jamais pu quitter Gustave avant que ses trois enfants ne soient complètement élevés et même qu'ils soient tous partis de la maison.

Sa méditation fut de courte durée car il arriva quelqu'un d'autre dans le restaurant. Elle sut par la voix de Monique qu'il s'agissait du professeur Beaudoin. L'homme en fait empruntait ce chemin pour se rendre du côté du bar ingurgiter sa grosse bière du soir. Mais comme il aperçut son élève, il s'arrêta au comptoir en pensant que l'adolescent ne tarderait pas à partir. Et puis il eût été quasiment impoli de ne pas adresser la parole à Rose Poulin qu'il avait si souvent côtoyée dans la salle paroissiale.

La femme aussi espérait que l'adolescent joufflu quitte la place et cela se produisit pour le soulagement de tous. Laval commanda un café et Monique se rendit à la cuisine pour en faire. Rose savait que le temps lui donnerait une chance écourtée et elle plongea tête première :

–Tu devrais venir me voir en passant quand au lieu de venir icitte, tu vas chez Robert.

–Je dis pas non une bonne fois.

–À parler avec toi, on apprend beaucoup de choses vu que t'es un homme avec pas mal d'instruction.

Flatté au point le plus sensible, Laval dit :

–J'arrêterai une bonne fois.

–Pourquoi c'est faire que tu viendrais pas tusuite à soir ? Y a personne dans le village, tout le monde est parti au hockey. Prends ton café pis viens faire un tour ensuite. Je retourne à la maison justement, moi.

Laval jeta un oeil en biais du côté du bar et de sa grosse bière imaginée puis il dit :

–Pas à soir mais prochainement.

Elle rit :

–C'est une promesse ?

–C'est une promesse.

***

Chapitre 31

Jean-Yves vida le dernier sac sur le comptoir devant les cases et il le déposa sur la planche à bascule. L'aveugle le prit, le palpa pour trouver la glissière de métal par laquelle passaient les deux parties du cordon, la ramena au bout et l'inséra à l'intérieur de la toile. Puis il mit le sac au-dessus de sa tête, en disant «Tention...», et il le jeta devant lui avec l'élan requis pour que le paquet frappe le mur à l'autre bout du vestibule. Là, le sac glissa sur un tas d'autres. C'était sa façon de participer activement au dépaquetage de la malle.

Quelques minutes plus tard, Jean-Yves vida une case pleine, lettres contenues dans le journal replié, et il mit le paquet sur la main de l'aveugle. L'homme sursauta.

–Ça, c'est la malle du curé : les deux carreaux sont pleins.

–Dis-moé donc... tout le monde s'est donné le mot.

Il prit le paquet et l'inséra dans un grand sac à compartiments qu'il portait en bandoulière.

–Y a le Bulletin des Agriculteurs, deux annales... sainte Anne pis saint Joseph pis même une grosse enveloppe qui vient des vieux pays...

–Hein ?

–De Rome, du Vatican...

–Ah, ça, c'est rapport au voyage à monsieur le Curé, c'est ben certain !

–Quen, l'autre paquet du presbytère...

Et enfin, Jean-Yves mit entre les mains de l'homme son propre courrier pour qu'il ne le mélange pas avec l'autre. Et l'aveugle prit sa canne en saluant :

–A demain là !

–C'est ça...

–Bonsoir, monsieur Lambert, ajouta la petite voix de Ti-Noire.

C'était le signal attendu par tous ceux qui jasaient dans le magasin. Ils défilèrent les uns à la suite des autres. Ti-Paul Maheux fut le premier à recevoir le courrier de la maison et il fut si rapide qu'il faillit pouvoir sortir du magasin avant l'aveugle. Mais il se contint et marcha derrière en faisant des simagrées.

Lorsque de la fenêtre, Éva vit sortir les deux, elle prit un billet de deux dollars dans sa poche de tablier et le tendit à Rachel en lui disant :

–Va donc chez Freddy chercher une boîte de jus d'orange... C'est pour Martial demain matin.

–Pis emmène donc des Corn Flakes itou, tant qu'à faire, lança Ernest entre deux crachats dans le 'spitoune'.

–Je peux y aller, moi, dit Martial.

–Ben non, ben non, dit sa mère avec une rare volonté.

Rachel enfila son manteau à col de fourrure blanche mais ne le boutonna pas, et elle sortit. Éva la regarda aller par la fenêtre et il lui semblait qu'il se passerait quelque chose d'important...

La jeune fille croisa Rose qu'elle salua puis un retardataire qui sortait du magasin et elle marcha de son pas le plus alerte dans l'allée de bois franc sans voir quiconque derrière les comptoirs. Le marchand serait à finir son travail au bureau de poste et elle s'y rendit directement. Sa surprise fut double d'y voir Ti-Noire et Jean-Yves qui, eux non plus, ne s'attendaient pas à sa visite.

Le jeune homme sourit légèrement, salua, se croisa les bras et ne bougea pas.

–Voulez-vous ben me dire, mais vous êtes pas au hockey, vous autres ?

–Imagine donc que Jean-Yves a reçu une poche de sucre sur le pied, dit aussitôt Ti-Noire.

–C'est mon père... Ah ! il l'a pas fait exprès...

–Pis toi Ti-Noire ?...

–Moi, le hockey, c'est pas trop ma game. Quand j'y vas, c'est pour supporter Jean-Yves.

Rachel s'adressa à la jeune fille :

–Ben, il me faudrait une boîte de jus d'orange pis une boîte de Corn Flakes.

Aussitôt Marielle se déroba. Pour la bonne cause.

–Ma noire, je te laisse à Jean-Yves : y a de quoi d'urgent qui m'attend de l'autre côté, dans la cuisine, tu m'excuses...

Et sans attendre une seconde de plus, la jeune fille fila. Jean-Yves hocha la tête avec stupéfaction.

–Voyons donc, pour moi à soir, elle a le va-vite...

Mais Rachel comprit, elle, la vraie raison de ce départ précipité et ça jeta du trouble dans son âme. Il lui sembla que le rouge lui montait aux joues. Par chance, l'éclairage jaunâtre maquillerait son délicieux embarras.

–Es-tu pressée ? Y en a-t-il qui attendent les Corn Flakes ou le jus d'orange ?

–Ben... non, c'est pour demain matin...

Le jeune homme souleva la planche à bascule qu'il laissa appuyée au mur et invita la jeune fille à entrer :

–Viens placoter un peu.

Elle hésita une seconde, regarda en direction du magasin. Tout était silence et absence.

–Il viendra plus personne. On est tout seuls.

–Ah !

Il y avait une chaise droite à bras enveloppants. Il la tira pour elle :

–Parle-moi un peu de ta semaine à l'école.

–C'est toi qui devrais t'asseoir.

–Bah ! je me tiens juste sur une patte.

–Prends-la, la chaise...

–Ben restons debout tous les deux pour tusuite, pis j'irai en chercher une autre tantôt.

Elle sourit légèrement.

–Comme ça, t'es blessé.

–Pas plus que ça, mais assez pour passer quinze jours sans mettre les patins.

Elle lui fit raconter l'accident. Il lui fit parler de sa semaine. Puis il dit en riant :

–Comme ça, le Eugène va te voir de temps en temps.

–C'est comme je te dis, il s'en permet depuis qu'il a la permission de venir. Mais je l'ai ben averti : il va falloir qu'il s'en tienne à son ouvrage, pas plus.

–Ben, ça ferait un bon parti...

Elle grimaça :

–Tu sais ben que c'est pas mon genre.

–C'est qui ton genre ? Pas Laurent Bilodeau, pas Eugène Champagne...

Elle le dévisagea :

–Ouvre-toi les yeux, tu vas le deviner...

Il ne put supporter son regard mais osa quand même dire :

–Depuis le temps que je te vois, c'est bizarre, c'est comme si je commençais juste à te découvrir...

La voix empreinte d'émotion, elle répondit :

–Qui te dit que c'est pas pareil pour moi ?

–Ti-Noire pense que nous deux, ça marcherait...

–Pis toi, tu le penses itou ?

–Ben... oui...

–J'ai souvent pensé à toi cette semaine.

Il la regarda, incrédule.

–T'as pensé à moi ?

–Je me sens bien quand je pense à toi...

–C'est pareil, moi.

–On se parle peut-être pas assez.

–Je retiens de mon père: les bons mots, ils me restent bloqués derrière la cravate...

–C'est pareil pour moi. Non parce qu'au fond, mon père, il parle même si il chiale tout le temps. Ma mère, elle s'ouvre pas trop devant lui, mais quand il est pas là, elle s'exprime...

–Pas parler avec la bouche, des fois, ça en dit long pareil.

–J'ai justement vu ça tantôt en montant. Martial essayait de faire parler Blanc pis Blanc voulait pas...

–Martial est arrivé ?

–Il vient passer quelques jours avant de plonger...

–Plonger ?

–Il passe au couteau dans deux semaines. Les côtes. Pis dans six, huit mois, le poumon.

Jean-Yves devint songeur, pensant au mal qui le guettait, lui. Il dit :

–Comme ça, il plonge, le Martial !

–Hum, hum...

Quelque chose d'important venu des profondeurs de son être émergea de son regard et le jeune homme saisit la jeune femme par les bras en prononçant des mots à voix basse :

–Nous autres aussi, on devrait plonger...

Elle fit un signe affirmatif.

–Laissons parler le silence...

Elle refit son signe affirmatif.

Ils ne bougèrent pas pendant un long moment, se contentant de se regarder, de se vouloir, et l'attente devenait de plus en plus intenable.

Dans le vestibule, quelque chose bougea sous l'empilage de sacs vides. A peine perceptible, le mouvement eût pu être pris pour celui d'une souris mais la bosse grossit, laissant supposer qu'il s'agissait plutôt d'un rat.

Dans le bureau, les nouveaux amoureux s'embrassèrent enfin. En douceur. Chacun soupesant sans le savoir sensations et sentiments...

Ce ne fut pas un rongeur qui surgit mais un pied d'enfant qui bougea, sonda. Puis la jambe tout entière, l'autre... Le corps glissa hors du tas et Gilles parut. Depuis une demi-heure qu'il attendait le silence afin de pouvoir se risquer à aller fouiller dans la boîte des mandats postaux où il trouverait de la monnaie, et il était fatigué de retenir son souffle. Mais il l'aurait fait tant que les bruits ne se seraient pas tous tus.

Il se leva en prudence mais soudain, son coeur figea net. À travers un carreau vitré sans contenu, il aperçut un morceau de tête qu'il sut appartenir à sa soeur...

Les lèvres s'éloignèrent un instant puis se retrouvèrent. Le garçon réussit à se déplacer d'un pas. Il put lire en travers du journal dans un autre carreau le mot ACTION...

Jean-Yves enroula son bras autour de la taille de la jeune femme et l'emmena contre lui.

Gilles risqua un oeil à travers une autre case et vit alors les nez croisés et les bouches réunies. La sienne s'ouvrit. Il baissa les yeux et aperçut en lettres noires le mot CATHOLIQ...

Son coeur battait la chamade. Il devait se cacher mais plus question de se camoufler sous les sacs sans risquer du bruit. Par bonheur, le vestibule était fort sombre. Suffisait de se tenir coi mais une force plus grande que lui l'empêchait de rester tout à fait immobile. Il risqua un oeil encore et lut PAGE 32, puis PHOTO JO... Une autre case, d'autres morceaux de tête, d'autres morceaux de mots... ANNÉE SAINTE... Pie XII... PETIT JO...

Peut-être après tout, était-ce pour lui le meilleur moment de s'esquiver, de disparaître. Il ne frôlait pas le danger pour la première fois et savait marcher sans se faire entendre... comme un rat. Si on le voyait, il dirait qu'il n'avait rien vu du tout, qu'il s'était endormi sur les sacs... On le croirait. On le croyait toujours.

—On sort ensemble ? murmura le jeune homme.

—On sort ensemble, dit-elle sur le même diapason.

Et pendant que leurs yeux brillants emmagasinaient un nombre incalculable d'images belles, Gilles s'éloignait, plus silencieux qu'un minet. Il dut passer quasiment sous leur nez pour regagner le magasin où l'attendaient la liberté et la paix de l'âme.

Ils n'entendirent même pas quand il sortit du magasin.

Dehors, il se replaça la tignasse, sifflota, les mains dans les poches puis à l'approche d'un camion, il s'élança droit devant et traversa la rue. Il connaissait trop bien ses distances et leur rapport avec la vitesse des voitures pour risquer un accident. Mais le conducteur lui montra son majeur, croyant qu'il avait affaire à son frère cadet, et Gilles rentra chez lui, le fou-rire sous les côtes.

Et Rachel et Jean-Yves continuaient de roucouler...

**

Chapitre 32

Le slogan inventé par Fortunat lors de l'Assemblée du Conseil avait été répandu par toute la paroisse et même dans quelques rangs reboutant avec St-Éphrem-de-Tring.

YOUKEUR à tout casser !

Et le rataplan de la publicité s'était fait entendre jusque dans les plus humbles chaumières y compris celle de Marie Sirois. Des pancartes dans les lieux publics, sur plusieurs poteaux de téléphone au-dessus des bancs de neige, au moulin à scie, au bureau du docteur, dans les trois tambours de l'église et même dans celui de la sacristie.

La salle paroissiale serait bondée si tant est que le bon Dieu accorde à Saint-Honoré la faveur d'un temps clément. Mais vu que c'est pour envoyer monsieur le curé à Rome et en Terre Sainte, disait-on sur toutes les lèvres, pas de doute que les anges et les saints vont voter du bon bord en nous gratifiant d'un ciel bleu et majestueux.

Le vote fut probablement serré au paradis, car le temps afficha tristesse tout ce dimanche-là. Brumasseux. Assez doux. Une longue hésitation entre la neige et la pluie. Cela servit de prétexte à d'aucuns pour ne pas sortir de leur rang et ainsi, malgré les protestations des femmes, économiser des sous.

On commencerait à jouer aux cartes à sept heures et demie.

On finirait à neuf heures. Il y aurait ensuite distribution des prix et lunch : sandwiches et café ainsi que des petits gâteaux. Sauf ceux venus du fond des rangs les plus éloignés, tous pourraient dormir à poings fermés à onze heures dans le plus tard.

La collaboration des marchands fut exemplaire. On ramassa des dizaines de cadeaux allant du miroir encadré à la boîte de chocolat au lait Nestlé en passant par la boîte à bijoux et le chapelet en perles du Rhin. Et on en acheta autant quand on se rendit compte que des cartes d'entrée s'étaient déjà vendues d'avance par dizaines.

Déjà, à sept heures, plus de cent cinquante personnes avaient trouvé place autour des petites tables à cartes pour quatre. Sur la scène, la table d'honneur était occupée. Il y avait la femme du médecin, le docteur Savoie, Jean-Louis Bureau et sa fiancée, une jeune fille superbe que tout Saint-Honoré pourrait admirer pour la première fois ce soir-là, et dont on disait qu'elle touchait l'orgue bien mieux que Marie-Anna ou Esther, mais que de surcroît, elle était capable de lancer autour de toutes les colonnes d'une église comme un fouet enjôleur, sa merveilleuse voix de soprano. Il ne manquait plus que le curé à qui le docteur céderait sa place puisque lui agirait comme maître de cérémonie.

Devant pareil afflux, Gustave mobilisa des jeunes garçons et leur fit monter des tables et des chaises dans un balcon situé derrière la grande salle et qui servait habituellement aux projections cinématographiques sur l'écran mobile de la scène. L'homme espérait que Rose vînt mais il n'y croyait guère. Son conflit avec le curé la murerait probablement dans sa nouvelle maison.

Un personnage qui n'aimait guère se mêler à la foule arriva à la salle parmi les tous premiers. C'était Ernest qui avait à ses côtés une Éva radieuse. Elle aurait pu compter sur les doigts de ses mains les fois où ils étaient sortis ensemble ces trente dernières années. Mais l'homme mijotait quelque chose. Il lui fallait une raison majeure de se trouver là et il l'avait dans sa tête.

Un homme de son âge, nerveux et lunetté, Bébé Poulin, l'aperçut et le héla.

–Viens t'asseoir avec nous autres, viens avec nous autres.

Ça faisait l'affaire d'Éva qui pourrait placoter avec sa femme, la coiffeuse du village.

Gilles entraîna Clément sur la scène pour faire la tournée des tables de cadeaux. Ses yeux s'arrondirent quand il aperçut des billets de banque épinglés sur la nappe blanche. De belles coupures bleues de cinq dollars. De magnifiques violettes de dix. Et d'incomparables billets vert-jaune de vingt.

Seul Eugène Champagne ressentirait plus de jouissance devant le portrait du roi Georges VI en ce soir de cartes. Mais le pauvre jeune homme à la lèvre inférieure balafrée devrait chercher toute la soirée un modus vivendi entre son plaisir de gagner et sa déveine sentimentale. Car il apprit de manière aussi simple que brutale, en les voyant arriver ensemble, que Rachel et Jean-Yves se fréquentaient. Un moment, il se raccrocha à l'idée que ça ne durerait pas plus avec lui qu'avec Laurent, mais il dut forcément lire dans leurs manières qu'ils étaient bien accrochés. Alors il fuma cinq rouleuses de suite en allumant la suivante avec le mégot de la précédente puis en ricanant pour lui-même, il décida de jeter son dévolu sur Ti-Noire venue avec sa soeur Solange.

Mais il aurait de la concurrence...

Au curé, il apparut manifeste après quelques coups d'oeil jetés en direction de la salle depuis le presbytère qu'aurait lieu ce soir-là la plus grosse partie de cartes de mémoire de saint-honoréen. Tout d'abord, ça lui suggéra de rendre hommage au Seigneur Tout-Puissant pour le progrès humain, surtout la mécanisation. Grâce à Dominique Blais et sa 'dumbarge', on avait ouvert tous les rangs de la paroisse la veille et l'avant-veille en prévision de ce dimanche mémorable. Et le prêtre, assis à son bureau, achevant sa pipée, rêva un moment aux promesses d'avenir qui se pouvaient lire de tous bords et tous côtés. Machinerie agricole, engrais chimiques, DDT, télévision. Carillon électrique pour l'église en remplacement des cloches à câbles; trayeuses électriques pour les vaches en remplacement des doigts humains porteurs de typhoïde; frigidaires pour tous; une automobile à chaque porte, peut-être deux. Des belles routes doubles comme en Allemagne. Des avions deux fois plus grands, deux fois plus rapides...

Il ne restait plus que lui au presbytère, tous étant déjà rendus à la salle, et il se permit de dire tout haut en se levant pour y aller à son tour :

–Comme le bon Dieu est bon de nous préparer un si bel avenir. Si je pouvais donc me rendre en l'an 2000 pour voir tout ça.

Il pensa à ce qu'il improviserait pour les fidèles à la fin du 'youkeur'. Car on voudrait l'entendre et ce serait une récompense morale plus valable encore que les prix matériels gagnés par les meilleurs joueurs. Sur quoi d'autre que sur le progrès quand on baigne dans une fièvre pareille ?

Bouleversée, Rose se disait que sa chance était venue. Pas d'aveugle pour l'espionner. Pas de voisins ni d'un côté ni de l'autre. Même Ernest et Éva étaient partis pour la salle. Plus une seule maison avec du monde dedans dans les environs. L'hôtel était fermé. Fortunat et tout son monde avaient traversé la rue pour se rendre à la fête. Et voilà que son observation depuis sa fenêtre de chambre avait permis à la femme de voir le professeur marcher vite vers le bas du village et donc, à n'en pas douter, vers le débit clandestin que d'aucuns appelaient par dérision le 'shack des Anglais'.

L'appel d'une grosse bière avait été, semble-t-il, plus puissant que l'appel général fait durant l'après-midi par l'opératrice du central téléphonique, invitant tous les abonnés à profiter de l'ouverture des chemins à la grandeur de la paroisse pour fêter leur pasteur et lui ramasser des fonds pour son voyage à Rome et en Terre Sainte. La femme raisonna. Ça n'avait pas de sens que le professeur, si dépendant du curé, ne se rende pas lui aussi comme la plupart des paroissiens au 'youkeur' quasiment consacré. Donc il ne resterait pas longtemps à boire et reviendrait sous peu. Elle n'aurait plus qu'à le cueillir au passage comme un fruit mûr. Il ne pourrait refuser d'entrer pour respecter sa promesse. Sa bière le déniaiserait peut-être... Elle lui ferait visiter la maison...

–Uha, uha, uha, uha, uha, uha...

Manda riait et sa voix traversait la rumeur générale de la salle pour ajouter à l'atmosphère joyeuse qui flottait partout à travers la fumée du tabac des pipes, des cigares et surtout des cigarettes. En face d'elle, à la table, se trouvait l'autre Manda du centre du village, la femme de Fortunat, qui elle, ne riait jamais. Les deux maris jasaient de mairie.

Sur la scène, le docteur quitta la table et se rendit ajuster le microphone à sa taille. Et il souffla dedans puis donna quelques chiquenaudes sur les bandes de métal chromé, ce qui en fit taire plusieurs qui croyaient que le roi de la soirée arrivait. Des dizaines de têtes regardèrent vers l'arrière de la salle : pas encore de curé en vue ! L'homme scruta la foule, promena son regard un peu partout à la recherche des Drouin : pas de Drouin en vue non plus. S'attendaient-ils à être, eux aussi, à la table d'honneur ? Ils devraient pourtant comprendre la hiérarchie paroissiale, eux qui connaissaient Saint-Honoré depuis de nombreuses années. Ou bien Lucienne, maintenant clairement enceinte, souffrait-elle de maux particuliers ?

Juste au pied de la scène, trois soeurs et Esther jasaient.

–C'est monsieur le curé qui va être content ! dit la jeune fille qui n'en revenait pas de voir tant de monde, au point d'en perdre sa retenue proverbiale.

Affublée de ses allures de mégère apprivoisée, Mère Supérieure commenta de sa voix nasillarde et affectée :

–La lettre d'invitation que nous avons fait parvenir à tous les parents de nos élèves aura eu ses bons effets.

Une autre soeur dit :

–Nos bonnes dames fermières vont sûrement manquer de sandwiches et de café tout à l'heure.

Esther redevint grave quand elle aperçut deux jeunes couples s'approcher et venir occuper une table voisine. C'étaient Rachel et Jean-Yves que suivaient Jeannine et Laurent.

«En voilà quatre qui ont fini par s'ajuster !» pensa-t-elle.

On se sourit, on se salua.

–Une vraie poison de ce temps-là, je vous mens pas...

C'était madame Bureau qui parlait de sa fille Lorraine devant elle, Claudia et Roger.

–Ben non, ben non, maman, vous vous énervez tout le temps pour rien.

Dans sa beauté classique et son calme olympien, Claudia optait toujours pour le silence attentif quand éclatait un litige puisque chaque fois que cela se produisait, on aboutissait à la sottise et à la bêtise. Mais l'ambiance de la salle transcendait tout, et l'accrochage ne dura guère... Roger se remit derrière son énigmatique sourire, lui, homme de Caisse Populaire étant donc homme de patience, d'attentisme, de veille...

–As-tu vu ça là-bas, une table de peddlers ? dit Lucien Boucher à l'autre homme de sa table, Fred Carrier, un cultivateur du rang six.

–Deux compétiteurs ensemble, c'est drôle, ça.

Il y avait là en effet Conrad Plante, représentant Raleigh venu de Saint-Théophile, et Placide Beaudoin, représentant Watkins, venu de Saint-Éphrem-de-Tring. C'est que les deux hommes avaient eu chaud quelque temps auparavant avec cette histoire de règlement Boulanger dont ils avaient eu vite vent. Et le danger de perdre une partie de leur clientèle les avait réconciliés. Cette soirée de cartes en l'honneur et au profit du curé Ennis leur paraissant une occasion en or pour toucher les paroissiens et surtout leur curé. Il ne leur avait pas fallu beaucoup de temps au téléphone pour se mettre d'accord sur leur présence à la salle, mieux, sur leur présence à une même table.

–Sont pas fous, ceux-là, ils savent où sont leurs intérêts, déclara Lucien.

–On peut pas les blâmer.

Au fin fond de la salle, isolés à une table étroite le long du mur, indifférents à l'atmosphère, Blanc et Martial s'obstinaient sur la chose politique. Chacun, dans son inconscient, croyait que s'il parvenait à persuader l'autre sur ce terrain, automatiquement, il gagnerait son point quant à sa lutte pour la vie... ou pour la mort...

–Le premier ministre Duplessis, y a de plus en plus de monde dans la province pour le traiter de malfaiteur, dit Martial, fier des connaissances que son hospitalisation à Québec lui permettait d'acquérir.

–Pouah! tout un mot, ça, malfaiteur. Ça vient des syndicats surtout. Jean Marchand pis sa gang...

–Vous autres, les Gaboury, vous êtes teindus bleus...

–Quant à moi, bleu, rouge, vert, orange...

Raymond Rioux et le taxi Roy arrivèrent ensemble en haut de l'escalier. Il ne restait pas de traces visibles de leur différend du temps des fêtes. Même que Rioux pour économiser s'était fait venir de la boisson par le taxi et qu'il s'en versait une rasade à l'occasion dans sa chambre plutôt de descendre au bar de l'hôtel et payer trois fois le prix pour la même chose. De plus, ça réchauffait l'atmosphère quand Émilien lui rendait visite.

L'homme avait commencé à suggérer à l'adolescent d'amener avec lui à sa chambre d'autres jeunes de son âge pour leur montrer les photos de Mae West et les autres...

Léo avait refusé d'y retourner après son aventure qu'il considérait comme accidentelle.

«Je vas essayer d'avoir Jean d'Arc Ferland,» de dire Émilien.

Émilien aurait justement Jean d'Arc comme partenaire de cartes. Ils étaient à la même table et attendaient que deux autres joueurs se proposent comme adversaires.

–Quen, y a ma soeur Ghislaine avec Francine Paradis là-bas, je vas aller leur demander pour jouer avec nous autres...

Le sympathique adolescent, qui ne s'opposait jamais à quoi que ce soit, en fut des plus heureux.

Le corps droit, manteau noir de tissu fin, cheveux bien peignés et traits souriants, un homme arriva en haut de l'escalier accompagné de sa femme, un personnage au visage renfermé et un peu hommasse. C'était Dominique Blais. Sobre.

Jean-Louis Bureau qui passait par là pour descendre aux toilettes dit à l'arrivant qui cherchait une place du regard :

–Y a la table près des religieuses, là-bas, ils ont besoin de deux joueurs. C'est mon père et monsieur le vicaire.

–C'est sûr qu'ils attendent personne ?

–Ils vous attendent, vous autres, allez-y...

–Tabergère, qui c'est donc la jolie personne à la table d'honneur là-bas ?

Dominique bluffait car il l'avait vue à quelques reprises déjà et n'ignorait pas qu'il s'agissait d'une jeune personne de Saint-Martin que fréquentait Jean-Louis depuis quelque temps. Chatouillé au creux le plus sensible de son orgueil, le jeune homme répondit avec assurance pour cacher que son coeur bredouillait :

– Elle s'appelle Pauline : c'est ma blonde.

–Ben laisse-moi te dire qu'avec ta Pauline, tu vas gagner tes épaulettes !

–Malheureusement, y a pas d'élections cette année !

Chacun repartit dans sa propre direction, le pas content.

Même l'aveugle s'était rendu à la salle pour supporter son curé. Il venait aussi pour prendre un bain de bruits. Les rires, les cris, les coups de mains sur les tables, la clochette qui annoncerait la fin et le commencement de chacune des parties, l'animation par le docteur, le discours du prêtre: rien ne saurait être assez tumultueux pour l'empêcher de s'en faire une image typique et pittoresque. Il était assis sur une chaise droite et sa femme se trouvait à ses côtés. Lui tenait distraitement sa canne debout entre ses jambes et Anna-Marie prenait des notes dans un calepin noir. Elle se promettait que son article impressionnerait les lecteurs de toute la Beauce et que d'autres prendraient exemple sur cette soirée pour à leur tour ramasser les fonds requis pour envoyer leur curé à eux à Rome et en Terre Sainte. Surtout, elle espérait que les fidèles de Saint-Éphrem-de-Tring permettent à leur curé, un ancien vicaire de Saint-Honoré qu'elle avait bien aimé, de se rendre lui aussi comme tant d'autres prêtres prier pour sa paroisse sur le tombeau du Christ et sous la bénédiction très sainte du bon pape Pie XII.

Rose sentait son sang bouillir. Il y avait de la chaleur par tout son corps. Ses tempes battaient. Sa respiration se réduisait. Embusquée dans la chambre à débarras, elle apercevait le professeur revenir.

Elle recula, se prit le visage entre les mains, dit tout haut :

–Oh, mon doux Seigneur, oh, mon doux Seigneur, si je peux avoir le courage de le faire...

Le doigt menaçant du curé lui revint en mémoire et lui insuffla la dose de courage qu'il fallait ajouter à son courage vacillant. Elle se rendit à l'escalier, descendit, entrouvrit la porte menant à l'extérieur... Il arrivait à hauteur de la maison de l'aveugle.

Mains profondément enfouies dans ses poches de manteau, Laval se dépêchait. Il voulait éviter l'embarras d'arriver en retard à la partie de cartes et donc de voir toutes les tables organisées. Et puis le curé devinerait la raison du retard...

–Laval, Laval...

Il hésita, s'arrêta un instant.

–Laval, c'est Rose... Rentre donc une minute...

–Je voudrais pas être trop en retard à la salle...

–Rentre une minute...

Il regarda à droite, à gauche, puis gravit les marches de l'escalier et entra. Une riche odeur de parfum épicé lui parvint et il se souvint de sa promesse.

–On s'était dit qu'on jaserait un peu, viens donc prendre une tasse de thé à la cuisine.

–Une autre fois, j'ai pas trop le temps.

–Au moins, viens visiter ma maison.

L'homme trouva cette proposition bizarre, mais si ça pouvait le libérer plus vite, il valait mieux accepter. Il se défit de ses claques basses et la suivit.

Elle lui résuma l'étage où ils étaient et, sans attendre, le précéda dans l'escalier.

–Je te jure que c'est grand : je pense que c'est la plus grande maison du village à part le presbytère.

–Y a celle à monsieur Freddy... On voit pas sa vraie grandeur à cause du magasin qui la jouxte...

–Qui la quoi ?

–Qui la jouxte... qui est collé après...

–Ah!

En haut de l'escalier, elle lui résuma l'étage puis le précéda aussitôt dans sa chambre où le seul éclairage d'une lampe dont l'abat-jour avait été doublé pour laisser échapper moins de lumière révélait les choses.

La femme patinait très vite. Elle s'approcha du lit, le toucha de la main, disant :

–Viens icitte un peu... Viens...

Il s'approcha. Elle le toucha au genou.

–Touche, tu vas voir comme c'est spécial comme matelas...

Il appuya son genou, le retira.

–Trouves-tu que c'est invitant ?

Le professeur commençait juste à saisir les messages à peine voilés de la femme. Il devint nerveux.

–Tu voudrais pas qu'on se... jouxte une minute pour réchauffer l'atmosphère.

–Comme je disais, faut que je...

–Faut que tu tiennes ta promesse d'abord...

Et la femme le poussa vers le lit où elle le força à s'asseoir.

–T'as dit que tu viendrais me parler, t'es là pis on va se parler. Commence par ôter ton manteau, là...

Bien-être et malaise se chahutèrent à qui mieux mieux en la personne du professeur. Que diraient les gens de le savoir là ? Comme si elle avait entendu sa question silencieuse, Rose y répondit :

–On est chanceux, tout le monde est à la salle pour les cartes.

Et elle entreprit de défaire les boutons du manteau.

–C'était pas prévu pantoute que je vienne vous voir à soir.

–Les meilleures choses dans la vie ne sont jamais prévues. Ça arrive sans qu'on s'en attende. Aide-moi...

Il soupira :

–Et ça va nous mener où, ça ?

–On se laisse emporter par la vague et le bateau finira bien par se trouver une île...

–Il pourrait aussi faire naufrage.

–On coulera, mon ami, on coulera...

Le curé apparut enfin à son tour, après tous, en haut de l'escalier qui aboutissait dans la grande salle. Il s'était débarrassé de son manteau, de sa toque et de ses couvre-chaussures dans la cuisine de Gustave dont il avait la clef. La moitié d'un silence balaya en grand coup de vent toute la pièce et ses trois cents personnes. Dès lors, le docteur au micro annonça :

–Mes bons amis, voici venir notre invité d'honneur et bien-aimé pasteur. Si vous voulez prendre vos places, dans quelques minutes, la partie va officiellement commencer. Comme vous le savez tous, cette soirée va permettre à monsieur le curé de se rendre lui aussi en cette année sainte à Rome et en Terre Sainte...

Des applaudissements fusèrent de partout. Le prêtre aligna son pas solide entre les tables du milieu et ne fut pas long à parvenir à l'escalier du centre donnant accès à la scène. Le docteur poursuivit, alors que l'abbé s'installait :

–À la table d'honneur, on peut voir une jeune personne encore inconnue de plusieurs, peut-être une future résidente de notre belle paroisse qui sait, et elle s'appelle Pauline... soprano, organiste, instruite pis pas piquée des vers comme vous pouvez voir. Mais... mais son coeur n'est pas en chômage à ce qu'il semble. Faudrait en parler un mot avec notre ami Jean-Louis...

Aucunement timorée, même que selon d'aucuns elle avait du toupet en masse, la jeune femme salua la foule d'un geste de la main et d'un large sourire à dents éclatantes de blancheur, signe qu'elle utilisait sans doute elle aussi le dentifrice le plus en vogue que le docteur s'évertuait à conseiller à plusieurs.

Fernand Rouleau fut l'un des rares retardataires. C'est qu'il s'était arrêté chez la veuve Sirois afin de la persuader de venir avec lui à la partie de cartes. Sans succès. La femme garda pour elle diverses raisons. Son manteau usé. Ses enfants dont elle ne voulait pas s'éloigner même s'ils étaient capables et habitués de rester seuls pendant quelques heures, rendus à leur âge. Sa peur maladive des foules et même des personnes seules à moins de les connaître bien ou de les voir souvent. Sa honte de vivre dans la misère. Mais elle argua autre chose. Une grippe qui couvait en elle et la rendait misérable. Elle ne se rappelait pas comment jouer au 'youkeur'. Elle avait appris entre les branches que la nouvelle de la soirée de spiritisme s'était ébruitée jusqu'à entrer au presbytère, et ne voulait pas risquer les reproches du curé. Fernand n'avait pas répondu à cet argument-là et n'avait plus insisté.

Il chercha du regard afin de trouver une table où il manquait des joueurs, mais les gens étaient si tassés qu'il n'en vit pas. Alors il se dirigea lentement vers les deux tuberculeux qui continuaient leur discussion animée et essoufflée.

–Est-ce qu'il manque des joueurs à des tables ? demanda le maître de cérémonie.

Deux bras se levèrent. Celui du taxi d'un côté de la salle. Il montra un avec le doigt. Et Eugène de l'autre côté qui montra un, lui aussi puis qu'il avait convaincu la femme de l'aveugle de se joindre à eux.

–Bon, il reste des joueurs disponibles, au fond, là-bas...

Fernand fit un geste.

–Fernand Rouleau... y a une place pour toi avec monsieur Roy et monsieur Rioux...

Par des signes et des sourires, l'homme fit comprendre qu'il préférait se joindre à Ti-Noire et Eugène.

–Ah! c'est bon, c'est bon, va de ce côté-là.. Bon, manque un dernier joueur... Hé, là-bas, Blanc Gaboury, mon ami, tu sais jouer aux cartes, toi ?

Blanc se tourna et ouvrit les mains devant lui en hochant la tête pour protester et refuser.

Le docteur rajusta ses lunettes, avança la tête, dit, surpris :

–Tiens, on a de la visite à Saint-Honoré... Martial Maheux... On a besoin d'un joueur...

Le taxi pencha la tête et grommela à l'intention de Rioux :

–Un autre maudit consomption: j'ai pas envie de jouer aux cartes avec ça, moi.

Rioux fut interloqué un moment et répondit entre ses dents :

–Moi non plus, pas trop trop...

Ils furent sauvés des eaux par le refus de Martial et en même temps par l'apparition à l'entrée de l'escalier de Gustave qui fut aussitôt réquisitionné par le docteur.

–Gustave, on t'attend à la table du taxi Roy... faites ça vite que monsieur le curé puisse donner le signal de départ...

Enfin le prêtre sonna la délivrance du désir, et les mains se ruèrent sur les paquets de cartes pour les mélanger comme il faut.

Rose poussa Laval sur le lit en soufflant :

–T'avais embelle mon grand de pas faire de promesse. Profitons-en le temps que personne sait qu'on est icitte...

–Y a madame Jolicoeur, balbutia l'homme apeuré.

–Elle dort. Pis de toute manière, elle entend rien de ce qui se passe en haut.

–Elle pourrait venir aux toilettes, la porte de la chambre est ouverte...

–Elle vient pas en haut, elle fait ses besoins à la bassine.

Le manteau était ouvert et elle glissait sa main fébrile sur la chemise blanche, tirant parfois légèrement sur la cravate pour décider le professeur à ôter ses vêtements.

L'homme se sentait de plus en plus mélangé. Il n'avait jamais eu de rapports sexuels de sa vie. Et il avait peur des femmes bien que sans penchants pour l'homosexualité qu'il savait néanmoins reconnaître vu ses connaissances en psychologie. C'est pourquoi il ne doutait aucunement du vice caché de Rioux et de sa relation avec le grand gars à Fortunat. Au point qu'il avait failli en glisser un mot au curé la semaine précédente puis s'était retenu en se disant qu'il appartenait aux parents d'Émilien de s'occuper de ce problème.

En ce moment, son esprit était bien loin d'ailleurs mais en plein dans le 'ici et maintenant'; et c'est Rose qui l'accaparait tout entier. L'homme se sentait immolé, manipulé, chosifié. Et pourtant, il découvrait un côté méconnu de la femme et de lui-même. Les appels de l'inconscient et les souvenirs de ses rêves nocturnes lui parlaient à l'unisson. Mais il gardait les bras immobiles, morts à côté de son corps, lui-même à peu près inanimé.

Aussi soudainement que tout cela avait commencé, ça se termina. La féminité passive de Rose reprit ses droits. Elle se recula mais resta à moitié étendue et dit en baissant les yeux :

–J'sus tuseule depuis trop longtemps pis je me laisse aller.

L'homme se redressa.

–Faudrait que je parte...

–Pour toi, c'est important de te faire voir par monsieur le curé, je comprends ça... Mais moi, j'y vas pas.

Il se mit debout mais demeura un moment voûté comme un

enfant puni et penaud.

–J'veux pas vous offenser mais... faut que je parte...

–Attends un peu...

Elle se leva et se rendit chercher une petite bouteille de parfum sur sa commode. En revenant à lui, elle l'ouvrit, s'en mit une goutte sur le doigt et frotta la main de Laval en disant :

–Sent ça pis dis-moi c'est que t'en penses.

Il obéit.

–C'est du bon stuff comme disent les vieux.

Elle retourna poser la bouteille. Il demanda pourquoi du regard. Elle répondit :

–Ah! sait-on jamais, peut-être que t'auras un cadeau à faire à une femme... ta mère, une autre... C'est pas cher: deux piastres. Pis ça dure longtemps.

–Je vas en prendre une tusuite; pour ma mère justement.

–Sens-toi pas obligé ?

–Pantoute, ça fait mon affaire.

Le curé avait Pauline pour partenaire et Jean-Louis formait équipe avec Anita. Le docteur marchait parfois vers la table, bras croisés, oeil alerte, moustache souriante.

–Je prends toute seule, annonça la jeune fille.

Le prêtre ferma ses cartes et se recula sur sa chaise, en profitant pour promener son regard sur la salle et réfléchir à chaque table visée. En même temps, il entreprit de charger sa pipe.

Lucien Boucher levait régulièrement la tête pour voir sur la scène; l'apercevant, le prêtre le salua de la pipe, ce à quoi le cultivateur séparatiste répondit par un signe de tête. *«Toi, va falloir que tu me passes sur le corps pour arriver à tes fins.»*

Plus loin, Ernest Maheux faisait dos à la scène. Même à cette distance, le curé put remarquer que l'homme avait le fond de la tête visible. Mais autre chose intriguait davantage le prêtre à son sujet. Ernest lui avait téléphoné dans l'après-midi pour lui demander une rencontre courte. Si brève qu'il avait refusé de se rendre au presbytère, disant que deux minutes à se parler au 'youkeur' suffiraient. «T'as besoin d'être ferré solide si t'as une demande à me faire, toi mon forgeron rébarbatif !»

–Si le deuxième bord tombe, on fait quatre points, lança la joueuse joyeuse.

Le curé aperçut les deux Manda face à face. Il entendait leur conversation par les oreilles de son esprit.

–Uha, uha, uha, uha, uha... Tu vas te faire youker, Manda.

–Tu joues pas contre moi, tu joues avec moi, Manda.

–Uha, uha, uha, uha, uha... mea culpa, mea culpa, mea maxima culpa, Manda.

–Fortunat, arrête de regarder dans ses cartes; cache donc mieux ton jeu, Manda...

À dix tables au moins d'eux, quatre garçons s'obstinaient et avaient l'air de s'invectiver.

–Tu triches, mon maudit Viger ! dit Gilles qui avait Clément pour partenaire contre deux gars de la Grande-Ligne.

–Je t'ai vu faire moi itou : t'as pris la carte en-dessous du paquet, approuva Clément.

–C'est pas vrai ! protesta l'accusé.

–On reprend la brasse ou ben j'arrête de jouer avec vous autres.

–C'est parce que t'as pas de jeu, maudit Maheux !

–Tu triches parce que tu sais pas jouer, maudit Viger !

–Si t'es pas content, viens te battre !

–Mange de la marde !

–Mon Christ de Maheux, je vas te sacrer la volée après la game dehors, tu vas voir.

–J'ai pas peur de toi, mon maudit Viger !

Viger tourna la tête et vit les gros yeux du curé. Il jeta les cartes en disant :

–O.K.! d'abord, on va la reprendre, la brasse, mais tu vas le regretter que je te dis...

En redistribuant les cartes, Viger prouva qu'il ne trichait pas en ne trichant pas cette fois. Un accident survint. Il souffla du nez et une grosse crotte molle fut expulsée, qui frappa la dame de pique en pleine face. Le garçon tenta de l'essuyer, mais la chose était gluante, collante.

–Maudit Viger, t'es pas rien que tricheur, t'es un maudit écoeurant !

Alors le curé plongea son regard sur la table du vicaire. Ah, Dominique, quelle fière chandelle il lui devait pour l'ouverture des rangs à la 'dumbarge' ! Comment ne pas lui pardonner quelques caisses de bière pour ça, même les indulgencier ?

Quels étaient donc ces couples étrangers dans le fin fond droit pas loin de l'escalier, et qu'il n'avait pas vus en entrant ? Deux hommes à lunettes épaisses... Il rajusta les siennes et les reconnut même s'il voyait leurs épouses pour la première fois. Placide Beaudoin de Saint-Éphrem-de-... ah, et l'autre, c'était Conrad Plante. Il n'en revenait pas de voir ces deux-là ensemble. Watkins contre Raleigh... mais non, Watkins qui jouait avec Raleigh... «Mon Lucien Boucher, tu devrais mettre ça dans ta pipe, là, toi ! L'avenir est à l'union, pas à la désunion ! Y a pas un vrai chrétien qui comprend pas ça ! Bah! dans le fond, c'est des peddlers qui viennent d'ailleurs, mais c'est des bons gars pareil ! Se conduire comme à soir, ils font quasiment partie de la paroisse. Et puis les Bilodeau de Saint-Honoré, père et fils, allaient bien courir les portes à Saint-Éphrem-de-Tring et Saint-Théophile pour vendre de la guenille...»

–Ben torrieu, le deuxième bord qui est tombé, ça veut dire que... on va faire quatre points pis gagner la partie, s'écria Pauline.

Le curé entendit d'une oreille, mais il portait l'oeil ailleurs.

Le Fernand Rouleau avec Ti-Noire Grégoire, ç'avait un peu plus de bon sens qu'avec Marie Sirois. Pas froid aux yeux, la Ti-Noire, elle ne se laisserait jamais manger la laine sur le dos, elle... Mais... était-ce Fernand avec elle ou bien Eugène ?

Mais où donc se trouvait Laval Beaudoin ? Pas facile à retracer parmi tant de monde ! Le curé fronça encore davantage les sourcils quand il aperçut le mesureur de bois à la table de Gustave. En mettant bout à bout des confessions et des réflexions, plus le fait que cet homme à moitié chauve venait de loin ailleurs, pas comme Placide de Saint-Éphrem-de-... ou Conrad... il en arrivait au doute, à l'appréhension. «Y a quelque chose de pas catholique dans ce personnage-là. Ce crâne n'est ni assez nu ni assez habillé pour ne pas être immoral...»

Et Maria pas loin qui montrait à ses petits anges à jouer au youkeur : comme cette femme l'édifiait ! Comment ne pas lui donner tout le ménage du printemps du presbytère ? Si Marie Sirois était donc aussi positive et optimiste !

Le curé ignorait encore que Rachel Maheux et Laurent Bilodeau ne sortaient plus ensemble d'autant qu'il les voyait à la même table avec Jean-Yves et Jeannine. S'il avait examiné de plus près, il aurait remarqué le langage gestuel de l'amour, à tout le moins de l'attirance. Mais il le saurait le soir même de la bouche du docteur qui dirait alors dans un manque de retenue audacieux :

–Ah ! le chassé-croisé amoureux ! Les jeunes, ça change de poil comme dit la chanson. Et vite à part ça...

Le pauvre curé ne prendrait conscience des ébats de Lucienne Drouin et du docteur que des années plus tard en observant le visage d'un enfant...

Que d'originalité dans la tenue vestimentaire de Marie-Anna qui, avec son mari, partageait sa table avec les Poirier, des gens de leur âge dont le mari possédait la beurrerie du village ! Mais les yeux de l'abbé Ennis passèrent vite sur ce groupe pour ne donner aucune prise aux on-dit des plaisantins. Et il regarda en plein dans les yeux la belle Claudia qui, une fois encore, lui rappela l'image qu'il s'était toujours faite de la Vierge Marie apparaissant aux enfants de Fatima. Il eût aimé voir Fatima mais son voyage à Rome et en Terre Sainte ne permettrait d'escale qu'à Lourdes et à Paris. « Ah! il ne manquera pas de lumière au cours de ce périple !»

Et plus loin, Jean d'Arc qu'on aurait dû appeler Jean-d'Acre. Un bon petit gars malgré sa mère. De belles confessions. Un adolescent pur comme il y en avait peu...

–C'est ça, on a quatre points et on gagne la partie ! lança Pauline qui ouvrit les cartes marqueuses.

Le curé mit sa pipe dans sa bouche et agita la clochette dont le son clair fut suivi d'onomatopées joyeuses et désolées par toute la salle. Quand la table d'honneur avait fini sa partie, tout le monde devait s'arrêter sans compléter la donne et c'étaient les points accumulés qui déterminaient les gagnants. Telle était la loi du youkeur dans la Beauce en ce temps-là !

–Les gens des poinçons, si vous voulez passer par les tables pour marquer les cartes des gagnants ! demanda le docteur.

Parmi les gagnants, il y eut Laurent et Jeannine, Rioux et Gus, Ti-Noire et Eugène, Manda et Manda. Et parmi les perdants mé-contents, on put retrouver Gilles et Clément, Mère Supérieure, le vicaire Gilbert, Lucien Boucher.

Quand Ti-Noire brandit sa carte en se félicitant, Solange qui surveillait le jeu éclata d'un superbe rire qui provoqua l'hilarité générale :

–CHHan, CHHan, CHHan, CHHan, CHHan, CHHan... CHHHHHHHHHan...

C'est à ce moment que le professeur arriva dans la salle. Vu de loin, il paraissait fort calme mais de près, l'observateur eût pu constater que l'homme de la mi-trentaine avait le souffle court. Ou il avait couru ou les mains de Rose avaient provoqué chez lui une espèce d'asthme passager...

***

Chapitre 33

On était au milieu de la soirée. Il y avait pause de dix minutes. Ernest Maheux se hâta vers le côté de la scène dès l'annonce faite par le maître de cérémonie. Il voyait d'ailleurs le curé prendre cette même direction; on se croiserait dans les coulisses et c'était ça qu'il voulait.

Et cela se produisit.

–Tiens, Ernest, je peux faire quelque chose pour toi ?

–C'est pour ça que je voulais vous voir.

–Viens plus loin, on sera tranquille.

Ils se rendirent au fond et entrèrent dans une loge, mais s'y tinrent sans s'asseoir.

–Qu'est-ce qu'il y a de si important ?

–Y a que le Martial, il va se faire opérer lundi en huit pour les poumons pis qu'il va avoir besoin de sang. Ça va lui prendre ben des transfusions. Il me semble que vous pourriez en parler tantôt tandis qu'il est icitte. Le monde vont être plus...

–Je pourrais faire ça dimanche prochain en chaire. Ou j'aurais pu le faire aujourd'hui si seulement t'étais venu m'en parler.

–Moé, j'ai pensé que ça va vous écouter ben mieux icitte à soir vu que c'est un peu votre fête à vous.

–Justement, c'est ma fête, à moi !

–Comme ça, vous aimez mieux pas ?

–Écoute, demande ça au maître de cérémonie. Étant docteur, il est encore mieux placé que moi.

–C'est ben ! Merci pareil !

Et le forgeron ne s'attarda pas. Il quitta la pièce, puis la coulisse de la scène en grondant sans trop y penser : «Que le diable l'emporte !»

Malgré sa recherche visuelle, le docteur ne trouva pas les Drouin, et pourtant, s'ils n'avaient pas eu l'intention manifeste de venir, on aurait dû les voir. Sans être de la race des notables environnant le presbytère, ils étaient tout de même parmi le petit peuple ceux que le prêtre préférait et, pour cette raison, il avait favorisé cette amitié entre les deux couples.

C'est que le bon docteur avait un important message à livrer à tout Saint-Honoré et qu'il eût voulu que le couple l'entende en même temps que tous et pas plus tard. Et de sa bouche même, non subséquemment par voie de racontars.

Son voeu fut exaucé au cours de la pause, car le couple arriva. Le docteur se rendit aux devants d'eux qui étaient vêtus de noir et fort bien mis.

–On fait juste un petit saut en passant: on n'est pas là pour jouer aux cartes. Ah! on a payé notre billet quand même, là.

–Voyons, voyons, s'exclama le docteur en lissant bien sa fine moustache. Vous allez rester jusqu'à la fin. Tiens, on va monter une seconde table sur la scène; on va trouver un quatrième joueur. On fera un whist. Ce qui m'empêchera pas de remplir les devoirs de ma charge de maître de cérémonie.

Lucienne et son mari s'échangèrent un regard et ils acquiescèrent. L'offre était alléchante pour leur ego. On les respecterait davantage de les voir là, d'autant qu'ils arrivaient comme des enfants prodigues et en ouvriers de la dernière heure...

Dès la troisième partie, Gilles et Clément refusèrent de continuer à jouer avec Viger et son partenaire. Ils avaient perdu les deux premières et croyaient que Viger avait triché aussi durant la seconde partie, même s'ils ne l'avaient pas surpris à le faire. Un autre truc, sans doute. Gilles Maheux n'avait jamais perdu deux parties d'affilée.

La seule table où il y avait une place libre, c'était celle de Maria Lessard. Mais on ne pouvait jouer à cinq. L'homme qui poinçonnait servit d'intermédiaire et tout s'arrangea. Maria céda sa place et dit à ses enfants de jouer avec les deux garçons tandis qu'elle-même se rendait à la table de Viger où, à trois, on se mit à jouer à un autre jeu.

Mais comme Gilles n'était guère en veine ce soir-là, devant l'imminence de la défaite aux mains des petits anges, il se mit à tricher grâce au truc à Viger soit en se donnant des bonnes cartes par le dessous du paquet. Et lui et Clément gagnèrent...

Maria eut un doute quand elle apprit que ses enfants n'avaient gagné aucune partie, mais elle garda tout de même le sourire. Et Gilles put se choisir un billet de cinq dollars à la remise des prix.

Ce fut l'heure du lunch.

Derrière la salle, un comptoir avait été aménagé. L'odeur du café surpassait celle de la fumée du tabac tout en s'y mélangeant. Les gens défilèrent devant les montagnes de sandwiches envelopp- és de papier ciré À même ses gains de la soirée, Gilles se paya un sandwich aux oeufs et un au jambon, ainsi que deux petits mokas,

Eugène offrit du lunch à Ti-Noire qui se contenta d'un café. Et le jeune homme dit à la meneuse des fermières qu'il leur ra- chèterait les restes si restes il y avait.

–À la moitié du prix: comme ça, vous aurez pas à les jeter.

La femme saisit la bonne occasion. Cela permit à Eugène non seulement de luncher à demi-prix mais aussi de faire des provi- sions.

Vint l'heure des remerciements publics et des discours.

–Chers amis, chers amis, chers amis... votre attention s'il vous plaît, dit le docteur en levant devant lui une main apaisante.

Puis il promena son regard et la rumeur diminua.

–On peut le dire, oui, on peut le dire : c'est tout un succès que cette magnifique partie de cartes de ce soir. Vous le savez, la fête permet de ramasser des fonds pour envoyer notre bon pasteur à

Rome et en Terre Sainte en cette année sainte. On a vu ici ce soir des représentants d'à peu près toutes les familles de la paroisse mais aussi des gens d'ailleurs, de Saint-Éphrem par exemple et Saint-Théophile...

Il y eut des applaudissements. Placide et Conrad rougirent.

–D'après les visages que j'ai vus depuis le commencement de la soirée, tout le monde est heureux. Les malheureux, là, levez la main et surtout, n'applaudissez pas...

Seul Blanc s'abstint. C'était par rébellion. Il trouvait sans-gêne le maître de cérémonie qui s'immisçait ainsi dans les coeurs.

Tous les gens présents sauf Ernest et le curé venaient de vivre quelques heures de bonheur et c'est dans l'euphorie qu'ils retourneraient à la maison.

Fortunat était heureux; Manda, contente. L'autre Manda continuait de rire drôle à tout propos. Solange de même. Le vicaire resplendissait. Freddy oubliait les malheurs de sa vie. Gilles jubilait. Les enfants Lessard aussi qui avaient appris à jouer au youkeur. Viger le tricheur avait réussi à se faire poinçonner neuf parties gagnantes mais plutôt de choisir un des plus beaux prix, il avait opté pour une boîte de mouchoirs blancs brodés; il les contrôlerait à l'avenir ses maudites crottes de nez.

À la table d'honneur, le curé cherchait à camoufler sa contrariété sous un sourire. Ernest ne méritait pas la faveur qu'il demandait, lui qui avait défendu Rose Martin en plein Conseil. Mais Martial, lui, devait-il être puni pour les fautes de son père ? Le pauvre jeune homme, à en juger par l'émaciation de son visage et sa pâleur, ne devait plus avoir grand sang à perdre...

Un plaisir fou animait l'âme de Pauline. Elle avait perdu aux cartes, mais on l'avait classée parmi l'élite paroissiale ! Et Jean-Louis avait placoté, turluté, bluffé sans arrêt. Il avait fini par se défaire de sa cravate et ouvrir sa chemise, et voilà qu'effalé, il riait par grandes saccades, applaudissait avec passion, afin d'attirer sur lui le maximum d'attention mais en évitant soigneusement de faire ombrage au vrai roi de la fête qui lui, attendait son propre sommet du bonheur, impassible derrière sa pipe fumante et ses lunettes rondes.

Anita s'était faite invisible toute la soirée. Son immense satisfaction, elle l'avait ficelée, mise au chaud dans une flanelle et enfouie au fond de son être, à l'abri de l'hiver, de la tyrannie, de l'erreur et de l'envie. Son propre temps fort, elle le connaîtrait bientôt, très bientôt...

–Je vous applaudis à mon tour. Et permettez maintenant que je vous présente celui que nous aimons tous et dont presque tous les citoyens disent qu'il est le meilleur curé qu'une paroisse puisse se vanter d'avoir... l'abbé Thomas Ennis, le grand ami de tous...

Les rides du front très creusées par le temps, le feu de forge et la houille résiduelle, Ernest Maheux bougea à peine un petit doigt mais redevint aussitôt immuable.

Des applaudissements suivirent jusqu'à ce que le prêtre parvienne devant le microphone.

–De me voir ainsi honoré par mes paroissiens me remplit d'espérance quant à l'avenir. Cinq ans à peine nous séparent de la fin de la pire guerre que l'humanité ait connue et qui s'est terminée par l'épouvantable champignon atomique. L'homme a inventé de multiples outils de destruction, il est vrai, mais il a mis au point également des machines de progrès. Que l'on pense par exemple à monsieur Joseph-Armand Bombardier et ses diverses réalisations. Eh bien, c'est grâce à l'une d'elles qu'on appelle la 'dumbarge' si tous les rangs de la paroisse ont pu être ouverts ces jours-ci.

De retour à la table des Drouin, assis la patte croisée, le docteur se demandait où le curé voulait aller avec cette entrée en matière plutôt désordonnée. Il trouvait un peu indigeste ce mélange d'honneur, d'espérance, de guerre et de machines à neige... Mais le public avait l'air de comprendre. Le public en fait comprenait toujours tout quand ça venait de son bien-aimé pasteur...

–C'est ainsi que plutôt d'avoir à vous rendre au village –je parle pour ceux des rangs –en bacagnole, vous avez pu le faire dans vos bagnoles...

Le professeur fut un des rares à rire. Le curé poursuivit :

–C'est bien beau, la 'dumbarge' mais ça ne se conduit pas tout seul, cette machine-là. Je veux donc remercier notre ami Dominique Blais qui a trimé dur pendant des heures et des heures pour vous ouvrir le chemin menant à cette soirée mémorable...

On applaudit. Dominique salua de la main. Son bonheur à lui arrivait à un point culminant. Tout ce qui lui manquait encore pour atteindre le sommet et mouiller ça : une grosse Molson.

–Quand passent les outardes à l'automne pour s'en aller sous des cieux plus cléments, on se félicite de la mécanisation qui nous exempte tous du besoin d'avoir des ailes si nous voulons aller aux États ou bien à Rome. Sur les aéroports, les avions sont là qui se font emplir de gazoline et qui n'attendent plus que les voyageurs avant de s'envoler, comme les outardes, pour leur destination.

Le docteur n'avait jamais entendu un discours aussi bizarre. Comme si le curé s'adonnait à une improvisation pure assortie d'une réflexion portant sur autre chose tout à fait. Comme si le prêtre était absent et présent à la fois...

–Pensez à un joueur de bombarde mégalomane... le joueur est mégalomane, pas la bombarde évidemment... Vous savez tous ce que c'est une bombarde... Donc il est mégalomane. Eh bien lui, il croit que son instrument est le plus musical qui soit et que son concert est meilleur que celui d'un orchestre symphonique jouant du Mozart...

Le docteur et sa femme se regardèrent et leurs yeux se firent des signes. Pauline gardait les bras croisés et elle avait l'air de boire toutes les paroles du prêtre, mais son esprit voguait ailleurs.

Bernadette Grégoire, qui s'était faite très discrète ce soir-là, glissa à l'oreille de Maria Lessard :

–Monsieur le Curé a pris un coup, je pense.

Dit par une autre, Maria l'eût pris pour un blasphème. Elle était transportée, elle, par les paroles du prêtre comme par les ailes d'un avion à plusieurs moteurs...

–Tout à l'heure à la table, j'entendais quelqu'un dire: «C'est trop fort pour ma vache.» Eh bien, voilà une expression ayant l'air bien typique mais que j'entendais, moi, pour la première fois. Pourtant, j'ai compris aussi, que c'était pour dire que quelque chose dépassait ses forces, que notre visiteuse de Saint-Martin s'exprimait ainsi...

Pauline rattrapa quelques mots avant qu'ils ne se soient envolés à jamais de sa mémoire inconsciente et elle revint sur terre. Elle s'empressa d'approuver par des signes de tête.

–Quand je dis visiteuse, on peut dire qu'elle fait déjà partie de notre paroisse...

Jean-Louis déclencha les applaudissements aux éclats de marche nuptiale.

–Si vous voulez ramasser tout ce que je viens de vous dire et qui peut sembler abracadabrant et l'appliquer à ce qui va suivre, la lumière se fera dans vos esprits... Chers paroissiens, il y a parmi nous un vaillant jeune homme qui lutte pour la vie. Dans une semaine et un jour, il sera opéré à Québec. C'est une intervention chirurgicale qui fait perdre beaucoup de sang et qui donc, exige de multiples transfusions. Eh bien, comme vous n'êtes pas des outardes personne mais que par contre, la mécanisation permet l'existence de machines pour ouvrir les chemins d'hiver et de faire rouler des automobiles, les chemins demeureront ouverts –et s'il le faut, je paierai de ma poche –et toute la semaine, d'où que vous soyez dans la paroisse, vous pourrez sortir et vous rendre à Québec pour donner de votre sang pour notre jeune ami ici présent, Martial Maheux...

Le prêtre montra le malade. Tout le monde se retourna pour le voir. Martial ne s'attendait pas à cette intervention. Il se mit à pleurer. Blanc en fut touché et le réconforta, une main dans son dos. Ernest serra les mâchoires. Éva souriait à la femme à Bébé Poulin...

–Pour ce qui est de l'expression "C'est trop fort pour ma vache" eh bien, ce n'est au-dessus des forces de quiconque ayant du sang de même type que celui de Martial –il vous renseignera ou peut-être que notre bon docteur le sait –d'aller à Québec. Y a même notre bon taxi Roy qui va peut-être faire un spécial à ses clients qui se rendront à Québec pour ce motif-là...

Le taxi fit un signe de tête affirmatif. Le rouge lui montait au visage. Il était ému de s'entendre ainsi nommer en public.

–Et pour tout le reste, mes bons amis, pour tout ce que vous avez fait ce soir, pour votre bonheur de vivre et de partager dans la convivialité, je n'ai qu'un mot et un seul, et c'est MERCI. De Terre Sainte, je vous rapporterai à tous un souvenir sanctifié et indulgencié. Un fragment de la croix du Christ ou d'un cèdre ayant été en contact direct avec les montants de la dite Sainte Croix. Pour que tous vous soyez mis sous la protection de Jésus lui-même et que même s'il advenait dans votre vie une maladie grave, un miracle soit possible... en tout cas plus possible...

Miracle, miracle, miracle, le mot brillait dans la tête de Gilles et l'enfant vida d'un trait ce qui restait de Pepsi dans sa bouteille.

–Je vous donne à tous ma bénédiction en attendant et je vous rappelle de penser au petit Maheux, s'il vous plaît...

On applaudit respectueusement. Il y avait de l'émotion dans la joie et, la fatigue aidant, cela rendait l'atmosphère un peu moins excitante que durant la soirée.

Le docteur revint devant le microphone tandis que le prêtre allait s'asseoir avec les Drouin qui en furent fiers. Le prêtre arrivait au sommet du bonheur...

–Qui parmi vous ne prend pas une conscience aiguë en ce moment même des valeurs de cohésion et d'union qui cimentent la vie paroissiale ? Les Anglais disent : «Croissez là où sont vos racines !» Eh bien, mes amis et co-paroissiens, permettez-moi d'utiliser la même technique de discours que monsieur le curé et mélangez ces deux phrases que je viens d'énoncer. Vous y trouverez la raison de ce que je vous annonce maintenant c'est-à-dire notre départ, Anita et moi, de Saint-Honoré pour retourner au Manitoba où se trouvent nos racines...

Une rumeur de désolation parcourut l'assistance. Le curé dégringola tout droit en bas de sa falaise. Bien qu'assommés, les époux Drouin avaient tous deux en leur for intérieur quelque chose leur disant que ce serait mieux ainsi.

–Au mois de mai, plusieurs jeunes médecins sortent de l'université. Dès la semaine prochaine, je vais inscrire à Laval et à Montréal le nom de votre belle paroisse parmi celles requérant un nouveau docteur et je ne doute pas qu'il s'en trouvera un parmi ceux-là pour me remplacer. Laissez-moi vous dire au nom de ma femme et en mon nom personnel que ces années passées parmi vous resteront à jamais gravées dans nos coeurs et nos mémoires. Nous emporterons avec nous dans l'Ouest l'image de gens sincères, sympathiques, vrais, généreux et forts. Et c'est avec beaucoup de larmes au coeur que nous partirons. Mais, comme vous le savez, nos deux familles sont là-bas, nos racines y sont puisque nous sommes nés là-bas tous les deux... Si on a voulu vous en faire part publiquement ce soir, c'est pour exprimer à tous la profondeur de nos sentiments à votre égard. Et notre reconnaissance. Nous avons été bien accueillis et fort bien traités par vous. Quant à moi, j'ai tâché de vous traiter du mieux de mes capacités. Merci pour tout. Merci à tous !

Pendant que l'homme sortait son mouchoir pour essuyer une larme peu évidente, les paroissiens applaudirent calmement et longuement.

Malgré cette contrariété, tous retournèrent à la maison avec dans le coeur le souvenir d'une soirée extraordinaire.

Émilien avait persuadé Jean d'Arc de venir voir des photos de voitures de course dans sa chambre sans dire qu'il pourrait aussi y avoir des photos de femmes nues. Ils se fixèrent un rendez-vous pour dans quelques jours.

Jean-Louis partait avec des idées de fiançailles. Lucien Boucher avait la certitude de se rendre à Québec pour donner de son sang. Qui pouvait savoir si lui-même un jour n'en aurait pas besoin à son tour ? Et puis on verrait bien que son idée de séparer le village de la paroisse était une question politique et économique, pas une affaire de sentiments.

Fernand Rouleau avait fait de l'oeil à Lorraine Bureau qui s'était montrée réceptive. Rioux le trouvait désirable, ce jeune Jean d'Arc au visage rosé et rouillé. Ti-Noire rêvait des grandes villes américaines et ce grand départ du doc le lui inspirait.

Un seul parmi tous se sentait malheureux maintenant : le curé. Choqué par ce départ du médecin. Pas sûr qu'on en trouverait un autre rapidement. Et puis c'est un docteur qui reste longtemps qu'il voulait. Comme le vieux docteur Goulet. Il avait investi beaucoup de temps, de sentiments, d'attention à ce couple, et voilà que tout ça virait en eau de vaisselle.

Embusquée derrière une toile, cachée par la nuit noire, Marie Sirois observait. Elle vit une voiture s'arrêter devant la montée des Rouleau et Fernand en descendre. Il laissa partir le véhicule puis tourna la tête vers la maison de la veuve. Elle put le distinguer grâce à la lumière de leur galerie qui ne s'éteignit que lorsque l'homme fut entré chez lui.

Elle se sentait seule comme toujours. Exilée sur terre. Triste à mourir.

Rose ignorait qu'à part elle, au moins deux autres personnes de la paroisse, Marie Sirois et le curé, ne se sentaient pas heureuses en cette fin de soirée.

Pendant une heure et plus, après le départ du professeur, elle regretta sa séparation d'avec Gustave, non à cause de l'absence de son mari mais parce qu'elle se sentait moins chez elle dans cette paroisse.

Et il y avait toujours cette faim charnelle inassouvie...

Laval reviendrait, pensait-elle, et cette fois...

***

Chapitre 34

Mars égrenait précieusement ses journées capricieuses.

–Quand c'est que le temps commence à avoir la morve au nez, faut penser à entailler les érables ! statuait Ernest à tout moment.

L'homme fébrile avait hâte de faire les sucres quand l'hiver commençait à s'atténuer. Aller vivre un mois dans son petit camp au beau milieu de son érablière, c'était son séjour en Floride à lui. Et il n'enviait guère les 'gros monsieurs' de Saint-Georges qui eux, dès février, quittaient leur petite ville pour des cieux plus cléments du sud.

Sa date fétiche : vingt mars. Pour d'aucuns, c'était une semaine avant, pour d'autres quelques jours plus tard. Beaucoup suivaient leur inspiration et le temps qu'il faisait. Mais pour une sucrerie dont le tiers des érables s'élevaient dans une pente faisant face au nord avec le reste en terrain plat, le vingt, c'était l'heure, affirmait-il avec une assurance trop grande pour ne pas cacher de l'incertitude.

Gilles entra dans la maison avec une espèce de ballon de football allongé sur l'épaule. Il mit la chose sur la table.

–Quen, le bout de baloné ! cria-t-il vers la porte du magasin.

Éva montra son nez dans l'entrebâillement et demanda :

–Comment que ça a coûté ?

–Deux piastres et soixante-quinze.

Elle fronça les sourcils :

–T'es sûr de ça, toi ?

–Ben téléphonez à Boutin-la-viande, vous allez le savoir.

–Il me semble que c'était deux piastres et vingt-cinq.

–Maman, voyons, c'était le prix l'année passée, ça ! Le baloné, ça remonte à chaque année de nos jours.

–C'est quelle sorte ?

–C'est marqué Fédéral...

–Le meilleur... mais il est plus cher, j'pense. Bon, ben laisse le change sur la table...

Le gamin s'élança dans l'escalier en frappant fort chaque marche pour montrer qu'il était pressé de se rendre aux toilettes et il oublia de restituer la monnaie. Après tout, ça valait bien vingt-cinq cents que d'aller chercher un bout de baloné chez Boutin-la-viande.

On était le dix-neuf mars.

Ernest dévorait son repas préféré : des oeufs frits, des patates rôties et des Corn Flakes. Il se sentait tout énervé. Le printemps lui montait dans les membres comme la sève dans les branches des érables. Pour la première fois cette année, depuis les six ans qu'il possédait sa terre, il entaillerait tous les érables valant la peine de l'être soit ceux de quatre pouces de diamètre ou plus. Le chiffre magique de trois mille arbres serait atteint. Il escomptait le plus gros printemps de sucre si le ciel donnait son coup d'épaule tant soit peu. Il n'y avait à la table que les quatre garçons, Ti-Paul, Léo, Gilles et le dernier de la famille. On entendit quelqu'un monter sur la galerie puis frapper à la porte.

–C'est Bernadette, c'est Bernadette, s'écria Gilles.

–Bon, elle vient sentir dans nos assiettes encore, elle ! marmonna Ernest.

Mais il cria :

–Ouais, rentrez, rentrez...

–Je venais voir Éva, dit la femme en entrant, mais j'aurais dû passer par l'autre porte, vous allez dire que je viens sentir dans vos assiettes...

–Bah! on mange la même affaire un peu que tout le monde.

–Faut ben dire que ça revient toujours au même ! Y a juste une affaire, que je me dis souvent, c'est qu'on devrait pas manger trop de baloné : on sait pas trop ce qu'ils mettent là-dedans...

Et elle s'esclaffa tandis que l'homme la regardait avec des yeux grossis et froissés. Elle poursuivit en riant :

–Pour moi les vaches mortes de peur, ça va pas tout pour les renards pis la viande à chien...

Gilles se mit les yeux en forme de saucisson et dévisagea son père qui garda le silence mais mordit plus fort dans ses patates rôties. Bernadette sans le savoir enfonça le clou :

–Y en a qui achètent ça par gros bouts longs de même. Je te dis qu'il doit y en avoir de la queue de vache pis de la cervelle de veau là-dedans. Dire qu'on fait manger ça aux enfants. Ça fera pas tout des Maurice Richard...

Ernest bondit et lança un doigt menaçant vers la pauvre femme abasourdie :

–Maudit torrieu, tu dis que tu viens pas sentir dans nos assiettes, Bernadette, mais c'est ça que tu fais par exemple. Tu sauras que de la baloné, ça se mange par du monde. Je vas te dire mieux que ça : à la cabane le printemps, on en passe trois, quatre bouttes... Tu sais pourquoi ? Parce que y a rien que ça comme viande qu'on peut garder une semaine. Y a des épices là-dedans pis ça conserve la viande, tu devrais savoir ça, toé qui est supposée faire la cuisine mieux que n'importe qui...

–J'ai pas voulu t'insulter, Ernest, j'ai pas voulu t'insulter pantoute. Ah! ça m'arrive d'en manger moi itou, tu sais... Je faisais des farces.

Ernest lui coupa le sifflet pour affirmer fièrement :

–En plus qu'on achète de la Fédéral : la meilleure !

Elle approuva de la tête :

–Ah! si c'est de la Fédéral*...

(*Il serait prouvé quelques années plus tard que la compagnie mafieuse utilisait de la viande avariée pour fabriquer son saucisson de Bologne.)

Rarement matineux, contrairement à Éva, Ernest fut debout à six heures ce jour du vingt mars. Il vernoussa dans la chambre à coucher tandis qu'elle préparait à déjeuner. Une fois habillé, l'homme chargea sa pipe. Il n'était pas dans ses habitudes de fumer si tôt, mais quand on entaille sa sucrerie, on fait autrement que les autres jours. Surtout si on l'entaille à pleine capacité.

Il s'assit sur le lit et enflamma le tabac avec une allumette de bois qu'il venait de craquer avec son ongle. Et se demanda s'il avait réuni tout ce qu'il fallait pour aller ouvrir la cabane. D'abord la main d'oeuvre. Ti-Paul et Léo manqueraient l'école pour quatre semaines. À trois, pas besoin d'un homme engagé. Les provisions pour dix jours attendaient dans la dépense : quelques douzaines d'oeufs, du lard salé, de la farine et de la graisse pour faire des crêpes, du sirop de l'année passée et bien entendu, le baloné. Il avait quatre paires de bas de laine pour lui-même, deux combinaisons et trois paires de culottes d'étoffe. La mère verrait au linge des gars...

Il fut à même d'entendre Éva monter l'escalier puis redescendre pas longtemps après. Elle vint à la chambre et lui dit, la mine déconfite :

—L'oiseau s'est envolé.

—Comment ça, l'oiseau s'est envolé ?

—Notre beau Ti-Paul est plus là à matin.

Souventes fois, dernièrement, Ti-Paul avait menacé de sacrer son camp. Il voulait être payé pour son ouvrage et se plaignait de ce que son père le faisait travailler pour trois fois rien.

«Il veut même pas nous donner la râche, à moé pis Léo !» se plaignait-il.

La lie du sirop se vendait séparément et les compagnies de tabac qui l'incorporaient à leurs produits, en payaient un bon prix; mais Ernest, qui avait vécu la grande crise, ne pouvait imaginer laisser les cent dollars et plus à ses deux gars pour quatre semaines d'ouvrage à la sucrerie. Après tout, il les nourrissait bien, lui, depuis leur naissance et ne leur avait jamais rien chargé...

Le père de famille avait refusé de croire aux mises en garde de sa femme, croyant à tort que l'adolescent était bien trop jeune pour voler de ses propres ailes.

Il haussa les épaules pour exprimer son indifférence. L'homme tâchait de se tromper lui-même. Ses meilleurs bras s'étaient 'envolés' comme le disait sa femme, et juste le jour du début des sucres. Un coup de merlin pire peut-être que la chute de ses cheveux.

–Ben coudon, va falloir arrêter le Gilles d'aller à l'école pour un mois, suggéra Éva.

–Ouais...

Gilles se mit à la vitre du salon. Il attendait que Paula s'en vienne du bas du village. Quand il l'aperçut qui venait avec une autre fillette, il se dépêcha de mettre son mackinaw et de sortir de la maison. Il avait envie de lui dire qu'elle ne le verrait pas durant un mois, mais quand elle passa devant le magasin, il manqua de courage, car s'il était enfant à foncer dans n'importe quoi, il se sentait parfaitement incapable d'employer la méthode directe en matière sentimentale quand venait le moment d'agir. Plus lavette encore que Clément devant une fille.

De plus, en ce moment, son père arrivait avec l'attelage simple depuis la grange, et il fallait donc partir immédiatement pour la cabane à sucre.

–Huhau ! dit Ernest au cheval.

Et le *Coq*, grande bête rouge et maigre, s'arrêta.

–Asteur, va chercher le *Gris* dans l'étable, toi, le Gilles.

L'enfant regarda son père, puis la grange verte, puis du côté de Paula qui lui fit un salut de la main et du sourire. Ça l'énerva tant qu'il faillit mettre son doigt dans son nez et le retint au dernier moment pour répondre, l'air idiot, à la salutation.

Alors il tourna les talons et courut à l'étable d'où il ramena vite le second cheval requis, lui aussi, pour courir les érables. Pendant ce temps, Ernest avait chargé les provisions. Léo s'affala au milieu de la sleigh basse sur une peau de carriole entre deux poches d'avoine et une poche de patates, et il entreprit de se rouler une cigarette en bâillant.

Ernest s'appuya à une pôle et clappa. Le cheval se mit en marche. À l'arrière, Gilles tenait la corde reliée à la bride de la seconde bête. Le garçon était assis sur la fonçure, les coudes appuyés à quelque chose enroulé dans une courtepointe noire et rêvait. Ce n'est qu'au bout d'un mille que l'enfant regarda à l'intérieur de la couverture, y apercevant le bout de baloné que ses bras avaient un peu écrasé. Il regarda en direction de son père puis tassa la chose afin d'éviter d'autres dégâts.

Quand de son école, Rachel les vit approcher de loin, elle se tut, mit les élèves à l'ouvrage et sortit, son manteau simplement jeté sur ses épaules.

Avant qu'elle ait pu parler, Ernest arrêta le cheval. Il espérait qu'elle fût là pour lui annoncer le départ de son frère vers une destination inconnue et un destin encore plus vague. Peut-être saurait-elle quelque chose à ce sujet ?

Mais Léo lui coupa l'herbe sous le pied en criant :

–L'oiseau s'est envolé.

–Quoi ?

Ernest enterra Léo :

–Le Ti-Paul, il a sacré son camp durant la nuitte.

–Hein ?

–Parti comme un voleur.

–Pas laissé de message ?

–Pas un mot. Ta mère va appeler tes soeurs pour savoir si il serait pas rendu là.

–Il m'en a pas parlé, en tout cas.

–C'est égal... T'es mieux de rentrer, le vent est cru...

Ernest clappa et il ne tourna plus la tête. Rachel ne dit rien et rentra, abasourdie par ce départ qu'elle aurait dû prévoir pourtant. Elle frissonna plus qu'elle n'aurait dû... Les coupures brutales, ça la bouleversait toujours pour au moins deux jours.

Clodomir fit stopper l'attelage pour parler à Ernest. Il lui offrit les services de son plus vieux pour aider aux sucres. Et son hésitation devint assurance quand il apprit le départ de Ti-Paul pour l'inconnu.

–Je dis pas non, Clodomir. On va voir à ça.

–Une piastre et demie par jour, ça serait-il trop ? Y a cinquante cents qui pourraient rabattre sur mes arrérages de loyer.

–J'dis pas non, Clodomir, j'dis pas non...

On franchit le demi-mille séparant de la forêt. Le chemin était passablement difficile, bossu et ça cahotait tout autant dans la tête du forgeron. Le départ de Ti-Paul l'affectait au plus haut point. Il ne l'avait pas maltraité, l'avait bien moins brassé que le Martial. Même qu'il en était fier, de celui-là qui montrait autant d'énergie et de vouloir.

La sleigh fut entraînée dans une dépression puis se rengagea dans une pente. Gilles faillit perdre l'équilibre. Il ne se rendit pas compte que la couverture s'était ouverte à force d'être tiraillée par le bout de baloné et que finalement le gros saucisson avait roulé jusqu'à tomber derrière, quasiment sous les pattes du cheval.

Au pied de la côte, après un ruisseau qui roulait une eau claire et du frasil entre des mulons de neige, on arriva aux trois bâtisses grises : la cabane de construction récente, un petit camp d'une seule pièce pour coucher et manger, et une petite écurie qu'on appelait la 'hovel'.

Léo détela. Ernest ouvrit le camp et entra les provisions. Il chercha en vain le bout de baloné.

–Coudon, Léo, on l'avait-il, le baloné ou ben si on l'a pas mis dans la voiture ?

Gilles sortait de l'écurie. Il dit :

–Il est là, dans la couverte.

–Bout de Viarge, on a perdu le baloné, mugit l'homme qui aussitôt se mit en marche pour retourner vers l'orée de la forêt en se promettant d'aller jusqu'en bas chez Clodomir s'il le fallait.

Sur la côte, il aperçut un chien noir frisé qui grugeait quelque chose, et il sut immédiatement que ce n'était pas un os.

–Toé, le bum, laisse mon baloné tranquille...

L'animal errant prit peur et s'éloigna vivement. Mais il avait eu le temps de se payer la traite et il manquait plusieurs croquées au saucisson que l'homme ramassa et mit sous son bras comme un Français un pain baguette.

Au pied de la côte, il trempa le bout entamé dans l'eau claire et poursuivit son chemin. Après avoir déposé la viande dans une armoire extérieure, il aperçut le chien qui l'avait suivi.

–T'en veux encore, ben t'en auras pas, toé, le bum...

Le chien sila.

–Je m'en vas t'en faire du silage, moé.

Et l'homme entra dans le camp d'où il sortit aussitôt avec un gros couteau de boucherie. Le chien tournoya et recula de trois pas en reniflant sa crainte. Ernest rouvrit la porte de l'armoire et tailla un morceau dans la partie grugée puis la jeta à l'animal qui branla sa queue bourrée de bonheur.

–Bourre-toi la face, gros safre !

–C'est quoi ce chien-là ? demanda timidement Gilles qui s'en voulait de s'être fait rouler par le baloné roulant.

–On va l'appeler le bum. Pis si il retourne pas vers son maître, on va le garder icitte au moins pour le printemps.

Son dernier chien avait été écrasé à l'automne; et en ce vingt mars, Ernest, après avoir perdu un fils, trouvait un orphelin à adopter.

Pendant ce temps, au village, au magasin, Solange s'essuyait les yeux avec un mouchoir sans moucher son gros nez rouge.

–Ton chum Ti-Paul est parti pour tout le temps, lui avait dit Freddy sans ménagement. Pourvu qu'il fasse pas un bum de lui !

***

Chapitre 35

–Monsieur le vicaire, venez dans mon bureau s'il vous plaît ?

L'abbé Gilbert sursauta. Le rouge lui monta au visage. Il dit à travers la porte de sa chambre :

–Oui, dans quelques minutes...

Chaque fois que le curé le convoquait, le jeune prêtre se demandait s'il n'avait pas été démasqué, si on ne l'avait pas surpris dans son péché solitaire ou si les caresses qu'il lui arrivait de prodiguer à des enfants n'avaient pas été exagérées par eux.

Il prit place dans le fauteuil vert devant le bureau du curé qui fumait déjà sa pipe mais paraissait soucieux.

–Vous savez, monsieur le vicaire, un prêtre avec de l'expérience en arrive parfois à sentir les choses et... il se passe que je ressens de l'inquiétude quant à... enfin...

Le vicaire entendit la peur battre sous ses tempes. Il rajusta ses lunettes, se rajusta sur sa chaise, se racla la gorge...

–C'est vous que cela pourrait concerner, poursuivit le curé.

Le vicaire bégaya :

–J'espère que personne ne s'est plaint à mon sujet...

–Aucunement ! Quand je dis que ça pourrait vous concerner, ce n'est pas vous la source du problème, mais vous pourriez être la source de sa solution cependant.

–Je vous écoute et si j'y peux quelque chose...

Le prêtre se tourna à gauche et à droite sur sa chaise à bascule, hésita puis se confia :

–Ce pensionnaire à l'hôtel, ce monsieur Rioux comme tout le monde l'appelle, il ne me dit rien de bon. Je me demandais si vous ne pourriez pas, avec toute la réserve que ce cas exige, effectuer une certaine surveillance voire une certaine recherche... Oh, de loin, je veux dire sans forcément vous rendre sur place, mais à la patinoire l'hiver, sur le terrain de l'O.T.J. l'été.

–Je... je ne comprends pas... Dans quel sens au juste ?

Le curé qui, main devant la bouche, tenait sa pipe entre deux doigts, l'écarta pour dire :

–Question de bonne morale et de bonnes moeurs !

–Hein ?!

–Faudrait voir, faudrait voir...

–Comment ?

–Savoir si des adolescents du village le voient à l'hôtel ou au restaurant... Ses gestes, ses regards, ses attitudes quand il se trouve en présence d'adolescents...

–Et d'adolescentes...

–Adolescents, adolescents...

Cette requête d'une enquête soulageait fort le vicaire et il pourrait même s'en servir comme paravent à son propre langage gestuel devant son curé, empêchant l'autre d'y lire de l'impureté.

Et pour la combattre avec beaucoup plus d'efficacité, cette propension à la luxure, il se lança dans une proposition :

–J'ai bien réfléchi à la question, monsieur le curé, et j'ai le goût de vous proposer une rénovation complète du perron de l'église. Je suis en mesure de diriger les travaux; je m'y connais bien en béton et bétonnage. On pourrait exécuter les travaux alors même que vous vous trouverez en voyage dans les vieux pays. A votre retour, vous pourriez admirer une belle devanture à votre chère église, à notre chère église paroissiale.

–Vous semblez animé d'une grande détermination ?

–Je le suis.

–Avez-vous songé aux coûts pour la Fabrique et donc la paroisse ? Cela s'ajoutera en une même année aux coûts d'une partie de mon voyage à Rome. Les paroissiens pourraient trouver ça lourd, surtout certains comme monsieur Boucher... Lucien Boucher.

–Pas lui, non, mais non...

–Tout ce qui se dépense au village semble le fatiguer. Je sais que l'église est à tous les paroissiens, mais il se plaindra de voir des hommes du village gagner de l'argent à refaire le perron...

–On en prendra des rangs...

–Vous savez bien qu'en été, ils sont tous à leurs travaux...

–Essayons tout de même de sonder les reins et les coeurs ! Le ciment du perron se désagrège partout. On fournit pas à consolider les gardes. Y a des risques de blessures...

–Essayons, essayons...

Le vicaire repartit content. Pour la première fois, il parvenait à convaincre le curé d'une idée et ce, en à peine quelques minutes.

Leur amour avait pris un formidable élan un vendredi soir derrière les cases du bureau de poste. Rachel et Jean-Yves voulurent perpétuer la chose et faire de l'événement une tradition quand cela serait possible. Ils se revoyaient donc chaque vendredi au même endroit en plus de leurs sorties du samedi pour aller au cinéma et du dimanche pour aller marcher en raquettes ou se rendre à une partie de hockey, lui pour jouer et elle pour assister à ses prouesses. Car Jean-Yves malgré ses absences de quelques matches pour blessure à un pied, demeurait parmi les dix premiers compteurs de la ligue.

Ce soir-là, ils s'étaient raconté des choses routinières. Chacun leur semaine. Mais par bribes car il y avait du monde pas loin. Et surtout l'aveugle aux petites oreilles rouges qui ramassaient tout. L'homme disait lui-même en riant fort qu'il avait des oreilles tout le tour de la tête.

Mais voilà que la paix était revenue aux alentours du bureau et dans le magasin. Ils se rendirent dans un couloir noir entre deux portes, l'une menant au sous-sol et l'autre conduisant dans les hangars. Et s'embrassèrent en se répétant des 'Je t'aime' qui s'imprimaient en l'âme de chacun comme des souvenirs suaves et impérissables.

Quand elle se trouvait entre ses bras, toutes ses vieilles peurs d'enfant allaient se cacher dans des lieux introuvables du fond de son coeur, et c'était pareil pour lui. Ce qu'il y avait donc de plus fort en ces moments-là, c'était le sentiment de profonde sécurité. Un tel bonheur est cru éternel par ceux qui le ressentent et amène aisément les serments d'amour durable. Des serments, on veut passer aux engagements pratiques. Ils commencèrent à se parler de fiançailles...

–Aucune nouvelle de Ti-Paul ?

–Non, rien.

–Pas rendu avec tes soeurs dans les Cantons de l'Est ?

–Il est passé par là mais a repris l'autobus pour Sherbrooke.

–La Ti-Noire aurait peut-être pas dû lui prêter d'argent...

Rachel s'étonna :

–Hein ?

–Tu le savais pas ?

–Non.

–J'aurais dû me taire. Ti-Paul lui a demandé dix piastres : dur pour elle de refuser.

–Faudrait pas que papa l'apprenne : il lui en voudrait...

–Probable !

–Le mieux serait d'en parler à personne.

–J'espère que t'en voudras pas à Ti-Noire. Elle a pas fait ça pour mal faire... même sachant que Ti-Paul voulait lever les feutres.

–Ça, je le sais. À sa place, j'aurais fait pareil.

–Je vas lui demander de t'en parler.

–C'est pas nécessaire.

–Je pense que oui, moi...

–O.K. !

Emmanuel, le plus jeune enfant de Marie Sirois (Jobin), était malade depuis quelques jours. Sans doute pas grand-chose. Nausées. Pâleur. Une grippe peut-être en devenir. Mais la toux ne vint pas. Il y eut des évanouissements et de rapides reprises de conscience. Surtout une grande fatigue et le besoin incessant de dormir.

Pas question de le laisser retourner à l'école pour un bout de temps. Il avait de bonnes notes et ne redoublerait pas sa troisième année. En tout cas, c'était l'opinion de sa maîtresse. A la condition qu'il ne manque pas plus de quatre ou six semaines, peut-être huit même si Marie suppléait aux pertes par des cours.

La mère ne parvenait pas à surmonter un sentiment de profonde inquiétude mêlée de tristesse. Elle se reprochait de ne pas lui avoir donné assez de viande à manger et trop de sauce blanche. Mais c'était courant dans toutes les familles, un tel menu. Quand il lui arrivait de saigner du nez, le sang était toujours si pâle. Le troisième jour de sa maladie, elle le conduisit chez le docteur qui diagnostiqua de l'anémie.

–Prescription : du boudin, du boudin et encore du boudin. C'est bourré de fer. Ça va lui enrichir le sang.

–Au moins une fois par jour ? dit-elle, fronçant les sourcils.

–Oui pour deux mois. On verra ensuite. Vous vous inquiétez pour l'argent ? Allez chez Boutin-la-viande le lundi, c'est jour d'abattage. Il se gaspille pas mal de sang. Quand ils ont fait leur réserve, souvent le reste s'en va aux égouts. Vous suffira d'apporter une chaudière : ils vont vous la remplir.

–C'est certain ?

–Écoutez, je vais leur téléphoner tout de suite pour vous.

Et tout en attendant la ligne qu'il avait demandée à l'opératrice du central, il dit :

–C'est mieux que votre gamin mange le sang que de le laisser couler dans le ruisseau du village. À ciel ouvert, ça attire la vermine, ça nourrit trop les plantes et les poissons disparaissent.

L'enfant avait envie de vomir à l'idée de tout ce sang à manger, lui qui ne sentait plus la faim depuis des jours et des jours.

Le dimanche, Fernand Rouleau s'arrêta chez elle en allant au village à pied. Elle raconta sa visite au docteur et parla de la prescription.

–Pis j'ai même pas de bonne chaudière pour ça.

L'homme se sentait bouleversé. Pas à cause de la maladie mais à cause du remède. Du sang, c'était toujours fascinant pour lui.

C'est la mort dans l'âme qu'elle frappa à la porte de l'abattoir ce lundi-là. Elle avait avec elle une grande chaudière à vache, propre et luisante que Fernand Rouleau lui avait laissée tôt le matin en se rendant à son travail au moulin à scie.

—Je voudrais ben être capable de le faire, c'est moi qui le ferais, avait-il dit, l'oeil brillant.

On accueillit bien la veuve. Trois hommes d'âge moyen et un d'environ vingt ans. Quatre carcasses de veau étaient déjà suspendues à des rails de fer par les tendons des jarrets dans la partie de l'entreposage temporaire.

L'endroit était surchauffé, très humide et malodorant. Au fond, dans un enclos, des porcs gémissaient. Ils avaient conscience de la mort des veaux bien que, assommés dans le front à coups de hache, les animaux abattus n'aient pas émis le moindre meuglement. Mais il y avait eu les convulsions, les ondes aussi sans doute. La mort parle, même aux êtres qui n'ont pas l'air d'écouter. Car ils n'écoutent pas forcément en tendant l'oreille.

—Avez-vous déjà fait ça ? vint demander un des hommes à la femme qui se tenait timidement dans une encoignure entre l'entrepôt et le lieu de l'abattage.

—Non.

—Simple comme de dire couteau...

Et il montra la fine lame qui lui servait à percer le cou pour piquer la jugulaire.

—Je vous explique ça en deux temps trois mouvements. Un, vous attendez que le cochon soit ben pendu. Deux, je lui chatouille le gargoton avec ça. Trois, le sang pisse pis vous mettez votre chaudière dessous la coulée. Mais attention, le plus important, c'est de relever votre manche pis de brasser le sang sans jamais vous arrêter pour empêcher les caillots de se former. Si vous en trouvez un, vous vous dépêchez de le jeter à côté. C'est tout. Pas plus compliqué que ça.

—Je vas pas tomber sans connaissance toujours ?

L'homme roux parut surpris. Puis il pensa qu'il avait affaire à une femme. Pourtant, sa mère n'avait pas peur de si peu. Mais celle-là, c'était pas une fille de cultivateur...

–Je vas rester à côté. Mieux que ça, je vas tenir le cochon quand il va être percé pour pas qu'il bouge trop. Mais faut qu'il bouge un peu pour saigner mieux...

Marie avait envie de défaillir.

Quand elle aperçut qui la suppliait l'oeil horrifié la première bête enchaînée par la patte et suspendue, la femme jeta toutes ses énergies vers une image obsessive, celle d'Emmanuel que l'anémie affaiblissait chaque jour davantage et qui agonisait. Alors elle demanda pardon au cochon qui recevait déjà le coup de couteau...

Rose sortait de la maison alors que Marie retournait chez elle avec sa chaudière pleine fermée par deux linges blancs.

La femme avait du mieux possible nettoyé l'extérieur du récipient avec de la neige, mais le métal était demeuré taché de rose en plusieurs endroits.

–Bonjour madame Jobin, dit respectueusement Rose. Mon doux Jésus, t'as l'air de porter une chaudière pesante. T'en vas-tu chez vous à pied avec ça ?

–Oui, dit l'autre en s'arrêtant un moment.

–Ça me regarde pas, mais c'est-il pesant ?

–C'est plein de sang.

–Du sang ?

–J'arrive de la boucherie. C'est pour faire du boudin.

–Ah !

–Je la mets pas à terre, les caillots pis tout.

–Sais-tu, je m'en vas dans le bas du village : je peux t'aider un bout si tu veux.

–Ben non, pas nécessaire. Vous avez déjà votre gros sac de produits Avon avec vous.

–Pas nécessaire mais je vas le faire. Donne-moi ça...

Rose apprit que l'enfant souffrait d'anémie et que par conséquent, ça n'avait rien à voir avec la tuberculose.

–Avec du bon sang pis le bon Dieu, mon petit gars va revenir, dira Marie plus loin.

–Le bon sang, certain. Mais le bon Dieu, j'sais pas trop si il se mêle de ce qui se passe sur la terre. Souvent, c'est les meilleurs qui sont malades ou ben qui se font tuer à la guerre...

–Vous croyez pas aux miracles ?

–Je dois te dire que j'en ai pas vu souvent.

–Moi non plus, mais...

–Ah! j'dis pas que ça s'peut pas. Quand il reste plus rien que ça à espérer. Heureusement, c'est pas le cas de ton petit gars. Tu vas voir, il va s'en remettre. Même si la prière, ça reste souvent inexaucé, c'est peut-être utile dans des cas, on sait pas.

Elles se séparèrent à peu près sur ces mots. Rose entra dans une maison blanche à jalousies bleues : celle des Campeau. Une femme bien mise, au bord de la soixantaine, à cheveux plus blancs que gris, la reçut et la fit asseoir près de la table. La représentante y posa son sac et l'ouvrit. Il apparut une partie de ses produits. Mais d'abord, l'on conversa.

Du temps doux. Du printemps. Des sucres.

De Marie Sirois et de son petit malade.

Il y eut interruption. Entra un jeune homme.

–Bonjour madame ! dit-il poliment et timidement.

–Bonjour Roland. Tu travailles pas aux sucres, toi ?

–C'est pas encore entaillé.

–Nous autres, on n'en fait pas de sucre, Roland travaille avec mon gendre.

–Rosario ?

–C'est ça.

–Pis, toujours en amour avec Monique ?

Il dit piteusement :

–Là, c'est cassé pour un mois ou deux... On va voir...

Est-ce parce qu'ils portaient tous les deux des lunettes à verres épais ou pour une raison inconnue que Rose sentit quelque chose s'émouvoir en elle ?

–Ah! c'est cassé pour un mois ou deux, répéta-t-elle, songeuse.

***

Chapitre 36

Dans la cour du couvent, les enfants Lessard cherchaient tous les jours parmi les autres gamins afin de trouver Gilles Maheux. Mais en vain. Où se cachait-il donc ?

Depuis un bout de temps, il leur souriait. Il avait glissé avec eux sur le cap à Foley. Il leur parlait souvent. Il avait joué aux cartes avec eux, et ils avaient trouvé ça formidable, même battus à plate couture. À peine plus vieux qu'eux, il était en train de devenir leur grand frère protecteur. Et Gilles possédait la nature de ceux qui prennent aisément de l'ascendant sur les autres.

Ce matin-là, la maîtresse avait fait prier la classe pour la guérison d'Emmanuel Jobin; se pouvait-il que Gilles soit lui aussi malade ? Ou bien avait-il quitté l'école pour toujours ? Ils rentrèrent contristés dans la bâtisse. Et firent un salut au crucifix du vestibule qui, semble-t-il, entendit leur désarroi. Une conversation entre Paula Nadeau et une autre fille leur répondit.

–Gilles Maheux, il va redoubler son année : hey, un mois à la cabane à sucre, on apprend pas grand-chose, hein !

Et pourtant, c'était tout le contraire. Le garçon savait déjà comment partir un feu de bois sous l'évaporateur. Il connaissait le langage des divers bouillons dans les pannes par leur couleur et la grosseur des bulles. Il savait utiliser un thermomètre et un densimètre qui révélaient le degré de concentration du liquide et indiquaient le moment de faire une coulée. On lui avait montré à retirer la râche, à changer un filtre sur les bidons, à laver la vaisselle des repas. Le Bum l'avait adopté et le suivait partout. La forêt sentait le dégel; et même les feuilles mortes de l'automne qui apparaissaient çà et là, dégageaient une odeur de renouveau.

Des écureuils roux venaient d'apparaître aux alentours de la cabane. On pouvait les voir courir sur le pignon, le soupirail ou les cordées de bois de l'appentis. Mais le plus souvent, ils grimpaient dans les érables ou en descendaient, et le gamin passait des demi-heures à les observer.

L'enfant faisait aussi l'apprentissage de la solitude. Quand son frère et son père partaient pour se rendre dans la partie la plus éloignée de l'érablière qu'ils appelaient la 'pointe du désert', il devait passer deux heures ou plus avec pour seul bruit aux alentours celui du vent dans les arbres nus, un léger sifflement intermittent. Et les reniflements du Bum quand il n'était pas endormi dans la maisonnette dont la porte restait toujours ouverte le jour, ce qui attirait parfois des souris, des oiseaux ou des écureuils.

Il n'oubliait pas le village, le couvent, le beau visage de Paula qui le faisait si souvent rêver, mais aussi son échafaudage mental à propos des apparitions miraculeuses.

Assis dehors, sur une bûche près du tas de cendres, il regardait mollement à gauche et à droite quand une brillance attira son attention. En même temps, l'image de Notre-Dame-du-Perpétuel-Secours lui revenait en tête. C'était une goutterelle d'aluminium qui scintillait sous les rayons du soleil.

Il rentra dans la cabane, jeta un oeil sur les bouillons de la panne avant, précaution inutile vu le temps trop court passé depuis la dernière coulée de sirop, et se rendit prendre un seau parmi les quelques-uns qui restaient. Celui-là était froissé du fond et son père le jetterait sans doute quand même à la fin du printemps quand on laverait les chaudières et qu'on fermerait la cabane.

Dans le banc de quêteux de la chaumière se trouvaient des outils dont des ciseaux à tôle et un gros marteau, précisément ce dont il avait besoin pour réaliser son dessein. Ainsi armé, il retourna à sa bûche à côté du tas de cendres et entreprit de découper le métal du seau en lanières d'un pouce de largeur. Son plan consistait à coller ces lanières autour de l'image sainte qu'il avait trouvée en haut de la boutique pour qu'au bon endroit et au bon moment, elles brillent sous le soleil brûlant de l'été. Mais le travail était ardu et il lui fallut tout enfouir dans un banc de neige au retour des hommes avec leurs tonnes remplies d'eau sucrée.

Dans les jours suivants néanmoins, il parvint à se tailler tout ce dont il avait besoin. Mine de rien, il demanda à son frère comment faire pour coller de l'aluminium sur du bois. De la colle à bois, lui fut-il répondu.

Il remisa les outils à leur place habituelle. Quant aux lanières, tailladées, à rebords irréguliers et parfois tranchants, il les cacha sous la paillasse du lit supérieur qu'il partageait la nuit avec son frère. Et il fit disparaître les restes du seau dans la neige d'une cédrière voisine où les hommes n'avaient pas à se rendre puisqu'il ne s'y trouvait aucun érable à courir.

Un soir, à la brunante après souper, le gamin fut impressionné par un récit de son père à son frère, et qu'il put ouïr par la porte entrouverte. La pénombre qui dansait à l'intérieur sur le rythme de la flamme d'un fanal ajoutait au caractère merveilleux quasi sacré de l'événement.

Tout d'abord, Léo avait parlé de la soirée de spiritisme à laquelle Rachel avait assisté et même pris part. Ernest en fut surpris mais pas contrarié. Si une fille aussi instruite avait des croyances comme celles-là, tout n'était peut-être pas à jeter par la fenêtre de ces nombreuses histoires qu'il avait entendues dans son enfance ou dans les chantiers.

–Y avait un homme à Saint-Benoît qui était obligé de remplacer le bedeau, de temps en temps, pour chauffer les fournaises de l'église. C'était un veuf; sa femme venait de mourir. Quand y avait la messe du dimanche, fallait que les fournaises chauffent la nuitte. Le bonhomme était pas peureux. Il allait dans la cave de l'église avec un fanal. Dans la cave de l'église, y'avait des tombes de prêtres morts autrefois. Une fois, fallait chauffer jour et nuitte. Il s'est rendu à l'église au mitan de la nuitte. Pis tout le temps qu'il a marché dans l'église, ça craquait, ça craquait pis ça craquait... C'était pas un peureux, le bonhomme. Pis chaque fois qu'il passait devant l'autel de la Sainte Vierge, il se mettait à genoux pis il disait une dizaine de chapelet. Pis là, il disait à sa défunte: «Georgiana, si t'es au ciel, fais-le voir !» Après ça, il allait chauffer sa fournaise. En revenant, il faisait tout pareil. «Georgiana, si t'es au ciel, fais-le voir !» Paraît qu'il forçait pour savoir où c'est que sa femme était. Le troisième jour, il fait pareil. En revenant de chauffer la fournaise, il commence à dire son chapelet. Au troisième Je vous salue Marie, v'là-t-il pas qu'il entend un vacarme pareil comme si l'église venait de se faire jeter à terre. Pis là, ben, ç'a été final. Il a dit : «Georgiana, elle m'a répondu.»

–Vous en pensez quoi, vous ?

–Que c'est rien que de la marde de chien, tout ça. Mais... on sait jamais. Des revenants, si y'en avait pas, y'aurait pas tant de monde pour croire à ça...

À la fin du récit, le chien silait sous la table. Ernest lui dit :

–Le sais-tu, toi, le Bum, si on peut parler avec les morts ?

Gilles se leva et s'approcha de la porte. Tout à coup, il reçut un liquide sur la main et sut aussitôt par le bruit qui l'avait précédé que c'était un crachat de son père. Il s'essuya avec l'autre main dans un geste machinal. Son esprit était absorbé par le récit à propos de la revenante qui s'était manifestée à travers la Sainte Vierge...

Ernest ne se rendit pas compte qu'il venait de cracher quelqu'un...

Au moulin à scie, on était au milieu de l'avant-midi. En récréation. Dans le réduit d'à peine six pieds de hauteur près de l'engin qui sifflotait par une soupape, se trouvaient cinq hommes qui échangeaient tout en dévorant des gâteaux et du Coke.

–C'est pas l'idée de manger du sang qui fait que ton sang sera meilleur, affirma Dominique lorsque Fernand parla de la maladie du fils à Marie Sirois.

–C'est ce que le docteur prétend pourtant.

–Ce qu'il faut, c'est des transfusions comme Martial Maheux en a eu de besoin. Parlant de ça, coudon, y en a-t-il qui ont eu des nouvelles du petit Maheux ? Il devait se faire opérer la semaine passée. Moi, je serais ben allé lui donner du sang, mais comme on dit, on est pas du même numéro.

–J'ai entendu dire qu'il se remettait comme il faut, dit Fernand Rouleau.

–Mnen... enu... woen... ino... marmonna François Bélanger en rajustant sa calotte poussiéreuse sur les énormes rides de son front.

–T'as pas le même numéro non plus ? dit Dominique qui faisait souvent semblant de le comprendre et souvent y parvenait.

Les deux autres personnages étaient les frères Dulac, descendants d'Abénakis qui en avaient gardé bien des traditions, notamment l'habitude de la chasse à l'ours.

Tous les deux avaient le visage parcheminé, mais il ne s'agissait pas de ces gros plis impossibles enlaidissant François jusqu'à faire peur au Bonhomme Sept-Heures. Ils vivaient dans leur vieille cahute sombre et sale à deux pas de chez Rosaire Nadeau, le père de Paula, dans le bord du rang Grand-Shenley. Leur mère, personnage antique cassé par le milieu, vivait encore mais personne ne la voyait jamais.

En plus de manger beaucoup de viande, ils mangeaient leurs mots, ce qui ne rendait pas forcément leurs propos plus riches ni gras.

–Nous aut', on élève des r'nards pis c'est quan'k ça mang' des panses a'ec en mass' de sang que ç'a l'poil beau, hein Mathias ?

–Ouais, Philippe.

–Pis c'est encor' ben mieux quand c'est des d'dans de cochons, hein Mathias ?

–Ouais, Philippe.

Plus le propos était sanguinolent, plus il remuait quelque chose dans l'être de Fernand. Son regard s'allumait et cela n'échappait pas à l'oeil averti de Dominique qui, lui-même plutôt excentrique, trouvait chaque jour plus étranges les profondeurs de l'âme de cet homme. Et son intérêt pour Marie Sirois lui semblait ne pas avoir affaire avec un sentiment amoureux. Il surveillerait cela...

Après son travail, Fernand apporta dix bouteilles de Coke avec lui et une fois chez Marie, il frappa. Elle souleva la toile pour voir qui arrivait puis déverrouilla sa porte d'entrée.

–J'ai emmené de la liqueur pour les enfants.

–C'était pas nécessaire; ça coûte cher, ça.

Elle prit le sac et le porta sur la table. Seule Émilie se trouvait dans la pièce. Fernand resta sur le tapis et lui parla :

–Je connais une place où c'est que je pourrais avoir des petits chats. Aimerais-tu ça en avoir un ? Sont ben beaux.

La fillette acquiesça d'un signe de tête et consulta sa mère du regard. Fernand enchérit :

–D'abord que tu vas à l'abattoir chaque semaine, Marie, tu t'apporteras des morceaux qu'ils jettent pis tu donnes ça au chat. Ça coûte rien à faire manger une petite bête de même.

–Veux-tu y aller t'en choisir un ? demanda la mère à sa fille.

–Ben O.K. !

–On ira en sleigh dimanche après-midi. C'est pas trop loin dans le bord du Grand-Shenley.

–Où ça ?

–Les Dulac...

–On pourra y aller à pied vu que c'est pas trop loin...

–Pourquoi pas ?

Du deuxième, les deux autres fillettes avaient entendu et elles vinrent s'asseoir dans l'escalier pour se faire répéter ce que leur soeur venait d'entendre.

–Ton garçon, comment qu'il va ?

–Pas ben ben mieux.

–Où c'est qu'il est, en haut ?

–Non, il est dans ma chambre, icitte, en bas.

–On devrait refaire c'est qu'on a fait l'autre soir...

–Quoi ?

–Appeler les forces de l'autre monde.

–C'est que tu veux dire ? Essayer encore une fois de parler avec Lucius ?

–Plus que ça. T'as un don, faudrait que tu t'en serves.

Elle se mit un genou sur une chaise près de la table, garda les bras croisés sur son tablier fleuri.

–Un don ?

Il devint bizarre :

–Tu pourrais trouver l'aide que t'as besoin pour guérir ton petit gars dans un autre monde... J'ai vécu avec les Indiens, moé, tu le sais... Ben ils sont capables eux autres de parler à leurs esprits. C'est pour ça que les Indiens ont des remèdes que nous autres, on connaît même pas.

–Le docteur dit que c'est de l'anémie.

–Pourvu que ça soit pas le cancer du sang !

–Dis pas d'affaires de même !

–La leucémie, ça pardonne à personne; il t'en a pas parlé, le docteur ?

–Ben non, voyons, c'est pas ça, c'est de l'anémie. C'est du fer que ça prend pour enrichir son sang. Tu le sais, je te l'ai dit.

Fernand regarda la femme sans rien dire un long moment. Il avait un air grave. Puis il annonça son départ :

–Pense à ça, pis vendredi saint, on pourrait faire ça dans l'après-midi : comme ça, Jésus-Christ mort en croix pourrait nous bénir pis nous aider...

–Si ça se sait...

–C'te fois-là, ça se saura pas...

–Comment ça : l'autre fois, ça s'est su ?

–Pas grave ! Là, on va faire ça, la cérémonie, dans la chambre où c'est que se trouve ton petit gars. Y'aura personne d'autre à part de nous trois...

Puis il partit, laissant la femme dans un grand désordre moral.

Cécile resta à la maison pour veiller sur son petit frère qui restait le plus souvent au lit. Et les deux autres fillettes suivirent leur mère et montèrent dans la sleigh de Fernand. Direction : village et le Grand Shenley pour y choisir le chaton dont il avait été question quelques jours auparavant.

Pour les enfants, c'était la fête. On avait eu un chat déjà mais il avait disparu un soir d'été deux ans plus tôt et on ne l'avait jamais revu. Tous en avaient souffert et Marie refusa par la suite, par crainte de douleur morale, d'en adopter un autre, jusqu'au moment où elle s'était fait coincer par Fernand et ses enfants.

Un temps printanier.

Les membres de la sleigh glissaient aisément sur la neige en sel. Assises à l'arrière, les fillettes se parlaient du chat et discutaient du meilleur endroit où installer la boîte où il dormirait et le carré de sable servant à ses besoins.

C'était la première fois de son veuvage que Marie sortait de chez elle et qu'on la voyait accompagnée par un homme. Derrière les rideaux des maisons, bien des raisons furent données à cela dont la plupart ressemblaient à la suivante dite par François Bélanger à sa mère :

–Mneu.. nou... lo... ai... ioua... du fun... hè hè hè hè

–Fernand Rouleau pis Marie Sirois sortent ensemble ? reprit sa mère qui parvenait à saisir tout ce que son fils disait, depuis le temps qu'elle le connaissait et l'entendait marmonner.

On entra enfin dans la cour des Dulac au bord du Grand-Shenley. À Marie, femme d'ordre, les lieux paraissaient un véritable capharnaüm. Du bois cordé. Des rangées de cages à renards. Toutes vides car les renards étaient à l'intérieur de la grange basse durant la saison froide. Des échafaudages égrianchés servant à faire sécher des peaux l'été. Et divers objets hétéroclites : enjoliveurs de roues ramassés le long du chemin et suspendus à des clous plantés dans un mur de la petite maison tordue, roues à bandages émergeant de la neige près d'une clôture, tombereau dont seul l'arrière retroussé était visible.

Fernand confia les guides à Marie et se rendit frapper à la porte. Une voix lointaine, enrouée, inamicale lui dit un simple oui étiré et souffreteux. Il ouvrit. Une odeur puissante l'accueillit. Il l'oublia aussitôt quand la vieille femme assise dans la pénombre et fumant la pipe demanda :

–C'est pour un petit chat, hein ? Mathias l'a dit que tu viendrais avec les enfants à Marie Sirois.

–C'est justement ça !

–Sont pas là, Mathias pis Philippe... Mais vous pouvez venir. Les chats sont dans un' cage ara le poêle...

Fernand fit signe aux fillettes qui s'amenèrent. Marie suivit. Le cheval était docile et resterait là.

–On va faire de l'eau un peu su' vot' plancher, dit Marie à la femme grise.

–Ben... ça va chécher...

C'était un plancher de bois fort usé et noirci par le temps et le manque d'entretien.

«J'passerais la brosse avec du savon du pays dans de l'eau bouillante, je le blanchirais, moi, c'te plancher-là !» pensa Marie.

Il y avait la mère et ses trois chatons dans la cage. Fernand ouvrit la porte et tendit la main. Il fut aussitôt griffé par la chatte qui lui montra ses dents et lui jeta au visage un son hostile, aussi hérissé que son dos.

–Va douc'ment ! dit la vieille dame.

Mais l'homme frottait sa brûlante égratignure.

Sans hésiter et sans crainte, Émilie plongea à son tour sa main dans la cage et fit patte de velours à la chatte puis choisit un chaton tout noir plus petit que les deux autres.

–Je te mettrai de l'onguent là-dessus tantôt, dit Marie à Fernand.

L'homme repoussa la porte de la cage avec son pied et il rentra sa colère dans sa gorge.

–De l'onguent de graisse d'ours, c'est ce que y'a d'mieux ! dit la vieille femme.

L'homme la regarda avec un oeil qui disait : «Va chier, vieille maudite !»

Mais il dit plutôt :

–Je vas payer ça à Mathias demain au moulin.

–C'est free qu'il m'a dit. Nous aut', arait fallu l'donner à manger aux r'nârds...

Émilie frissonna d'entendre ces mots-là. Déjà, elle flattait la petite bête et sa soeur avait hâte de la dorloter à son tour.

Fernand était content de ce choix d'un chat noir. Et il imaginait déjà le sort qu'il lui ferait subir le moment venu. Ce qui ne saurait tarder puisque le vendredi saint approchait rapidement.

***

Chapitre 37

–Printemps, saison du beau temps pis du renouveau, de l'amour pis du rhume de cerveau !

C'est ainsi que Fortunat s'annonça de loin dans sa marche entre les cabines pour se rendre à celle où se trouvaient Jeannine et son ami. De la sorte, il éviterait de les prendre par surprise en train de se bécoter.

Mais ils étaient assis l'un en face de l'autre et à moins de s'étirer par-dessus la table, seules leurs mains pouvaient se toucher. Et elles se touchaient.

–Comment ça va, mon Laurent ? Les affaires doivent virer rondement vu que Pâques nous arrive.

–On vend, on vend. Mais ça va être encore mieux la semaine sainte. C'est du côté des femmes que ça roule le plus. Les hommes, eux autres, c'est plus tard qu'ils s'habillent. Pour l'été pis les noces pis le reste...

–Avez-vous entendu parler de ça, vous autres, que Rachel Maheux pis Jean-Yves Grégoire se fiancent à Pâques ?

–Elle me l'a pas dit ?

Fortunat avait posé une question, mais il y avait un aspect mensonger à l'intérieur puisqu'il n'en avait pas entendu parler lui-même. Il y avait aussi un côté incitatif dans son interrogation.

Une suggestion. Une graine mise en terre comme il en mettait souvent de tous bords tous côtés.

Mais c'est pour plus que ça qu'il les abordait ce soir-là et sa fille elle-même l'ignorait.

–Je peux m'asseoir avec vous autres un peu ?

Jeannine se poussa au fond et il prit place à côté d'elle face au jeune homme.

–Y'a un hôtel à vendre à Saint-Georges. La meilleure place qu'on peut pas trouver pour un commerce de même. Moi si j'étais jeune comme vous autres...

Laurent soupira :

–Un hôtel, ça s'achète pas avec des peanuts, ça...

–Qui veut peut !

–C'est lequel ? demanda Jeannine.

–Le Manoir.

–Le meilleur.

–Ils doivent demander un bras ? dit le jeune homme.

–Vingt-cinq mille piastres.

–Ayoye !

–Comme ils disent, c'est discutable, ça.

–Même si c'est vingt-deux mille... ayoye pareil !

–Pas besoin de payer ça comptant. Les hypothèques, c'est fait pour ça...

–Sur les hôtels, les hypothèques, c'est pas facile, vous l'avez déjà dit vous-même, monsieur Fortier.

–C'est moins dur à Saint-Georges avec un bon endosseur.

Il se fit une pause. Laurent pencha la tête, crayonna avec son doigt sur la table, regarda Jeannine qui souriait d'espoir.

C'est Fortunat qui revint à la charge, car il sentait que le jeune homme était fortement intéressé.

–Venez dans la cuisine, on va en parler avec ma femme. Elle est pas jasante, mais je prends toujours son avis pis c'est rare qu'elle va se tromper...

–Qui c'est qui va tenir le restaurant ?

–Va donc chercher Émilien en haut.

L'adolescent s'alluma une cigarette derrière le comptoir et se mit à feuilleter une revue américaine sur la mécanique et la course automobile. Le restaurant était désert. Raymond Rioux travaillait souvent le soir, maintenant que la compagnie lui avait confié sa tenue de livres au complet en plus de sa tâche de mesureur. Et l'adolescent se sentait plus nerveux quand son ami n'était pas à l'intérieur de la maison...

Quelqu'un entra dans le vestibule avant. Le jeune homme crut que c'était lui qui arrivait et tendit l'oreille pour l'entendre monter l'escalier et se rendre à sa chambre. Des pieds frappèrent le plancher pour se nettoyer de la neige collée. Mais c'est la porte du restaurant qui s'ouvrit, et Rose Martin parut.

–Tiens, bonjour, madame Rose !

–Bonjour !

Elle s'approcha et ouvrit son manteau dont le ceinturon était déjà relâché. Le jeune homme ne put s'empêcher de jeter un oeil sur la poitrine bien enveloppée, mais il releva aussitôt les yeux et chercha à faire oublier son indiscrétion fantasque.

–Je pensais que c'était monsieur Rioux : c'est son heure d'arriver.

–Je viens porter la liste de prix que Monique voulait.

Elle tendit un dépliant que le garçon prit et mit derrière le comptoir entre des verres.

–Tant qu'à faire, donne-moi donc une orangeade avec une paille dedans.

–Certain.

Il ouvrit le réfrigérateur à liqueurs, en sortit une bouteille jaune orange qu'il asséchat avec une guenille puis la décapsula avant de la servir.

–Les pailles sont là.

Elle avait déjà pris place à un banc. Tout en introduisant la paille dans la bouteille, elle demanda :

–Tranquille à soir ? Monique, Jeannine ?

L'adolescent souffla en confidence :

–Monique, depuis que c'est cassé avec Roland, elle passe son temps à renifler dans sa chambre.

−Ah ! c'est cassé avec Roland ? fit Rose hypocritement.

−Pis Jeannine, c'est l'amour parfait avec Laurent. Sont avec mes parents de l'autre côté dans la cuisine. Pour moi, il va se brasser des choses importantes à soir.

Rose portait un rouge à lèvres prononcé. Elle enroba la paille et tira en regardant son interlocuteur dans les yeux. Il se demandait le sens de cette attitude. Dans le village, il commençait à se dire de Rose que pas mal d'hommes lui avaient rendu visite à la maison des Jolicoeur depuis qu'elle y résidait, mais les ragots ne nommaient encore personne. Malgré son âge, Émilien était bien capable de s'imaginer que cette femme de cinquante ans puisse vouloir coucher avec lui. Il choisit de sourire.

−Je voudrais retomber à ton âge, fit-elle après avoir avalé.

−Vous feriez quoi ?

−Des choses que tu peux même pas imaginer.

−Comme ?

−Comme de m'en aller aux États pour devenir mannequin.

−Ou à Hollywood ?

−Pourquoi pas, hein ?

−Vous parlez pas anglais.

−Mon garçon, tout, absolument tout s'apprend de nos jours, quand on le veut.

−Avez-vous déjà acté ?

−Si j'avais ton âge, je le ferais.

−La Mae West de la Beauce !

−Sans me vanter, j'aurais pu faire aussi ben qu'elle.

−C'est pas votre genre, ricana l'adolescent.

−Tu penses ? Veux-tu voir ?

−Certain que je veux voir !

Rose se leva, se défit de son manteau et marcha entre les cabines en se déhanchant, les mains ouvertes palpant sa taille. Au bout de quelques pas, elle se tourna à demi et jeta un regard provocant sur le jeune homme qui riait et, cette fois, ne se gênait pas pour balayer les formes généreuses d'un regard inquisiteur et qui évaluait sans se gêner.

Le mesureur de bois entra dans l'hôtel. Rose refusa d'entendre. Ce qu'elle avait commencé, cette fantaisie de celles dont elle avait rêvé si longtemps durant sa vie de femme mariée à la routine et à la bonne mesure, elle voulait qu'elle se poursuive jusqu'au bout. Alors elle se remit à marcher vers le comptoir et y fut en même temps que la porte du restaurant livrait passage à Rioux qui s'arrêta, interloqué.

–Tu viendras me voir une bonne fois ! susurra-t-elle en s'arrêtant devant l'adolescent abasourdi.

Rioux ôta sa casquette et reprit sa marche. Rose tourna les talons et avança vers lui, toujours à la Mae West. L'homme dut s'arrêter encore. Elle mit sa main sur son crâne dégarni et susurra une autre fois :

–Viens me voir une bonne fois.

L'homme se mit à rire :

–On se penserait à Hollywood.

–C'est ça, s'empressa de dire Émilien. Elle fait Mae West.

–J'ai bien vu ça.

–J'espère que je fais mieux qu'elle, hein, mon beau grand jeune homme de Rimouski ?...

Rioux continua de jouer le jeu. Soudain, la personnalité angélique et rangée de Rose refit surface. Elle lança :

–J'ai montré à Émilien que j'aurais pu aller à Hollywood et faire du cinéma comme Rita Hayworth ou Katherine Hepburn.

Puis elle retourna à son orangeade tandis que Rioux s'installait sur un banc un peu plus loin et commandait un Coke. La conversation roula sur des banalités. Mais Rioux sentait que l'adolescent était troublé et se demandait si c'était à cause de Rose ou bien de lui-même.

Un visiteur inattendu fit son entrée au magasin d'Éva cet après-midi-là. Elle se demandait bien ce que Jos Page allait y faire. Rare qu'un homme vienne seul dans son magasin autrement que pour faire une commission demandée par sa femme. Pourtant, Éva venait juste de voir Elmire, la soeur de Jos, qui entrait au magasin général Grégoire de l'autre côté de la rue.

Jos portait une barbe grise, laineuse et embroussaillée avec, à l'occasion, des traces de son dernier repas. Ses vêtements : des culottes d'étoffe de couleur brune et une chemise carreautée rouge et noire par-dessus un gros gilet de grosse laine.

–J'sus pas venu m'ach'ter des boutons d'culottes, dit-il dès son entrée. Jhuwa, jhuwa, jhuwa, jhuwa, jhuwa.

Son rire gratiné et sa voix ressemblaient à sa barbe : chargés, en broussaille. Les mots : écharognés, mordus de travers. La bouche : une caverne à stalactites et stalagmites endommagés par la carie. La langue : pointue et souvent sortie pour lécher les poils autour des lèvres rouges.

–Tu veux toujours pas de la dentelle, lui répondit Éva du tac au tac.

–Jhuwa, jhuwa, jhuwa, non, jhuwa, jhuwa...

Il y eut une pause. Puis Jos recommença à rire :

–Jhuwa, jhuwa, jhuwa, jhuwa, jhuwa...

–C'est qui te fait rire de même ?

–Qui, moi ?

–C'est toujours pas Manda Grégoire, c'est toi qui est icitte, là.

–Jhuwa, jhuwa, jhuwa, jhuwa, jhuwa... Paraît que ton Ti-Paul a sacré son camp.

–J'trouve pas ça drôle.

–Jhuwa, jhuwa, jhuwa... Moé non plus.

–Pourquoi c'est faire que tu ris d'abord ?

–Ah, j'ris pus, là...

–Il est parti le Ti-Paul : ça commence à faire quelques jours...

–J'savais pas ça, pantoute, là, moé... jhuwa, jhuwa...

–Pis c'est comme ça.

–Moé là, j'travaille pas à beurrerie. Comme de raison, les vaches sont anneuillères de ce temps-là. Ça fait que... jhuwa, jhuwa, jhuwa... j'peux travailler ailleurs... Faire du sucre, j'connais ça. Dans le neuf, on avait une sucrerie pis moé ben j'étais sukerier...

–C'est Ernest qui sait ses besoins, pas moi, hein !

–Tu y diras...

Le vieil homme s'approcha et dit après s'être essuyé la barbe des coulées de bave provoquées par ses rires :

–Pis toé, Éva, si j'peux te donner un coup de main, ça sera

pas de refus non plus. Tu sais j'veux dire... jhuwa, jhuwa, jhuwa...

–Ah, mon Tornon de Jos Page, toi !...

Elle n'eut pas le temps de le jeter dehors. Une cliente entrait. C'était Elmire. Et à peine quelques secondes plus tard, Rose arriva à son tour.

–C'est que tu viens faire icitte, Jos ? demanda sa soeur.

–Pas de tes affaires pantoute !

–T'as pas d'affaire icitte, va-t'en à maison, là !

–Il est venu pour nous offrir un coup de main, dit Éva.

–Pour faire les sucres, dit l'homme aussitôt. Vu que le Ti-Paul a sacré son camp... jhuwa, jhuwa, jhuwa, jhuwa...

–Ti-Paul est parti ? s'étonna Rose.

–Ça te regarde pas pantoute, ça, Jos, dit Elmire. Pis toé non plus, Rose Martin. Mêlez-vous donc de vos affaires tous les deux, vous autres !

–Coudon, Elmire Page, allez-vous me chanter des bêtises à toutes les fois que vous allez me voir icitte, vous, là ? dit Rose de sa voix la plus pointue.

–C'est pas toé qui vas m'empêcher de dire c'est qu'il faut dire, en tout cas.

Rose devint méchante :

–Vous m'en voulez parce que je prends soin de ma personne pis que je vends des produits Avon ?

–J't'en veux pas pantoute, j'ai pitié, c'est rien que ça !

–Pitié ? Pitié pour moi ?

–À tout péché miséricorde !

–Comment ça, à tout péché miséricorde !

–J'me comprends.

–Vous voulez me faire des reproches parce que je vis tuseule, mettons ?

–C'est toé-même que tu t'en fais... parce que tu dirais pas ça, ma petite fille parfumée.

–C'est mieux de sentir le parfum que de sentir le fromage en crottes.

Éva se permit une grimace à l'endroit de Rose, voulant dire :

«*Badre donc pas avec elle !*»

–Malheur à celui -ou celle- par qui le scandale arrive !

–Elmire, viens-t'en à maison, là toé. Insulte pas madame Rose pour ce qui te regarde pas pantoute.

–Tu vas défendre une... guidoune comme ça, toé ? Ben je te défends ben...

–Si tu sors pas d'icitte tusuite, j'm'en vas t'sortir à coups de pieds dans le derrière, moé...

–Essaye donc, voir !

–Certain que je vas essayer...

Éva intervint avec vigueur :

–Écoutez tout' vous autres. C'est un magasin public, mais c'est chez nous, icitte. Si vous voulez vous chicaner, allez faire ça de l'autre bord chez Freddy. Y'a de la place en masse là dans son grand magasin qui en finit pas. Pis si vous voulez vous arracher les cheveux pis vous courir autour des comptoirs, vous le ferez, mais pas icitte. Jos, toi, va t'en. Je vas dire à Ernest que t'es venu. Vous, Elmire, parlez pas à Rose. Pis toi, Rose, arrange-toi pour pas venir quand tu sais qu'Elmire est icitte. On dirait que tu cherches la chicane avec elle...

La marchande fit une pause. Chacun figea, elle de même. Puis elle dit :

–Asteur, faut rire ! Ha ha ha ha ha ha...

Ça sonnait le fêlé. Jos emboîta le pas :

–Jhuwa, jhuwa, jhuwa, jhuwa, jhuwa...

Rose ne put se retenir, mais elle rit à bouche fermée :

–Heum heum heum heum...

Elmire ne put s'empêcher de faire semblant :

–Han... han... han...

***

Chapitre 38

Un vendredi saint ensoleillé, doux et clair, aux neiges lustrées et aux langueurs printanières, ce n'était pas désiré. Après tout, une année si profondément sainte doit bien avoir aussi l'apparence de la sainteté : un temps chagrin le vendredi saint et du grand soleil à Pâques.

Le Seigneur Jésus sortit un moment de son atelier de bricolage et jeta un coup d'oeil sur son peuple pour exaucer les voeux sacrés et cachés de tout ce Canada français catholique en lui dispensant cette année-là un jour chargé, maussade, au ciel rempli de menaces lourdes.

De sa fenêtre de lucarne au presbytère, le vicaire regardait les bâtisses grises des environs. Couvent calme, grange mansardée comme repliée sur elle-même sous des coulées lentes issues de neiges hésitant à fondre, maisons aux lignes fumeuses. Les faîtes des érables semblaient ployés vers le cimetière, et des plaques mouillées d'un sol brun émergeaient çà et là dans les surfaces encore enneigées.

Il avait la ligne inférieure de la jouée du mur à hauteur de ceinture : un coin de bois à angle presque droit. Son corps s'y frotta malgré ses pensées quasi lugubres; et sa chair, sortant d'une léthargie de près de trois jours, s'érigea aussitôt, orgueilleuse dans sa fougue, ressuscitant comme une bête immonde, un vampire incontrôlable...

–Ah! Marie, reine de pureté, trouva-t-il moyen de dire sans achever son invocation.

Devant l'urgence de la situation, la reine du ciel mit ses mains sur les fesses du prêtre et poussa de toutes ses forces. Le sexe fut écrasé contre l'angle saillant, ce procédé ayant pour objet de chasser dans une autre partie du corps le sang du désir.

Mais alors, le diable s'en mêla et mit sur le chemin du regard de l'abbé souffrant une gamine, Nicole Lessard, qui espaçait de petits pas dans la neige pour se rendre soit à l'église se confesser, soit au bureau de poste...

–Ah! sainte Vierge Marie...

La Vierge relâcha la pression, se recula et fonça devant, puis sauta et frappa le postérieur consacré d'une savate à la Yvon Robert. De l'autre côté du corps en feu, le membre débridé heurta l'arête du mur avec violence et enfin le sang de la tentation le quitta pour monter tout droit au visage où il devint le sang du triomphe et de la félicité. Et tout à coup, il sembla au prêtre que la grisaille du vendredi saint se transformait en l'éclat d'un matin de Pâques. Il fallait maintenant qu'il se rende à la sacristie recevoir les confessions. Sûrement que la petite Lessard avait des petits péchés à avouer ! Cette victoire sur sa chair aurait des répercussions heureuses sur la paroisse ce jour-là, il n'en doutait pas une seconde...

En cette semaine sainte, il y avait autant de monde que d'ordinaire à l'hôtel malgré l'absence des voyageurs de commerce. Des gens des États venus visiter la parenté avaient pris la moitié du troisième étage, et ça circulait pas mal dans la bâtisse.

Jeannine, Laurent et Fortunat étaient partis à Saint-Georges pour visiter l'hôtel à vendre. Monique tenait le restaurant et Manda s'occupait du bar. Émilien conduisit Jean d'Arc à sa chambre pour lui montrer des revues sur la course automobile et la mécanique.

Sitôt à l'intérieur, il le fit asseoir sur le lit et se rendit prendre une pile de revues dans un placard pour les mettre ensuite entre eux.

–Veux-tu une cigarette ?

–Non.

–As-tu déjà fumé ?

–Non.

–Tu devrais essayer ça...

–Ben... ça me le dit pas.

–Si t'essayes pas, tu sauras pas que c'est le fun.

–O.K. d'abord !

Émilien sortit son paquet à moitié écrasé de sa poche de pantalon et il offrit une cigarette à l'autre qui se la mit de travers entre les lèvres. Puis il alluma son briquet et Jean d'Arc aspira mais la fumée lui ressortit aussitôt par la bouche sans qu'il ne l'ait fait pénétrer plus loin.

Émilien lui montra à respirer la fumée. L'autre s'étouffa à quelques reprises puis il s'habitua. Une certaine allégresse se mit à circuler dans ses veines. On feuilleta les revues, on fuma.

–Connais-tu Mae West ?

–Non.

–Une actrice avec des...

L'adolescent mit sa main en bonnet devant sa poitrine.

–Elle ressemble à madame Rose Martin.

–Qui c'est ?

–Tu sais, la madame qui reste voisin de Bernadette...

–Ah! oui, je sais...

–Je l'ai vue marcher comme Mae West au restaurant; si t'avais vu ça...

–Ah!

Jean d'Arc avait le rouge au visage malgré la fumée qui eût dû le faire pâlir. Mine de rien, Émilien le menait à l'idée d'aller dans la chambre de Rioux, tout comme il l'avait fait avec Léo déjà. Mais cette fois, Rioux serait là, et surtout, il savait que son jeune ami lui ramènerait de la chair fraîche.

–Veux-tu voir des photos à Mae West ?

–Si tu veux.

–Ben moi, j'en ai pas, mais y'a monsieur Rioux qui en a.

–As-tu un cendrier ?

Émilien prit celui déjà à moitié rempli sur sa table de chevet et le mit sur le lit. Chacun écrasa.

–Viens, on va aller voir ça...

Jean d'Arc se sentait encore plus content. Il se ferait deux amis ce jour-là.

Rioux ouvrit aussitôt qu'il entendit les coups convenus et la porte de sa chambre se referma sur le trio puis la clef tourna discrètement dans la serrure.

En chemise blanche avec des bracelets extensibles aux manches et une cravate rouge au col, l'homme fit asseoir les adolescents sur son lit et lui-même prit place dans un fauteuil situé dans un coin, en fait à la plus grande distance qu'il pouvait se trouver d'eux.

Émilien le questionna sur Rimouski, la mer, les bateaux. La conversation dura un quart d'heure. Puis l'homme proposa de regarder des photos de tout cela, qu'il avait dans une valise. Mais quand il fouilla dans les enveloppes après avoir mis la valise au pied du lit, il ne trouva rien d'autre que des photos de femmes plus ou moins nues. Il le savait très bien mais feignit la surprise.

–Tiens, regardez ça entre vous autres !

Et il resta debout près d'Émilien qui commença à passer en revue les photos, celles d'abord de Mae West. À chacune, Jean d'Arc riait aux éclats, mais des éclats mous.

–Trouves-tu qu'elle ressemble à madame Rose ?

–Ben... j'sais pas trop, là...

Lorsque la première photo de femme nue apparut, Rioux s'empara de la main d'Émilien qu'il mit sur lui, et il toucha l'adolescent de la même manière.

–Tu peux faire la même chose sur toi-même, dit Rioux à l'autre adolescent.

Mais le jeune homme était bouleversé. Divers sentiments virevoltaient en lui. Il y avait de l'excitation provoquée par ces photos. Par contre, la peur du péché et un certain écoeurement l'agitaient devant le spectacle de ces attouchements défendus. On savait pour avoir parlé de cette scène à l'avance, qu'il faudrait laisser aller Jean d'Arc à son rythme sans forcer les choses. Mais aucun des deux tripoteux ne parvenait à garder parfait contrôle.

Cette nouvelle donne conférait au jeu des sensations imprévues. Les fermetures à glissière furent ouvertes et les sexes apparurent sous le regard incrédule et horrifié de Jean d'Arc.

On put entendre les soupirs mais aussi le miaulement d'un chat. Jean d'Arc se leva et se rendit à la porte, mais il ne put l'ouvrir.

–Tu vois, le bon Dieu aime mieux que tu restes avec nous autres, dit Émilien.

–Viens t'asseoir. C'est pas apeurant, une p'tite crossette...

–Moé, là, j'aime autant pas faire ça.

Mais déjà les deux autres dépassaient la mi-côte. Émilien explosa le premier puis l'autre éjacula sur le plancher. Jean d'Arc sentit la clef derrière son dos; il la tourna puis il ouvrit la porte. Une grande surprise l'attendait. Tout d'abord, un chat lui passa entre les pieds puis Monique, sans doute à la recherche du petit animal, arrivait en haut de l'escalier. Le fuyard courut sans rien dire et descendit.

Rioux put fermer sa braguette à temps, mais le frère de Monique, lui, y parvint à moitié : elle put voir ses pantalons souillés...

À ce moment même, Rose regarda sa montre : trois heures. Le Christ se mourait sur sa croix et prenaient fin ses horribles souffrances. Mais la sienne, sa souffrance de femme, sa faim inassouvie sans cesse alimentée par de nouveaux désirs insatisfaits, perdurait et augmentait.

Ce jour-là, la femme franchissait le cap de la cinquantaine et ça la rendait mélancolique. On sonna à la porte. Elle s'y rendit et ouvrit distraitement. Plaisante surprise : Laurent Bilodeau entra en souriant.

–Si c'est pas le plus bel homme de la Beauce ! échappa-t-elle étourdiment.

–Un coup de patin dans la face pis je serais aussi pire que François Bélanger.

Elle dit, le regard ensorceleur :

–Ah! si j'avais 25 ans de moins, si j'étais 25 fois plus riche et plus belle, j'te tasserais dans le coin, toi. Viens donc t'asseoir un peu.

–Je rentre pis je sors. Je viens chercher un tube de rouge à lèvres. C'est pour Jeannine. Vous savez ce qu'elle prend.

–Ouais, elle en dépense pas mal de ce temps-là. C'est-il toi qui le mange ?

Le jeune homme sourit mais ne dit rien. Elle se rendit prendre un nouveau bâton de rouge dans un meuble du salon et le rapporta.

–C'est une piastre.

–Pas de taxe ?

–C'est compris dans le compte rond.

Il prit un dollar dans son portefeuille et le tendit à la femme qui en profita pour lui serrer la main autrement que dans une poignée de mains ordinaire.

–Prends bon soin de ta Jeannine, bon soin...

Il en fut troublé et ne trouva à dire que :

–Merci pour elle !

Quand il fut parti, Rose se rendit devant un miroir et y examina longuement ses cinquante ans. Il lui passa une folle idée par la tête : ce récit de ceux qui vendent leur âme au diable pour retrouver leur jeunesse perdue...

Jean d'Arc courut tout droit au presbytère. Il demanda à la servante pour voir le curé et fut aussitôt reçu. Le récit de l'adolescent mit le prêtre hors de lui. Il se leva et se rendit devant une fenêtre en grommelant :

–Je le savais donc que ce personnage-là transportait le démon de la luxure avec lui.

–Je pourrais me confesser ? demanda l'adolescent.

–Pas besoin, tu t'es conduit comme un homme. Tu as respecté la loi divine... Y'a pas de péché de collé dans ta chaudronne. Tu peux repartir...

Le prêtre hocha longuement la tête et rajouta pour lui-même :

–Quand je pense à ça, en plein vendredi saint ! Dieu est bon de ne pas faire pleuvoir sa colère sur nous tous... Tu peux t'en aller, mon garçon, et que ça reste entre nous.

–Oui, parce qu'ils vont m'assommer autrement...

En ces heures-là, un drame se jouait ailleurs dans la paroisse. Fernand Rouleau s'était rendu chez Marie Sirois dès après le repas du midi. Il avait emporté avec lui tout l'attirail pour ses rituels bizarres. Marie gardait dans sa dépense depuis trois jours la moitié de sa chaudière de sang dont l'homme lui avait dit qu'il se servirait pour mieux traverser la barrière séparant le monde réel de l'au-delà.

Il demanda que les fillettes restent au deuxième. La cérémonie devrait se dérouler dans la chambre du malade, celle de Marie au premier, la femme couchant la nuit en haut depuis que l'enfant s'était évanoui en descendant l'escalier un matin.

Il fallait aussi le jeune chat noir.

L'homme mit un soin minutieux à installer ses choses dans la pièce. Pour rassurer la femme et l'enfant, il remonta la toile à moitié, et la lumière extérieure, quoique d'un jour à humeur noire, entra suffisamment. Et il étirait les choses de manière à ce que l'acte final impliquant le chat se déroule au moment même de la mort de Jésus sur la croix : trois heures.

L'enfant couché observa la préparation du rituel. Ça l'amusait. Fernand le fit recouvrir d'un drap blanc et lui fit tenir dans les mains un crucifix. Trois chandelles furent allumées et disposées en triangle en trois coins de la pièce : la rencontre de leur lumière symboliserait un carrefour.

Aussitôt, Fernand marcha autour du lit en lisant dans un vieux livre noir :

«Hécate des Enfers, dont le pouvoir brise tout ce qui lui résiste : écoutez, écoutez ! Ses meutes aboient par toute la ville, elles se tiennent en tout lieu où trois chemins se rencontrent...»

–Les enfers, s'étonna Marie.

–Jésus est descendu aux enfers, t'as déjà entendu ça.

–Ah!

Et six fois d'affilée, il relut le texte ancien.

La chaudière de sang avait été posée du côté gauche du lit. Marie, debout, adossée à la porte, gardait le chat dans ses bras et le caressait sous la gorge. L'animal ronronnait.

–Le chat s'appelle comment ?

–Memi.

–Ben aujourd'hui, on va l'appeler Chax.

Marie ignorait que Chax est le nom d'un démon. Menteur, tricheur et voleur, il peut néanmoins indiquer le lieu de trésors cachés si on sait le séduire.

Il restait des choses à sortir de la boîte que l'homme avait apportée avec lui : une peau de bouc, un couteau de cuisine, une montre de poche et des flacons bleus contenant des concoctions. Mais chaque fois qu'il en extrayait quelque chose, il refermait à moitié les rabats afin que la femme ne soit pas effrayée, car il ne saurait lui expliquer tout à la fois, mais surtout, il ne pourrait lui faire traverser la barrière entre le bien et le mal qu'en l'apprivoisant petit à petit aux choses occultes et au monde des ténèbres.

C'est la montre de poche qui fut tout d'abord exhibée. Et Fernand après avoir ouvert le couvercle et vu qu'il était pas loin de trois heures maintenant, s'en servit comme d'un pendule au-dessus de la tête du malade. Son autre main tenait le livre noir. Il lut un papier ajouté, la voix lointaine comme celle d'un prêtre catholique qui chante du latin dans l'indifférence :

«Transpercez mon âme, très doux Seigneur Jésus, dans tout ce qu'elle a de plus profond et de plus intime; transpercez-la du dard très suave et très salutaire de votre amour en sorte que mon âme languisse et se fonde sans cesse d'amour et de désir pour vous seul. Qu'elle n'aspire qu'à sa délivrance et à son union avec vous. Faites que mon âme ait faim de vous, qui êtes le pain des Anges ayant en lui toute douceur et toute suavité délectable. Vous, que le désir des Anges est de contempler, que toujours mon coeur ait faim de vous, et de vous se nourrisse; que mon âme, en ce qu'elle a de plus intime, soit remplie de la suavité de vos délices: Que toujours mon coeur ait soif de vous, fontaine de vie, fontaine de sagesse et de science, vive source de l'éternelle lumière, torrent de délices. Que mon coeur n'aspire qu'à vous posséder, qu'il vous cherche et vous trouve, qu'il tende vers vous et parvienne jusqu'à vous, qu'il ne pense qu'à vous, ne parle que de vous, et fasse toutes choses pour l'honneur de votre nom, avec humilité et discernement, avec amour et plaisir, avec facilité et affection, avec une persévérance qui dure jusqu'à la fin. Que vous seul soyez toujours mon espoir et toute ma confiance, mes richesses et mes délices, mon plaisir et ma joie, mon repos et ma tranquillité, ma

paix et ma suavité, mon parfum et ma douceur, mon aliment et mon affection, mon refuge et mon secours, ma sagesse et mon partage, mon bien et mon trésor. Qu'en vous seul, mon esprit et mon coeur soient toujours et à jamais fixés, affermis et inébranlablement enracinés. Ainsi soit-il.»

–C'est la prière de saint Bonaventure, dit-il quand ce fut terminé.

–Une belle prière. J'aime mieux celle-là que tout à l'heure.

–On doit se laisser posséder par les forces de l'au-delà comme le saint le dit dans sa prière. Tous les saints l'ont dit. Le sang qui se trouve là, dans la chaudière, c'est pas du sang d'animal, c'est le sang de Jésus-Christ. Comme à la messe, ils changent le vin en sang du Christ, nous allons faire de ce sang le sang du sacrifice. Il a fallu sacrifier des bêtes pour avoir leur sang pour que ton enfant revienne à la vie, comprends-tu ça, Marie ?

–Oui.

–Pose le chat sur le lit et mets-toi à genoux de l'autre côté.

Elle obéit.

–Ferme les yeux, mets les bras en croix pis dis la même chose que je vas dire. C'est des invocations...

En fait, ce serait un mélange d'invocations, bribes de psaumes, d'aspirations de saint Ignace, et de paroles incantatoires :

«Il n'y a rien de sain dans ma chair (elle répéta) en présence de votre fureur; (elle répéta) il n'y a pas de paix dans mes os en présence de mes péchés. (bis)

Sang de Jésus, enivrez-moi. (bis)

Plaies de Jésus, cachez-moi. (bis)

J'ai été conçu dans des iniquités. (bis)

Et ma mère m'a conçu dans le péché. (bis)

Sang de Jésus, enivrez-moi. (bis)

Sang de Jésus, enivrez-moi. (bis)

Manifeste-toi, ô déesse des carrefours. (bis)

Plaies de Jésus, cachez-moi. (bis)

Viens à nous, toi l'errante qui va à travers la nuit. (bis)

Agréez, Seigneur, un sacrifice. (bis)

A l'heure de ma mort, appelez-moi. (bis)

Viens à nous, toi qui te meus parmi les ombres. (bis)

Viens à nous, toi qui es assoiffée de sang. (bis)

Sang de Jésus, enivrez-moi. (bis)»

Pendant qu'il multipliait les phrases, l'homme sortit la peau de bouc de la boîte et se la mit sur la tête et les épaules. Mais il ne s'arrêtait pas et lisait dans son livre ouvert posé sur le lit à côté du petit malade qui écoutait peureusement sans bouger tandis que sa mère se balançait et approchait de la transe.

«Viens à nous, ô Hécate, viens à nous. (bis)

Viens à nous, Astorath, viens à nous. (bis)

Viens à nous, Asmodée, viens à nous. (bis)

Viens à nous, Malphas, viens à nous. (bis)

Viens à nous, Léonard, viens à nous. (bis)

Sang de Jésus, enivrez-moi. (bis)

Sang de Jésus, enivrez-moi. (bis)»

Fernand invoquait davantage les démons maintenant, mais il revenait à Jésus pour mieux parler de sang et préparer l'inconscient de la femme à la suite du rituel.

Le chat ronronnait et gardait les yeux mi-clos. Ceux de Marie semblaient scellés par du ciment, et l'homme ne cessait jamais les incantations qui pendant quelques minutes appelèrent à répétition une douzaine de démons.

–Marie, reprends tes esprits, ordonna-t-il. Baisse les bras.

La femme ouvrit les yeux. Son esprit lui revint tel que demandé, mais sa volonté resta entre les mains de l'homme.

Fernand regarda sa montre. C'était l'heure. Dans cinq minutes, Jésus mourrait sur sa croix. Il fallait procéder. Il trempa sa main dans le sang et aspergea l'enfant de gouttelettes. Puis il traça le chiffre 666 sur le drap blanc qui ne fut plus bientôt qu'un linge tout ensanglanté.

Il prit le crucifix dans la main de l'enfant et le plongea dans la chaudière avant de le remettre dans les mains d'Emmanuel qui grimaçait mais se taisait, lui-même subjugué comme sa mère. Et le couteau apparut et fut posé sur le lit près des pieds de l'enfant.

Il lut dans son livre :

«Je vous promets, ô Belzébuth, que je vous servirai toute ma vie et vous donne mon coeur et mon âme, toutes les facultés de mon âme, tous les sens de mon corps, toutes mes oeuvres, tous mes désirs et soupirs et toutes les affections de mon coeur, toutes mes pensées. Je vous donne toutes les parties de mon corps, toutes les gouttes de mon sang, tous mes nerfs, tous mes ossements, toutes mes veines, et ce que créature pourrait vous offrir. Je vous donne ma vie pour votre service, et si j'avais mille vies, je vous les donnerais toutes, parce que vous le méritez et que vous le voulez, et parce que je vous aime. «

Marie prenait conscience que Fernand invoquait directement le diable, et pourtant, elle ne parvenait pas à se libérer de ce rituel, de sa voix. Elle se sentait possédée. L'homme pouvait le lire dans son regard éteint et résigné.

À trois heures exactement, Fernand projeta ses mains en avant, attrapa le chat qu'il plongea aussitôt dans le seau de sang puis le remit sur le lit. Perdu, visqueux, terrorisé, le petit animal tournait la tête à droite, à gauche, piétinait, hésitait, miaulait...

Fernand prit le couteau qu'il brandit en récitant une phrase apprise par coeur ces jours derniers :

«Grand Satan, délivre cet enfant de son mal. Donne-lui une vie longue et prospère. Son âme sera ta récompense comme mon âme t'appartient déjà...»

Marie savait que l'homme ne ferait de mal à personne avec son couteau, mais elle se figurait le sort qui attendait le pauvre chat, une fin aussi peu enviable que celle des cochons que chaque lundi elle était forcée de voir mourir devant ses propres yeux. Tuer ce chat serait-il le sacrifice requis pour sauver Emmanuel tout comme la mort des porcs nourrissait l'enfant de vie?

«Satan, Prince des Ténèbres, notre seul et vrai maître, viens à nous, viens à nous, viens à nous...»

Un bruit curieux alors se fit entendre. Quelque chose avait l'air de glisser le long de la maison en l'égratignant avec des griffes. Puis apparut une face monstrueuse à la fenêtre. La pression accumulée dans l'âme de Marie jaillit d'un seul coup en éclatant, semblable à de ces éruptions volcaniques dites explosives comme celle du Krakatoa. Et ça devint un cri d'horreur qui possédait des aspects terrifiants, déchirants et obsédants.

Aussitôt, un autre bruit se produisit. Énorme. Comme si on avait défoncé une porte avec violence. Des cris d'enfants parvinrent jusque dans la chambre. Marie s'arrachait les cheveux en continuant de hurler, rivée à cette image d'épouvante qui bougeait encore à la fenêtre et cognait à la vitre en se lamentant...

Alors que Fernand se trouvait encore près du lit avec le couteau, que le chat marchait en gémissant, que Marie criait à l'apparition diabolique et que l'enfant crevait de peur, la porte de la chambre fut ouverte avec force, et un visage blême apparut.

Parce que le mal ne peut pas se définir sans le bien, il sent le besoin impérieux de le défier d'une façon ou d'une autre. Au début de la semaine, au moulin à scie, Fernand confiait à Dominique qu'il s'apprêtait à célébrer une messe noire chez Marie Sirois, qu'il officierait lui-même en plein vendredi saint, qu'il avait l'intention de faire entrer dans la maison le Prince des Ténèbres qu'il ferait supplier par la femme pour qu'il rende Emmanuel à la santé au prix de son âme.

Dominique avait alors fait semblant de ne pas le prendre au sérieux. Au demeurant, son scepticisme lui avait fait expliquer la drôle de manifestation de la soirée de spiritisme par le jeu du miroir suspendu au-dessus de l'évier chez Marie et des flammes des chandelles. Mais le personnage de plus en plus inquiétant que se révélait être Fernand lui faisait craindre pour la veuve et ses enfants. Qui pouvait savoir quelle concoction il leur ferait boire ? Le mieux serait qu'il se rende lui-même chez Marie l'après-midi du vendredi saint pour empêcher il ne savait quoi.

Pour éviter de se trouver seul devant une situation complexe, l'homme avait demandé à François Bélanger de l'accompagner. On avait marché depuis le village et il s'en était fallu de peu qu'on arrive à la maison de Marie après trois heures.

On avait frappé à la porte d'entrée. N'obtenant pas de réponse, on s'était glissé sur le côté. Dominique avait aperçu la sanglante progression du rituel par la fenêtre et aussitôt s'était rué vers la porte d'entrée en criant à François de rester sur place et de frapper dans la vitre pour arrêter Fernand avant qu'il ne soit trop tard.

–Tabergère, t'es viré fou ! s'écria Dominique.

–Je l'avais dit que je ferais une messe noire aujourd'hui.

–C'est pour ça que j'sus là.

Marie s'affala par terre et se mit à sangloter. Dominique regardait le sang sur le lit puis la chaudière.

–C'est du sang de cochon, dit Fernand. C'est pas grave. Le petit gars, il a rien pantoute. Pis le chat non plus... ah ! je l'ai saucé un peu dans le sang... Ben quoi, mettre du sang sur les couvertes ou le manger en boudin, c'est quoi la différence ? C'est rien que plus propre en boudin. On va nettoyer ça. Je vas remplacer le drap sali.

Une jeune adolescente se présenta la tête derrière Dominique. L'homme se tourna et lui demanda doucement de sortir. Elle restait muette et figée sur place. Il lui demanda son nom.

–Cécile.

–Retourne rassurer tes soeurs, Cécile. Tantôt, ta mère va aller vous voir. Ça sera pas long.

Sa voix se fit si paternelle que la Cécile se montra docile quand il la poussa délicatement devant lui dans la cuisine. Puis il rentra dans la chambre. Marie avait besoin d'une main secourable. Il se pencha sur elle.

Pendant ce temps, François tâchait de faire tenir la porte d'entrée que Dominique avait brisée d'un formidable coup d'épaule pour la faire céder.

Peu à peu, les choses se nettoyèrent, parurent s'arranger. Avant quatre heures, les trois hommes étaient partis, et Marie restait seule dans la chambre avec son fils troublé et d'immenses regrets qui lui rongeaient l'âme Elle ne cessait de se redire qu'elle avait commis un crime grave et qu'il lui faudrait un jour payer pour ça.

Alors même que François et Dominique retournaient au village, l'abbé Ennis avançait comme un paquebot entre les arbres secs du chemin du presbytère. Mais c'est à l'hôtel qu'il allait de ce train d'enfer.

Dès son entrée, il entrouvrit la porte menant au restaurant et lança de loin à Monique qu'il avait affaire à Raymond Rioux. Elle lui donna aussitôt le numéro de sa chambre et le curé monta sans avoir ôté ses couvre-chaussures.

Il ne prit même pas la peine de frapper et ouvrit. Rioux était allongé sur son lit, les mains sous la tête et roupillait.

–Toi, là, debout, j'ai des choses à te dire.

L'homme se redressa. Déjà il comprenait ce qui se passait. Son premier réflexe fut de contourner le prêtre et de refermer la porte. Même là, on pourrait entendre les éclats de voix si la visite donnait lieu à des flammèches comme il s'y attendait.

–Je ne resterai pas longtemps dans cette chambre puante. Je suis venu te dire de faire tes bagages et de ficher le camp d'ici.

–Vous parlez rough aujourd'hui, monsieur le curé.

–Je sais ce qui s'est passé ici aujourd'hui. C'est d'autant plus criminel que c'est vendredi saint.

–Criminel ? s'étonna Rioux.

–Ce que tu répands parmi nos jeunes, ça pourrait te valoir la prison et le fouet. J'aurais qu'à descendre, à prendre le téléphone et à faire venir la police provinciale.

–Mais faites-le ! Faites-le donc !

–Je ne suis pas une âme vengeresse.

–En avez-vous une, une âme ? Et avez-vous un corps ?

–Ne me fais pas regretter d'être venu t'avertir de partir. Si je devais changer d'idée, tu baiserais la prison pour trois ans.

Bien que gêné par sa conduite coupable, et impressionné par la présence du curé dans sa chambre, Rioux gardait un sang-froid suffisant pour lui permettre d'exercer un certain contrôle de la situation. Il lui fallait maintenant montrer du repentir et exprimer son ferme propos de ne plus recommencer. Pas sûr que ça marcherait, mais ça valait le coup d'essayer.

–Monsieur le curé, si on en parlait comme des gens raisonnables, sans colère, sans...

Cette phrase ralluma le prêtre.

–Ça prend du front pour me dire une pareille chose. D'ailleurs, je n'ai rien de plus à dire que ce qui est dit. Si tu n'as pas quitté cette paroisse et pour toujours dans les vingt-quatre heures, c'est la police provinciale qui viendra t'en sortir... et pour toujours.

–Monsieur le curé, le Seigneur donne une deuxième chance à un homme. Le sacrement de pénitence que vous-même administrez chaque semaine à vos paroissiens est le signe d'une deuxième, d'une dixième, d'une centième chance... Vous savez ça mieux que moi. J'ai un métier, un emploi...

Le curé se montra terriblement calme :

–Elle est là, ta deuxième chance. C'est que tu pourras recommencer ailleurs puisque je t'exempte de la police et de la prison. Je me suis dit que la prison empirerait les choses et c'est pour cette raison que je te laisse ta liberté. Mais je ne saurais exposer une journée de plus mes jeunes paroissiens à la corruption que tu représentes. Trêve de bavardage ! Et fais tes bagages ! Je ne ferai venir la police qu'en dernier recours, mais avant, c'est monsieur Fortier qui sera mis au courant si tu ne quittes pas demain. Le loup doit quitter la bergerie d'une façon ou d'une autre.

–De toute façon il le saura par Monique, soupira Rioux.

Le prêtre comprit qu'il avait réussi. Il dit en ouvrant la porte :

–Ta conduite est une insulte à la vie. Un seul mot la qualifie: écoeurante. Et tu es un écoeurant...

–Je vais penser à ça, mais en attendant, histoire de vous rendre la politesse... sacrez votre camp de ma chambre...

Et Rioux fit claquer la porte.

Il verrait Dominique Blais, son employeur, avouerait son crime, ramasserait sa paye et ses affaires et s'en irait par le train du samedi, non sans avoir posé un dernier geste...

Le lendemain, peu avant le coup de midi, le curé convoqua le vicaire dans son bureau. Il ne l'invita pas à s'asseoir et l'autre dut rester debout.

–Je vais vous relever d'une tâche que je vous confiais voilà quelques jours à peine. Quand je vous disais qu'un curé qui observe et analyse décèle la mauvaise graine, la mauvaise herbe... Jean d'Arc Ferland, un adolescent valeureux a eu le courage de venir dénoncer Raymond Rioux, un misérable homosexuel que j'ai dès hier chassé de cette paroisse. La mauvaise herbe a été extirpée. Ce monsieur a eu le culot de me faire parvenir cette lettre que vous voyez là sur mon bureau. Je l'ai lue et maintenant, vous et moi, nous allons en détruire le moindre germe. Veuillez la prendre dans vos mains et me la relire phrase par phrase... Je vous en prie, faites-le maintenant.

Le vicaire obéit et commença la lecture :

«Mon cher curé,

S'il se trouvait de la compassion dans votre coeur, le mal ne pourrait rien contre vous; mais puisque je n'ai pas trouvé grâce à vos yeux, je sais que le fiel est répandu dans votre âme...»

–Que dites-vous de cela, monsieur le vicaire ?

–Ridicule !

–Poursuivez.

«Par conséquent moi qui suis le mal, je peux vous nuire considérablement en nuisant à votre paroisse mille fois plus que je ne l'ai fait par les quelques fredaines vous ayant servi de prétexte pour me clouer au pilori.»

–Mon Rioux, si Dieu a permis que tu sois démasqué, il préviendra ta vengeance. Continuez...

«J'enverrai à Saint-Honoré le démon de la peur...»

–Saint-Honoré a foi en l'avenir. Poursuivez...

«... le démon de la division et de la zizanie...»

–La plupart des gens d'ici sont paroissialistes, pas séparatistes... excepté quelques têtes fortes... Continuez...

«... et le démon de la luxure...»

–Ce démon-là, il part avec toi, Rioux. Allez...

«Et tous ces démons se retrouveront dans une seule et même personne que vous ne saurez même pas reconnaître avant qu'elle n'ait fait ses ravages. Tremblez, curé Ennis, vous ne dormirez jamais plus tranquille et votre méchanceté retombera sur toutes les maisons de cette paroisse jusqu'au fin fond des rangs.»

–Le Seigneur ne craint pas Satan.

Et le prêtre reprit la lettre et il craqua une allumette pour enflammer le papier. Le vicaire intervint :

–Vous devriez la garder. Si jamais l'oiseau revenait, vous pourriez l'utiliser contre lui auprès de la police provinciale.

–Vous avez raison...

Et le curé souffla sur la flamme. Le papier était déjà entamé, mais l'écriture restait intacte. Et la lettre fut remise dans le tiroir du bas du grand bureau noir...

***

Chapitre 39

Tout l'hiver, Rachel tint ce pauvre Eugène à distance malgré ses nombreuses tentatives d'approche aussi muettes que gauches, ses avances et ses reculs, jusqu'à ses colères feintes aussitôt tournées en blagues ni très drôles et encore moins convaincantes.

Elle se montra ferme et douce. Comment réprimander quand on est en amour et que le soleil brille au-dessus de sa vie et de ses jours ?

Devant l'inéluctable, le jeune homme déterminé pensa à se lancer en affaires, mais quand on est fils de cultivateur et qu'il faut aider son père dans les divers travaux dont les sucres, on ne trouve pas une voie en criant lapin.

La meilleure idée qu'il eut consistait à faire le commerce de la râche. Un petit jeune homme comme lui n'aurait jamais pu acheter et revendre de grosses récoltes de sirop, mais comme la râche était le plus souvent vendue séparément et que ça ne signifiait pas beaucoup d'argent pour chaque acériculteur, Eugène se dit qu'il trouverait des gens pour lui faire confiance et lui vendre leur produit. Fallait d'abord trouver acheteur. Dès février, il se rendit à dans la région des Bois-Francs où, disait-on, la production de sirop était la plus florissante au Québec et il se rendit chez un encanteur qui le mit en contact avec un acheteur de sirop. Ce serait son débouché.

Dès les premiers jours de mars, il téléphona à tous les producteurs de la paroisse et leur promit le meilleur prix. D'aucuns se montrèrent intéressés, mais la plupart refusèrent d'y croire. Qu'à cela ne tienne, il reviendrait à la charge toute la durée des sucres !

Le téléphone, c'était bien, mais une visite, ce serait mieux. Et quand son père pouvait se passer de lui à la cabane, le jeune homme partait à dos de cheval dans un rang ou l'autre.

Le vendredi saint, parti au magasin s'acheter une boîte de tabac, il apprit de la bouche de Ti-Noire que Jean-Yves et Rachel se fianceraient le jour de Pâques à la cabane chez Ernest à l'occasion d'une partie de sucre. Cette nouvelle l'attrista au point qu'il retourna à la maison et n'en sortit plus de la journée ni du lendemain.

Ses frères, son père frappèrent à la porte de sa chambre; il leur demanda de le laisser se reposer. Pas un n'avait insisté. Eugène travaillait sept jours sur sept depuis l'enfance, s'il prenait congé, c'était par besoin, qui douterait de la chose ?

Assis sur son lit, penché vers l'avant, il fumait rouleuse sur rouleuse. De temps à autre, il regardait une petite photo qu'il cachait sous son oreiller. C'était celle de Rachel qu'il avait volée dans le bureau de la maîtresse à l'école. Parfois, il marchait de long en large et s'arrêtait devant sa fenêtre pour regarder l'école et questionner le destin. Et il hochait la tête à penser qu'il s'était acheté des longues-vues exprès pour voir la silhouette de la jeune femme les soirs de semaine.

Plus personne ne pouvait désormais venir à son aide. Personne sauf Dieu lui-même. Car Jean-Yves avait plus à offrir. Il était plus grand, plus beau, plus fier; et elle avait dû le voir tant et plus depuis l'enfance. Et puis c'était un gars de village, pas un futur cultivateur.

Quand, au bord du soir, il sentit une douleur pectorale, il se dit que le mieux pour l'heure serait de dormir. Ses pauvres bronches ne supportaient plus le traitement LaSalle qu'il leur faisait subir depuis vingt-quatre heures. Aérer la pièce pendant quelques minutes puis se réfugier sous les couvertures et visiter d'autres mondes que celui de la conscience, voilà ce qui ramènerait peut-être la bonne fortune. L'air frais lui servirait de sédatif.

Il sombra dans un sommeil de marmotte et quand il se réveilla, c'était l'obscurité totale. Il dut marcher à tâtons jusqu'au commutateur et fit de la lumière dans la pièce. Son réveille-matin indiquait quatre heures. Déjà la nuit s'achevait. Il se rassit sur son lit et se roula une cigarette avec du tabac pris dans sa boîte achetée la veille. Et il parla tout haut :

–Non, mon petit gars, y'a personne qui peut t'aider. Personne excepté le bon Dieu.

Alors une idée lui vint. Belle et bonne. Il se rendrait recueillir de l'eau de Pâques avant l'aube à la source de la rocaille dans le bocage pas loin. Et dans l'avant-midi, il se rendrait à la cabane des Maheux à dos de cheval. Prétexte : la râche. Il offrirait de l'eau de Pâques et si Rachel devait en boire, ça garderait peut-être quelques chances que son mariage soit annulé par une permission du bon Dieu. Il n'avait rien à perdre à le faire en tout cas.

Cette trouvaille l'excita au point où il n'alluma même pas sa cigarette. C'était l'eau de Pâques qui comptait. Il ferait sa barbe et sa toilette plus tard.

Il trouva des bouteilles vides dans la dépense et se rendit à la source à la lueur d'un fanal. Après avoir rincé l'intérieur des contenants à plusieurs reprises afin que toute odeur disparaisse, il les remplit et revint à la maison. Et pour être certain qu'il avait respecté le rituel, il éteignit la lanterne pour se bien rendre compte qu'il faisait encore nuit noire.

Et il rentra à tâtons.

Fut-ce le geste héroïque du vicaire quand il écrasa son pénis sur le bord du châssis ou bien l'expulsion du mal homosexuel de la paroisse par le vigilant curé qui inclina le ciel à dispenser à Saint-Honoré un soleil formidable, en ce jour de Pâques, nul ne le saurait jamais quoique chaque prêtre s'y savait pour un peu quelque chose.

Ernest jubilait pour une fois.

Quarante-deux personnes en tout. Une longue tablée au beau milieu de l'éclaircie entre la cabane et la maisonnette : une fête aux sucres comme il les aimait depuis les six ans qu'il possédait sa sucrerie et en organisait. Tous ses enfants y étaient à part Martial et bien entendu le Ti-Paul, l'ingrat Ti-Paul. Les filles avec leur mari. Une partie de la famille Grégoire : tous ceux-là de Saint-Honoré plus les deux filles aînées et conjoints venus des États exprès pour les fiançailles, et un cavalier américain pour Ti-Noire. Des filles à Clodomir. Clodomir avec Toinette. L'homme qu'Ernest avait sauvé de la mort à Lambton accompagné de sa femme. Une soeur d'Éva et son mari de Saint-Georges. Et d'autres, invités par les invités et que le propriétaire ne s'attendait pas à voir là. Mais qu'il accueillit avec empressement.

D'abord, on mit du sirop à bouillir dans une panne mise sur un feu à l'extérieur et tout chacun trempa la palette. Puis Ernest annonça, l'oeil généreux sous un sourcil sérieux :

–Tout ceux-là qui veulent se faire tchuire des oeuffes, allez chercher vos oeuffes su'a table. Pis gênez-vous pas, y'en a dix, douze douzaines. Vous pouvez les faire tchuire à coque dans panne dans cabane ou ben dans le sirop icitte dehors. Pis si vous aimez mieux, les femmes vont vous en faire dans poêle avec des oreilles de crisse.

Il s'adressa ensuite à Thérèse Grégoire :

–Pis toé, la Thérèse, dis-leur donc ça en anglais à vos hommes des États. Moé, j'sais rien que l'français pis comme de raison, ils doivent pas me comprendre trop trop.

Un peu plus tard, à cause des fiançailles, on crut bon rassembler tout le monde à table. On y était à peine que l'on aperçut venir sur un chemin de cabane à travers les érables un cheval et son cavalier.

–Ben si c'est donc pas notre Cook Champagne qui s'en vient! s'exclama Ernest.

Plusieurs désignaient ainsi Eugène, du fait qu'il faisait souvent la cuisine chez lui depuis la mort de la mère de famille.

–Qui c'est qui l'a invité ? Ah! ça change rien, une bouche de plus ou de moins.

Eugène n'arrivait pas d'en bas mais de l'érablière voisine laquelle donnait sur une autre que traversait le rang Petit Shenley au coin duquel se trouvait l'école sur le chemin de la grande ligne. Son gros cheval avançait peti-peta et n'arriverait que dans quelques minutes seulement. On le laissa venir. Seul le chien se rendit au-devant de lui.

Depuis qu'ils se trouvaient là, Rachel et Jean-Yves n'avaient vu que leurs propres yeux et leurs propres jeux à se courir et à se noircir. Mais la venue d'Eugène les dérangea et ils se mirent en alerte. Quelque chose en cette visite les inquiétait un peu.

Ernest se montra hospitalier :

–De la grand' visite. Viens manger avec nous autres, le Cook. On fait pas à manger aussi ben que toé mais on s'débrouille. Des pétakes à p'lure pis des oeuffes routis... Ou bens des crêpes au sirop.

–Ah! j'sus pas venu me bummer à manger. J'savais pas que vous aviez une partie de sucre aujourd'hui...

Son regard croisa celui de Ti-Noire et il se reprit :

–Ben, je le savais un peu mais je m'en rappelais pas trop trop. En tout cas, j'sus venu pour votre râche, monsieur Maheux. Pis tant qu'à faire, j'ai dit tiens, je vas emmener de l'eau de Pâques. Parce que je gage que vous y avez pas pensé personne à matin.

–Nous autres, on y a pensé, signala Clodomir.

Ernest lança :

–Va reconduire ton cheval dans la hovel pis viens te mettre à table avec nous autres, mon petit Champagne. La râche, on parlera de ça plus tard.

Pendant qu'il se rendait au petit étable, Rachel et Jean-Yves qui occupaient une extrémité de la table, se parlèrent en discrétion à l'oreille.

–J'sais pas qu'est-ce qu'il vient faire ici, dit-elle. D'après moi, y'a personne qui l'a invité.

–C'est Ti-Noire qui lui a dit hier au magasin. Paraît qu'il est venu la face pas mal longue.

–Il est pas mal senteux de venir.

–Paraît qu'il fait le commerce de la râche; ça lui donne une excuse. C'est ça qu'il s'est dépêché à dire en arrivant.

–Espérons qu'il fera pas de niaiseries devant ta visite des États.

–Ils vont trouver ça drôle. Pis le Cook, il parle pas anglais.

–Il est du genre à se faire comprendre par n'importe qui...

Ti-Noire intervint :

–Hey, vous autres, les amoureux, arrêtez de vous dire des secrets ! Vous ferez ça quand on sera pas là, nous autres...

La plupart des gens étaient maintenant à table. Il ne manquait plus qu'Ernest qui repêchait des oeufs dans l'évaporateur de la cabane et Toinette et Éva qui fricotaient encore dans le camp.

À la droite de Jean-Yves se trouvait Gilles qui semblait perdu et regardait souvent dans une direction particulière et en hauteur, ce qui attira l'attention de son futur beau-frère qui lui dit :

–Veux-tu me dire c'est quoi que tu regardes comme ça ?

–Bah! rien...

–Quand il fait cette grimace-là, dit Rachel, il faut prendre le contraire de ce qu'il dit.

–Je le vois, là, c'est qu'il regarde. C'est quoi ces affaires-là qui pendent dans l'arbre ?

–C'est des affaires en aluminium.

–Qu'est-ce que ça fait là ?

–C'est moi qui a mis ça là. Je voulais voir si ça brillerait au soleil quand le vent les ferait bouger.

–C'est-il pour conjurer le mauvais sort ?

–Non, non... pour jouer des tours...

–Tu serais mieux avec des morceaux de miroir.

–J'sais pas comment couper ça.

–Moi, je le sais, j'en taille souvent au magasin. Tu viendras me voir faire...

Rachel avait vite porté son attention à autre chose que la conversation entre son futur et son frère. C'est qu'elle voulait en savoir plus sur les impressions de Ti-Noire au sujet de son visiteur des États. Depuis le temps que la jeune fille faisait des boutades sur son éventuel chevalier servant venu de New York.

L'homme d'une trentaine d'années était à ses côtés, mais on put parler de lui puisqu'il ne comprenait pas un mot de français. Ti-Noire ne paraissait pas emballée et la réalité ne semblait pas dépasser ni même atteindre ce qu'en rêve elle avait imaginé de sa première rencontre sérieuse avec un Américain. Pas enchantée plus que ça, la Ti-Noire, pas enchantée plus que ça, pensait Freddy !

L'homme était moyen en tout. Taille ordinaire. Visage fade. Sourire mesuré. Pas du tout le genre des maris de ses soeurs, ces êtres volubiles, passionnés, qui donnaient aisément un spectacle en s'exprimant d'une façon théâtrale.

Eugène s'amena avec ses deux bouteilles d'eau de Pâques. Un écumoir à la main, Ernest sortit de la cabane et ils se rencontrèrent à mi-chemin entre l'étable et la table. Le jeune homme parla, la voix flexible :

–C'est comme je vous disais tantôt, monsieur Maheux, je fais le commerce de la râche c't'année. J'ai un bon débouché. J'peux vous payer un bon prix. Le meilleur prix.

–J'ai confiance que tu vas ben payer, parce que ça va prendre des bidous, affirma Ernest qui au contraire voulait signifier par là son inquiétude.

Eugène comprit et le rassura :

–Le père chez nous va endosser tout ce que je vas acheter. Vous pourrez dormir sur vos deux oreilles. Vous livrez pis un mois après, jour pour jour, on vous paye.

–Dans ce cas-là, je vas te la vendre.

Léo avait prêté attention et pu entendre ce qu'ils disaient; il blêmit. Pourtant, son père avait laissé voir qu'il lui laisserait la râche pour son salaire du printemps et voilà qu'il combinait dans son dos. Il quitta la table en mâchonnant et disparut derrière la cabane où il se mit à donner des coups de pied dans la neige et à juronner...

–Y'a une place à table, va t'assire là, mon Cook.

Le jeune homme s'approcha de son pas le moins hardi. Il enjamba le banc et s'assit à la place laissée par Léo, tout près des futurs fiancés. Il se composa un rire à quelques notes.

–De l'eau de Pâques pour tous ceux qui en veulent. Il faisait encore noir quand je l'ai embouteillée. Y'a deux ou trois miracles là-dedans au moins, sans farce.

Puis il salua les filles à Freddy venues des États tout en exprimant ses politesses aux Américains par des signes des deux mains. L'attention se divisa et de nouveaux groupes d'intérêt se composèrent. Les amoureux étaient entourés de Ti-Noire et son accompagnateur ainsi que de Eugène et Gilles.

L'arrivant ne retarda pas à ouvrir une de ses bouteilles et à en vider quelques gouttes dans les tasses de chacun autour de lui, tasses qui déjà contenaient ou bien du thé fort ou bien de l'eau d'érable.

On mangea. On jasa. On rit. Eugène se montrait impassible chaque fois que Rachel et Jean-Yves se partageaient des secrets. Vint enfin le moment ultime et c'est Ti-Noire qui l'annonça après avoir demandé à ceux qui n'étaient pas à table de s'approcher pour assister aux fiançailles. Debout, elle dit :

–La parenté, les amis, on est là aujourd'hui pour fêter. On en voit la preuve dans la face de plusieurs. Dans celle de Rachel et Jean-Yves itou comme vous voyez... Ben là, c'est le moment qu'on attendait qui arrive. C'est le temps de prendre vos responsabilités, vous deux. On attend...

Jean-Yves fouilla dans sa poche de mackinaw et en sortit un étui bleu qu'il ouvrit.

–Stand up, stand up ! lança un Américain.

Des applaudissements suivirent. Éva et Toinette essuyèrent une larme. Les fiancés se levèrent. Rachel offrit son doigt et la bague fut enfilée. Et ils s'embrassèrent sous les hourras, même ceux d'Eugène.

Quand ils reprirent leur place, le jeune homme distribua encore de l'eau de Pâques en disant :

–Ça va porter chance.

Gilles lui demanda ce que c'était que de l'eau de Pâques et Eugène lui expliqua la tradition.

Un Américain ôta son chapeau et son crâne à moitié dégarni apparut, luisant sous les rayons frais du soleil. Il déclara :

–You give something... or nothing but you give... It's for our fiancés...

Et le chapeau passa d'une main à l'autre. De la monnaie, des dollars furent recueillis. Au tour de Eugène, on s'attendait à ce qu'il fasse tinter le contenu de métal par des pièces métalliques mais il posa le chapeau et fouilla pendant quelques secondes dans une petite poche de culottes, il en sortit un billet de banque tout replié et le remit à sa grandeur. C'était un cinq dollars et aussi le plus gros don.

–T'es pas trop barré aujourd'hui, le Cook ! lui dit effrontément Ernest.

–C'est toujours pas ça qui va me mettre dans le chemin.

Le chapeau fut mis devant les fiancés. Jean-Yves parla au nom des deux :

–Ben merci beaucoup ! C'est un repas qui va rester dans nos têtes, hein, Rachel ?

–Certain !

Eugène leur versa de l'eau pour la troisième fois. Et pour la troisième fois, il fit le voeu de voir ces fiançailles rompues. «Pour leur propre bien !» pensa-t-il chaque fois.

***

Chapitre 40

Vint la fin des sucres. Ernest se rendit dans la forêt couper du bois de cabane. Léo lui demanda, par l'intermédiaire de sa mère, s'il toucherait l'argent de la râche; son père lui fit répondre une promesse plutôt vague mais sur laquelle l'adolescent se reposa en toute confiance. Et ça le stimula pour aider à couper les hêtres et à fendre les bûches.

Gilles reprit son école.

–Si tu redoubles pas ton année, tu vas passer par charité, lui dit Clément Fortin.

–Toé, j'vas te la faire sur la gueule, la charité !

Gilles se sentait du bras. Il s'était fait du muscle à la cabane et avait envie de le montrer, de se mesurer. Par contre, il avait rétabli son lien avec les petits Lessard. En fait, c'est eux qui s'étaient montrés enchantés de le revoir. Il leur donna des images pieuses qu'il avait reçues dans les années précédentes. Il leur parla de l'eau de Pâques et de ses vertus pour guérir le corps et l'âme. Une fois encore, il les éblouit...

Et à la première occasion, il se fit montrer comment tailler du miroir. Jean-Yves lui en donna un large morceau et le laissa travailler seul de sorte que le gamin put se fabriquer les bandes dont il avait besoin pour entourer l'image de Notre-Dame-du-Perpétuel-Secours et accomplir son dessein.

Malgré son enthousiasme refroidi, Ti-Noire entreprit de correspondre avec son visiteur américain, ami de son beau-frère. Ça l'aiderait dans son anglais pitoyable.

Fernand tenta de renouer un lien plus solide avec elle, mais il fut évincé. Eugène subit le même sort. Mais elle se montra polie et prévenante envers chacun.

–Pour le moment, j'aime autant pas sortir avec quelqu'un.

–Mais pour aller aux noces ? argua chacun.

–Il reste du temps : Saint-Honoré peut sauter sur une bombe atomique d'ici là.

Pas de danger pour la bombe atomique mais une bombe politique éclata en mai. Sans raison apparente, beaucoup de cultivateurs se rallièrent à l'opinion et l'option de Lucien Boucher. Assez –et ils faisaient suffisamment de bruit– pour justifier la tenue d'un référendum. Selon eux en tout cas.

Les assemblées du Conseil furent houleuses. Fortunat refusait de s'en mêler. Les conseillers, quant à eux, refusaient de voter sur l'opportunité de tenir le référendum réclamé par ceux-là que le curé désignait de plus en plus souvent comme des 'rebelles'.

À une assemblée spéciale tenue au milieu du mois, Fortunat donna sa démission non seulement à titre de maire mais comme conseiller. Il invoqua des raisons personnelles. Ses commerces qui exigeaient trop de lui. Sa santé qui lui donnait matière à inquiétude. Sa femme qui se plaignait de ses trop nombreuses absences.

L'affaire d'Émilien s'étant ébruitée, on crut que l'homme en était sérieusement affecté et on le prit en pitié sans savoir qu'il ignorait tout du scandale qui avait ébranlé les murs de son établissement hôtelier.

–Cela commence à friser la trahison ! jeta le curé devant le vicaire un soir de véhémence alors qu'il avait le nez rempli de moutarde.

Mais il ne passa pas de 'rebelles' à 'traîtres' pour désigner Lucien Boucher et ses fiers-à-bras qui perturbaient la bonne marche de l'administration municipale. Fallait garder du vocabulaire de réserve.

Le conseiller Boulanger devint maire par intérim. Une délégation se rendit chez Freddy pour qu'il accepte d'occuper la place de conseiller laissée vacante et qui revenait à un homme du village. On l'élirait par acclamation à la prochaine assemblée. Il accepta à la condition qu'on ne lui demande pas de devenir maire. Et il n'y eut pas d'opposition. Pas même de la part des 'rebelles' pour la plupart clients du magasin général, eux qui projetaient convertir le nouvel échevin à leur cause en le persuadant que la séparation servirait les intérêts des deux camps également.

Rachel et Jean-Yves filaient le parfait bonheur. Elle préparait son trousseau avec soin et joie. Les futures se sentaient regardées à l'église et ailleurs sur la place publique en ce temps-là, et la jeune fille ne faisait pas exception.

Ils se voyaient chaque vendredi, samedi et dimanche sans compter les mardis et jeudis alors qu'il descendait la voir avec Blanc qui le laissait à l'école et le reprenait à son retour de la gare avec le courrier du soir. Les jeunes gens restaient dehors pour ne pas donner de prise aux ragots, mais un soir qu'il pleuvait des cordes, ils durent entrer. Personne ne chiqua la guenille et seulement quelques sourires de fillettes parlèrent le jour suivant à la conscience de la jeune maîtresse d'école.

–Ma robe de mariée, je vas la faire quasiment tuseule, lui dit-elle un soir au bureau de poste. De la soie, du taffetas, de la dentelle : tout ce qu'il y a de plus beau. Pour tailler le patron, je vais me faire aider par Fernande, la soeur à Roland Campeau. Elle est pas mal bonne là-dedans, elle...

–Tu sais pas ce que ma mère a dit, hein ? Que tu vas être la mariée la plus belle qu'elle aura jamais vue. Pour qu'elle dise ça, faut qu'elle le pense en mosus !

Ti-Noire vint jaser avec eux.

–Paraît qu'il s'en est passé toute une le vendredi saint chez madame Sirois. Selon François Bélanger, y'aurait eu une sorte de messe noire dite par Fernand Rouleau. Avec du sang pis un chat noir... Aurait fallu Dominique Blais pis lui François pour arrêter tout ça.

–Dominique, quand il prend un coup, il grossit les affaires.

–C'est pas lui qui l'a dit. Même qu'il dit que c'est des inventions à François pour se faire valoir.

–François, il est souvent détraqué, c'est vrai, dit Rachel.

Puis il fut question d'Emmanuel qui restait toujours alité et dont la maladie refusait de guérir, ce qui laissait supposer de plus en plus qu'il s'agissait d'une leucémie mortelle.

–Un autre qui aura besoin d'un miracle, soupira Ti-Noire.

–Pourquoi un autre ? demanda Rachel.

–Bah! je dis ça comme ça.

–C'est vrai que si on y pense, faudrait quasiment un miracle par porte, dit Jean-Yves.

–À commencer par nous autres pis pas rien qu'un, soupira Ti-Noire qui enchaîna aussitôt cependant pour ne susciter aucun questionnement chez l'autre femme.

–Y'a le François Bélanger qui en aurait besoin d'un lui aussi. Pis monsieur Gustave qui soupire après sa femme...

–Pis mon père avec ses cheveux qui tombent, dit Rachel.

Les trois rirent.

–Pis notre Blanc.

–Pis Martial.

–Pis notre Dominique qui boit trop.

–Pis mon oncle Fred qui se meurt du cancer aux États...

On se répondait du tac au tac. À son tour, Ti-Noire se mit à chanter :

–Alouette, gentille alouette, alouette, je t'y plumerai...

***

Chapitre 41

Pendant de longues années par la suite, on se demanderait si Saint-Honoré n'avait pas été en ce temps-là un lieu de péché pas ordinaire ou bien de détresse peu commune. Comment expliquer autrement que la Vierge Marie ait pu choisir le cap à Foley pour apparaître ?

Le curé qui croyait tout connaître de ses paroissiens, ignorait pas mal de choses en réalité. La messe noire ne lui fut jamais connue. Ni les échanges de partenaires auxquels les Savoie et les Drouin s'étaient livrés. (Il finirait par s'en douter plusieurs années plus tard.) Et tout ce sperme du vicaire caché dans le bran de scie de l'atelier de bricolage, il n'en saurait jamais rien non plus faute de questionner les portes barrées et la poussière de bois. Le coeur profond de Fernand lui resterait caché tout autant que cette fascination d'Ernest pour les grosses boules. L'avarice d'Eugène trouvait grâce à ses yeux de même que la conduite de Ti-Paul qui avait failli briser le coeur de ses parents en sacrant son camp sans dire un traître mot. Il ne voyait pas non plus que Jean-Louis Bureau aimait plus que tout autre paroissien péter plus haut que le trou et il bénissait ses ambitions démesurées qui consistaient à surpasser tous ses concitoyens pour le simple plaisir. Ni que Lorraine possédait un caractère de cochon. Mais d'abord et avant tout, le curé ne saurait jamais que lui-même souffrait d'un paternalisme aveugle, d'un chauvinisme paroissial inépuisable, d'une fierté exagérée, source d'exclusion d'êtres vulnérables comme Marie Sirois, d'un manque total de perspective quant à l'avenir des valeurs villageoises qui loin d'être alimentées par le progrès en seraient gangrenées et par-dessus tout d'un entêtement d'âne qui souvent obnubilait son jugement.

Cette entièreté du pasteur produisait beaucoup de bons effets, le plus notable étant de sécuriser son monde. Il était celui qui sait reconnaître le diable. Et il aimait le démontrer. Il répétait à satiété une pensée de Baudelaire mais dont il ne citait pourtant jamais l'auteur : «La plus grande malice du diable est de faire croire qu'il n'existe pas.» Et comme pour bien d'autres curés, sa citation favorite quant à Dieu provenait de la Bible : «Dieu châtie celui qu'il aime comme un père châtie l'enfant qu'il chérit.»

La première apparition se produisit le samedi, trois juin, jour de soleil éclatant. Pourquoi un samedi ? se demanderait-on par la suite. Mais parce que les enfants vont à l'école la semaine et que le Vierge préfère apparaître devant quelqu'un, de préférence des enfants, que devant personne. Et pourquoi le trois juin ? Parce que le chiffre trois est celui de la très Sainte Trinité, expliqua le vicaire aux fidèles qui se le répétèrent dans une chaîne sans fin jusqu'à Boston et New York. Pourquoi aux enfants Lessard ? Parce qu'ils sont pieux comme pas un enfant ne l'est, répondirent les soeurs du couvent. Mais pourquoi à Saint-Honoré ? Si tout cela est fondé, répondra solidement le curé, c'est que Dieu aime notre paroisse d'une manière tout à fait spéciale.

Mais il devait aussi y avoir des 'pourquoi pas'. Pourquoi pas à Gilles Maheux qui se trouvait là aussi quand la première apparition se produisit mais qui n'avait rien vu, rien entendu, lui ? «Ah! il est ben fin, le Gilles, mais... il sert même pas la messe le matin et pourtant il vit à deux pas de l'église.» Et pourquoi pas dans le clos à Noré Rouleau plutôt que sur le cap à Foley ? «Mes bons amis, y'avait déjà des signes de piste sur le cap à Foley; d'aucuns appelaient ça les pistes du diable, mais on voit ben maintenant que ce pouvait être des marques laissées là par la Vierge Marie jadis, bien avant l'ouverture de la paroisse, dans des temps anciens, très anciens...»

La veille, deux juin, vendredi, Gilles, désirant être seul, se cacha de son ami Clément. Il resta un long moment dans le grenier de la boutique de forge, allongé sur le bran de scie derrière une poutre avec une poche de jute à son côté. Elle contenait l'image de Notre-Dame-du-Perpétuel-Secours dans son cadre plaqué miroir. Jean-Yves lui avait montré à coller du miroir à l'aide de colle à bois. Et il avait pris un marteau et beaucoup d'oeillets à travers lesquels passerait un fil à pêche très long qui était déjà attaché à la base du cadre en deux endroits. Ce système lui permettrait de contrôler les mouvements de l'image à distance.

Son plan consistait à suspendre le cadre à un arbre de sorte que l'image de Marie regarde à l'ouest. Le moyen de suspension était une barre de bois fixée à l'horizontale derrière le cadre, et qui s'accrochait à une tige de fer recourbée plantée dans l'arbre. C'est ainsi qu'il pourrait, le moment venu, faire pivoter le cadre sur le tronc de l'arbre pour que l'image puisse se rendre ramasser les rayons du soleil vers le sud-est.

Il fallait trois choses pour imaginer cela : d'abord de l'imagination et l'enfant en avait à revendre; puis les outils et le matériel requis, et la boutique lui offrait une partie du nécessaire tandis que Jean-Yves, sans le savoir, avait complété; et enfin de la liberté, et certains enfants de grosses familles du village n'en manquaient pas alors, Gilles moins que tous.

Quelque temps plus tôt, il avait repéré le bon arbre pour accomplir son joyeux dessein et l'avait marqué tout en l'amputant de deux ou trois branches susceptibles d'empêcher les rayons du soleil de frapper franchement. De plus, il s'était fabriqué une échelle faite de barreaux pris à la boutique et de montants emportés un à un là-bas. Tout cela était enfantin au fond car en plus de tout avoir sous la main, le garçon avait à marcher moins de sept minutes pour se retrouver sur le cap à l'endroit même où se trouvaient imprimées dans le roc dur les célèbres pistes du diable.

Quand il jugea le moment le plus opportun arrivé alors que la lumière venue du trou de la trappe commençait à baisser, il descendit après avoir écouté le silence d'en bas puis sortit de la boutique et longea la maison par derrière, traversa la rue, se glissa le long des hangars puis des granges à Freddy et entra dans le champ des vaches en direction du cap qu'il atteignit rapidement avec le sentiment de n'avoir été vu par personne.

Divers sentiments l'animaient tout au long de son parcours. D'abord le plaisir d'imaginer qu'il en roulerait plusieurs par personnes interposées en l'occurrence les enfants Lessard dont il avait déjà la promesse de venir sur le cap le lendemain avant-midi. Puis de la confiance en lui-même de voir qu'il pouvait penser quelque chose de compliqué et le réaliser. Et une certaine crainte à se servir de choses dites sacrées bien qu'il sache que la manipulation d'images pieuses ne confinait pas au sacrilège et signifiait bien peu en comparaison avec la profanation de la sainte hostie par exemple ou des vases liturgiques.

Tout fut installé comme prévu initialement. La tige recourbée plantée dans l'arbre. Le cadre accroché. Les oeillets dispersés d'un sapin à l'autre par les branches. Il actionna son mécanisme rudimentaire et en obtint exactement ce qu'il avait voulu : le cadre tournait sur la tige qui servait d'axe.

On était à la brunante. Quelques rougeurs du soleil couchant brillèrent sur les lisières de miroir, et le sourire figé de la vierge éclata derrière la vitre qui recouvrait l'image pieuse; et l'enfant se demanda si l'heure des apparitions ne devait pas être modifiée.

Il vérifia le tout une dernière fois avant de cacher son échelle derrière une digue de roches, elle-même longeant une clôture de l'autre côté du bocage. Introuvable.

Les enfants Lessard avaient permission de jouer dans le champ derrière le cimetière; il suffisait à leur mère de jeter un oeil par la fenêtre pour les y apercevoir. Dans un village où il ne se passe jamais rien, sans lac voisin ni rivière, ni étang, ni quelque piège mortel que ce soit, même une mère Gigogne en vient à se sentir en sécurité quand les petits commencent à explorer un peu plus loin que les abords immédiats de la maison, surtout des enfants habitués d'aller à l'école et à l'église tous les jours.

Gilles sortit de la maison par la porte du sous-sol afin d'éviter que son ami Clément ou même quelqu'un de chez lui l'aperçoive. Et il se rendit tout droit sur le cap à Foley où il attendit près d'une clôture, surveillant la petite maison des Lessard. Lui-même était guetté par eux et ils s'amenèrent bientôt en cris et en joie.

–Hey, salut vous autres !

–Bonjour Gilles, dit Nicole à voix fine.

–Bonjour Gilles, dit Yvon, le ton poli.

–On devrait faire notre signe de croix, dit Gilles, à cause du cimetière.

Il les avait vus faire à quelques reprises mais cette fois, leur enthousiasme et leur course les avait empêchés de se signer. Ils se sentirent un brin coupables et firent ce que le gamin disait.

–Venez donc sur le cap.

Ils enjambèrent la clôture. Gilles put apercevoir les cuisses de la fillette sous sa robe fleurie mais seules les choses spirituelles effleuraient son esprit en ce moment.

–Voulez-vous voir les pistes du diable ?

–T'es fou ! jeta Yvon, menton projeté vers l'avant.

Quelque chose en Gilles lui disait qu'il devait d'abord les effrayer pour mieux les disposer à recevoir un message céleste. En cela, il imitait sans le savoir les livres pieux et toutes les religions du monde. Le terrain où semer de la graine de l'amour divin doit d'abord être irrigué par la peur du mal et du Malin.

Il les conduisit à cette portion de cap qui portait des empreintes semblables à celles de petites raquettes. Forme ovoïde. Distance et espacement correspondant à des pas humains.

Les enfants Lessard se rapprochèrent l'un de l'autre et de leur protecteur qui enchérit :

–Une fois, y'avait des enfants qui faisaient du mal icitte, pis le diable est venu pour les emporter dans l'enfer avec lui.

Puis il regarda vers le soleil qui montait et plissa les yeux.

–Pis c'est qui est arrivé ? s'enquit l'autre garçon.

–Une chance, ils ont dit un acte de contrition pis la Sainte Vierge est venue les sauver. Elle a dit au diable de les laisser à terre... parce qu'il en avait un en dessous de chaque bras... C'est pour ça qu'il a fait des pistes, il avait les pieds en feu pis c'était pesant, deux enfants dans ses bras...

–Nous autres, on fait pas de mal, dit Nicole que le récit troublait profondément.

–Ben...

–Ben quoi ?

–Ben on serait mieux de prier.

Les visages angéliques s'éclairèrent malgré la peur restée collée dans leurs regards.

–On n'a pas notre chapelet, se désola Yvon.

–Ça fait rien, moé, j'ai des images pis c'est bon pareil.

Il sortit de sa poche des images savatées et en donna une à chacun puis dit :

–Reculons là où c'est que y'a de la terre pis on va se mettre à genoux.

Suivant ses calculs et ses essais, Gilles croyait que c'était le meilleur endroit pour capter au maximum les rayons solaires avec son cadre plaqué miroir tout en restant à distance respectueuse, celle permettant de distinguer nettement l'image de la vierge mais pas les oeillets de métal ni le fil à pêche qui actionnerait le mouvement du cadre sur le tronc du sapin.

Sitôt rendus sur la surface verte où poussait une herbe piteuse, les enfants Lessard se mirent à genoux et attendirent que l'on commence la prière comme ils le faisaient le soir lors de la récitation du chapelet en famille.

Gilles se mit plus loin, près du sapin autour duquel circulaient les deux tronçons de fil à pêche et dit avant de s'agenouiller à son tour :

–Le bon Dieu est brillant comme le soleil. Il est si brillant qu'on peut pas le regarder en face. Essayez, vous allez voir...

Ils obéirent mais devaient baisser les yeux.

–Essayez encore une fois pis ensuite fermez les yeux.

Ils firent ce qu'il voulait.

–Asteur, voyez-vous comme un beau soleil en dedans de vous autres ? Ben ça, c'est le bon Dieu...

Ils hochèrent la tête affirmativement.

–Asteur, prions.

Il se mit à genoux et récita la première partie du Pater Noster tout en prenant entre ses mains les cordes miraculeuses. Les enfants Lessard répondirent au Pater. Là, il récita la première partie d'un Avé à laquelle ils répondirent comme le soir à la maison, yeux fermement clos et mains jointes, mais cette fois, tenant leur image pieuse derrière leurs pouces.

–Mettez votre image à terre pis on va prier les bras en croix, dit Gilles au bout d'une dizaine de chapelet qui ne compta que sept Avé.

Ce pouvoir qu'il exerçait sur les enfants le grisait. N'avoir qu'un mot à dire pour se faire obéir au doigt et à l'oeil, quelle magie ! Cette force, il le savait, venait du fait qu'il se servait, comme les prêtres, les soeurs et bien des gens, de Dieu pour la nourrir. Quel mal à cela ? Il n'en sentait pas et ne se posait même pas la question. Tout ce qui l'intéressait, c'était le bon tour à jouer au monde, car pour lui, le ciel ne pouvait que bénir ce qui était drôle et inoffensif. Et même si ça faisait un peu de mal, pourvu que ça fasse rire !

Ah! comme ils se reconnaissaient dans cette façon de faire ! Et c'est les bras en croix qu'ils répondirent aux Avé suivants. Ils les baissèrent au dernier comme à la maison.

–Rouvrez les yeux pis regardez le soleil... pis refermez-les pour une autre dizaine de chapelet.

Pendant que le premier Avé passait, Gilles tira sur les ficelles jusqu'à ce que l'image de Notre-Dame-du-Perpétuel-Secours aille chercher les reflets les plus ardents de l'astre du jour pour les projeter sur eux par le biais des lisières de miroir et de la vitre.

–La Sainte Vierge, c'est la Sainte Vierge.

Les deux autres ouvrirent leurs yeux dont la rétine était encore douloureuse de leur dernière observation du soleil.

Ce fut alors la première apparition de Marie à Saint-Honoré. Hormis que les traces sur le cap à Foley n'aient été réellement ce qu'en avait dit le gamin dans ses fantaisies et mensonges joyeux.

–Elle est là, elle est là, elle est là, se mit à chantonner Gilles.

–Elle est là, elle est là, elle est là, dirent les deux autres en choeur.

Alors Gilles débita quelque chose que plus tard, Dominique appellerait du latin-baragouin que pas même François Bélanger n'aurait pu décoder. C'était un mélange de litanies de la Vierge et de sons inintelligibles que le garçon avait concocté à l'école à partir d'un livre de messe, et appris par coeur ensuite. A chaque phrase, il utilisait un moyen mnémotechnique pour se souvenir des mots, des sons et de la mélodie monotone.

«Mater Christi tombaroum dan panum sirus mananha sortous.» Ce qui aurait pu se traduire dans le français de son esprit vagabond par : «La mère du Christ est tombée dans la panne à sirop, mais ma main l'a sortie...»

«Mater castissima moi sorum vai marium avé garum fridoune vobiscum.» Traduction libre : «Mère très chaste... ma soeur va se marier avec le gars à Freddy... vobiscum...»

Abasourdis, aveuglés, entraînés dans l'irréel et le fantastique, les enfants Lessard furent envahis par un bien-être incomparable. Cette lumière se répandait dans leur esprit, leur coeur et leurs veines. Et Gilles poursuivait sa déclamation languissante :

«Regina Martyrum ora pro nobis cleminum fortune torpedo graniperum...» Reine des martyres, priez pour nous... Clément Fortin a eu un Torpedo (voiturette) de son grand-père...»

Suite à Gilles, les deux autres se mirent à marmonner n'importe quoi sans jamais lâcher des yeux la brillante apparition dans le sapin sacré.

Puis il se remit à chantonner :

–Elle est là, elle est là, elle est là, elle est là...

–Elle est là, elle est là, elle est là, elle est là, répétèrent les enfants.

Le garçon possédait d'instinct toutes les techniques de lavage de cerveau et le travail allait tout seul avec des âmes gagnées d'avance et d'une telle sensibilité. Il y a ceux qui aiment tromper les autres et il y a ceux qui aiment se laisser berner par les premiers. Rien de nouveau sous le soleil. Quoique sans qu'il ait tiré sur les cordes ni qu'il remarquât le vent, Gilles dut se rendre compte que l'image bougeait d'elle-même, comme oscillant très légèrement. Cela était peut-être dû au soleil dans ses yeux.

–Fermez les yeux, fermez les yeux... on va dire une dizaine de chapelet encore... C'est la Sainte Vierge qui le demande pour sauver le monde du péché...

Et il vérifia si les paupières se fermaient. À nouveau, il dit quelque chose rappelant Fatima :

–Vous viendrez icitte tous les samedis de l'été. La Sainte Vierge Marie va apparaître durant treize semaines. Mais vous le direz à personne.

Et il entama la dizaine de chapelet.

Il obtint des résultats si extraordinaires que les petits anges continuèrent seuls à prier, à baragouiner et à gémir «Elle est là, elle est là, elle est là...»

Il fit disparaître la Vierge et attendit que les enfants se fatiguent, mais ils dirent deux autres dizaines de chapelet les bras en croix. Pour éviter qu'ils n'aperçoivent le cadre dont le bord était quand même peu visible et se perdait dans l'arrière-plan vert brun, il se plaça debout devant eux jusqu'à ce qu'ils ouvrent enfin les yeux.

–C'est que vous avez vu ?

–La Sainte Vierge, dirent-ils, voix entremêlées.

–C'est que vous avez entendu ?

–Elle nous a dit de venir icitte treize semaines le samedi.

–C'est tout ?

–Ben...

–Faut pas le dire ! lança Yvon.

Les enfants prièrent toute la semaine; et le samedi suivant eut lieu la seconde apparition. Gilles procéda de la même façon que la semaine précédente sans s'inquiéter du fait qu'il risquait de causer la cécité chez les petits Lessard à force de leur faire envisager ce puissant soleil de juin.

Une farce ne vaut rien si elle ne porte sur aucune victime et il leur dit alors :

–Vous pouvez le dire à votre mère, c'est tout.

De plus, il s'arrangea pour que la Vierge change le moment de la journée pour apparaître. Ce serait plus drôle après souper et ce serait plus beau comme spectacle avec le soleil couchant...

Si bien préparée avait-elle été, cette ingénieuse fumisterie enfantine n'aurait pas fait long feu si le curé avait agi sans attendre. Mais il avait plusieurs raisons de ne pas se prononcer sur l'heure. Tout d'abord la situation politique dans la paroisse. La nouvelle de l'apparition se répandit comme une traînée de poudre et on ne parlait plus que de cela sans trop y croire. En fait, on était encore au stade de l'incrédulité, mais le temps agirait. En tout cas, plus personne semblait-il n'avait d'intérêt pour cette histoire de séparation de la paroisse en deux parties municipales. Était-ce le miracle dont on avait besoin pour réduire à néant cette possible scission si peu souhaitable selon l'entendement du curé ?

Maria fut naturellement la première à recueillir les confidences de ses enfants. Elle les crut aussitôt mais pensa que personne ne les croirait et que tous en riraient. Il fallait les protéger. Elle hésita durant deux jours puis se confia au vicaire, s'attendant qu'il lui conseille de ne jamais laisser ses enfants retourner sur le cap à Foley. Mais le prêtre les prit au sérieux. Il vit là une occasion en or de se donner de l'importance, et ça lui permettrait sans doute d'entrer en fréquent contact avec les petits voyants. Et puis, si Fatima et Lourdes avaient existé, aucun autre lieu de la planète ne pouvait être exclu d'office de possibles apparitions de la Vierge Marie. Il sut que Gilles Maheux était sur les lieux de l'apparition lui aussi et se rendit le questionner sans témoins.

–Moé, j'ai rien vu, dit le garçon. Rien vu pantoute. Eux autres, ils disaient tout le temps : «Elle est là, elle est là, elle est là...» Mais moé, j'ai rien vu.

–Comme à la grotte Massabielle, et comme à Fatima.

–Quoi ?

–Y'a que les enfants choisis par la Vierge qui voient... Garde le silence sur tout ça. N'en dis pas un mot à qui que ce soit, tu as compris?

–Oui, dit l'enfant, avec un faux air piteux.

Le vicaire informa le curé qui tout d'abord s'amusa.

–Allez chercher des évidences physiques sur le cap à Foley; vous verrez bien que tout s'explique.

Mais le vicaire ne voulait pas que tout s'explique comme le disait son curé et il ne se rendit pas sur le cap à Foley où il n'aurait pu trouver que des trous dans le sapin sacré. Car sitôt les enfants Lessard partis, Gilles avait tout enlevé et mis tous les accessoires dans sa poche de jute qu'il avait par la suite soigneusement cachée dans un trou de marmotte sous une grande roche plate de l'autre côté du bocage. Et le vendredi suivant, il avait tout remis en place pour 'mener à bien' la seconde apparition.

Devant l'émoi général accompagnant la diffusion de l'heureuse et incroyable nouvelle, il était certain que la prochaine fois, samedi le dix-sept juin, la moitié de la paroisse et plus se rendrait sur le cap pour voir ce qui s'y passait. Pas question pour lui de sortir l'attirail, bien au contraire.

Non seulement la moitié de la paroisse voulut savoir ce qui se passait là mais la cour de l'église se remplit d'autos de visiteurs étrangers, certains venus de Québec, et c'est par centaines que l'on se massa sur le cap et tout autour avant même l'heure du souper.

Devant cette affluence, le curé resta songeur. Devait-il s'y rendre aussi et détruire ce germe de mythe par un sermon pratique et logique après avoir confondu les enfants. S'il ne procédait pas à la démystification de l'événement, qu'arriverait-il en son absence de plus d'un mois puisqu'il partait dans six jours pour Rome et la Terre Sainte avec un arrêt à Lourdes...

Il confia au vicaire le soin de s'y rendre et de n'y faire rien de plus que de protéger les enfants soi-disant voyants.

Puisque Gilles Maheux avait été témoin des deux premières apparitions sans toutefois les voir lui-même, de son propre aveu, le prêtre voulut qu'il soit là quand les enfants Lessard s'agenouilleraient pour prier et peut-être assister à la troisième apparition. Mais le garçon avait envie de paniquer devant l'ampleur que tout ça prenait. Les anges à Maria ne verraient absolument rien ni personne d'autre, et ils en subiraient peut-être des conséquences. Et ils révéleraient que c'était lui qui leur avait mis les paroles en bouche et qui les avait dirigés dans le moindre détail à chacune des deux premières apparitions. Il serait questionné par le curé, peut-être la police provinciale...

Peut-être vaudrait-il mieux tout avouer maintenant. Aller chercher la poche de jute et montrer comment il avait fait. Le courage manquait. Et puis les choses s'arrangeraient probablement d'elles-mêmes dans quelques minutes quand on verrait bien qu'on ne voyait rien du tout.

Maria resta de l'autre côté de la clôture, son chapelet à la main et sa foi dans le regard allumé. La Vierge Marie n'apparaissait-elle pas toujours à des enfants très humbles et très pieux ? Se trouvait-il des enfants plus humbles et plus pieux que les siens au Canada ?

Les gens qui se trouvaient là se firent discrets. On s'échangeait des sourires, quelques mots parfois. On avait envie d'y croire mais on ne voulait pas faire rire de soi à y croire. Ou bien à y croire trop tôt...

Il y avait sur place quelques personnes en béquilles ou bien marchant difficilement avec une canne. Ces accessoires disaient accidents, maladies, impuissance...

Et parmi les inconnus, un journaliste du journal Le Soleil. Une fois de plus, on damerait le pion à l'autre grand journal de Québec, l'Action Catholique.

Tout à coup, l'attention de tous se dirigea sur les enfants qui venaient de s'agenouiller face à l'est et dans la direction donc de l'apparition éventuelle. Ils avaient à la main un chapelet et Nicole demanda au vicaire de le commencer. Le prêtre pensa un moment que la demande venait directement de la Vierge Marie et, à son tour, il sortit son chapelet en frémissant.

À la première dizaine, les enfants se mirent les bras en croix. Édifiés, quelques assistants dont une femme sur canne venue là de peine et de misère malgré son arthrite, s'agenouillèrent eux aussi. Entre les deux dizaines, ils ouvrirent les yeux et se tournèrent vers le soleil couchant qu'ils envisagèrent un moment afin de pouvoir voir ensuite à l'intérieur d'eux-mêmes l'éblouissement de Dieu devenu par une suggestion de Gilles lors de l'apparition précédente l'éblouissement de la bonne sainte Vierge Marie.

Pendant qu'il disait la deuxième dizaine, le vicaire tourna la tête à quelques reprises pour voir les environs. Au moins trois cents personnes étaient dispersées dans un demi-silence sur le flanc du cap là où les enfants glissaient l'hiver avec des luges et des jumpers. Pour plusieurs, la perspective n'était pas la meilleure. Si les apparitions devaient se poursuivre, il faudrait plutôt utiliser le champ derrière le cimetière et ouvrir une ou deux pagées de clôture pour la durée de la manifestation.

Entre les deux dizaines, les enfants regardèrent à nouveau vers le soleil, entraînant en cela tous les assistants qui croyaient que c'est de ce côté que ça se passerait. Mais non, ils se remirent les bras en croix et au premier Avé, la prière se transforma soudain en latin-baragouin. Ils rouvrirent les yeux au bout de quelques secondes et dirent en choeur :

–Elle est là, elle est là, elle est là...

–Où, où ? demanda le vicaire.

Mais ils étaient en transe et ne cessaient de redire :

–Elle est là, elle est là, elle est là...

Leurs bras se baissèrent et leurs mains se joignirent sur les chapelets.

–Elle est là, elle est là, elle est là...

Gilles Maheux soupira et jeta un regard discret sur le vicaire. Le visage de l'homme se transfigurait... Parmi les assistants, un cri féminin se fit entendre. La femme à la canne laissa tomber sa canne, elle redressa son corps et en gémissant, elle se mit sur ses jambes.

–Un miracle, murmurèrent deux autres femmes qui l'accompagnaient.

Les petits voyants lancèrent au ciel :

«Mater Christi tombaroum dan panum sirus mananha sortous.»

–C'est qu'ils disent ? demanda doucement Bernadette Grégoire à l'oreille du vicaire.

Il souffla :

–C'est une langue inconnue. Ils parlent en langue... C'est un signe du ciel qui ne trompe pas...

Bernadette se mit la main devant le visage en disant :

–Ah! mon doux Jésus !

Le vicaire demanda à Gilles :

–La vois-tu, la Vierge Marie ?

Le jeune apprenti sorcier ne répondit pas. Il faisait des yeux de poisson et ne parvenait pas à articuler un seul mot. Le vicaire reprit en s'adressant à Bernadette :

–Je pense qu'il la voit, lui aussi, la Vierge.

Elle remit sa main devant sa bouche en disant :

–Ah! mon doux Jésus!... Ah! que ça me surprendrait pas : c'est un ben bon petit gars, lui itou, vous savez...

Des prières suivirent. Les enfants se tournèrent encore vers le soleil. Les assistants firent de même et certains de ceux qui connaissaient l'histoire des miracles européens crurent que l'astre couchant dansait...

C'est ainsi que le calme univers saint-honoréen bascula en ce samedi soir, dix-sept juin 1950.

«Ça d'lair que...»

«C'est ça qui est arrivé...»

«Moi en tout cas, je l'ai vu...»

La parenté appela la parenté qui appela la parenté.

Les amis appelèrent les amis qui appelèrent les amis.

Vers Montréal et Valleyfield, le bouche à oreille gagna la course aux dépens du journal Le Soleil et autres médias qui lui emboîtèrent le pas.

Même la nouvelle d'une distribution d'argent par un milliardaire devenu fou ne se répand pas plus vite que celle d'un miracle. Et l'arthrite de la dame guérie se transforma en ondes, en particules électriques, et devint espérance au coeur de milliers d'éclopés de tout le pays canadien français qui lui, pleurait encore la mort de son grand thaumaturge André, treize ans après la disparition du petit saint homme.

Éva appela Fred aux États pour avoir des nouvelles. Mais c'était surtout pour lui donner la piqûre du merveilleux. Et elle appela Martial à Québec tant qu'à faire.

Gilles fut témoin de ces appels. On ne parla que de miracle à table. Rachel doutait fort. Ernest soutenait que ça se pouvait autant au Canada qu'à Fatima. L'enfant mangea peu. Il ne pouvait plus laisser les choses continuer. Après le repas, il courrait au cap et en rapporterait la poche avec les accessoires. Il dirait que Jean-Yves lui avait montré à tailler du miroir. Jean-Yves le confirmerait... Il ne craignait pas de se faire punir par son père. Ernest riait toujours à ses frasques.

Après le repas, il sortit et courut les pattes aux fesses sans même regarder s'il venait des véhicules sur le chemin. Une voix cependant l'arrêta, celle d'un personnage qu'il avait aperçu dans sa vision périphérique.

–Mon petit Maheux, arrête un peu, je veux te parler.

C'était Eugène Champagne qui lui dit :

–Veux-tu te faire de l'argent ?

–Ben... oui...

–Samedi prochain, il va y avoir ben du monde par icitte pour la prochaine apparition de la Sainte Vierge... Moi, là, je vas à Québec lundi, pis je vas acheter toutes sortes d'affaires, des images, des chapelets, des médailles, des scapulaires, des crucifix, des statues, pis samedi prochain, on va mettre une table sur le cap. Pis tu vas en vendre... Je vas te payer pas mal un bon prix... Ben disons que t'en vends pour dix piastres, je te donne une piastre. Si t'en vends pour cinquante, je te donne cinq...

–Dix pour cent ?

–Ah! tu sais compter ça de même.

–Je l'ai appris à la cabane ce printemps.

–Pis, qu'est-ce que t'en dis ?

–Ben... c'est correct...

–Veux-tu une rouleuse ?...

Rachel attendit qu'Eugène s'en aille pour traverser la rue. Jean-Yves, qu'elle n'avait pas vu à la grand-messe, aurait laissé la porte du magasin déverrouillée après le départ des clients, comme d'habitude et ils passeraient l'après-midi ensemble.

Elle avait revêtu sa belle robe d'été en organdi imprimé, et ses cheveux fraîchement lavés sentaient le jasmin. Moins de quinze jours maintenant avant le mois de leur mariage et, les semaines passant, elle se sentait de plus en plus éprise de lui.

C'est Ti-Noire qu'elle aperçut en entrant. La jeune femme avait les bras croisés et marchait au-devant d'elle en hochant misérablement la tête. D'emblée, Rachel comprit qu'il était arrivé quelque chose de mauvais.

–Où est Jean-Yves ?

–Ma pauvre vieille, viens dans mes bras...

Ti-Noire serra l'autre sur elle.

–Qu'est-ce qui se passe ? Où est Jean-Yves ?

–On le sait pas.

–Comment ça, on le sait pas.

–Disparu.

–Hey là, les apparitions, passe toujours, mais les disparitions subites...

–Écoute, peut-être qu'il va revenir aujourd'hui... peut-être demain, peut-être la semaine prochaine...

–Parti aux États, c'est quoi, ça ?

–Viens dans ma chambre que je t'explique...

–Parle icitte pis tusuite !

Ti-Noire parla de la psychose qui guettait tous les enfants de la famille, un mal mental qui pouvait frapper n'importe quand, et capable de faire entrer sa victime dans un univers différent dont elle ne sortirait qu'à son heure.

–Pourquoi il ne m'en a pas parlé ?

–On dit pas ça aisément. Pis quand il a commencé à sortir avec toi, il a voulu le faire, mais moi, je lui ai conseillé de ne pas le faire. C'était un risque à prendre. Peut-être qu'il aurait jamais eu de crise...

–Qui c'est qui te dit que c'est ça ? Il est peut-être allé quelque part pour une autre raison, une raison urgente...

–On sait ben que non, toi pis moi.

D'abord incrédule, Rachel ensuite pleura. Elle retourna à la maison et se confia à Éva qui commenta :

–C'est peut-être qu'il est pas marieux pis qu'il veut se défiler...

–Non, non, c'est une maladie de famille. Personne sait où c'est qu'il est rendu. Il peut revenir dans trois mois, six...

–Fais-toi pas une idée trop vite sur tout ça... Pis fais confiance au bon Dieu... On dirait qu'il a les yeux tournés sur notre paroisse de ce temps-là. Dis ton chapelet pis espère.

À la demande du curé, le dimanche même, Maria conduisit ses enfants chez le médecin pour un examen général. Le prêtre désirait connaître leur état de santé physique mais il voulait aussi un avis sur leur santé mentale. Car le bon docteur avait fait des études aussi en psychologie et psychiatrie.

Ce cas urgent obligea le docteur à remettre au lendemain une visite qu'il devait faire au petit Emmanuel dont sa mère disait qu'il allait plus mal. Mais le jour suivant était le dernier des Savoie avant leur départ pour l'ouest. Papiers ramassés, mémoire qui flanche, le fils de Marie fut oublié et il demeura sous les soins attentifs mais limités de sa mère angoissée que le souvenir de la messe noire rendait folle de culpabilité et de regrets.

Ce même lundi, Blanc ramena avec lui deux passagers de la gare. Noëlla Ferland qu'il connaissait bien et qui prit place sur la banquette avant, et un jeune voyageur de dix-huit ans pas plus, aussi timide et réservé que grand de taille.

–D'où c'est que tu viens ? lui demanda le postillon après un mille de route.

–Moi... de... de Victoriaville.

Le postillon trouva un peu étrange de voir que l'autre n'avait pas l'air de savoir d'où il venait. Un autre psychotique à la Jean-Yves Grégoire peut-être. Blanc soupira, hocha la tête et poursuivit sa conversation avec Noëlla.

–Pis où c'est que tu vas ? demanda-t-il au jeune homme un mille plus loin en passant devant l'école à Rachel.

–Moi... ben... à Saint-Honoré de... de Beauce...

–J'sais ben, mais où là...

–Ben... heu... à l'hôtel...

–Ah!

Ce fut là leur seul échange. Le jeune homme descendit devant le magasin et se rendit à l'hôtel tandis que Blanc entrait ses sacs légers. Au bureau de poste, il dit à l'aveugle qui attendait la malle comme toujours :

–Y'en a qui partent pis y'en a qui arrivent...

Après une courte pause, il reprit :

–On devrait dire que y'en a qui disparaissent pis d'autres qui apparaissent de ce temps-là. Je viens de ramener la Noëlla Ferland qui vient chercher son gars pour le ramener avec elle pour l'été pis un gars étranger qui est rendu à l'hôtel avec sa petite valise pis une raquette de tennis. Il a pas l'air à savoir d'où c'est qu'il vient pis où c'est qu'il va. Ben moi, je le sais plus que lui en tout cas...

L'aveugle transmit la nouvelle au curé une demi-heure plus tard. Le prêtre fronça les sourcils en se rappelant une phrase de la lettre de Rioux, menaçant d'envoyer le diable à Saint-Honoré ?

«Le diable se cache sous un ange de lumière.»

C'était peut-être sur le cap à Foley qu'il se trouvait de ce temps-là...

Le départ du docteur passa inaperçu tant il y avait de fébrilité dans le village. On se préparait à la quatrième apparition. On se préparait à voir d'autres miracles. Quelques-uns comme Jean-Louis Bureau pensaient aussi à autre chose comme par exemple le fait que le samedi serait la fête nationale des Canadiens français.

Le journal Le Soleil mit Saint-Honoré sur la carte du pays en parlant des apparitions, des jeunes voyants et de la possibilité d'un miracle. Nationalisme, religion, politique, tout se mélangeait intimement, et la foi servait de levain.

Car la majorité des citoyens croyaient maintenant qu'il s'était passé quelque chose d'exceptionnel sur le cap à Foley. Aux yeux du curé, la paroisse lui parut plus unie que jamais par ce mélange de notoriété, de spirituel et de crédulité. Bien entendu que les Dominique Blais, Blanc Gaboury et, dans une moindre mesure, Lucien Boucher, se moquaient des apparitions, mais si les choses devaient prendre une autre tournure, ceux-là même deviendraient pour le prêtre une carte d'atout qu'il saurait jouer.

Pour l'heure, le curé devait marcher en terrain glissant. En fait il ne marchait pas, il patinait. À ceux qui le questionnaient, il répondait par un sourire énigmatique et quelques mots :

–On suit ça de près, on suit ça de près.

Par contre, il laissait carte blanche au vicaire pour la suite immédiate des événements.

Le vicaire se partagea entre son travail au perron d'église et la construction d'une estrade équidistante du cap, du cimetière et de l'arrière de la salle paroissiale. On y amena un fil électrique. Il y aurait deux microphones. Jean-Louis Bureau agirait comme animateur de foule. Sa fiancée, Pauline, dirigerait un choeur de chant formé spécialement pour l'occasion. Le vicaire prêcherait.

Eugène Champagne revint de Québec avec dix grosses boîtes pleines. Pour cinq cents dollars au vendant d'objets pieux dernier cri y compris des statues à tête lumineuse. Plus quinze cents petites chandelles capables de brûler une heure, obtenues pour trois fois rien. Mais ce qui en ses bonheurs surpassait tous ses rêves d'argent, c'était la disparition de Jean-Yves. L'eau de Pâques avait bel et bien agi dans le sens de ses prières.

Le curé se demandait s'il ne devait pas reporter son voyage à Rome. Vu les circonstances, il avait l'impression de laisser sa paroisse aller à la dérive en la privant de son gouvernail en ces jours cruciaux pour son avenir.

Au moins fallait-il régler le cas de cet arrivant qui pensionnait à l'hôtel et qui le soir jouait au tennis avec Émilien sur la terrasse de l'église devant l'hôtel. Et toujours des petits gars autour d'eux. C'est maintenant qu'il fallait agir avant qu'il n'arrive des choses.

Le jeudi soir, il prétexta une visite chez l'organiste pour longer l'église et donc raser le terrain où l'étranger s'amusait avec les enfants du village. Il le héla et lui parla à l'écart.

–Qu'es-tu venu faire par chez nous, mon jeune ami ?

–Travailler.

–Travailler... bon... À quoi ?

–Sur... euh!... les lignes électriques.

–Qui t'a engagé ?

–Euh!... la compagnie... Shawinigan...

–Le camion, où c'est qu'il est ?

–Euh!.. ont pas pu venir encore. Le camion... euh! était brisé...

–Et tu viens d'où ?

–Victoriaville.

–Pis tu travailles pour la Shawinigan ?

–Euh!... oui...

–C'est quoi, ton nom déjà ?

–Béliveau...

–Le prénom ?

–Jean.

–Jean Béliveau, pourquoi les petits gars autour de toi le soir?

–Euh!... on joue au tennis... Euh!... eux autres, ils courent les balles... Sans ça, on peut pas jouer... Euh!... faudrait un grillage...

–Un grillage...

–C'est ça... oui...

–On verra à ça...

Et le prêtre reprit son chemin en se promettant de dire au vicaire de l'avoir à l'oeil, ce Jean Béliveau venu de Victoriaville...

Le vendredi, le curé partit pour Rome après avoir recommandé au vicaire de ne pas en faire trop dans cette histoire d'apparitions. Il ne se sentait plus un déserteur toutefois et au contraire, pensait que son départ arrivait à point nommé. Les choses évolueraient d'elles-mêmes et peut-être n'aurait-il pas à intervenir davantage dans l'affaire du cap à Foley à son retour.

Ce jour-là, le frère d'Éva arriva des États. Le pauvre homme ne se portait plus sur ses jambes et on le coucha aussitôt tandis que dans la cuisine il y eut conversation à voix basse entre les Maheux et les neveux américains. Et, à peine une heure plus tard, surprise ! Martial arriva de Québec. Il faisait pitié lui aussi. On ne l'avait pas revu après son opération. Il ressemblait à un petit vieux cassé et sa mère crut défaillir quand il lui montra cet énorme trou qu'il avait maintenant et pour toujours dans la poitrine.

Pour que la désolation soit complète dans cette maison de l'affliction, il ne manquait plus qu'une éclopée morale; Rachel après avoir fermé son école pour l'été la veille, arriva à son tour. Elle parla peu et s'enferma dans sa chambre pour pleurer. Personne n'avait entendu parler de Jean-Yves depuis sa disparition...

La Vierge Marie aurait de l'ouvrage à faire le jour suivant.

Marie Sirois veillait son fils qui agonisait. Il faudrait l'hospitaliser une autre fois. Mais à quoi bon ? Que faire contre la leucémie sinon attendre la fin ? Il ne voulait pas retourner à l'hôpital et il savait qu'il s'en irait sous peu sans espoir de revenir.

Restait un seul espoir à la mère : une intervention in extremis de la Vierge Marie. Les prières n'avaient eu aucun effet jusque là mais qui sait ce qui pourrait arriver le lendemain sur le cap à

Foley ? Il avait fallu qu'elle se résigne et demande à Fernand Rouleau de la conduire là-bas avec l'enfant. Il viendrait les prendre vers sept heures du soir donc le plus tard possible afin de ménager les quelques forces restant à Emmanuel.

Tandis que le spectre de la mort rôdait autour de la maison de Marie avec sur son dos sec une besace bourrée de désespérance, de douleur et d'effroi, un puissant souffle de vie enveloppait Rose qui était à se maquiller, assise dans sa chambre devant son miroir de commode.

Son miracle à elle, voilà qu'elle l'obtenait avant tous les autres, avant l'apparition quatrième –la décideuse en quelque sorte, celle qui montrerait qu'on avait affaire à la Vierge vraiment – que tout le Québec croyant attendait, le souffle coupé, les yeux grands. Car on avait rendez-vous avec l'extraordinaire.

Quitter son mari, subir tous ces regards, toutes ces allusions, ça n'avait pas été facile; encore moins de lutter contre sa propre chair. Mais le curé, par sa conduite injuste envers elle, avait fait sauter le verrou qui jusque là lui interdisait de se dire oui à elle-même. Par la suite, elle avait dû mener une autre lutte, celle contre l'attente et la puissance de son désir. Mais pas contre le désir lui-même qu'elle avait alimenté en semant des graines afin qu'elles germent avec le temps.

En réalité, sans en prendre conscience réellement, elle avait commencé à semer dès sa séparation. Elle tourna la tête et revit des scènes qui s'étaient passées dans cette maison. Et comme il s'en était passé depuis à peine six mois ! Le vicaire vacillant devant le corset étendu. Le forgeron matamore perdant tous ses moyens dans la salle de bains. Le professeur farfouillant dans ses désirs...

Elle avait joué à colin-maillard avec l'âme et les instincts de ces hommes, et le moment arrivait de cueillir un fruit mûr, maintenant que les circonstances étaient favorables. Le curé parti, les souris dansent.

Laurent visiblement très troublé par les parfums. Et le Roland Campeau tout autant. Rioux le scandaleux qui regardait une femme avec le même appétit qu'un adolescent. Elle revit aussi le rire hypocritement léger d'Émilien devant le spectacle Mae West qu'elle lui avait offert. Et Fernand qui avait fui comme un lapin mais qui par la suite s'était rapproché doucement le museau...

Un seul échec : le docteur. Elle l'avait fait venir pour la vieille dame. Puis avait demandé un examen du buste pour elle-même. Le cancer du sein, c'était connu. Claquemuré derrière son serment, l'homme n'avait strictement rien laissé paraître ce jour là, et par la suite, moins que rien n'avait transcendé dans son regard de pierre. Aucune brèche. Et pourtant, elle ne lui aurait pas donné l'absolution sans confession à celui-là... Oh ! que non !

Elle l'avait pour le lendemain soir, son rendez-vous secret. Et la Sainte Vierge serait sa complice sans le vouloir, car lorsque l'attention de tous se porterait sur les événements du cap à Foley, celui qu'elle avait choisi pourrait s'éclipser et venir à elle comme il l'avait promis.

Les ragots ne pourraient pas naître puisque tout le voisinage serait là-bas et ça, elle le savait déjà. Bernadette avait l'intention de conduire Solange pour obtenir qu'elle parle enfin. Les Poirier d'à côté n'avaient pas besoin d'un miracle, eux, mais ils étaient menés par une irrésistible curiosité comme beaucoup d'autres. Et le pauvre aveugle d'en face n'aurait pas manqué pareil rendez-vous avec le ciel pour même un oeil tout neuf. Marie-Anna et son mari, sans doute qu'ils suivraient la vague eux aussi...

Son regard se mouilla.

Elle s'imagina tout à coup en robe de mariée, à vingt ans, marchant pieds nus... sur un cap ensoleillé et chaud... le cap de la sensualité...

***

Chapitre 42

L'aube annonçait déjà le jour le plus éclatant de l'année sainte.

Il commença d'arriver des visiteurs dès l'heure du petit déjeuner. Les gens entraient au magasin ou à l'hôtel pour se renseigner puis ils se dirigeaient vers le cap de l'espoir.

Eugène avait obtenu l'aval de Freddy pour installer sur ses terres les tables d'objets religieux, soulignant qu'un bon pourcentage serait versé au vicaire pour la rénovation du perron de l'église.

Derrière les dix pour cent promis à Gilles Maheux, somme fort surprenante et que même Ernest questionna, se cachaient plusieurs calculs. Rachel serait impressionnée et cesserait de le prendre pour un fesse-mathieu. Et pas rien qu'elle. On saurait qu'il n'était pas ladre mais aux affaires, et le temps arrivait de le démontrer. Surtout, il offrirait à la clientèle un service qu'il baptisa le service-relique consistant à mettre en contact l'objet vendu et un des voyants; et c'est Gilles qui pouvait le mieux assurer le dit service en faisant la navette entre la table et les petits miraculés. Enfin, Gilles pourrait faire du porte à porte durant la semaine et réaliser d'autres ventes. Tout ça valait plus que dix pour cent.

Gustave procéda à l'installation des microphones vers midi. Souventes fois, il soupira en regardant au-dessus des gens qui affluaient. C'est que de l'estrade, il pouvait voir l'arrière de la maison Jolicoeur et espérait que Rose en sorte pour étendre du linge ou simplement prendre de l'air frais, de l'air sûrement sanctifié puisqu'on se trouvait si près du sapin sacré. Ah! il le lui demanderait à la Vierge Marie ce soir-là de lui ramener sa compagne. Comment la mère de Dieu pourrait-elle repousser une requête aussi juste et méritoire ?

–De voir arriver le monde de même, j'pense que ça va être ben difficile d'approcher si on y va rien qu'après souper, dit Éva qui regardait par la fenêtre, le front soucieux.

Philippe, son neveu américain à tête de Saint-Exupéry, sourit légèrement et sortit son portefeuille. Il dit avec un accent moins prononcé que malicieux :

–Craignez rien, ma tante, avec ça, on va se rendre jusqu'aux enfants miraculés.

Devant cet argument incontournable, la marchande s'en voulut de son peu de foi. Elle pensa qu'on ferait suivre Martial dans le sillage de Fred qui ouvrirait la voie grâce aux voix fortes de son cancer terminal, de son statut d'Américain, de ses fils et de leur moyens financiers.

–Tu pourras toujours pas donner dix piastres à tout un chacun, argua Ernest grâce à son esprit pragmatique et pessimiste.

–J'agirai auprès des meneurs... Ceux de l'estrade... Le vicaire, la personne au microphone, l'autorité quoi...

–Ah! t'as ben raison, c'est comme ça que j'me suis pris pour avoir du sang pour Martial...

Rose, qui n'aimait guère croiser Blanc Gaboury, préférait se rendre au bureau de poste le samedi matin. Mais si le magasin était ouvert, le bureau était fermé. On était le vingt-quatre juin, fête nationale. Mais elle s'attarda à jaser avec Bernadette et Ti-Noire. Il fut question de Jean-Yves et surtout du chagrin de Rachel. Des étrangers entraient et repartaient avec les indications de Freddy quant à l'endroit des apparitions. À personne, il ne disait que le cap lui appartenait, même s'il savait d'avance tous les dommages que le terrain subirait. Vint Noëlla Ferland et une longue conversation eut lieu entre elle et Rose. Les deux femmes se sentaient proches l'une de l'autre de par leur statut de séparées.

D'autres personnages connus entrèrent pour acheter des marchandises ou simplement se mêler au va-et-vient. Fernand Rouleau se montra surpris de rencontrer Noëlla qu'il n'avait pas vue depuis des années. Quand il repartit, Noëlla dit à Rose :

–Il était crasse quand il était jeune, celui-là.

–Il l'est encore, dit Rose avec une lueur singulière au fond du regard.

Puis entra un grand fanal. Ti-Noire murmura sur le ton de la confidence :

–En avoir un beau grand de même, moi, je courrais pas après les miracles. S'appelle Jean Béliveau pis il travaille pour la Shawinigan sur les lignes électriques.

Bernadette s'esclaffa. Et elle ne se gêna pas pour regarder l'arrivant qui hésitait entre les deux directions, celle du comptoir des dames et l'autre de la marchandise sèche. Les deux séparées lui jetèrent un coup d'oeil plus bref qu'elles ne l'auraient fait si elles avaient été mariées. Mais l'image une fois captée, elles la détaillaient par l'imagination, et il leur arrivait même parfois de la déshabiller un peu aussi. Émilien arriva en coup de vent à sa suite et se chargea d'instruire le jeune homme sur ce qu'il était venu chercher.

On ne vit pas arriver un petit jeune homme à fine moustache surtout qu'il était plus court que les balais d'un étal cachant à demi la porte d'entrée. Bientôt, la voix de Jean-Louis surprit les dames :

–Bonjour à vous toutes ! C'est aujourd'hui le grand jour... Le ciel a rendez-vous avec la patrie à Saint-Honoré-de-Shenley. C'est les gens de Saint-Éphrem qui vont être jaloux. On va-t-il vous voir sur le cap à Foley à soir ?

–Certain! dirent aussitôt en choeur Bernadette et Ti-Noire.

–Moi, j'sais pas trop, dit Rose. Fatiguée de ce temps-là. Je vas regarder ça de loin, d'en haut de la maison...

Le jeune homme regarda Noëlla qui répondit :

–Oui, je vas emmener ma mère qui file pas trop ben comme c'est là.

–Ah! on sait jamais qui c'est qui va obtenir une faveur, on sait jamais. Un jour, ça sera notre tour...

Excité, énervé, il tourna les talons et chercha d'autres gens à embrigader. Bien sûr qu'il guiderait la foule et l'informerait ce soir-là, mais il lui parlerait aussi d'un grand projet de société pour le Canada français sans oublier un bon mot pour les libéraux de Louis Saint-Laurent, ce catholique francophone qui dirigeait tout le pays jusqu'au pôle Nord...

–Tiens, le bras coupé qui arrive, dit Ti-Noire qui faisait allusion au taxi Roy.

Il était suivi d'un homme de trente ans au crâne dégarni. Bernadette mit sa main devant sa bouche pour dire :

–Ah! mon doux Jésus, c'est le mesureur de bois de Rimouski qui s'est fait sacrer dehors par monsieur le Curé...

Rose sourit légèrement. Ti-Noire dit :

–Il veut peut-être demander à la Sainte Vierge quelque chose de spécial...

L'attention fut vite détournée sur un autre visiteur. Une tête connue mais venue d'ailleurs. En fait, un corps connu puisque l'homme était bossu et que son nom comportait le mot. Bernadette l'aperçut par la vitrine, qui descendait péniblement de son selké.

–Quen, le bossu Couët qui arrive ! Un homme ben pieux, ça. Il vient demander une place d'étable pour son cheval... Hormis qu'il vienne maquignonner, mais ça me surprendrait. Pas aujourd'hui par icitte, l'heure est trop grave...

–Même s'il est pas grand, peut-être que la Sainte Vierge va le remarquer, dit Ti-Noire.

–Le bon Dieu aime les humbles d'abord...

Plus tard, vint Victor Drouin. Il entra, rajusta ses lunettes et se rendit à Freddy qui se dépêchait de servir les clients du mieux qu'il pouvait et pestait intérieurement contre les femmes qui perdaient leur temps à l'autre comptoir.

–Parlant de cheval, paraît que celui-là, il est organisé comme le cheval à bossu Couët, dit Bernadette en s'esclaffant.

Rose fit une moue joyeuse à l'endroit de Noëlla.

On entendit l'homme qui disait à Freddy :

–Y'a du remue-ménage dans le village.

–Ouais...

–Ton gars, il est pas réapparu encore...

–Non, pis j'veux pas que tu m'en parles, Victor...

Cela mit un terme à la conversation entre les femmes. Bernadette et Ti-Noire se donnèrent des excuses et les deux autres sortirent.

Personne n'en revenait. D'aucuns parlaient de dix mille personnes au moins. Pas un espace du coeur du village et de la rue principale jusque sur les grandes lignes n'était libre. Partout, des autos, des autobus, des camions. Les petites rues étaient aussi encombrées et des champs non clôturés.

–Autant de monde, c'est déjà un miracle, dit le vicaire à Jean-Louis sur l'estrade. Monsieur le curé serait surpris et content.

Sans que personne n'ait eu besoin d'intervenir, les gens laissaient les éclopés traverser leurs lignes et s'approcher du lieu des apparitions qu'on avait désigné par une croix blanche suspendue au sapin sacré. C'est Gustave qui s'était rendu l'y mettre à la demande du vicaire. Et l'homme avait été aidé dans l'entreprise en trouvant dans le tronc de l'arbre un trou qui avait servi à recevoir un gros clou de six pouces lequel permettait d'accrocher la croix. Le bedeau avait attribué l'existence de ce trou à la chance sans se poser de questions, et il l'avait oublié sitôt parti.

Sur la plupart des visages, on pouvait lire une sorte de frénésie religieuse mêlée à la grâce divine. Seuls Dominique et Blanc semblaient éviter tout à fait la contagion et, peut-être pour cette raison, se tenaient ensemble près du cimetière, à quelques pieds d'un ange de granit dont les séparait la clôture. Avec eux, il y avait François Bélanger qui ne se mêlait guère à leur conversation. Blanc ne le comprenait pas et puis François se sentait agité, nerveux à l'idée que la Vierge pourrait faire fondre les plis de son visage ou du moins les faire diminuer afin qu'il soit regardable et puisse coucher avec une vraie femme dans une chambre éclairée, pas avec une prostituée à la grande noirceur.

Lucien Boucher s'amena et entra dans l'échange qu'il ne tarda pas à diriger vers son obsession séparatiste. Loin de se faire contredire, il reçut approbation et encouragement. Et pourtant, aucun des trois autres n'avait la moindre opinion arrêtée sur le sujet; on approuvait parce qu'on savait que Lucien aimait beaucoup les gens convertis à sa cause. Ils tisonnaient son zèle référendaire...

Le choeur de chant prenait place sur l'estrade. Il leur faudrait s'exécuter a cappella, mais c'était la façon que Pauline préférait pour elle-même et pour les autres.

Chez elle, Marie se rongeait les sangs. Son fils déclinait à vue d'oeil et Fernand ne se présentait pas pour les conduire au lieu des apparitions. Il passait sept heures maintenant...

Maria Lessard achevait de préparer consciencieusement ses enfants. Yvon porterait des culottes courtes pâles et un veston foncé. Elle finissait de lui couper les cheveux. Quant à Nicole, elle avait mis sa robe rose picolée gaufrée et, en attendant que son frère soit prêt, elle récitait son chapelet tandis que des gens passaient devant la maison en s'étirant le cou dans l'espoir d'entrevoir les petits saints. Quelques minutes passèrent puis Laurent Bilodeau et Roland Campeau se présentèrent à la maison Lessard. Ils seraient l'escorte des enfants jusqu'à leur retour. Cela permettrait à la mère de se tenir à l'écart afin que personne ne l'accuse de manipuler les petits. Les deux jeunes gens se parlaient plus de hockey que de miracle, plus de la disparition de Jean-Yves que de l'apparition de la Vierge. C'est que le départ du jeune homme débalancerait l'équipe; par contre on déplorait le fait qu'il ne combinait pas assez sur la glace, ce qui empêchait bien des buts de se compter.

C'est vers huit heures qu'on attendait la visite de la Vierge; il fallait donc se rendre au sapin sacré sans tarder.

Secondée par son fils Jean d'Arc, Noëlla conduisit sa mère au cap à Foley. Ils durent marcher en plein milieu de la rue des cadenas, les deux côtés étant remplis de véhicules stationnés pare-chocs à pare-chocs. Ensuite, ils progressèrent sur le chemin du presbytère. L'adolescent demanda la permission de les quitter.

–Pas besoin de moé ? Je vas aller avec mes amis de l'école.

–Vas-y, dit sa grand-mère. J'sus pas encore en chaise roulante même si j'ai ben des cors aux pieds...

Il fourcha devant le presbytère puis finit par se rendre à la salle paroissiale en tricotant parmi les voitures, et là, contourna la bâtisse et entra dans le champ à Freddy. Soudain, il s'arrêta et son visage se transforma. Il venait d'apercevoir Gilles et Eugène à leur table de travail. Il s'approcha et se fit dire par le garçon :

–Un catholique comme toé, Jean d'Arc, as-tu ton scapulaire au moins ?

Jean d'Arc mit sa main dans son chandail à barres jaunes et noires et il en sortit un morceau de guenille attaché par une corde à son cou. Eugène lui dit :

–Un chapelet.

L'autre montra celui qu'il avait dans sa poche.

–Une image de Notre-Dame-du-Perpétuel-Secours.

–Combien ?

–Attends... soixante cents.

–O.K. ! Je la prends.

–Veux-tu le service relique ?

Eugène expliqua, mais Jean d'Arc déclina son offre. Il toucherait lui-même aux enfants miraculés. Et là, il fit une suggestion mercantile mais sur un ton candide exprimant sa naïveté. À Montréal, il avait vu un gars de Saint-Honoré que sa mère connaissait, Baptiste Nadeau, qui mendiait au coin de Saint-Laurent, Sainte-Catherine avec un bras en écharpe. Parfois, c'était en béquille, d'autres avec des lunettes d'aveugle. Il avait confié à Noëlla que le métier était plus profitable sous les apparences de l'infirmité.

Eugène trouva l'idée brillante et se dit que dès la semaine prochaine, si les apparitions se poursuivaient, il demanderait à son jeune engagé de se mettre aussi le bras en écharpe...

Là où se trouve l'argent, pousse aisément la corruption, depuis le millionnaire jusqu'au miséreux...

Jean-Louis souffla dans le micro, sonda la foule du regard, dit avec le plus d'éloquence qu'il put fabriquer :

–Un, deux, trois... oune, docé, trino...

Il obtint pas mal de rires. Se tournant vers Pauline, il déclara :

–Moi itou, je parle en langues...

L'oeil aiguisé comme un couteau à Boutin-la-viande, le vicaire surveillait le champ derrière le cimetière. Le feuillage l'empêchait de distinguer la maison des Lessard, et il s'attendait à voir les enfants venir d'une minute à l'autre avec l'escorte qu'il leur avait envoyée.

Emmanuel commença à tousser faiblement. Marie le prit dans ses bras. Il ouvrit les yeux, les referma. La mort dans l'âme, elle courut au téléphone pour appeler le docteur. Au moment de tourner la manivelle, elle se souvint qu'il n'y avait plus de docteur à Saint-Honoré. Elle retourna donc auprès de l'enfant. À quoi ça servirait un docteur tandis que la seule lueur d'espoir qui restait encore au fond du terrible tunnel, c'était une intervention divine... Qu'attendait Fernand pour arriver ? Elle courut à nouveau au téléphone et, cette fois, signala. Le central téléphonique ne répondit pas. Il passait sept heures, on était samedi soir, on était fête nationale, on était soir d'apparition miraculeuse. Elle recommença, recommença. En vain. Alors elle dépêcha Cécile chez les Rouleau pour voir ce qui se passait... Toute la journée jusqu'à sept heures, des autos avaient circulé sur la route en direction du village mais maintenant, plus une seule ne passait. À croire que tout le pays serait là pour invoquer la Vierge mais que la personne au monde qui en avait le plus besoin et se trouvait à deux milles seulement, ne pourrait pas y conduire son fils mourant !

Fred et Martial étaient au premier rang avec les Américains. On entendit Jean-Louis déclarer que les voyants venaient. Éva et Ernest accompagnaient les deux malades, de même que plusieurs membres de la famille depuis le petit dernier dont les immenses yeux noirs buvaient toutes les images incroyables que les environs lui servaient, jusqu'à Rachel qui cachait ses yeux ravagés sous des lunettes noires, en passant par Suzanne qui priait pour tout le monde sauf pour elle-même. Ernest souhaitait que Fred et Martial soient touchés par une quelconque bénédiction du ciel mais il pensait aussi à ses cheveux qui achevaient de tomber et qu'il devait maintenant remplacer par une galette de poils infiniment honteuse à porter.

Éva songeait aux absents. Ti-Paul disparu volontairement. Jean-

Yves disparu subitement. Elle demanderait à la vierge qu'ils réapparaissent tous les deux. Demanderait aussi que le curé revienne sain et sauf de Terre Sainte pour bénir officiellement le cap à Foley. Et dirait à la reine des cieux un bon mot pour Suzanne que la vie n'avait pas gâtée.

Solange accrochée à son bras, Bernadette ouvrit une petite barrière et entra dans le clos de pacage. Erreur! Ce n'était pas marchable dans cette terre noire pigrassée par les vaches. Mais surtout, cinquante pas plus loin, une importante objection à leur présence dans ce lieu leur meugla dans le dos. Elles se tournèrent juste à temps pour voir un jeune taureau foncer sur elles. Bernadette figea sur place, mais Solange leva le bras et lança de toute sa voix :

–Tan tan tan tan tan tan...

La bête s'arrêta, gratta le sol mais ne bougea plus. Les deux femmes purent reprendre leur marche et Bernadette, quand elle put raplomber ses idées, pensa que la Vierge avait inspiré Solange, et que si elle avait fait ça, elle pourrait faire beaucoup mieux pour la pauvre muette.

Émilien et Rioux plantèrent Jean Béliveau au milieu de la foule et ils s'en allèrent au fond du bocage de l'autre côté du cap... Ils s'assirent sur la roche plate sous laquelle se trouvait la poche de jute et les accessoires...

Le grand Jean, qui affirmait qu'à Victoriaville on le surnommait le gros Bill, chercha autour de lui des têtes sympathiques. Il aperçut un homme qu'il avait vu deux ou trois fois à l'hôtel devant une grosse bière, et l'aborda. C'était le professeur Beaudoin.

Mais ils ne purent se parler longtemps. Le vicaire, qui passa en trombe, les frôla. Jean-Louis s'adressa à la foule et il y eut un mouvement vers le lieu sacré que beaucoup de gens dans la descente du cap ne pouvaient pas voir.

–Mes bons amis, en ce jour de la fête nationale des Canadiens français, se peut-il que le ciel nous ait donné rendez-vous ici à Saint-Honoré ce soir ? Certains disent les jours de votation que le ciel est bleu et que l'enfer est rouge. Eh bien, regardez vers l'ouest et vous verrez que ce soir en tout cas, le ciel est d'un beau rouge comme c'est pas possible...

Cécile revint à la maison bredouille. Personne chez Rouleau.

–Va voir chez les Quirion, vite...

À la table d'Eugène, c'était la cohue. On s'arrachait les bougies afin de se doter du sacré de la flamme. Un rituel sans elle risque de ne pas attirer le regard du ciel, regard lui-même embrasé. Et Jean-Louis en faisait la publicité de temps en temps. Eugène était ému aux larmes... Et Gilles se préparait pour courir auprès des enfants afin de leur faire toucher des douzaines de médailles et autant de petits crucifix en sureau.

Ils furent là enfin, sur la plaque herbeuse près des empreintes dans le cap, à genoux, les yeux rivés sur la croix blanche suspendue au sapin sacré. Le vicaire se tint derrière les petites vedettes du jour et leur imposa les mains, une au-dessus de la tête de chacun, mais sans les toucher pour éviter de les décoiffer.

Et il y avait tout autour, un immense cercle de gens infirmes, malades physiquement ou mentalement, d'aucuns moralement comme Rachel Maheux, venus de partout, et parmi eux des journalistes et des photographes.

Sur l'estrade, Pauline lança le choeur dans le chant «J'irai la voir un jour.» et sa voix s'élança vers le ciel quand elle reprit seule «Au ciel, au ciel, au ciel...» Jean-Louis la regardait, l'âme remplie de fierté.

Un peuple a besoin de héros et les plus grands d'entre eux sont toujours ceux qui se tiennent le plus près de Dieu et de la patrie ou bien, comme les nouvelles stars, ceux-là via lesquels on croit accéder à l'absolu sans savoir que par-delà les auréoles on ne retrouve toujours que l'absurdité. Quand le chant se termina, Pauline avait le front haut et la larme à l'oeil.

Soudain, ceux qui se trouvaient à portée de voix des enfants les entendirent entamer une prière en une langue inconnue : «Mater Christi tombaroum dan panum sirus mananha sortous.»

–On ferait mieux de se séparer pour à soir, dit Rioux à Émilien qui allait lui-même le proposer.

Et chacun prit son propre chemin en direction opposée sur les étroits sentiers à vaches du bocage noir.

À l'hôtel, Jeannine travaillait au restaurant. Laurent étant occupé, ils ne se verraient donc pas ce soir-là. Et Monique veillait
au reste de l'établissement.

Dans le bar à tuer, à une banquette, un homme dormait. Il
avait bu de la bière tout l'après-midi pour, disait-il, souligner la
fête nationale en vrai Canadien français. Et vers cinq heures il
avait perdu la carte. En cette soirée inoubliable pour tant de gens
de la paroisse et d'ailleurs, Fernand Rouleau, lui, ronflait.

Cécile se rendit chez les Quirion puis, à la course, chez d'autres
voisins. Tous étaient au cap à Foley ou ailleurs, en tout cas introuvables. Elle revint à la maison.

–Elle est là, elle est là, elle est là, elle est là, dirent en choeur
les petits voyants.

La miraculée de la semaine précédente, qui avait retrouvé son
arthrite et sa canne ces derniers jours, fut saisie d'une nouvelle
vigueur. Et un second miracle la redressa sur ses jambes et la
replanta droite sur sa colonne. Le visage en larmes, Fred dit à ses
fils et à Éva qu'une lumière intérieure venait l'habiter. Parmi les
humbles, ceux qui se résignent à bon marché, il y avait, genoux à
terre, Anna, Elmire et Jos Page que les Dulac avaient rejoints quelques minutes avant l'apparition. Ceux-là ne se croyaient pas assez
méritants pour demander quelque faveur que ce soit et ils priaient
simplement pour prier tout comme Suzanne et comme Solange.

Depuis l'estrade élevée, Jean-Louis vibrait devant la magnifi-
cence du spectacle. Le déclin du soleil. Les faîtes du bocage se
dessinant en dents de scie sur le fond pourpre de l'horizon mouillé.
Et surtout ce peuple là, en bas... Naïve, sa foi, mais si belle et si
utile !

Émilien marcha vers le point le plus élevé du cap. De là, il
put voir à travers les branches ce qui se passait. Il ignorait que
des yeux bizarres entre deux épinettes épiaient sa propre ombre
chinoise...

Parmi la foule, le professeur consulta sa montre puis il regarda à gauche et à droite et il se déplaça furtivement en s'éloignant pas à pas.

L'aveugle et sa femme, accrochés par le bras l'un à l'autre, tête recourbée, priaient fort à quelques pas seulement du bossu Couët et du quêteux Labonté de Saint-Éphrem, tous deux venus avec l'espoir de la faveur d'une vie moins dure et surtout d'un meilleur accueil dans certaines maisons...

Tout en récitant le chapelet avec ardeur, le vicaire tournait la tête vers les gens à la recherche d'un phénomène extraordinaire. Une femme dans la cinquantaine tendait ses bras squelettiques vers le sapin sacré et elle ne cessait de répéter en gémissant :

–J'sus guérie, j'sais que j'su guérie... Regardez-moé, j'sus guérie comme il faut.

–Elle est là, elle est là, elle est là... chantonna Nicole.

Ernest dit mentalement :

–C'est pas grand-chose pour vous autres en haut de faire repousser des cheveux, mais pour moé, c'est ben important...

Pas loin, Ti-Noire ferma les yeux. Elle avait plusieurs requêtes à mettre aux pieds de la vierge et pourtant, elle avait toujours du mal à croire qu'il pouvait se produire une apparition invisible pour elle et pour la foule. Autant pas prendre de chance et elle pria pour le retour de Jean-Yves, pour l'équilibre mental de sa mère, pour l'entrée de Solange dans un monde plus raisonnable, pour un certain soulagement de cette pauvre Rachel, et tant qu'à faire, elle mit la cause de Fred dans le même panier. Quand elle rouvrit les yeux, Philippe, jeune homme américain la regarda avec beaucoup d'intérêt et il esquissa un sourire qui la troubla...

Au pied de l'estrade, Lorraine Bureau et Claudia Bilodeau se parlaient à voix retenue. Des propos sur la pointe de la vague :

–J'aurais pas cru que ça se passe un jour par icitte.

–Dieu est partout. C'est le catéchisme qui l'enseigne.

Plus loin, derrière deux infirmes pitoyables, Lucienne Drouin se tenait le ventre en demandant à la Vierge :

–Pourvu qu'il ressemble pas trop à son vrai père !

Il avait été entendu que durant l'apparition de la Vierge, le choeur de chant et Jean-Louis se tairaient. L'embargo serait levé par un signe du vicaire que le maître de cérémonie guettait en l'espérant.

–Elle est là, elle est là, elle est là, redirent les enfants une dernière fois.

–Demandez-lui ce qu'elle veut, dit le vicaire tout excité. Une niche, une chapelle ou si elle aime mieux qu'on finisse de réparer le perron de l'église avant ?

–Mais les voyants n'entendirent pas sa requête; ils étaient en transe euphorique.

De tous les mendiants de faveurs, Clodomir et Toinette furent les plus astucieux. Dans la semaine, le soir, ils mirent tous leurs enfants d'âge scolaire à l'ouvrage à table avec chacun un crayon pour coucher par écrit les faveurs demandées, et les parents firent de même. Le matin, le père s'était rendu au village avec son bazou et, en toute discrétion, il était allé déposer une enveloppe sous une pierre sur le cap à Foley au pied du sapin sacré. Et voilà qu'il se trouvait là avec sa femme et sa trâlée d'enfants, à pousser sur les demandes écrites par des prières ferventes.

Les petits Lessard se mirent debout et se retournèrent. Ils sourirent grand car Gilles était là avec sa boîte d'objets qu'il leur demanda de toucher un à un. Ensuite, des infirmes et des malades voulurent s'approcher pour les toucher aussi, pour obtenir guérison de leurs moignons, de leurs trognons et de leurs oignons, mais le prêtre lança en même temps qu'il faisait signe à Jean-Louis de recommencer à guider la foule :

–Assez ! Les petits voyants doivent se reposer maintenant.

Un jeune homme audacieux s'approcha quand même et dit de sa voix cassée en même temps qu'il sortait ses cigarettes :

–Suis journaliste... J'aime ça, ce qui se passe ici... De voir tout un peuple comme ça qui, dans une même impulsion, hulule un cri du coeur et de la foi, ben ça me dit que le jour est peut-être pas ben loin où c'est que ce peuple-là va s'unir aussi pour moissonner pis pour minoter...

Jean-Louis demanda aux gens d'allumer leurs bougies puis il fit signe à Pauline de lancer *La Marseillaise*, ce chant patriotique rappelant aux gens leurs vieilles origines.

Martial eut un demi-sourire pour la première fois depuis qu'il était arrivé sur le cap demander à la Vierge quelques années encore. Il venait d'apercevoir le journaliste qui allumait son briquet. Il crut que c'était pour une bougie mais c'était pour sa cigarette. Il se pencha vers Rachel en disant :

–Tu trouves pas qu'il ressemble à Charles Aznavour ?

Mais elle était trop entière à sa douleur pour exprimer une opinion ni même regarder de ce côté.

Le visage d'Emmanuel bleuit. Deux fillettes agitaient des cahiers pour ventiler le lit. Marie continua de serrer la main inerte de l'enfant.

Au même moment, dans le bar à tuer de l'hôtel, Fernand reprit ses esprits. Il regarda sa montre, sourit et se rendit aux toilettes avec intention de partir après s'être soulagé.

Laurent Bilodeau confia les enfants aux soins suffisants de Roland et il se perdit dans la foule. Roland reconduisit les enfants à leur mère et il disparut à son tour.

Le vicaire regarda les ultimes rayons du soleil puis les petits voyants qui partaient puis le sapin et sa croix blanche. Il se pencha sur les empreintes dans le roc et sourit. Alors il lui sembla qu'on l'observait. Il se releva et jeta un coup d'oeil sur le bocage sans voir les yeux d'Émilien ni ceux, étranges, plus loin dans la noirceur.

Ernest aborda le prêtre et lui parla à l'écart pendant quelques secondes. Il retourna à sa famille et annonça qu'il resterait un bout de temps pour aider...

Émule de Démosthène, Jean-Louis eut une envolée de paroles qui passèrent au-dessus des têtes à tire-d'aile :

–Qu'il se soit passé des petites ou grandes choses ici ce soir n'a pas d'importance. Ce qui signifie quelque chose, c'est ce que chacun est venu y chercher et ce que chacun y a trouvé. Quand vous serez réunis, je serai au milieu de vous, a dit le Seigneur. Eh bien, il a dû voir cette extraordinaire réunion qui montre que chez nous, on est recevants, même si dix mille personnes nous visitent en un seul jour. Mesdames, messieurs, le cap à Foley pourrait devenir un lieu aussi sacré que la grotte Massabielle ou le sanctuaire de Fatima. C'est par l'hymne national que nous allons maintenant terminer cette soirée et j'invite Pauline et ses choeurs à entonner le *Ô Canada...*

Alors que brûlaient des centaines de bougies et que la flamme divine éclatait dans les yeux de milliers et milliers de croyants, le fils de Marie Sirois, lui, s'éteignait. Et sa mère n'avait pas pu tenir la promesse qu'elle lui avait faite plusieurs jours plus tôt de l'emmener lui aussi sur le cap à Foley le soir du 24 juin.

Pauvreté n'est pas vice, mais misère isole !

***

Chapitre 43

Et tandis que la foule nocturne continuait à grouiller, qu'elle se dispersait et s'écoulait doucement, comme emportée par les courants d'une rivière de lumignons, Rose Martin se glissait, nue, sous un drap odorant qu'elle ne pouvait apercevoir dans la nuit profonde de sa chambre silencieuse.

Un souffle chaud rencontra le sien. Sa main gauche toucha involontairement à une hanche le corps de l'homme couché dans son lit. Elle qui possédait l'art de l'amour savait que ce sont les moindres effets de la spontanéité et de l'inattendu qui attisent le mieux les feux de la passion charnelle.

La femme eut un moment d'hésitation...

Elle se sentait observée par les gros yeux d'une société frileuse et scrupuleuse. Pas grand-monde dans cette paroisse et bien d'autres jusqu'en l'an 2000 ne serait capable de comprendre sa conduite même si le partenaire choisi était venu de son plein gré.

Cet acte pour elle, c'était une victoire de la vie sur la mort, question d'oublier qu'au bout du compte, c'est la mort qui aurait le triomphe final et entier.

La main de l'homme toucha la sienne et toutes les réserves de la raison féminine disparurent avec un brillant éclairage qui balaya son âme comme la lumière salvatrice d'un phare qui rassure tout à fait le capitaine d'un bateau. Cette dernière pensée en dehors de la passion mais lui donnant feu vert fut :

«Le Créateur ne peut demander à sa créature de maltraiter sa propre nature, et il est tout aussi naturel d'aimer que de boire et de manger pour survivre... Et que le diable emporte le curé et ses sermons ! »

Son amant et elle-même préféraient le noir total pour se laisser aller entièrement à leurs sens. Pour chacun, c'était l'embarras pudique. Mais cette façon de faire décuplait le désir en débridant l'imagination et ses mille fantaisies.

Peut-être qu'elle avait dépassé les bornes avec toutes ces odeurs dans les draps et sur elle-même, mais on n'était pas dans un salon et cet excès ouvrait la porte sur un enfer érotique.

–C'est qu'on fait ? souffla la voix masculine sur un ton pointu situé juste derrière le rire nerveux.

–Donne-moi ta main...

Leurs mains se cherchèrent un court instant qui permit à celle de Rose de croiser fortuitement le sexe masculin terriblement érigé. Il réagit fortement comme si toute sa chair avait été saisie d'un coup. Mais il ne fallait pas brûler les étapes et elle guida la main de l'amant vers sa poitrine.

Il se déchaîna aussitôt.

–Pas si fort, là !

Il se calma trop.

–Ben un peu plus tout de même !

Il s'ajusta.

–C'est ça, entre les deux...

Elle se laissa caresser un moment puis l'enlaça.

–Un bon gros bec, ça se prendrait...

Les bouches se rencontrèrent, mais l'homme montra trop de voracité.

–Attention, pas une mordée, un bec là...

Il était aussi malhabile que Gus l'avait toujours été, mais au moins il apprenait vite, lui, et ne tardait pas à répondre à ses désirs particuliers à elle. Il se montra plus langoureux. Peu à peu, sans même en prendre conscience, elle écarta les jambes. Elle prit sa main obéissante et mit son doigt sur le point le plus sensible de sa chair.

–Frotte-moi, frotte-moi...

Il se montra docile comme un chien intelligent.

Elle continua de se retenir de le toucher. Sûr qu'il avait fait l'amour avec elle par avance avec son imagination, et il fallait éviter de lui donner un signal qui la rejette, elle et la cohorte de ses émotions et sensations, au fond du ravin, parce que l'homme irait trop rapidement... comme ce Gus énervé quand il était encore capable...

–Un peu plus fort, demanda-t-elle après quelques instants. Un peu plus fort.

–Un peu plus vite, dit-elle un peu plus tard alors que son sexe mouillait en abondance maintenant.

Quand elle fut inondée, noyée par le bonheur, brusquement, elle le saisit et il lui parut que la tige était plus solide qu'un érable; mais elle saurait la prendre, elle voulait la prendre en elle.

C'était le signal que l'homme fébrile et tremblant attendait. Comme s'il avait fait l'amour des milliers de fois déjà avec cette femme, il se hissa sur elle et trouva aussitôt la position parfaite pour que les corps se rencontrent à fond dans une fougue qui n'exclurait pas le confort et le plaisir total.

Elle ne pouvait plus désormais provoquer le désir sans l'exacerber; les rôles s'inversèrent et c'est le désir qui véhicula toute sa chair vers le sommet. Elle dirigea son amant en elle en répétant trois fois dans un souffle si puissant et chaud qu'à l'homme, il parut venir directement de son vagin volcan :

–Envoye, envoye, envoye...

Il plongea sans aucune retenue comme ils le voulaient tous les deux. La cheminée mouillée l'avala tout entier. Alors ils traversèrent le miroir de la réalité, comme peu de couples parviennent à le faire dans leur vie, encore que très rarement.

C'était comme si son corps de femme se transformait en énergie pure, brillante; et quoi que fasse l'amant et quel que soit son rythme, elle n'était plus dépendante de lui pour voyager dans un univers immatériel où le temps n'existe plus.

Quand elle en émergea comme d'un songe ineffable, l'homme sur elle était encore agité toutes les deux ou trois secondes d'un soubresaut semblable aux secousses sismiques de plus faible intensité consécutives à un énorme tremblement de terre.

Elle s'imagina avoir été la mer, lui un continent...

suite dans
Le coeur de Rose

pour renseignements sur la disponibilité des ouvrages de l'auteur, voir

www.andremathieu.com